Y0-BSL-615

БИБЛИОТЕКА
«ЛЮБИТЕЛЯМ РОССИЙСКОЙ СЛОВЕСНОСТИ»

ИЗ ЛИТЕРАТУРНОГО НАСЛЕДИЯ

ИЗ ЛИТЕРАТУРНОГО НАСЛЕДИЯ

П. Я.
ЧААДАЕВ

СТАТЬИ И ПИСЬМА

Москва
«Современник»
1989

ББК 87.3
Ч-12

Составление, вступительная статья и комментарии
Б. Н. Тарасова

Чаадаев П. Я.

Ч-12 Статьи и письма /Сост., вступ. статья и коммент. Б. Н. Тарасова.— 2-е изд., доп.— М.: Современник, 1989.—623 с.: портр.—(Б-ка «Любителям российской словесности». Из литературного наследия).
ISBN 5-270-00694-4

Первое издание этой книги получило большой резонанс в читательской среде и быстро стало библиографической редкостью. Настоящее — значительно дополнено, включает в себя новые, не публиковавшиеся ранее, работы и материалы из эпистолярного наследия Чаадаева. Среди них статьи «О польском вопросе», «Письмо из Ардатова в Париж», «1851», письма к И. В. Киреевскому, П. А. Вяземскому, С. Д. Полторацкому, М. Я. Чаадаеву, А. Сиркуру и другие материалы. В примечаниях широко представлены самые важные послания корреспондентов Чаадаева (Шеллинга, Пушкина, Тютчева), а также неизвестные архивные данные, уточняющие и углубляющие наши представления о значении его творчества в русской культуре и литературе. Объем новых текстов содержит 10 а. л., часть из которых переведена с французского языка составителем книги.

Ч $\frac{4603010101-238}{М106(03)-89}$ КБ—11—23—88 ББК87.3

ISBN 5-270-00694-4

П. Я. ЧААДАЕВ И РУССКАЯ ЛИТЕРАТУРА ПЕРВОЙ ПОЛОВИНЫ XIX ВЕКА

Без имени оригинального русского мыслителя Петра Яковлевича Чаадаева нельзя оценить своеобразие развития национального самосознания первой половины XIX века, трудно понять особенности русской культуры этой эпохи. Он оказал определенное влияние на развитие философии, публицистики и литературы. Чаадаев одним из первых остро и самобытно поставил вопрос об особенностях исторического развития России и Западной Европы в их взаимосоотнесенности и способствовал образованию славянофильского и западнического направлений в русской общественно-литературной мысли. В основе такой постановки лежали высокие жизнетворческие побуждения взыскующей совершенства личности, что отмечалось многими выдающимися современниками самых разных, порою противоположных, идейных течений.

«Почти все мы знали Чаадаева,— говорил Хомяков после его кончины,— многие его любили, и, может быть, никому не был он так дорог, как тем, которые считались его противниками. Просвещенный ум, художественное чувство, благородное сердце,— таковы те качества, которые всех к нему привлекали; но в такое время, когда, по-видимому, мысль погружалась в тяжкий и невольный сон, он особенно был дорог тем, что и сам бодрствовал и других побуждал,— тем, что в сгущающемся сумраке того времени он не давал потухать лампаде и играл в ту игру, которая известна под именем: «жив курилка». Есть эпохи, в которые такая игра уже большая заслуга. Еще более дорог он был друзьям своим какою-то постоянною печалью, которою сопровождалась бодрость его живого ума... Чем же объяснить его известность? Он не был ни деятелем-литератором, ни двигателем политической жизни, ни финансовою силою, а между тем имя Чаадаева известно было и в Петербурге и в большей части губерний русских, почти всем образованным людям, не имевшим даже с ним никакого прямого столкновения»[1].

---

[1] Хомяков А. С. Полн. собр. соч. М., 1861. Т. 1. С. 720—721.

Словно вторя Хомякову, Тютчев говорил о Чаадаеве как о человеке, с которым он менее всего согласен, но которого больше всех любит. Благодаря М. И. Жихарева за подаренную ему фотографию чаадаевского кабинета, поэт писал: «Не без умиления узнал я в присланной вами фотографии знакомую памятную местность — этот скромный ветхий домик, о котором незабвенный жилец его любил повторять кем-то сказанное слово, что весь он только одним духом держится. И этим-то его духом запечатлены и долго держаться будут в памяти друзей все воспоминания, относящиеся к замечательной благородной личности, одного из лучших умов нашего времени»[1].

Федор Глинка на полученную также в подарок от Жихарева фотографию отвечал стихами:

> Друг Пушкина любимый, задушевный,
> Всех знаменитостей тогдашних был он друг.
> Умом его беседы увлеченный,
> Кругом его умов теснился круг[2].

По свидетельству И. С. Гагарина, известный немецкий философ Шеллинг считал Чаадаева «самым умным из известных ему умов». «Великий немец вами бредит,— сообщал последнему из Германии А. С. Цуриков,— ловит везде русских и жадно расспрашивает о вас»[3].

Творчество Чаадаева высоко оценивал Чернышевский. «Петру Яковлевичу Чаадаеву в знак глубокого уважения»[4],— написал Герцен на экземпляре своей книги «Кто виноват?».

Биография Чаадаева на первый взгляд не примечательна. Он родился 27 мая 1794 года в дворянской семье. Его мать, Наталья Михайловна Щербатова, была дочерью известного историка и публициста XVIII века М. М. Щербатова. Рано лишившись родителей, Чаадаев воспитывался теткой Анной Михайловной Щербатовой, а затем дядей Дмитрием Михайловичем Щербатовым. Проучившись несколько лет в Московском университете, он вступил в гвардию и принял участие в борьбе с наполеоновским нашествием. Героический участник Отечественной войны 1812 года быстро продвигался по службе, но неожиданно отказался от блестящей военной и придворной карьеры. Сблизившись с декабристами, он и в их обществе не нашел удовлетворения своим духовным запросам. Во время поездки по Европе (1823—1826 гг.) Чаадаев испытал нравственный кризис, осмыслению которого после возвращения в Россию он посвятил несколько лет отшельнической жизни, сменившейся затем активным участием в жизни московских салонов. «Просвещенный ум», «художественное чувство», «благородное сердце», проявлявшиеся в беседах и по коренным проблемам бытия, и по животрепещущим вопросам социальной жизни, принесли ему известность и авторитет. Эти проблемы и вопросы зачастую обсуж-

---

[1] Отдел рукописей ГБЛ. Ф. 103. 1033а. 43.
[2] Там же. 1033. 9.
[3] Там же. 1032. 73
[4] Там же. Ф. Герцена — Огарева. Оп. 2. № 37.

дались им и в письмах, которые в таких случаях теряли интимный характер, ходили по рукам, копировались и обсуждались в различных кружках. П. А. Вяземский называл Чаадаева «преподавателем с подвижной кафедры», которую он до самой смерти 14 апреля 1856 года переносил из салона в салон и которая служила основной формой распространения его мысли.

Известность Чаадаева своеобразно возросла в результате возбуждающего воздействия на русское общественно-литературное мнение его первого философического письма, опубликованного в 1836 году в журнале «Телескоп». «...Одним *«философическим письмом»*,— замечал Плеханов,— он сделал для развития нашей мысли бесконечно больше, чем сделает целыми кубическими саженями своих сочинений иной трудолюбивый исследователь России «по данным земской статистики» или бойкий социолог фельетонной «школы»[1]. Эта публикация способствовала уточнению, углублению и размежеванию различных концепций исторического развития России, заставляла философов, писателей, художников ставить и исследовать принципиально важные, но систематически не разрабатывавшиеся проблемы. «Письмо Чаадаева,— писал Аполлон Григорьев,—...было тою перчаткою, которая разом разъединила два дотоле если не соединенные, то и не разъединенные лагеря мыслящих и пишущих людей. В нем впервые *неотвлеченно* поднят был вопрос о значении нашей народности, самости, особенности, до тех пор мирно покоившийся, до тех пор никем не тронутый и не поднятый»[2].

Рассуждая на журнальных страницах о своеобразии судьбы России и ее роли в движении мировой истории, Чаадаев вынес суровый и безысходный приговор: «...тусклое и мрачное существование, лишенное силы и энергии, которое ничто не оживляло, кроме злодеяний, ничто не смягчало, кроме рабства. Ни пленительных воспоминаний, ни грациозных образов в памяти народа, ни мощных поучений в его предании... Мы живем одним настоящим, в самых тесных его пределах, без прошедшего и будущего, среди мертвого застоя»[3].

Такой вывод единственной напечатанной при жизни Чаадаева крупной работы стал источником всевозможных искажающих его личность легенд, в которых он представал ненавистником России, перешедшим в католичество апологетом римской церкви, безусловным поклонником Запада. Но достаточно привести только одну цитату (а таких цитат можно найти в произведениях Чаадаева много), чтобы убедиться в односторонности подобных суждений. В «Апологии сумасшедшего», написанной Чаадаевым в 1837 году, читаем: «...у меня есть глубокое убеждение, что мы призваны решить большую часть проблем социального порядка, завершить большую часть идей, возникших в старых обществах, ответить на важнейшие вопросы, ка-

---

[1] П л е х а н о в Г. В. Соч.: В 24 т. М.; П., 1925. Т. 10. С. 135—136.

[2] Г р и г о р ь е в А. Эстетика и критика. М., 1980. С. 177.

[3] Ч а а д а е в П. Я. Сочинения и письма. Т. 1—2. М., 1913—1914. Т. 2. С. 111; далее это издание указывается сокращенно — СП.

кие занимают человечество. Я часто говорил и охотно повторяю: мы, так сказать, самой природой вещей предназначены быть настоящим совестным судом по многим тяжбам, которые ведутся перед великим трибуналом человеческого духа и человеческого общества»[1].

Как двигалась мысль философа и публициста от одной оценочной интонации к другой? В чем сущность отношения Чаадаева к родине?

Особенности его отношения к русскому прошлому, настоящему и будущему формировались под воздействием таких явлений национальной общественной жизни, как крепостничество и самодержавие времени Николая I. Это воздействие достаточно исследовано. Менее изучена подвижность всего комплекса идей мыслителя, взаимосвязь и развитие его религиозно-философских и социально-исторических представлений — от посылок до выводов. Пушкин, прочитав в рукописи отдельно от других два философических письма, сообщал Чаадаеву: «Мне кажется, что начало слишком связано с предшествовавшими беседами, с мыслями, ранее развитыми, очень ясными и несомненными для вас, но о которых читатель не осведомлен»[2]. Осведомленность читателя в особенностях творчества Чаадаева зависит не столько от знакомства с нашумевшим «телескопским» письмом и тем более с отзвуками на него, сколько от внимания к внутренней логике всех философических писем, а также других его произведений в их неразрывном единстве.

1

Со своей «подвижной кафедры» Чаадаев проповедовал идеи, связанные с таинственным смыслом исторического процесса в целом, с ролью отдельных стран, в частности России, в судьбах всего человечества. Он выражал на свой лад общую для эпохи тягу сознания к историзму, к философскому осознанию протекших и грядущих веков. Так, например, в начале 30-х годов Гоголь, по свидетельству В. В. Григорьева, был побежден мыслью, что он «создан историком и призван к преподаванию *судеб человечества*»[3]. Герцен же в начале 40-х годов замечал: «История поглотила внимание всего человечества, и тем сильнее развивается жадное пытание прошедшего, чем яснее видят, что былое пророчествует, что, устремляя взгляд назад,— мы, как Янус, смотрим вперед»[4].

Пытая прошедшее, стремясь угадать пророчества былого, Чаадаев не находил ответов на волновавшие его вопросы в «обиходной», по его выражению, истории. Под обиходной историей он понимал эмпирический описательный подход к различным социальным явлениям, в котором нет нравственной ориентации и надлежащего смыслового исхода для человеческой

---

[1] Чаадаев П. Я. СП. Т. 2. С. 227.

[2] Переписка А. С. Пушкина. М., 1982. Т. 2. С. 275.

[3] Цит. по кн.: Барсуков Н. П. Жизнь и труды М. П. Погодина. М., 1891. Кн. 4. С. 144.

[4] Московские ведомости. 1843. № 142.

деятельности. По его мнению, такая история, в которой со своей совершенно свободной волей действует «только человек и ничего более», видит в беспрестанно накапливаемых событиях и фактах лишь «беспричинное и бессмысленное движение», бесконечные повторения в «жалкой комедии мира».

Но подлинная, философски осмысленная история, по мысли Чаадаева, должна «признать в ходе вещей план, намерение и разум», должна постигнуть человека как нравственное существо, изначально многими нитями связанное с «абсолютным разумом», «верховной идеей», «богом», «а отнюдь не существо обособленное и личное, ограниченное в данном моменте, то есть насекомое-поденка, в один и тот же день появляющееся на свет и умирающее, связанное с совокупностью всего одним только законом рождения и тления. Да, надо обнаружить то, чем действительно жив человеческий род: надо показать всем таинственную действительность, которая в глубине духовной природы и которая пока еще усматривается при некотором особом озарении»[1]. Тайна назначения человека этим «особым озарением» обнаруживается не «в тревожных и неуверенных колебаниях человеческого разума, а в символах и глубоких образах, завещанных человечеству учениями, источник которых теряется в лоне бога»[2].

Здесь следует сказать несколько слов о религиозном аспекте чаадаевской мысли. Он называл себя христианским философом, что, по мнению советских исследователей, является точной самооценкой. «Верная оценка Чаадаева,— замечает М. М. Григорьян,— пожалуй, дана самим же Чаадаевым: он «христианский философ»[3]. Такого же мнения придерживается и З. В. Смирнова: «Чаадаев действительно был «христианским философом»[4]. Игнорирование христианского начала ведет к существенному искажению своеобразия всего творчества Чаадаева, о чем напоминает Л. Филиппов: «До сих пор нет-нет да и встретится еще такое мнение: мировоззрение того или иного писателя, общественного деятеля, мыслителя, связанного в своем творчестве с религиозной традицией, содержательно до тех пор, пока оно не касается религии. Однако опыт исторической науки показывает (а изучение взглядов Чаадаева лишний раз подтверждает), что без исследования всего комплекса идей данного мыслителя, в том числе и религиозных, невозможен»[5] подлинно научный подход к явлениям культуры.

Следует подчеркнуть нетрадиционность «христианской философии» Чаадаева, которую он проповедовал с «подвижной кафедры» в московских салонах. В ней не говорится ничего ни о греховности человека, ни о спасении его души, ни о церковных таинствах, ни о чем-либо подобном. Чаадаев де-

---

[1] Литературное наследство. М., 1935. Т. 22—24. С. 57—58.

[2] Там же. С. 27—28.

[3] Григорьян М. М. Чаадаев и его философская система//Из истории философии. М., 1958. Вып. 2. С. 165.

[4] Смирнова З. В. П. Я. Чаадаев и русская общественная мысль первой половины XIX века // Вопросы философии. 1968. № 1. С. 111.

[5] Вопросы литературы. 1974. № 10. С. 156—157.

лал умозрительную «вытяжку» из библейской мистериальной конкретности и представлял христианство как универсальную силу, способствующую, с одной стороны, становлению исторического процесса и санкционирующую, с другой стороны, его благостное завершение как царство божие на земле.

Это представление лежит в основе всех его размышлений. Чаадаев, по его собственным словам, был поглощен «одной мыслью», называемой им в письме 1832 года к Шеллингу «великой мыслью о слиянии философии с религией». «С первой же минуты, как я начал философствовать, эта мысль встала передо мной, как светоч и цель всей моей умственной работы. Весь интерес моего существования, вся любознательность моего разума были поглощены этой единственной мыслью; и по мере того, как я подвигался в моем размышлении, я убеждался, что в ней лежит и главный интерес человечества»[1].

Многие страницы философических писем, трактующие о параллелизме материального и духовного миров, о закономерностях мирового развития, о путях и средствах познания природы и общества, о пространстве, времени, движении, подчинены одной цели — доказательству наличия «первотолчка», «божественного откровения», «вмешательства божьего промысла» в бытие природы и духа, доказательству главной идеи: «в человеческом духе нет никакой иной истины, кроме той, которую своей рукой вложил в него бог, когда извлекал его из небытия»[2].

Но подобные доказательства необходимы Чаадаеву не сами по себе, а для обоснования неразрывной целостности «земли» и «неба», бездна между которыми заполнена божественным откровением, самим фактом сотворения мира, а затем и воплощением бога в человеке. Эта целостность предполагает закругленность мировой жизни, единство ее начала и конца. «Пора сознать, что человеческий разум не ограничен той силой, которую он черпает в узком настоящем, что в нем есть и другая сила, которая, сочетая в одну мысль и времена протекшие и времена обетованные, образует его подлинную сущность и возносит его в истинную сферу его деятельности»[3]. По мнению Чаадаева, настоящая, соединенная с религией философия истории должна «пролить на всю беспредельную область человеческих воспоминаний свет, который должен быть для нас как бы зарею грядущего дня»[4]. Свет этот показывает, что первоначальное слово божие, вложившее в человека представление о добре и зле, о справедливости и истине, и определило движение человечества по тому «огромному кругу», на протяжении которого первоначальное воздействие выливается в «некое провидение», ведущее нас к «возвещенным временам», то есть к «осуществленному нравственному закону». По логике Чаадаева, только признав божественное откровение в начале мировой жизни и его «покровительство» в ее процессе, можно обосновать

---

[1] СП. Т. 2. С. 184.
[2] Там же. С. 126.
[3] Там же. С. 129.
[4] Там же.

царство божие в ее конце, поступательное движение социального прогресса на протяжении всего исторического пути.

Таким образом, наряду и в органической связи со слиянием философии с религией на монопольное право «одной мысли» в рассуждениях Чаадаева претендует еще и то, что он называл «моей страстью к прогрессу человеческого разума», «предчувствием нового мира», «верой в будущее счастье человечества». М. Бакунин в одном из писем упоминал о своей «длительной беседе с г. Чаадаевым о прогрессе человеческого рода», сообщая, что тот «воображает себя руководителем и знаменосцем» сего прогресса, конечной целью которого является установление «совершенного строя на земле». Этот совершенный строй, «высший синтез» представлялся ему в самом общем виде как «полное обновление нашей природы в данных условиях» — окончательное преодоление всякого индивидуализма и обособленности людей друг от друга («уничтожение своего личного бытия и замена его бытием вполне социальным») и от всего сущего («предельной точкой нашего прогресса только и может быть полное слияние нашей природы с природой всего мира»).

Хотя обретение «утраченного рая» («вечно единого пребывания»), абсолютного единства социально-метафизической гармонии и обусловлено самостоятельным творчеством человека, оно возможно лишь, как считал Чаадаев, при прямом и постоянном воздействии «христианской истины», которая через непрерывное взаимодействие сознаний разных поколений образует канву социально-исторического развития, основу «всемирно-исторической традиции», способствующей «воспитанию человеческого рода» и поступательному, объективно целенаправленному прогрессу общества. Именно эта истина и является, как он полагал, действительным источником по-настоящему абсолютного прогресса. Подлинный ее дух, по мнению Чаадаева, проявился в католичестве, где «развилась и формулировалась социальная идея христианства», определившая ту сферу, «в которой живут европейцы и в которой одной под влиянием религии человеческий род может исполнить свое конечное предназначение», то есть установление «земного царства».

Итак, религиозно-философское и социально-прогрессистское начала, эти два ответвления «одной мысли» сливаются у Чаадаева через католичество, в котором им как раз подчеркнуто двуединство религиозно-социального принципа, в органическое целое, в действительно подлинную «одну мысль». «Точка зрения, с которой я рассматриваю свой предмет,— писал он в 1835 году князю Вяземскому,— мне кажется оригинальной, и на мой взгляд, она способна внести некоторую ясность в мир философский, а пожалуй, и в мир социальный, так как оба эти мира, в наше время, если только я грубо не ошибаюсь, составляют один общий мир»[1].

В католичестве Чаадаева и привлекало прежде всего соединение религии с политикой, наукой, общественными преобразованиями, другими словами — «вдвинутость» в историю. Герцен отметил в своем «Дневнике»:

---

[1] Цит. по изд.: Литературное наследство. Т. 22—24. С. 10.

«...в нем (Чаадаеве.— *Б. Т.*) как-то благородно воплотилась разумная сторона католицизма. Он в ней нашел примирение и ответ, и притом не путем мистики и пиетизма, а социально-политическим воззрением»[1]. Плеханов, словно перекликаясь с Герценом, замечал по этому поводу, что «общественный интерес выступает на передний план даже в религиозных рассуждениях Чаадаева»[2]. По мнению последнего, «святой дух был всегда духом века», что прочно усвоила римская церковь, возложив на себя «обязанность непрестанно приспособляться к духу времен». Говоря в письме к Пушкину о скором пришествии человека, который должен принести «истину времени», Чаадаев подчеркивал связь католичества с временной насущностью и вместе с тем с перспективностью исторических нужд: «Быть может, на первых порах это будет нечто, подобное той политической религии, которую в настоящее время проповедует С.-Симон в Париже, или тому католицизму нового рода, который несколько смелых священников пытаются поставить на место прежнего, освященного временем. Почему бы и не так? Не все ли равно, так или иначе будет пущено в ход движение, имеющее завершить судьбы рода человеческого?»[3]

Политико-исторический аспект чаадаевского толкования католицизма тесно связан с активным общественно-преобразовательным началом в римской церкви. Он характеризовал католицизм как «религию вещей», а не как «религию форм» и «религию богословов и народов». «Начало католичества,— убеждал он А. Тургенева,— есть начало деятельное, начало социальное прежде всего»[4]. Католичество, по мнению Чаадаева, «восприняло царство божие не только как идею, но еще и как факт», и в нем «все действительно способствует установлению совершенного строя на земле».

Способствует этому, как считал Чаадаев, и теократическая мощь католической церкви, позволяющая ей соперничать с государством и силой внедрять в социальную жизнь «высокие евангельские учения» для искомого единства и благоденствия христианского общества. Его не смущало, что для достижения поставленных целей были использованы противоположные им средства — религиозные войны, костры инквизиции и т. п.: «...мы можем только завидовать доле народов, создавших себе в борьбе мнений, в кровавых битвах за дело истины целый мир идей, которых мы даже представить себе не можем...»[5]

Образование этого мира идей, той сферы, в которой живут европейцы и которая включает в себя духовные и материальные достижения Европы, стало возможным, по мысли Чаадаева, лишь благодаря существованию непрерывной нити активного преемственного развития социально-политических сторон западного христианства, где были усилены начала «развития

[1] Герцен А. И. Собр. соч.: В 30 т. М., 1954. Т. 2. С. 226.
[2] Плеханов Г. В. Соч. Т. 23. С. 13.
[3] СП. Т. 2. С. 180.

[4] Там же. С. 202.
[5] Там же. С. 122.

прогресса и будущности». Историческое призвание католической церкви, писал он в послании к княгине С. Мещерской, состояло в том, чтобы «дать миру христианскую цивилизацию, для чего ей необходимо было сложиться в мощи и силе... если бы она укрылась в преувеличенном спиритуализме или узком аскетизме, если бы она не вышла из святилища, она тем самым обрекла бы себя на бесплодие»[1].

Европейские успехи в области культуры, науки, права, материального благополучия являлись, по мнению Чаадаева, прямыми и косвенными плодами католицизма как «политической религии», оценивались им как «высота человеческого духа», как своеобразные залоги будущего совершенного строя на земле, его, так сказать, промежуточная стадия. Несмотря на признаваемые им несовершенства западного мира, Чаадаев все-таки склонен был считать, что «царство божие до известной степени осуществлено в нем, ибо он содержит в себе начало бесконечного развития и обладает в зародышах и элементах всем, что необходимо для окончательного водворения на земле»[2].

Каковы же конкретно эти зародыши и элементы? Во-первых, разумная, как ее называл Чаадаев, жизнь в эмпирической действительности: бытовой комфорт и благоустроенность, цивильные привычки и правила и т. п. Во-вторых, высокий уровень просвещения и культуры западных народов, которые «постоянно творили, выдумывали, изобретали». Для их творчества и изобретательства характерны «власть идей, могучих убеждений и великих верований», с помощью которых мудрецы и мыслители духовно вели народные массы к более совершенной жизни, а одновременно и «логическая последовательность», «дух метода». В сокровищнице народов Европы находится много поучительных открытий. В-третьих, наличие отлаженных юридических отношений и развитого правосознания. Поэтому атмосферу Запада, «физиологию европейского человека» составляют «идеи долга, справедливости, права, порядка».

Толкование Чаадаевым в первом философическом письме христианства как исторически прогрессирующего социального развития при абсолютизации значения культуры и просвещения, отождествление им «дела Христа» с окончательным становлением «земного царства» и развертываемая на этом фундаменте логика его размышлений послужили ему основой для резкой критики современного положения России и приведшей к этому положению ее истории. В современной ему России он не находил ни «элементов», ни «зародышей» европейского прогресса. Причину этого Чаадаев видел соответственно с постулированным им единством, непрерывной и постепенной преемственностью религиозно-социального развития в том, что, обособившись от католического Запада в период церковной схизмы, «мы ошиблись насчет настоящего духа религии» — не восприняли «чисто исто-

---

[1] СП. Т. 2. С. 237—238.
[2] Там же. С. 123.

рическую сторону», социально-преобразовательное начало как внутреннее свойство христианства и потому «не собрали всех ее плодов, хотя и подчинились ее закону», то есть плодов науки, культуры, цивилизации, благоустроенной жизни. «В нашей крови есть нечто, враждебное всякому истинному прогрессу», ибо мы стоим «в стороне от общего движения, где развилась и формулировалась социальная идея христианства».

Когда под энергичным воздействием этой идеи складывалась «храмина современной цивилизации», русский народ обратился за нравственным уставом к византийскому православию, которое легло в основу его воспитания и было воспринято в догматической чистоте и полноте. «Народ простодушный и добрый,— замечал Чаадаев в письме к Сиркуру,— чьи первые шаги на социальном поприще были отмечены знаменитым отречением в пользу чужого народа... этот народ, говорю я, принял высокие евангельские учения в их первоначальной форме, то есть раньше, чем в силу развития христианского общества они приобрели социальный характер, задаток которого был им присущ с самого начала...»[1]. По мысли Чаадаева, первоначальная чистота «высоких евангельских учений» при неразвитости задатков социального характера чрезвычайно усилила в русской нации аскетический элемент, оставляя в тени начала общественно-культурного строительства западного типа: «...то не было собственно социальное развитие: интимный факт, дело личной совести и семейного уклада».

Общественно-исторической «выдвинутости» православной церкви из построения «земного царства» соответствует и слабость ее теократической мощи, отсутствие светски-правительственного господства: «... духовная власть далеко не пользовалась в нашем обществе всей полнотой своих естественных прав».

«Семейность» и «домашность» православного христианства на Руси, считал Чаадаев, не способствует, в отличие от расширительно-деятельного религиозного строя на Западе, активно-поступательному развитию общества и соответственно установлению в конечном итоге совершенной жизни на земле. Отсюда и отсутствие у русских традиционной преемственности социально-прогрессистских идей, которая формирует в Европе «зародыши» и «элементы» «земного царства». Отсюда и резкий пафос цитаты Чаадаева о тусклом и мрачном существовании России на протяжении всей ее истории.

Для того чтобы выйти из этого существования, достичь успехов европейского общества на всех уровнях его развития и участвовать в мировом прогрессе, Чаадаев считал необходимым России не просто слепо и поверхностно усвоить западные формы, но, впитав в кровь и плоть социальную идею католицизма, от начала повторить все преемственные традиции и этапы европейской истории.

---

[1] СП. Т. 2. С. 262.

2

Таков был путь размышлений Чаадаева, приведший к решительному выводу в первом философическом письме о вторичности и незначительности исторической судьбы России, к «негативному патриотизму», заключавшемуся в том, что благо родины усматривалось в органической переделке самобытной жизни по образцу европейско-католических традиций и достижений.

Этот призыв к всецелому копированию европейского пути вызвал острую реакцию в среде русских писателей и мыслителей, способствовал ускорению кристаллизации зарождавшихся славянофильских идей. «...Явление славянофильства,— замечал Белинский,— есть факт замечательный до известной степени, как протест против безусловной подражательности и как свидетельство потребности русского общества в самостоятельном развитии»[1].

Для опровержения необходимости безусловной подражательности и обоснования возможности самостоятельного развития славянофилы стремились показать, что не все на историческом пути России было плохо, а на историческом пути Европы — хорошо. Публикация первого философического письма явилась дополнительным толчком к более многостороннему изучению собственного прошлого, к более объективной его оценке. «Если ничего доброго и плодотворного не существовало в прежней жизни России,— представлял Хомяков в статье «О старом и новом» мнение Чаадаева, не называя его имени,— то нам приходится все черпать из жизни других народов, из собственных теорий, из примеров и трудов племен просвещенных эпох и из стремлений современных»[2]. Но такова ли в действительности прежняя жизнь России? Да, писал Хомяков, в ней есть много примеров неграмотности, взяток, междоусобной вражды, бунтов и т. п. Но не меньше в ней и обратных примеров. В основании нашей истории, развивал свою мысль Хомяков, нет пятен крови и завоевания, а в традициях и преданиях нет уроков неправедности и насилия, ненависти и мщения. «Эти-то лучшие инстинкты души Русской, образованной и облагороженной христианством, эти-то воспоминания древности неизвестной, но живущей в нас тайно, произвели все хорошее, чем мы можем гордиться»[3]. Другой славянофил — П. Киреевский собранием народных песен по-своему опровергал мысли Чаадаева о русском прошлом, показывая «грациозные образы в памяти народа» и «мощные поучения в его преданиях», находя в фольклоре «почтенные памятники», воссоздающие героизм и величие национальных исторических событий.

Вместе с тем в цитированной статье Хомяков указывал, в противоположность Чаадаеву, историческую двусмысленность римской церкви. «Свя-

---

[1] Белинский В. Г. Полн. собр. соч. М., 1956. Т. 10. С. 264.
[2] Хомяков А. С. Полн. собр. соч. М., 1900. Т. 3. С. 14.
[3] Там же. С. 19.

занная с бытом житейским и языческим на Западе, она долго была темною и бессознательною, но деятельною и сухо-практическою; потом, оторвавшись от Востока и стремясь пояснить себя, она обратилась к рационализму, утратила чистоту, заключила в себе ядовитое начало будущего падения, но овладела грубым человечеством, развила его силы вещественные и умственные и создала мир прекрасный, соблазнительный, но обреченный на гибель, мир католицизма и реформатства»[1].

По мнению И. Киреевского, три элемента легли в основание европейской образованности: «...римское христианство, мир необразованных варваров, разрушивших Римскую империю, и классический мир древнего язычества»[2], который отодвигался Чаадаевым на задний план как преодоленный в католичестве и не учитывался им как конструктивный при характеристике западной цивилизации. Классический мир древнего язычества, не доставшийся в наследие России, в сущности своей представлял, как считал И. Киреевский, торжество формального разума человека. «В этом последнем торжестве формального разума над верою и преданием проницательный ум мог уже наперед видеть в зародыше всю теперешнюю судьбу Европы как следствие вотще начатого начала...»[3] По мысли И. Киреевского, «господство чисто христианского направления не могло совершенно изгладить из их ума особенность римской физиономии»[4]. И потому там наблюдалось «взаимное прорастание образованности языческой и христианской», «сопроницание церковности и светскости». «Так, искусственно устроив себе наружное единство, поставив над собою одну единую главу, соединившую власть духовную и светскую, церковь западная произвела раздвоение в своей духовной деятельности, в своих внутренних интересах и во внешних своих отношениях к миру»[5].

Отмеченные и подобные им замечания славянофилов, а также само глубоко противоречивое развитие европейского общества во многом изменяли взгляд Чаадаева на западную цивилизацию как промежуточную стадию на пути к совершенному строю на земле и сдвигали всю логику его рассуждений в обратную сторону. К нему отчасти применимы слова, сказанные П. Анненковым о последних годах жизни Белинского: «...насколько становился Белинский снисходительнее к русскому миру, настолько строже и взыскательнее относился он к заграничному. С ним случилось то, что потом не раз повторялось со многими из наших самых рьяных западников, когда они делались туристами: они чувствовали себя как бы обманутыми Европой...»[6].

В «Апологии сумасшедшего» Чаадаев призывал читателя взглянуть на то, что делается в тех странах, которые являются наиболее полными образ-

[1] Хомяков А. С. Полн. собр. соч. М., 1900. Т. 3. С. 21.
[2] Киреевский И. В. Критика и эстетика. М., 1979. С. 145.
[3] Там же. С. 146.
[4] Там же. С. 262.
[5] Там же. С. 264.
[6] Анненков П. В. Литературные воспоминания. М., 1960. С. 369.

цами цивилизации во всех ее формах и которые он, по его собственным словам, слишком превознес: «Там неоднократно наблюдалось: едва появится на свет божий новая идея, тотчас все узкие эгоизмы, все ребяческие тщеславия, вся упрямая партийность, которые копошатся на поверхности общества, набрасываются на нее, овладевают ею, выворачивают ее наизнанку, искажают ее, и минуту спустя, размельченная всеми этими факторами, она уносится в те отвлеченные сферы, где исчезает всякая бесплодная пыль»[1].

Социальное развитие в этих странах все яснее стало показывать, что ни благоустроенная жизнь, ни научные открытия, ни формально развитое право не ведут в буржуазном обществе к чаемому «высшему синтезу» — к преодолению всяческого эгоцентризма в социально-метафизической гармонии, а служат лишь «наглым притязаниям капитала» и порождают, напротив, «груду искусственных потребностей, враждебных друг другу интересов, беспокойных забот, овладевших жизнью». Теперь залоги «земного царства» Чаадаев называл «крутней Запада», ибо они «невеликодушны», то есть лишены главного — подлинной и абсолютной любви к человеку. Более того, социальный прогресс на всех уровнях, не одухотворенный такой любовью, таит в себе огромные препятствия для нравственного совершенствования личности и общества, так как сосредоточенность на развитии внешних форм и благ жизни ведет лишь к культивированию многосторонности ощущений и бесконечному умножению сугубо материальных потребностей. «...Самое торжество ума европейского,— писал, внутренне полемизируя с «телескопским» письмом Чаадаева, И. Киреевский,— обнаружило односторонность его коренных стремлений; потому что при всем богатстве, при всей, можно сказать, громадности частных открытий и успехов в науках общий вывод из всей совокупности знания представил только отрицательное значение для внутреннего сознания человека; потому что при всем блеске, при всех удобствах наружных усовершенствований жизни самая жизнь лишена была своего существенного смысла...»[2] Нравственная апатия, недостаток убеждений, всеобщий эгоизм, жизнь по расчету — такова оборотная сторона бурного развития буржуазного благоденствия.

Что же касается еще одного зародыша «земного царства» (беспристрастных юридических весов), то и он в существе своем не способствует проявлению «нравственного закона». Ведь правовой строй направлен лишь на регулирование внешних отношений между людьми, а не на внутреннее содержание, скрывающееся за этими отношениями. Более того, в правовом союзе, как и в прочих «зародышах», также сокрыто отрицательное значение, препятствие для братского объединения людей, ибо он основан на эгоистическом желании возможно более полного собственного благополучия за счет взаимного механического ограничения множества других себялю-

---

[1] СП. Т. 2. С. 227.
[2] Киреевский И. В. Критика и эстетика. С. 250—251.

бий. Обилие же идей справедливости и теорий добра в западном обществе резко контрастировало с духовным обликом человека и его действительными отношениями с окружающими в этом обществе. В чреде буржуазных революций середины XIX века, когда «бедное человечество впадает в варварство, погружается в анархию, тонет в крови», все яснее вырисовывалась, как выражался Чаадаев, «плачевная золотая посредственность». В критике «несказанной прелести золотой посредственности» он предвосхитил некоторые мысли Герцена. «Самодержавная толпа сплоченной посредственности», «мещанство — вот последнее слово цивилизации»,— скажет Герцен вслед за Чаадаевым.

Это «последнее слово цивилизации», вообще явное несовершенство «зародышей» и «элементов» взыскуемого земного благоденствия натолкнули Чаадаева на переосмысление прямой и жесткой связи между внешним социальным прогрессом и «христианской истиной», заставили его несколько иначе взглянуть на историческую «вдвинутость», общественно-преобразовательную активность и теократическую мощь католичества, которые в системе его размышлений, как известно, и порождали через преемственное развитие социально-политических сторон западного христианства плоды просвещения и культуры. Теперь, не без влияния славянофилов, Чаадаев готов был видеть в социальной идее католичества, в его «чисто исторической стороне» «людские страсти» и «земные интересы», искажающие чистоту «христианской истины», а потому и приводящие к такому несовершенству. Более того, он начал сомневаться в самой возможности слияния религиозного и социально-прогрессистского начал в «одну мысль», в возможности установления «царства божия» на земле и соответственно переоценивал «религию вещей», «политическое христианство», постигающее «св. духа как духа времени». Эта «одна мысль» как бы расщепляется на составные части, которые соприкасаются друг с другом через принципиальную и глубоко косвенную опосредованность. «...Христианство,— замечал Чаадаев в письме 1837 года к А. Тургеневу,— предполагает жительство истины не на земле, а на небеси... Политическое христианство отжило свой век... должно было уступить место христианству чисто духовному... должно действовать на гражданственность только посредственно, властью мысли, а не вещества. Более нежели когда оно должно жить в области *духа* и оттуда озарять мир, и там искать себе окончательного выражения»[1]. Это «духовное христианство» он обнаруживает в России, в тех свойствах православия (историческая «выдвинутость» из построения «земного царства», слабость теократического начала, аскетизм и т. п.), которые не влияли на традиционную преемственность социально-прогрессистских идей и, следовательно, воспринимались им ранее отрицательно, а теперь рассматриваются совершенно иначе. «...Христианство осталось в ней (в России.— *Б. Т.*) незатронутым людскими страстями и земными интересами, ибо в ней оно, подобно свое-

---

[1] СП. Т. 2. С. 210—211.

му божественному основателю, лишь молилось и смирялось, а потому мне представлялось вероятным, что ему здесь дарована будет милость последних и чудеснейших вдохновений»[1].

Именно традиции «духовного христианства», считал Чаадаев, лежат в основании русского религиозно-психического уклада и являются плодотворным началом своеобразного развития России. «Мы искони были люди смирные и умы смиренные; так воспитала нас церковь наша, единственная наставница наша. Горе нам, если мы изменим ее мудрому ученью! Ему мы обязаны всеми лучшими народными свойствами, своим величием, всем тем, что отличает нас от прочих народов и творит судьбы наши»[2],— писал он Вяземскому в 1847 году. В отличие от католичества, плодами православия на Руси являются не наука и благоустроенная жизнь, а особое духовное и душевное устройство человека — бескорыстие сердца и скромность ума, терпение и надежда, совестливость и самоотречение. Эти качества Чаадаев теперь обнаруживал там, где раньше он видел только «немоту лиц» и «беспечность жизни», отсутствие «прелести» и «изящества». Именно они, эти качества, а не внешние достижения и успехи культурного строительства на Западе способствуют преодолению индивидуализма и всечеловеческому соединению людей на подлинных нравственных — «великодушных» — началах, являются залогом особого призвания России. Еще до опубликования «телескопского» письма он в одном из посланий к А. Тургеневу замечал: «Россия, если только она уразумеет свое призвание, должна принять на себя инициативу проведения всех великодушных мыслей, ибо она не имеет привязанностей, страстей, идей и интересов Европы»[3].

Уже в первом философическом письме налицо расплывчатые отклонения от пафоса «негативного патриотизма», в которых зрели семена совершенно противоположного хода рассуждений — «позитивного патриотизма». Несмотря на мрачное описание в нем русской истории, Чаадаева не покидало смутное чувство того, что Россия должна «дать миру какой-нибудь важный урок», хотя для исполнения такого предназначения ей и суждено испытать много бедствий и страданий. Впоследствии это чувство становилось все сильнее и настойчивее. Призвание России, писал Чаадаев, во многом предвосхищая идею русской всечеловечности Достоевского,— «дать в свое время разрешение всем вопросам, возбуждающим споры в Европе»: «провидение... поручило нам интересы человечества... в этом наше будущее, в этом наш прогресс...»[4]

Важной предпосылкой для такого высокого призвания теперь становилось то, что в первом философическом письме рассматривалось Чаадаевым как фундаментальнейшая отрицательная сторона русской истории — обо-

---

[1] СП. Т. 2. С. 215.
[2] Там же. Т. 1. С. 284.
[3] Там же. Т. 2. С. 198.
[4] Там же. С. 199.

собленность России от настоящего и прошлого Европы, ее самостоятельность и «неотмирность»: «Стоя как бы вне времени», «мы никогда не шли рука об руку с прочими народами», «мы не принадлежим ни к одному из великих семейств человеческого рода». В дальнейшем он начинал по-иному оценивать эту обособленность и уже не считал обязательным для России изначальное повторение всех этапов исторического развития Европы. «...Новые изыскания,— писал он, имея в виду исследования славянофилов,— познакомили нас со множеством вещей, остававшихся до сих пор неизвестными, и теперь уже совершенно ясно, что мы слишком мало походим на остальной мир, чтобы с успехом подвигаться по одной с ним дороге»[1].

Мысль о своеобразии русской истории укреплялась в сознании Чаадаева и пристальным чтением трудов Карамзина. В письме к А. Тургеневу он признавался, что с каждым днем все более и более чтит память знаменитого историка: «Как здраво, как толково любил он свое отечество!.. А между тем как и всему чужому знал цену и отдавал должную справедливость!.. Живописность его пера необычайна: в истории же России это главное дело; мысль разрушила бы нашу историю, кистью одною можно ее создать»[2] (отсюда тянется нить к тютчевским строкам: «Умом Россию не понять...»).

Однако наибольшее воздействие на Чаадаева в этом плане, думается, оказали беседы с Пушкиным. Пушкин, замечал Вяземский, «хотя вовсе не славянофил, примыкал нередко к понятиям, сочувствиям, умозрениям, особенно отчуждениям, так сказать, в самой себе замкнутой России, то есть России, не признающей Европы и забывающей, что она член Европы»[3]. Чаадаев в конце концов был вынужден согласиться с Пушкиным в том, что «Россия никогда не имела ничего общего с остальною Европой, что история ее требует другой мысли, другой формулы»[4].

Постепенно Чаадаев склонялся к тому, что историческая изолированность России от Европы не только составляет «самую глубокую черту нашей социальной физиономии», но и является основанием «нашего дальнейшего успеха». «И вот он снова и снова,— писал об этом Плеханов,— возвращается мыслью к нашему прошлому, пока, наконец, не открывает в нем такой черты, которая сулит нам очень отрадное будущее. И — странно сказать! — этой чертой оказывается та самая изолированность России, которая прежде представлялась Чаадаеву самой главной причиной бесплодности нашей истории и наиболее убедительным доводом в пользу той мысли, что провидение не сочло нужным подумать о нас»[5]. Духовная дистанция, отделяющая малоподвижную Россию от беспокойно-деятельного

---

[1] СП. Т. 2. С. 267.
[2] Там же. С. 213.
[3] А. С. Пушкин в воспоминаниях современников. М., 1974. Т. 1. С. 125.
[4] Пушкин А. С. Собр. соч.: В 10 т. М., 1962. Т. 6. С. 324.
[5] Плеханов Г. В. Соч. Т. 23. С. 16.

Запада, позволяет ей, по Чаадаеву, спокойно и беспристрастно оценивать европейские события: «Мы — публика, а там актеры, нам и принадлежит право судить пьесу»[1]. Свобода России от двусмысленности «тяжелого прошлого» Европы, от «стремительного движения, уносящего умы» в ее настоящем положении может позволить нашей стране трезво и объективно разобраться в «великой пьесе народов Европы», не повторить «весь длинный ряд безумств», извлечь уроки на будущее, чтобы избежать тех заблуждений, которые привели к «последнему слову цивилизации». «Я считаю наше положение счастливым, если только мы сумеем правильно оценить его,— писал Чаадаев,— я думаю, что большое преимущество — иметь возможность созерцать и судить мир со всей высоты мысли, свободной от необузданных страстей и жалких корыстей, которые в других местах мутят взор человека и извращают его суждения»[2]. Более полное и глубокое проникновение в суть национального своеобразия и собственной истории вместе с критическим усвоением всего западного опыта и является, считал Чаадаев, залогом высокой роли России. В результате он пришел к выводу диаметрально противоположному тому, который был сделан в конце первого философического письма: «Мы призваны, напротив, обучить Европу бесконечному множеству вещей, которых ей не понять без этого... Таков будет логический результат нашего долгого одиночества; все великое приходило из пустыни»[3].

Как видим, в процессе развития чаадаевская мысль претерпевала существенные изменения (причем все положительные знаки в ней менялись на противоположные, а логика — от предпосылок до выводов — принимала обратный характер). Не Чаадаева ли имел в виду прежде всего И. Киреевский, когда говорил такие слова: «Ежедневно видим мы людей, разделявших западное направление, и нередко между них людей, принадлежащих к числу самых просвещенных умов и самых твердых характеров, которые совершенно переменяют свой образ мыслей единственно оттого, что беспристрастно и глубоко обращают свое внимание внутрь себя и своего отечества, изучая в нем — те основные начала, из которых сложилась особенность русского быта; в себе — открывая те существенные стороны духа, которые не находили себе ни места, ни пищи в западном развитии ума»[4].

Обращая внимание внутрь себя и своего отечества, Чаадаев все чаще обнаруживал точки соприкосновения с раздумьями друзей-противников. «Если мы и не всегда были одного мнения о некоторых вещах, мы, может быть, со временем увидим, что разница в наших взглядах была не так глубока, как мы думали. Я любил мою страну по-своему, вот и все, и прослыть за ненавистника России было мне тяжелее, нежели я могу вам

---

[1] СП. Т. 2. С. 198.
[2] Там же. С. 227.
[3] Там же. С. 201.
[4] Киреевский И. В. Критика и эстетика. С. 255.

выразить... Ничто не мешает мне более отдаться тому врожденному чувству любви к родине, которое я слишком долго сдерживал в своей груди»[1]. Советский исследователь В. Кулешов справедливо замечает, что постепенно философ и публицист стал все больше сближаться со славянофилами, отказываясь от некоторых своих ультразападнических идей, и что публикация первого философического письма для него была во многом анахронизмом.

Следует заметить, что для такого сближения были основания самого разного рода. За Чаадаевым укрепилась репутация первого и последовательного западника, которая не соответствует ряду важных фактов как социально-бытового, так и идейно-философского плана. Если со славянофилами И. Киреевским, К. Аксаковым, Ю. Самариным и особенно с А. Хомяковым его связывали постоянные приятельские отношения, то общение с Белинским, Грановским, Герценом и другими западниками было, как правило, случайным и эпизодическим. Что же касается духовных исканий, то у Чаадаева было больше точек соприкосновения с первыми, нежели с последними, с которыми его единила лишь высокая оценка европейской цивилизации, надежда на ее созидательную роль в будущем России и всего человечества. Однако эти оценка и надежда не ассоциировались у западников с религиозным содержанием и с достаточно определенной нравственной целью. У Чаадаева же, как известно, религиозное начало пронизывает весь ход его размышлений вплоть до обоснования конечной цели исторического процесса как «царства божия на земле».

Признание этого начала как исходного, соединяющего и окрашивающего все остальные, роднит философию истории Чаадаева с изысканиями славянофилов, у которых тоже была своя «одна мысль». В письме 1827 года к А. Кошелеву И. Киреевский замечал: «Мы возвратим права истинной религии, изящное согласим с нравственностию, возбудим любовь к правде, глупый либерализм заменим уважением законов и чистоту жизни возвысим над чистотою слога... Вот мои планы на будущее»[2]. Для Чаадаева, как и для славянофилов, которые, по словам В. Кулешова, предписывали жизни «долженствования и нравственные законы», свойственна высота духовных запросов. «Их вдохновенной мысли, опередившей действительность,— писал К. Кавелин,— представлялось человеческое общество, проникнутое нравственными стремлениями, в котором нет ни вражды сословий, ни антагонизма власти и народа,— общество, в котором все люди живут между собой в любви, согласии и единении»[3].

Хотя Чаадаева сближала со славянофилами общность благородной цели и признание религиозного начала как определяющего фактора мировой истории, оценка ими разных форм выражения этого начала (православия и католичества), повлиявших на различие судеб России и Европы, и

---

[1] СП. Т. 2. С. 266.

[2] Киреевский И. В. Критика и эстетика. С. 336.

[3] Кавелин К. Полн. собр. соч.: В 4 т. Спб., 1899. Т. 3. С. 1164.

соответственно оценка самих особенностей исторического пути России и Европы были в отдельных пунктах, несмотря на отмеченные совпадения, неодинаковыми. Мысль Чаадаева постоянно возвращалась к интонациям «телескопского» письма. Так, например, свое мнение о провиденциальной роли России в деле осуществления христианских обетований он в письме к М. Орлову называл химерой, славянофилов в письме к Вяземскому осуждал за то, что они приписывают «нашей скромной, богомольной Руси» роль наставницы других народов, хотя сам неоднократно говорил то же самое, а в послании к Сиркуру замечал, что «прогресс еще невозможен у нас без апелляции к суду Европы...».

Подобные логические противоречия во множестве рассыпаны по страницам чаадаевской переписки и другим его произведениям. Они встречаются не только в пределах одного временно́го отрезка его жизни и творчества, но и внутри одного и того же сочинения. Мысль философа не эволюционировала, а пульсировала, развиваясь поступательно-возвратно. Говоря о борьбе славянофилов и западников, целью которой было по-разному понимаемое ими благо России, Герцен писал: «И мы, как Янус или как двуглавый орел, смотрели в разные стороны, в то время *как сердце билось одно*»[1]. Сложность и необычность фигуры Чаадаева состоит в том, что он, будучи внутренне таким «двуглавым орлом», вобрал в свое творчество разнородные вопросы, волновавшие и славянофилов и западников. Одна голова «орла» смотрела на Запад, ожидая от всеобъемлющей и целенаправленной внешней деятельности людей благотворного преображения их внутреннего мира; другая — на Восток, надеясь, что углубленная духовная сосредоточенность и соответствующее душевное расположение человека гармонизируют весь строй его отношений со всем окружающим. Чем пристальнее становились разнонаправленные взгляды, тем сильнее напрягалось сердце. Само сосуществование в сознании Чаадаева проблем, связанных с разгадкой «сфинкса русской жизни» (выражение Герцена), принимало драматический характер сокровенного диспута, не имеющего возможности завершиться.

3

В орбите этого драматического диспута находились многие выдающиеся современники Чаадаева, среди которых был и Пушкин. Один из ранних биографов Чаадаева и знаток Пушкина М. Лонгинов замечал: «Говоря о Чаадаеве, нельзя не говорить о Пушкине; один другого дополняет, и дружеские имена их останутся нераздельны в памяти потомства»[2]. «Любимцем праздных лет», «единственным другом» называл Чаадаева Пушкин. Сам

---

[1] Герцен А. И. Собр. соч. Т. 9. С. 170.

[2] Лонгинов М. Воспоминание о П. Я. Чаадаеве // Русский вестник. 1862. № 11. С. 134.

Чаадаев считал Пушкина «незабвенным другом», до конца своей жизни дорожил любым упоминанием о дружбе с ним. Что же сблизило этих столь разных и по складу характера, и по умственной деятельности людей?

Первая встреча Чаадаева и Пушкина произошла в середине 1816 года в доме историка Карамзина в Царском Селе, где первый находился в составе лейб-гвардии гусарского полка, а второй заканчивал обучение в лицее. В стихотворении «На возвращение господина императора из Парижа в 1815 г.», которое Грибоедов хвалил Чаадаеву еще до встречи последнего с лицеистом, Пушкин сожалел, что не находился на полях сражений вместе с бородинскими и кульмскими героями, не был свидетелем «великих дел». Корнет Чаадаев и был как раз таким свидетелем, обладавшим к тому же отменными духовными качествами. «Храбрый обстрелянный офицер, испытанный в трех исполинских походах, безукоризненно благородный, честный и любезный в частных отношениях, он не имел причины не пользоваться глубокими, безусловными уважением и привязанностью товарищей и начальства»[1],— писал о Чаадаеве того времени его биограф и племянник М. Жихарев. Ко всем этим качествам, несомненно возвышавшим Чаадаева в глазах Пушкина, добавлялись глубокий ум, многосторонняя образованность и обширные познания, что резко выделяло его на фоне других гусарских приятелей поэта.

Неудивительно, что вскоре после знакомства с Пушкиным Чаадаев занял положение своеобразного друга-учителя, которого привлекли в ученике несомненный поэтический талант, предрасположенность к живому восприятию всех впечатлений бытия, неуемная жажда самой разнообразной жизни. Эта жажда тянула юношу и к гусарскому застолью, и к серьезным беседам по-настоящему просвещенных людей, способствовавших постепенному углублению и преображению его самосознания. Способность молодого Пушкина искать и впитывать недостающие ему знания, проявляя одновременно известную осмотрительность, покидавшую его в иных обстоятельствах, отмечали многие современники. По воспоминанию И. П. Липранди, Пушкин смирялся в споре, когда можно было выудить новые сведения и расширить свои познания. Так, видимо, юный поэт и вел себя по отношению к людям типа Карамзина или Чаадаева, основательность и глубина мышления которых резко контрастировали с однообразным весельем бездумных пирушек и заставляли его усердно трудиться над собой. Друзья Пушкина свидетельствуют, замечал П. В. Анненков, что, кроме двух первых лет после окончания лицея, никто так не работал над своим дальнейшим образованием, как будущий великий писатель.

Немалую роль в такой перемене сыграл и Чаадаев, общение которого

---

[1] Жихарев М. Петр Яковлевич Чаадаев// Вестник Европы. 1871. № 7. С. 188.

с поэтом в 1818—1820 годах было самым тесным. Впоследствии, вспоминая годы собственной молодости, Пушкин говорил, что «в области книг» Чаадаев «путешествовал больше других». Вскоре совместное чтение сделалось излюбленным занятием в их общении. Поэт знакомил его со своими новыми стихами, делился «волнением страстей», тревогами «мятежной молодости», проходившей в «шумном кругу безумцев молодых», где «праздный ум блестит», а «сердце дремлет». Чаадаев, как писал Пушкин в одном из посланий к нему, знал сердце поэта «во цвете юных дней», был «целителем душевных сил», спас его чувства и поддержал «недремлющей рукой» над «бездной потаенной», заменил ему «надежду и покой». «Строгий взор», «совет», «укор» Чаадаева воспитывали в Пушкине «терпение смелое» против клеветы. «Всегда мудрец, а иногда мечтатель и ветреной толпы бесстрастный наблюдатель» — так характеризовал поэт своего старшего друга — воспламенял в нем «к высокому любовь», помогал ценить «жажду размышлений» и «тихий труд», когда удерживается «вниманье долгих дум». По воспоминанию Я. И. Сабурова, влияние Чаадаева на Пушкина было «изумительно», «он заставлял его мыслить». О том же писал и Анненков: Пушкина Чаадаев «поворотил на мысль». Этот поворот на мысль, несомненно, уменьшил воздействие на духовное формирование поэта фривольно-грациозных направлений французской культуры и привлек его внимание как к обширной области культурно-исторических сравнений и обобщений, так и к сущности актуальных процессов современной политической жизни, проходившей под знаком ожидания «минуты вольности святой».

Не без помощи Чаадаева искал Пушкин общий язык с теми из участников тайного общества, с которыми тот был особенно близок. Так, он познакомился с Якушкиным именно у Чаадаева, к которому, по словам этого декабриста, Пушкин «имел большое доверие». Не без помощи ученого гусара и его друзей молодой поэт переосмыслял одно из важнейших понятий его художественного творчества — понятие свободы, отождествляемой им поначалу с благоприятными внешними условиями для беспрепятственного удовлетворения любых порывов человеческого естества. «Свободу лишь учася славить», поэт постепенно открывал для себя и ее «декабристское» содержание, связываемое, как известно, с конституцией и республикой, с просвещением в целом. Вместе с Чаадаевым Пушкин часто размышлял над слагаемыми «свободы просвещенной», особо выделяя среди них вслед за декабристами «сень надежную закона». В оде «Вольность», одном из самых значительных среди вдохновленных либерализмом юношеских стихотворений, Пушкин ставит выше власти и природы именно закон, способный, по его мнению, прекратить страдания народа, дать ему «вольность и покой».

Беседуя с другом на подобные темы, поэт восхищался соединением в нем воинственного свободолюбия, духовного артистизма, государственного мышления.

Он вышней волею небес
Рожден в оковах службы царской;
Он в Риме был бы Брут, в Афинах Периклес,
А здесь он — офицер гусарской.

В этих стихах, написанных Пушкиным к портрету Чаадаева, выражено и несоответствие личных качеств и притязаний адресата реальным обстоятельствам его существования, что, видимо, охлаждало его «вольнолюбивые надежды» в «пророческих спорах» с поэтом. Более радикально настроенный в молодости Пушкин призывал друга в хрестоматийном послании отрешиться от сомнений:

Товарищ, верь: взойдет она,
Звезда пленительного счастья,
Россия вспрянет ото сна,
И на обломках самовластья
Напишут наши имена!

Однако совместные чтения, беседы и споры прервались в мае 1820 года, когда Пушкин вместо грозившей ему ссылки в Сибирь или на Соловки отправился служить на юг, благодаря заступничеству друзей, среди которых находился и Чаадаев. Но во время разлуки друзья проявляли живой взаимный интерес. Так, получив письмо от Чаадаева с упреками в молчании и забвении прежней дружбы, Пушкин записал в своем дневнике: «Друг мой, упреки твои жестоки и несправедливы; никогда я тебя не забуду. Твоя дружба мне заменила счастье,— одного тебя может любить холодная душа моя. Жалею, что не получил он моих писем: они его бы обрадовали.— Мне надобно его видеть»[1]. Не имея возможности видеть, Пушкин думал «стихами о Чаадаеве», вспоминал, как он «с моим Чадаевым читал», сожалел, что не мог отправиться с ним в 1823 году в Европу («любимая моя мечта была с ним путешествовать»), просил брата прислать портрет друга.

Со своей стороны Чаадаев следил за развитием творчества поэта, делал замечания по поводу характеров его героев, не переставал интересоваться делами Пушкина, о которых ему за границу сообщали, в частности, И. Д. Якушкин и Н. И. Тургенев. Об этом интересе свидетельствуют и стихи поэта, найденные по возвращении Чаадаева в Россию среди его бумаг при обыске по делу декабристов.

Чаадаев из-за границы, а Пушкин из ссылки почти одновременно в 1826 году вернулись в Москву, где после более чем шестилетней разлуки встретились в доме С. А. Соболевского на чтении «Бориса Годунова». Чаадаева, не имевшего возможности наблюдать за духовным ростом поэта, должны были поразить признаки таинственного преображения, почти перерождения, его творчества, отразившиеся в создании этой трагедии.

Начиная с 1823—1824 годов Пушкин приступил к художественному

---

[1] Пушкин А. С. Собр. соч. Т. 8. С. 18.

исследованию неоднозначной динамики человеческих устремлений и неумолимых законов исторической необходимости. Понимание этой необходимости устраняло в его художественном видении шоры прекраснодушных мечтаний о «заре пленительного счастья». В послании 1824 года к Чаадаеву он мысленно пишет их имена уже не на обломках самовластья:

Чедаев, помнишь ли былое?
Давно ль с восторгом молодым
Я мыслил имя роковое
Предать развалинам иным?
Но в сердце, бурями смиренном,
Теперь и лень и тишина,
И, в умиленье вдохновенном,
На камне, дружбой освященном,
Пишу я наши имена.

Познание «вечных противуречий существенности» составило «другие, строгие заботы» Пушкина и обусловило его «новую печаль». Печаль эта определялась пониманием неизбывности коренных конфликтов человеческого духа и, следовательно, необходимости «терпеть противуречие», «нести бремя жизни, иго нашей человечности».

Если до 1823 года в его произведениях преобладали стихотворения, эпиграммы и романтические поэмы, «подчиняющие» действительность субъективному видению лирического героя, то в 1823—1825 годах перед Пушкиным открывалась «даль свободного романа» и перспектива исторической драмы, где необходимо было, говоря словами Вяземского, проявлять «самоотвержение личности» и решать принципиально иные задачи целостного изображения различных столкновений «чужих» воль, страстей и интересов в полноте и противоречивости живого многообразия и неоднозначного величия прошедшей и современной жизни. В черновике предисловия к «Борису Годунову» Пушкин писал: «Я являюсь, изменив раннюю свою манеру. Мне нет необходимости пестовать безвестное имя и раннюю юность, и я уже не смею рассчитывать на снисходительность, с какой я был принят. Я не ищу благосклонной улыбки минутной моды. Я добровольно покидаю ее любимцев и смиренно благодарю за ту благосклонность, с какой она встречала мои слабые опыты в течение десяти лет моей жизни»[1].

В новой манере поэт говорил в «Борисе Годунове» о «вечных» темах через конкретное и исторически достоверное драматическое действие так, будто сам был непосредственным и проникновенным свидетелем событий более чем двухсотлетней давности. И достигал при этом полноты и простоты художественной убедительности в выражении самых разных мыслей и чувств.

Неизвестен отзыв Чаадаева об этой драме, но сразу же по получении ее из типографии в начале 1831 года Пушкин послал ему дарственный

[1] Пушкин А. С. Собр. соч. Т. 6. С. 303.

экземпляр с надписью: «Вот, мой друг, то из моих произведений, которое я люблю больше всего. Вы его прочтете, так как оно написано мною, и скажете свое мнение о нем. А пока обнимаю вас и поздравляю с Новым годом»[1].

К началу 30-х годов относится новый период сосредоточенного общения между Чаадаевым и Пушкиным. Чаадаев давно уже оставил «вольнолюбивые надежды» в их сиюминутном выражении и углубился в «одну мысль», создал философические письма. «Жажда размышлений» и «тихий труд» Пушкина также дали свои плоды, и он вырос в первого национального писателя, впитавшего достижения мировой культуры и глубоко отражавшего в поэзии, прозе, драме, исторических размышлениях существенные грани бытия и внутреннего мира человека.

Чаадаев одним из первых, если не первым, оценил по достоинству духовную зрелость и гениальность Пушкина, которую он прозревал еще в юноше-лицеисте и о которой прямо говорил поэту в письме 1829 года. «Грациозный гений Пушкина», который он считал одним из существенных признаков высокой судьбы России, должен, по мнению Чаадаева, принести «бесконечное благо» родине. «Наш Дант» — так называл он поэта и советовал ему, когда тот писал по-французски, писать лишь на языке своего призвания.

Чаадаев продолжал внимательно следить за развитием творчества своего друга: одобрительно отзывался о стихотворениях «Клеветникам России» и «Бородинская годовщина»: «...вы угадали, наконец, свое призвание»; поздравлял с решением писать историю Петра I; хвалил «Капитанскую дочку» за простоту и утонченность вкуса — качества редкие «в наш блудный век». Хорошо понимая значение Пушкина, Чаадаев искал большей близости с ним, пытался глубже проникнуть в его духовное своеобразие, найти в его размышлениях точки соприкосновения с собственными думами. «Говорите мне обо всем, что вам вздумается,— просил он поэта,— все, что идет от вас, будет мне интересно. Нам надо только разойтись; я уверен, что мы найдем тысячу вещей сказать друг другу»[2]. И конечно же именно Пушкина Чаадаев познакомил в первую очередь с рукописями философических писем. «У меня,— писал он поэту в 1831 году,— только одна мысль, вам это известно. Если бы, невзначай, я и нашел в своем мозгу другие мысли, то они наверно будут стоять в связи со сказанной»[3]. Философа очень волновал вопрос, найдет ли отклик в душе поэта «одна мысль». Ведь Чаадаев надеялся на «силу излияния наших умов», соединение которых, по его мнению, может способствовать довершению и какому-то внедрению в практическую жизнь этой мысли. Однако надежды его не оправдались. «Это несчастье, мой друг,— жалуется он поэту,— что нам не пришлось в жизни сойтись

[1] Переписка А. С. Пушкина. Т. 2. С. 271.
[2] СП. Т. 2. С. 177.
[3] Там же. С. 178.

ближе с вами. Я продолжаю думать, что нам суждено было идти вместе и что из этого воспоследовало бы нечто полезное и для нас и для других»[1].

Чаадаев болезненно переживал невозможность сойтись ближе, посылал другу книги с сопроводительными рассуждениями о вдохновении, просил его подсказать какие-нибудь мысли из его поэтического мира, стремясь определить точки расхождения. В поэте философа удивляло отсутствие внимания к переломным моментам современной истории, из которых, по мнению последнего, следует извлечь все необходимое для построения «царства божия на земле». Прохладное отношение Пушкина к его «одной мысли», к его религиозно-прогрессистской устремленности стало для Чаадаева загадкой, которая, как он признавался в письме к другу, измучила его и мешала идти вперед. И в этих сокровенных для чаадаевских размышлений местах в нем просыпались былые учительские интонации: у Пушкина не хватает терпения следить за современными событиями, чтобы проникнуть в «тайну времени». А «тайна времени» заключается в том, что происходит «всеобщее столкновение всех начал человеческой природы», «великий переворот в вещах», когда «целый мир погибает». Не обладающий же «предчувствием нового мира», сменяющего старый, должен ужаснуться надвигающейся гибели. «Неужели и у вас не найдется чувства, мысли, обращенной к этому?»[2] Чаадаев желал бы вызвать все силы поэтического существа Пушкина, дабы услышать «одну из тех песен, какие требует век». В Пушкине Чаадаев хотел бы видеть обладателя «истины времени», посвященного в «одну мысль» и вносящего свою лепту в приближение «земного царства». А для того, как полагал философ, у поэта есть возможности гениального писателя, способного властвовать над умами и вести людей за собой. Надо только должным образом их использовать, а не отдаваться «привычкам и рутинам черни».

А что же Пушкин? Реалист Пушкин, прекрасно изучивший как на личном опыте, так и на опыте далекой и близкой истории все слабости человеческой натуры, должен был скептически отнестись к идее «царства божия на земле». В последовательном движении различных эпох он видел не поступательное развитие, а лишь изменение социальных оболочек, не затрагивающее корней человеческой сущности, не разрешающее, а, наоборот, усложняющее ее противоречия. Казался ему «совершенно новым» и такой взгляд на историю, когда христианство сводится к католицизму, а последний выступает в качестве универсальной силы мирового прогресса. Не анализируя этот взгляд, Пушкин передавал в письме Чаадаеву общее впечатление от его рукописей и делал отдельные замечания. «Все, что вы говорите о Моисее, Риме, Аристотеле, об идее истинного бога, о древнем искусстве, о протестантизме — изумительно по силе, истинности или красноречию. Все, что является портретом или картиной, сделано широко, блестяще, величественно»[3]. Вместе с тем поэт отказывался видеть единство христианства

---

[1] СП. Т. 2. С. 176.
[2] Там же. С. 179.
[3] Переписка А. С. Пушкина. Т. 2. С. 275.

в католицизме. «Не заключается ли оно в идее Христа, которую мы находим также и в протестантизме?»[1] Поэт не мог согласиться и с всецело отрицательным отношением мыслителя к Гомеру, Марку Аврелию, вообще к античной культуре, что естественно вытекало из преувеличения роли католического начала в созидательном развитии западного общества.

Что же касается собственно русской истории, то здесь у Пушкина еще больше возражений, которые он выразил после публикации «телескопского» письма за несколько месяцев до смерти в неотправленном послании к Чаадаеву. Поэт решительно опровергал бездоказательный вывод этого письма об исторической ничтожности России. «Войны Олега и Святослава и даже отдельные усобицы — разве это не жизнь, полная кипучего брожения и пылкой и бесцельной деятельности, которой отличается юность всех народов? Татарское нашествие — печальное и великое зрелище. Пробуждение России, развитие ее могущества, ее движение к единству (к русскому единству, разумеется), оба Ивана, величественная драма, начавшаяся в Угличе и закончившаяся в Ипатьевском монастыре,— как, неужели все это не история, а лишь бледный и полузабытый сон? А Петр Великий, который один есть целая всемирная история! А Екатерина II, которая поставила Россию на пороге Европы? А Александр, который привел нас в Париж? и (положа руку на сердце) разве не находите вы чего-то значительного в теперешнем положении России, чего-то такого, что поразит будущего историка?»[2]

Не согласен Пушкин и с мыслью Чаадаева о «нечистоте источника нашего христианства», заимствованного из Византии и направившего русскую историю не по западному пути. Но что мы заимствовали, спрашивал он автора философических писем? «У греков мы взяли евангелие и предания, но не дух ребяческой мелочности и словопрений. Нравы Византии никогда не были нравами Киева. Наше духовенство, до Феофана, было достойно уважения, оно никогда не пятнало себя низостями папизма и, конечно, никогда не вызвало бы реформации в тот момент, когда человечество больше всего нуждалось в единстве»[3].

Вопреки Чаадаеву, в разделении церквей, которое отъединило нас от остальной Европы, Пушкин видел наше особое предназначение. «Это Россия, это ее необъятные пространства поглотили монгольское нашествие. Татары не посмели перейти наши западные границы и оставить нас в тылу. Они отошли к своим пустыням, и христианская цивилизация была спасена. Для достижения этой цели мы должны были вести совершенно особое существование, которое, оставив нас христианами, сделало нас, однако, совершенно чуждыми христианскому миру, так что нашим мученичеством энергичное развитие католической Европы было избавлено от всяких помех»[4].

Возражения Пушкина сходны с теми, какие делали Чаадаеву в мос-

---

[1] Переписка А. С. Пушкина. Т. 2. С. 275.
[2] Там же. С. 289.
[3] Там же.
[4] Там же.

ковских салонах его друзья-противники славянофилы. Несомненно, что поэт повлиял на подвижность и «перевертывание» логики в системе исторических рассуждений мыслителя. И к концу жизни Пушкина роли учителя и ученика в известной степени переменились.

Не соглашаясь с оценкой Чаадаевым русского прошлого в первом философическом письме, Пушкин был согласен со своим другом в критике настоящего. Он одобрял высказанное им мнение о равнодушии к долгу, справедливости и истине, о циничном презрении к человеческой мысли и достоинству в современном обществе. Поэт и сам восторгался далеко не всем, что видел вокруг себя: он раздражен как литератор, оскорблен как человек с предрассудками. «...Но,— заверял Пушкин Чаадаева,— клянусь честью, что ни за что на свете я не хотел бы переменить отечество или иметь другую историю, кроме истории наших предков, такой, какой нам бог ее дал»[1]. Таково было «последнее слово» (выражение Чаадаева) поэта к мыслителю.

4

В одном из писем к Пушкину Чаадаев замечал, что «эгоизм поэзии» должен найти опору в «недрах морального мира». Это типичный для Чаадаева ход рассуждений, отражающий и в области эстетики, литературы воздействие «одной мысли», подчиненность искусства нравственному идеалу. Творчество неразрывно связано, по его представлению, с различными проявлениями бытия единым довременным источником. Он писал, что «при всей беспредельности нашей творческой мощи в искусстве оно все же подчинено и здесь некоторым началам, которые тоже не нами изобретены, которые существовали ранее всего нашего творчества, которые, как все вечные истины, воздействовали на нас задолго до того, как мы их осознали.

Идея красоты не была порождена человеком, как и всякая другая истинная идея, он нашел ее запечатленной во всем творении, разлитой вокруг него в тысячах разнообразных форм, отраженной неизреченными чертами на каждом предмете в природе; он постиг ее, присвоил себе, и из этого благодатного начала он излил на мир все то множество творческих произведений, то возвышенных, то чарующих, которыми он населил мир фантазии, которыми украсил поверхность земли»[2].

Идея красоты, как и все другие в системе размышлений Чаадаева, служит свидетельством божественного откровения: «Бог создал красоту для того, чтобы нам легче было уразуметь его»[3]. А разумение бога для него, как известно, есть уяснение вмешательства «божественного промысла» в бытие природы и духа, понимание религиозно-прогрессистского направления и смысла исторического процесса. Красота в искусстве для Чаадаева неотдели-

---

[1] Переписка А. С. Пушкина. Т. 2. С. 290.

[2] Цит. по кн.: Русские эстетические трактаты первой трети XIX века. М., 1974. Т. 2. С. 637.

[3] Отдел рукописей ИРЛИ. Ф. 250. Ед. хр. 55. Л. 5.

ма от истины и добра, а художник в своем творчестве является как бы проводником людей на пути к «царству божию на земле», прозревающим сквозь поверхностную сиюминутную значимость знаменательные вехи на этом пути.

Развивая свои мысли применительно к литературе, Чаадаев замечал, что подобную миссию не способны выполнить так называемые новинки — «шум в письменном виде»; более того, в популярных «произведениях каждого дня» за кажущейся актуальностью нередко обнаруживается зияющая пустота. Подлинная литература, как он считал, должна быть исторически и нравственно объемной, то есть видеть в современных явлениях не только злобу дня, но и влияние традиций, ростки будущего, соответствие или несоответствие высоким целям совершенствования человеческого бытия. Только тогда создается настоящее произведение искусства, преодолевающее время и не теряющее своего значения от быстротечной смены преходящей злободневности.

Подобное произведение искусства — и здесь Чаадаев подчеркивал его активную воспитательную роль — мощно воздействует на сознание человека, направляя его внимание на вечные ценности. «...Всякое художественное произведение есть ораторская речь или проповедь, в том смысле, что оно необходимо в себе заключает *слово*, через которое оно действует на умы и на сердца людей, точно так же как проповедь или ораторская речь. Потому-то и сказал когда-то, что лучшие католические проповеди — готические храмы и что им суждено, может быть, возвратить в лоно церкви толпы людей, от нее отлучившихся»[1].

Отмеченные черты искусства как существенного вспомогательного элемента в развертывании «одной мысли» Чаадаев выделял в отрывке «О зодчестве», где он находил, несмотря на разницу более чем в тридцать веков, нечто общее между египетской и готической архитектурой. Это сближение, уточнял он, «до известной степени неизбежно вытекает из той точки зрения, с которой мы с вами условились рассматривать историю человечества» и с которой «история искусства — не что иное, как символическая история человечества». Находя в пластической природе сравниваемых стилей вертикальную линию, Чаадаев подчеркивал в них «характер бесполезности или, вернее, простой монументальности». Но в этой «прекрасной бесполезности» он видел свою особую пользу. И пирамида, и собор, представлявшиеся ему «чем-то священным, небесным», служат выражением «нравственных нужд» человека, заставляют «вас поднять взор к небу». И кто знает, «может быть, наконец, светозарный луч, исходящий от вершины памятника, пронижет окружающий вас мрак и, осветив внезапно путь, вами пройденный, изгладит темный след былых ошибок и заблуждений! Вот почему стоит перед вами этот гигант»[2]. И конечно же в своих сравнениях Чаадаев не может не сделать вытекающий из его размышлений по любому поводу глобальный философско-исторический

---

[1] СП. Т. 1. С. 251.
[2] Там же. Т. 2. С. 175.

вывод: «Скажите, не воплощается ли здесь вся история человеческой мысли, сначала устремленной к небу в своем природном целомудрии, потом, в период своего растления (имеется в виду античность.— *Б. Т.*), пресмыкавшейся в прахе и, наконец, снова кинутой к небу всесильной десницей спасителя мира!.. Таким образом, египетское искусство и готическое искусство действительно стоят на обоих концах пути, пройденного человечеством, и в этом тождестве его начальной идеи с тою, которая определяет его конечные судьбы, нельзя не видеть дивный круг, объемлющий все протекшие, а может быть, и все грядущие времена»[1].

С точки зрения «одной мысли» Чаадаев осуждал античное искусство, которое, по его мнению, не укоренено в «недрах морального мира» и ведет к «хаотическому смешению всех нравственных элементов». В горизонтальной линии, лежащей в основе эллинского зодчества, он видел «огромную антитезу» готическому стилю — «привязанность к земле и ее утехам», ибо даже «прекраснейший из греческих храмов не говорит нам о небе». В одном из философических писем Чаадаев замечал, что мощная способность воображения у греков, вместо того чтобы «созерцать незримое» и предпринимать усилия для внедрения в жизнь религиозно-социальной идеи, делала «осязаемое еще более осязаемым и земное еще более земным». И античное искусство для него — «апофеоз материи», в результате которого «наше физическое существо выросло настолько же, насколько наше нравственное существо умалилось», несмотря на борьбу с данной тенденцией мудрецов наподобие Пифагора или Платона.

Приведенные эстетические размышления Чаадаева, в которых актуальное рассматривается сквозь призму вечного, социально-историческое поверяется религиозно-философским, а чисто художественные элементы безраздельно подчинены нравственным, могут служить образцом для понимания конкретного отношения Чаадаева к современным ему литературным процессам.

Чаадаев чутко реагировал на все мало-мальски заметные явления общественной и литературной жизни. И конечно же он не мог не осмысливать, например, нашумевшие «Выбранные места из переписки с друзьями» Гоголя, возбудившие общество не менее его собственного «телескопского» письма. По свидетельству С. П. Шевырева, в течение двух месяцев по выходе книги Гоголя «она составляла любимый, живой предмет всеобщих разговоров. В Москве не было вечерней беседы... где бы не толковали о ней, не разгорались бы жаркие споры, не читались бы из нее отрывки»[2]. Книга вышла в январе 1847 года, а уже в февральском номере петербургского журнала «Финский вестник» было сказано: «Ни одна книга, в последнее время, не возбуждала такого шумного движения в литературе и обществе, ни одна не послужила поводом к столь многочисленным и разнообразным толкам»[3]. А толки действительно были самые разные: говорили о саморекламе

[1] СП. Т. 2. С. 173.
[2] Москвитянин. 1848. № 1. С. 1.
[3] Финский вестник. 1847. № 2. Ст. 33.

и тщеславии автора, о его неискренности и склонности к мистификации и даже о сумасшествии. Читатели и почитатели прежнего Гоголя, замечал Чаадаев в ходившем по рукам письме к Вяземскому от 29 апреля 1847 года, так озлоблены против него, словно не могут простить ему перехода от чисто художественного творчества к прямой нравственной проповеди и исповеди. Но ведь художник — не частный человек, ему невозможно и не должно скрывать свои самые заветные чувства, и Гоголь стал говорить о них «по вековечному обычаю писателей, питающих сознание своего значения». Не одним словом, но и душой, продолжал Чаадаев усиливать акцент зависимости творчества от сверхиндивидуальных начал, писатель «принадлежит тому народу, которому посвятил дар, свыше ему данный». И читателю следует объективно оценить, как Гоголь распорядился этим даром в своей проповеди, в которой «при слабых и даже грешных страницах есть страницы красоты изумительной, полные правды беспредельной». Надо понять «необходимость оборота, происшедшего в мыслях автора», уяснить значение его попытки «сказать нам доброе и поучительное слово», определить важность его книги «в нравственном отношении».

Читая «Выбранные места...», сам Чаадаев находил в этом отношении много полезных мыслей, сходных к тому же с его собственными рассуждениями об истории, искусстве и даже о конкретных литературных произведениях. Так, и Чаадаев, и Гоголь почти одинаковыми словами передают свое впечатление от простоты пушкинской прозы. «Сравнительно с «Капитанскою дочкою»,— замечал последний,— все наши романы и повести кажутся приторною размазнею. Чистота и безыскусственность взошли в ней на такую высокую ступень, что сама действительность кажется перед нею искусственною и карикатурною»[1]. Близка Чаадаеву и мысль Гоголя о ненужности «чистого» художества, о связи искусства с социальными запросами и с идеалом: «...нельзя служить и самому искусству, как ни прекрасно это служение, не уразумев его цели высшей и не определив себе, зачем дано нам искусство; нельзя повторять Пушкина. Нет, не Пушкин или кто другой должен стать теперь в образец нам: другие уже времена пришли. Теперь уже ничем не возьмешь — ни своеобразием ума своего, ни картинною личностью характера, ни гордостью движений своих... высшим воспитанием должен воспитаться теперь поэт»[2]. Несомненно, за свои мог бы счесть Чаадаев и размышления Гоголя о соотношении «обиходной» и религиозно-философски осмысленной истории: «Вооружился взглядом современной близорукости и думаешь, что верно судишь о событиях! Выводы твои — гниль: они сделаны без бога. Что ссылаешься ты на историю? История для тебя мертва — только закрытая книга. Без бога не выведешь из нее великих выводов; выведешь одни только ничтожные и мелкие»[3]. И не Чаадаева ли в числе прочих имел в виду Гоголь, когда с удовлетворением отмечал перемену в «современной близорукости». «Всяк

[1] Гоголь Н. В. Полн. собр. соч.: В 4 т. М., 1862. Т. 3. С. 453.

[2] Там же. С. 478.

[3] Там же. С. 432.

глядел на вещи взглядом более философическим, чем когда-либо прежде, во всякой вещи хотел увидать ее глубокий смысл и сильнейшее значение: движение, вообще показывающее большой шаг общества вперед»[1]. И не автору ли первого философического письма относился упрек автора «Выбранных мест...», показывающего изъяны «большого шага» общего философического взгляда на историю: «...от этого произошла торопливость делать выводы и заключения из двух-трех фактов обо всем целом и беспрестанная позабывчивость того, что не все вещи и не все стороны соображены и взвешены»[2].

Чаадаев, как известно, стремился, словно предугадывая упрек Гоголя, преодолеть односторонность торопливых выводов о прошлом и будущем своей страны. Но ему, как и Гоголю, чужда противоположная крайность, когда некоторые из славянофилов в свою очередь не взвешивали и не соотносили все стороны, не видели сравнительно с Европой никаких противоречий на историческом пути России. «Многие у нас,— писал Гоголь,— уже и теперь, особенно между молодежью, стали хвастаться не в меру русскими доблестями и думают вовсе не о том, чтобы их углубить и воспитать в себе, но чтобы выставить их напоказ и сказать Европе: «Смотрите, немцы: мы лучше вас!» Это хвастовство — губитель всего. Оно раздражает других и наносит вред самому хвастуну. Наилучшее дело можно превратить в грязь, если только им похвалишься и похвастаешь»[3]. Гоголь призывал вскрывать и трезвым пониманием уничтожать национальные недостатки, но одновременно и помнить об изначальных чертах в «коренной природе нашей, нами позабытой», которые способствуют просветлению всего духовного состава человека и «побратанию людей». С этим призывом наверняка был согласен и Чаадаев, видевший, как уже говорилось, залог высокой судьбы России в душевно-духовных свойствах «коренной природы нашей» и находивший несоответствие между «гордым патриотизмом» и «заветами старины разумной», «всеми нашими вековыми понятиями и привычками».

Сходное несоответствие, писал Чаадаев Вяземскому, обнаруживается и между духовным устремлением самого Гоголя к нравственному совершенству и высокомерием, самодовольным тоном «Выбранных мест...», который изнутри подрывает благую цель, не способствует братскому единению людей, а, напротив, «раздражает» и разъединяет их. Но подобное несоответствие характерно и для «одной мысли» Чаадаева, содержанию и направлению которой нередко противоречило гордо-индивидуалистическое поведение ее проповедника. Так что внутренний диалог между автором философических писем и автором «Выбранных мест...» был гораздо сложнее высказанного.

Не только при рассмотрении заметных явлений общественно-литературной жизни, к числу которых принадлежала книга Гоголя, но и при оценке менее крупных произведений, например повести И. Кокорева «Саввушка»,

---

[1] Гоголь Н. В. Полн. собр. соч. Т. 3. С. 513.
[2] Там же.
[3] Там же. С. 411.

Чаадаев был верен своим эстетическим принципам. В талантливой повести, описывающей быт московской городской бедноты, Чаадаев отказывался видеть простой «физиологический» очерк, хотя «нынче, знаю, иного требуют от писателя». «Я не люблю дагерротипных изображений ни в искусстве, ни в литературе,— передавал он свое впечатление от чтения Кокорева М. Погодину,— но здесь верность истинно художественная, что нужды, что фламанская»[1]. За живописными картинами нравов московских окраин Чаадаев сумел разглядеть истинно художественную верность в изображении нравственного перерождения героя повести, нашедшего в своей душе, несмотря на, казалось бы, безысходную втянутость в поток жизненного зла, совестливость, бескорыстие, доброту и другие подобные свойства «коренной природы нашей», воспитание которых и способствует продвижению к взыскуемой гармонии братских отношений между людьми.

Философские и эстетические принципы Чаадаева своеобразно проявлялись в его общих рассуждениях о языке как способе выражения определенного мировоззрения и орудии соответствующего призвания. Пушкину, как известно, Чаадаев советовал пользоваться лишь языком своего призвания — русским. «Для того, чтоб писать хорошо на нашем языке,— замечал он в письме к А. Тургеневу,— надо быть необыкновенным человеком, надо быть Пушкину или Карамзину»[2]. Необыкновенным человеком, то есть призванным через русское слово к прямому писательскому участию в деле совершенствования жизни, Чаадаев считал и Гоголя. Говоря в письме к Вяземскому об отдельных страницах и темах «Выбранных мест...», Чаадаев замечал, «что читая их, радуешься и гордишься, что говоришь на том языке, на котором такие вещи говорятся»[3].

Но уже у А. Тургенева проницательный мыслитель не обнаруживал такой призванности и рекомендовал ему писать на французском языке, который для него есть «обязательный костюм. Вы растеряли все части вашей национальной одежды по большим дорогам цивилизованного мира»[4]. Послания «европейца до мозга костей» казались Чаадаеву похожими на хотя и хорошие, но газетные статьи. А «в ваших французских письмах больше непринужденности, вы в них больше — вы сами»[5].

Если о двуязычии А. Тургенева Чаадаев говорил с легкой иронией, то у Герцена в подобной ситуации он находил элементы духовной драмы. «Хорошо было бы,— писал он эмигрировавшему Герцену,— если бы вам удалось сродниться с каким-нибудь из народов европейских и с языком его, так чтобы вы могли на нем высказать все, что у вас на сердце. Всего бы, мне кажется, лучше было усвоить вам себе язык французский... ни на каком ином языке современные предметы так складно не выговариваются. Тяжело, одна-

---

[1] СП. Т. 1. С. 300—301.
[2] Там же. Т. 2. С. 212.
[3] Там же. Т. 1. С. 283—284.
[4] Там же. Т. 2. С. 186.
[5] Там же.

ко же, будет вам расстаться с родным словом, на котором вы так жизненно выражались»[1].

Сам Чаадаев, излагавший свои мысли легче и точнее на французском языке, нежели на русском, видел в таком положении пример «несовершенства нашего образования», результат противоречий общественного развития, которые воплотились и в его собственном творчестве. Знакомство с этим творчеством позволяет не только лучше понять своеобразие и дух эпохи, ее ценности и перспективы, но и еще раз, несмотря на ошибки и заблуждения Чаадаева, убедиться в основном пафосе человеколюбия в русской культуре, всегда стремившейся к постижению великих общечеловеческих истин. «*Умеренность, терпимость* и *любовь* ко всему доброму, умному, хорошему, в каком бы цвете оно ни явилось, вот мое исповедание»,— признавался Чаадаев своим современникам.

Б. Тарасов

---

[1] СП. Т. 2. С. 272.

I

ФИЛОСОФИЧЕСКИЕ ПИСЬМА

ПИСЬМО ПЕРВОЕ

Да приидет царствие твое[1]

Сударыня[2],

Именно ваше чистосердечие и ваша искренность нравятся мне всего более, именно их я всего более ценю в вас. Судите же, как должно было удивить меня ваше письмо. Этими прекрасными качествами вашего характера я был очарован с первой минуты нашего знакомства, и они-то побуждали меня говорить с вами о религии. Все вокруг нас могло заставить меня только молчать. Посудите же еще раз, каково было мое изумление, когда я получил ваше письмо! Вот все, что я могу сказать вам по поводу мнения, которое, как вы предполагаете, я составил себе о вашем характере. Но не будем больше говорить об этом и перейдем немедля к серьезной части вашего письма.

Во-первых, откуда эта смута в ваших мыслях, которая вас так волнует и так изнуряет, что, по вашим словам, отразилась даже на вашем здоровье? Ужели она — печальное следствие наших бесед? Вместо мира и успокоения, которое должно было бы принести вам новое чувство, пробужденное в вашем сердце,— оно причинило вам тоску, беспокойство, почти угрызения совести. И, однако, должен ли я этому удивляться? Это — естественное следствие того печального порядка вещей, во власти которого находятся у нас все сердца и все умы. Вы только поддались влиянию сил, господствующих здесь надо всеми, от высших вершин общества до раба, живущего лишь для утехи своего господина.

Да и как могли бы вы устоять против этих условий? Самые качества, отличающие вас от толпы, должны делать вас особенно доступной вредному влиянию воздуха, которым вы дышите. То немногое, что я позволил себе сказать вам, могло ли дать прочность вашим мыслям среди всего, что вас окружает? Мог ли я очистить атмосферу, в которой мы живем? Я должен был предвидеть последствия, и я их действительно предвидел. Отсюда те частые умолчания, которые, конечно, всего менее могли внести уверенность в вашу душу и естественно должны были привести вас в смятение. И не буду я уверен, что, как бы сильны ни были страдания, которые может причинить не вполне пробудившееся в сердце религиозное чувство, подобное состояние все же лучше полной летаргии,— мне оставалось бы только раскаяться в моем решении. Но я надеюсь, что облака, застилающие сейчас ваше небо, претворятся со временем в благодатную росу, которая оплодотворит семя, брошенное в ваше сердце, а действие, произведенное на вас несколькими незначительными словами, служит мне верным залогом тех еще более важных последствий, которые без сомнения повлечет за собою работа вашего собственного ума. Отдавайтесь безбоязненно душевным движениям, которые будет пробуждать в вас религиозная идея: из этого чистого источника могут вытекать лишь чистые чувства.

Что касается внешних условий, то довольствуйтесь пока сознанием, что учение, основанное на верховном принципе *единства* и прямой передачи истины в непрерывном ряду его служителей, конечно, всего более отвечает истинному духу религии; ибо он всецело сводится к идее слияния всех существующих на свете нравственных сил в одну мысль, в одно чувство, и к постепенному установлению такой социальной системы или *церкви,* которая должна водворить царство истины среди людей. Всякое другое учение уже самым фактом своего отпадения от первоначальной доктрины заранее отвергает действие высокого завета спасителя: *Отче святый, соблюди их, да будут едино, якоже и мы**, и не стремится к водворению царства божия на земле. Из этого, однако, не следует, чтобы вы были обязаны исповедовать эту истину перед лицом света: не в этом, конечно, ваше призвание. Наоборот, самый принцип, из которого эта истина исходит, обязывает вас, ввиду вашего положения в обществе, признавать в ней только внутренний светоч вашей веры, и ничего более. Я счастлив, что способствовал обращению ваших мыслей к религии; но я был бы весьма несчастлив, если бы вместе с тем поверг вашу совесть в смущение, которое с течением времени неминуемо охладило бы вашу веру.

---

* Иоанн. XVII. II.

Я, кажется, говорил вам однажды, что лучший способ сохранить религиозное чувство — это соблюдать все обряды, предписываемые церковью. Это упражнение в покорности, которое заключает в себе больше, чем обыкновенно думают, и которое величайшие умы возлагали на себя сознательно и обдуманно, есть настоящее служение богу. Ничто так не укрепляет дух в его верованиях, как строгое исполнение всех относящихся к ним обязанностей. Притом большинство обрядов христианской религии, внушенных высшим разумом, обладают настоящей животворной силой для всякого, кто умеет проникнуться заключенными в них истинами. Существует только одно исключение из этого правила, имеющего в общем безусловный характер,— именно когда человек ощущает в себе верования высшего порядка сравнительно с теми, которые исповедует масса,— верования, возносящие дух к самому источнику всякой достоверности и в то же время нисколько не противоречащие народным верованиям, а, наоборот, их подкрепляющие; тогда, и только тогда, позволительно пренебрегать внешнею обрядностью, чтобы свободнее отдаваться более важным трудам. Но горе тому, кто иллюзии своего тщеславия или заблуждения своего ума принял бы за высшее просветление, которое будто бы освобождает его от общего закона! Вы же, сударыня, что вы можете сделать лучшего, как не облечься в одежду смирения, которая так к лицу вашему полу? Поверьте, это всего скорее умиротворит ваш взволнованный дух и прольет тихую отраду в ваше существование.

Да и мыслим ли, скажите, даже с точки зрения светских понятий, более естественный образ жизни для женщины, развитой ум которой умеет находить прелесть в познании и в величавых эмоциях созерцания, нежели жизнь сосредоточенная и посвященная в значительной мере размышлению и делам религии. Вы говорите, что при чтении ничто не возбуждает так сильно вашего воображения, как картины мирной и серьезной жизни, которые, подобно виду прекрасной сельской местности на закате дня, вливают в душу мир и на минуту уносят нас от горькой или пошлой действительности. Но эти картины — не создания фантазии; от вас одной зависит осуществить любой из этих пленительных вымыслов; и для этого у вас есть все необходимое. Вы видите, я проповедую не слишком суровую мораль: в ваших склонностях, в самых привлекательных грезах вашего воображения я стараюсь найти то, что способно дать мир вашей душе.

В жизни есть известная сторона, касающаяся не физического, а духовного бытия человека. Не следует ею пренебрегать; для души точно так же существует известный режим, как и для тела; надо уметь ему подчиняться. Это — старая истина, я знаю; но мне думается, что в нашем отечестве она еще очень часто имеет всю ценность новизны. Одна из наиболее печальных черт нашей своеобразной цивилизации заключается в том, что мы еще только открываем истины, давно уже ставшие избитыми в других местах и даже среди народов, во многом далеко отставших от нас. Это происходит оттого, что мы никогда не шли об руку с прочими народами; мы не принадлежим ни к одному из великих семейств человеческого рода; мы не принадлежим ни к Западу, ни к Востоку, и у нас нет традиций ни того, ни другого. Стоя как бы вне времени, мы не были затронуты всемирным воспитанием человеческого рода.

Эта дивная связь человеческих идей на протяжении веков, эта история человеческого духа, вознесшие его до той высоты, на которой он стоит теперь во всем остальном мире,— не оказали на нас никакого влияния. То, что в других странах уже давно составляет самую основу общежития, для нас — только теория и умозрение. И вот пример: вы, обладающая столь счастливой организацией для восприятия всего, что есть истинного и доброго в мире, вы, кому самой природой предназначено узнать все, что дает самые сладкие и самые чистые радости душе,— говоря откровенно, чего вы достигли при всех этих преимуществах? Вам приходится думать даже не о том, чем наполнить жизнь, а чем наполнить день. Самые условия, составляющие в других странах необходимую рамку жизни, в которой так естественно размещаются все события дня и без чего так же невозможно здоровое нравственное существование, как здоровая физическая жизнь без свежего воздуха,— у вас их нет и в помине. Вы понимаете, что речь идет еще вовсе не о моральных принципах и не о философских истинах, а просто о благоустроенной жизни, о тех привычках и навыках сознания, которые сообщают непринужденность уму и вносят правильность в душевную жизнь человека.

Взгляните вокруг себя. Не кажется ли, что всем нам не сидится на месте. Мы все имеем вид путешественников. Ни у кого нет определенной сферы существования, ни для чего не выработано хороших привычек, ни для чего нет правил; нет даже домашнего очага; нет ничего, что привязывало бы, чтó пробуждало бы в вас симпатию или любовь, ничего прочного, ничего постоянного; все протекает, все уходит, не оставляя следа ни вне, ни внутри вас. В своих домах мы как будто на постое, в семье имеем вид чужестранцев, в городах кажемся кочевниками, и даже больше, нежели те кочевники, которые пасут свои стада в наших степях, ибо они сильнее привязаны к своим пустыням, чем мы к нашим городам. И не думайте, пожалуйста, что предмет, о котором идет речь, не важен. Мы и без того обижены судьбою,— не станем же прибавлять к прочим нашим бедам ложного представления о самих себе, не будем притязать на чисто духовную жизнь; научимся жить разумно в эмпирической действительности.— Но сперва поговорим еще немного о нашей стране; мы не выйдем из рамок нашей темы. Без этого вступления вы не поняли бы того, что я имею вам сказать.

У каждого народа бывает период бурного волнения, страстного беспокойства, деятельности необдуманной и бесцельной. В это время люди становятся скитальцами в мире, физически и духовно. Это — эпоха сильных ощущений, широких замыслов, великих страстей народных. Народы мечутся тогда возбужденно, без видимой причины, но не без пользы для грядущих поколений. Через такой период прошли все общества. Ему обязаны они самыми яркими своими воспоминаниями, героическим элементом своей истории, своей поэзией, всеми наиболее сильными и плодотворными своими идеями; это — необходимая основа всякого общества. Иначе в памяти народов не было бы ничего, чем они могли бы дорожить, что могли бы любить; они были бы привязаны лишь к праху земли, на которой живут. Этот увлекательный фазис в истории народов есть их юность, эпоха, в которую их способности развиваются всего сильнее и память о которой составляет радость и поучение их зрелого возраста. У нас ничего этого нет. Сначала — дикое варварство, потом грубое невежество, затем свирепое и унизительное чужеземное владычество, дух которого позднее унаследовала наша национальная власть,— такова печальная история нашей юности. Этого периода бурной деятельности, кипучей игры духовных сил народных, у нас не было совсем. Эпоха нашей социальной жизни, соответствующая этому возрасту, была заполнена тусклым и мрачным существованием, лишенным силы и энергии, которое ничто не оживляло, кроме злодеяний, ничто не смягчало, кроме рабства. Ни пленительных воспоминаний, ни грациозных образов в памяти народа, ни мощных поучений в его предании. Окиньте взглядом все прожитые нами века, все занимаемое нами пространство,— вы не найдете ни одного привлекательного воспоминания, ни одного почтенного памятника, который властно говорил бы вам о прошлом, который воссоздавал бы его пред вами живо и картинно. Мы живем одним настоящим в самых тесных его пределах, без прошедшего и будущего, среди мертвого застоя. И если мы иногда волнуемся, то отнюдь не в надежде или расчете на какое-нибудь общее благо, а из детского легкомыслия, с каким ребенок силится встать и протягивает руки к погремушке, которую показывает ему няня.

Истинное развитие человека в обществе еще не началось для народа, если жизнь его не сделалась более благоустроенной, более легкой и приятной, чем в неустойчивых условиях первобытной эпохи. Как вы хотите, чтобы семена добра созревали в каком-нибудь обществе, пока оно еще колеблется без убеждений и правил даже в отношении повседневных дел и жизнь еще совершенно не упорядочена? Это — хаотическое брожение в мире духовном, подобное тем переворотам в истории земли, которые предшествовали современному состоянию нашей планеты. Мы до сих пор находимся в этой стадии.

Годы ранней юности, проведенные нами в тупой неподвижности, не оставили никакого следа в нашей душе, и у нас нет ничего индивидуального, на что могла бы опереться наша мысль; но, обособленные странной судьбой от всемирного движения человечества, мы также ничего не восприняли и из *преемственных* идей человеческого рода. Между тем именно на этих идеях основывается жизнь народов; из этих идей вытекает их будущее, исходит их нравственное развитие. Если мы хотим занять положение, подобное положению других цивилизованных народов, мы должны некоторым образом повторить у себя все воспитание человеческого рода. Для этого к нашим услугам история народов и перед нами плоды движения веков. Конечно, эта задача трудна и, быть может, в пределах одной человеческой жизни не исчерпать этот обширный предмет; но прежде всего надо узнать, в чем дело, что представляет собою это воспитание человеческого рода и каково место, которое мы занимаем в общем строе.

Народы живут лишь могучими впечатлениями, которые оставляют в их душе протекшие века, да общением с другими народами. Вот почему каждый отдельный человек проникнут сознанием своей связи со всем человечеством.

Что такое жизнь человека, говорит Цицерон[3], если память о прошлых событиях не связывает настоящего с прошедшим! Мы же, придя в мир, подобно незаконным детям, без наследства, без связи с людьми, жившими на земле раньше нас, мы не храним в наших сердцах ничего из тех уроков, которые предшествовали нашему собственному существованию. Каждому из нас приходится самому связывать порванную нить родства. Что у других народов обратилось в привычку, в инстинкт, то нам приходится вбивать в головы ударами молота. Наши воспоминания не идут далее вчерашнего дня; мы, так сказать, чужды самим себе. Мы так странно движемся во времени, что с каждым нашим шагом вперед прошедший миг исчезает для нас безвозвратно. Это — естественный результат культуры, всецело основанной на заимствовании и подражании. У нас совершенно нет внутреннего развития, естественного прогресса; каждая новая идея бесследно вытесняет старые, потому что она не вытекает из них, а является к нам бог весть откуда. Так как мы воспринимаем всегда лишь готовые идеи, то в нашем мозгу не образуются те неизгладимые борозды, которые последовательное развитие проводит в умах и которые составляют их силу. Мы растем, но не созреваем; движемся вперед, но по кривой линии, то есть по такой, которая не ведет к цели. Мы подобны тем детям, которых не приучили мыслить самостоятельно; в период зрелости у них не оказывается ничего своего; все их знание — в их внешнем быте, вся их душа — вне их. Именно таковы мы.

Народы — в такой же мере существа нравственные, как и отдельные личности. Их воспитывают века, как отдельных людей воспитывают годы. Но мы, можно сказать, некоторым образом — народ исключительный. Мы принадлежим к числу тех наций, которые как бы не входят в состав человечества, а существуют лишь для того, чтобы дать миру какой-нибудь важный урок. Наставление, которое мы призваны преподать, конечно, не будет потеряно; но кто может сказать, когда мы обретем себя среди человечества и сколько бед суждено нам испытать, прежде чем исполнится наше предназначение?

Все народы Европы имеют общую физиономию, некоторое семейное сходство. Вопреки огульному разделению их на латинскую и тевтонскую расы, на южан и северян — все же есть общая связь, соединяющая их всех в одно целое и хорошо видимая всякому, кто поглубже вник в их общую историю. Вы знаете, что еще сравнительно недавно вся Европа называлась христианским миром, и это выражение употреблялось в публичном праве. Кроме общего характера, у каждого из этих народов есть еще свой частный характер, но и тот, и другой всецело сотканы из истории и традиции. Они составляют преемственное идейное наследие этих народов. Каждый отдельный человек пользуется там своею долей этого наследства, без труда и чрезмерных усилий он набирает себе в жизни запас этих знаний и навыков и извлекает из них свою пользу. Сравните сами и скажите, много ли мы находим у себя в повседневном обиходе элементарных идей, которыми могли бы с грехом пополам руководствоваться в жизни? И заметьте, здесь идет речь не о приобретении знаний и не о чтении, не о чем-либо касающемся литературы или науки, а просто о взаимном общении умов, о тех идеях, которые овладевают ребенком в колыбели, окружают его среди детских игр и передаются ему с ласкою матери, которые в виде различных чувств проникают до мозга его костей вместе с воздухом, которым он дышит, и создают его нравственное существо еще раньше, чем он вступает в свет и общество. Хотите ли знать, что это за идеи? Это — идеи долга, справедливости, права, порядка. Они родились из самых событий, образовавших там общество, они входят необходимым элементом в социальный уклад этих стран.

Это и составляет атмосферу Запада; это — больше, нежели история, больше, чем психология: это — физиология европейского человека. Чем вы замените это у нас? Не знаю, можно ли из сказанного сейчас вывести что-нибудь вполне безусловное и извлечь отсюда какой-либо непреложный принцип; но нельзя не видеть, что такое странное положение народа, мысль которого не примыкает ни к какому ряду идей, постепенно развившихся в обществе и медленно выраставших одна из другой, и участие которого в общем поступательном движении человеческого разума ограничивалось лишь слепым, поверхностным и часто неискусным подражанием другим нациям, должно могущественно влиять на дух каждого отдельного человека в этом народе.

Вследствие этого вы найдете, что всем нам недостает известной уверенности, умственной методичности, логики. Западный силлогизм нам незнаком. Наши лучшие умы страдают чем-то большим, нежели простая неосновательность. Лучшие идеи, за отсутствием связи или последовательности, замирают в нашем мозгу и превращаются в бесплодные призраки. Человеку свойственно теряться, когда он не находит способа привести себя в связь с тем, что ему предшествует, и с тем, что за ним следует. Он лишается тогда всякой твердости, всякой уверенности. Не руководимый чувством непрерывности, он видит себя заблудившимся в мире. Такие растерянные люди встречаются во всех странах; у нас же это общая черта. Это вовсе не то легкомыслие, в котором когда-то упрекали французов и которое в сущности представляло собою не что иное, как способность легко усваивать вещи, не исключавшую ни глубины, ни широты ума и вносившую в обращение необыкновенную прелесть и изящество; это — беспечность жизни, лишенной опыта и предвидения, не принимающей в расчет ничего, кроме мимолетного существования особи, оторванной от рода, жизни, не дорожащей ни честью, ни успехами какой-либо системы идей и интересов, ни даже тем родовым наследием и теми бесчисленными предписаниями и перспективами, которые в условиях быта, основанного на памяти прошлого и предусмотрении будущего, составляют и общественную, и частную жизнь. В наших головах нет решительно ничего общего; все в них индивидуально и все шатко и неполно. Мне кажется даже, что в нашем взгляде есть какая-то странная неопределенность, что-то холодное и неуверенное, напоминающее отчасти физиономию тех народов, которые стоят на низших ступенях социальной лестницы. В чужих странах, особенно на юге, где физиономии так выразительны и так оживленны, не раз, сравнивая лица моих соотечественников с лицами туземцев, я поражался этой немотой наших лиц.

Иностранцы ставят нам в достоинство своего рода бесшабашную отвагу, встречаемую особенно в низших слоях народа; но, имея возможность наблюдать лишь отдельные проявления национального характера, они не в состоянии судить о целом. Они не видят, что то же самое начало, благодаря которому мы иногда бываем так отважны, делает нас всегда неспособными к углублению и настойчивости; они не видят, что этому равнодушию к житейским опасностям соответствует в нас такое же полное равнодушие к добру и злу, к истине и ко лжи и что именно это лишает нас всех могущественных стимулов, которые толкают людей по пути совершенствования; они не видят, что именно благодаря этой беспечной отваге даже высшие классы у нас, к прискорбию, несвободны от тех пороков, которые в других странах свойственны лишь самым низшим слоям общества; они не видят, наконец, что, если нам присущи кое-какие добродетели молодых и малоразвитых народов, мы не обладаем зато ни одним из достоинств, отличающих народы зрелые и высококультурные.

Я не хочу сказать, конечно, что у нас одни пороки, а у европейских народов одни добродетели; избави бог! Но я говорю, что для правильного суждения о народах следует изучать общий дух, составляющий их жизненное начало, ибо только он, а не та или иная черта их характера, может вывести их на путь нравственного совершенства и бесконечного развития.

Народные массы подчинены известным силам, стоящим вверху общества. Они не думают сами; среди них есть известное число мыслителей, которые думают за них, сообщают импульс коллективному разуму народа и двигают его вперед. Между тем как небольшая группа людей мыслит, остальные чувствуют, и в итоге совершается общее движение. За исключением некоторых отупелых племен, сохранивших лишь внешний облик человека, сказанное справедливо в отношении всех народов, населяющих землю. Первобытные народы Европы — кельты, скандинавы, германцы — имели своих друидов[4], скальдов[5] и бардов[6], которые были по-своему сильными мыслителями. Взгляните на племена Северной Америки, которые так усердно старается истребить материальная культура Соединенных Штатов: среди них встречаются люди удивительной глубины.

И вот я спрашиваю вас, где наши мудрецы, наши мыслители? Кто когда-либо мыслил за нас, кто теперь за нас мыслит? А ведь, стоя между двумя главными частями мира, Востоком и Западом, упираясь одним локтем в Китай, другим в Германию, мы должны были бы соединить в себе оба великих начала духовной природы: воображение и рассудок, и совмещать в нашей цивилизации историю всего земного шара. Но не такова роль, определенная нам провидением. Больше того: оно как бы совсем не было озабочено нашей судьбой. Исключив нас из своего благодетельного действия на человеческий разум, оно всецело предоставило нас самим себе, отказалось как бы то ни было вмешиваться в наши дела, не пожелало ничему нас научить. Исторический опыт для нас не существует; поколения и века протекли без пользы для нас. Глядя на нас, можно было бы сказать, что общий закон человечества отменен по отношению к нам. Одинокие в мире, мы ничего не дали миру, ничему не научили его; мы не внесли ни одной идеи в массу идей человеческих, ничем не содействовали прогрессу человеческого разума, и все, что нам досталось от этого прогресса, мы исказили. С первой минуты нашего общественного существования мы ничего не сделали для общего блага людей; ни одна полезная мысль не родилась на бесплодной почве нашей родины; ни одна великая истина не вышла из нашей среды; мы не дали себе труда ничего выдумать сами, а из того, что выдумали другие, мы перенимали только обманчивую внешность и бесполезную роскошь.

Странное дело: даже в мире науки, обнимающем все, наша история ни к чему не примыкает, ничего не уясняет, ничего не доказывает. Если бы дикие орды, возмутившие мир, не прошли по стране, в которой мы живем, прежде чем устремиться на Запад, нам едва ли была бы отведена страница во всемирной истории. Если бы мы не раскинулись от Берингова пролива до Одера, нас и не заметили бы. Некогда великий человек[7] захотел просветить нас, и для того, чтобы приохотить нас к образованию, он кинул нам плащ цивилизации; мы подняли плащ, но не дотронулись до просвещения. В другой раз, другой великий государь[8], приобщая нас к своему славному предназначению, провел нас победоносно с одного конца Европы на другой[9]; вернувшись из этого триумфального шествия чрез просвещеннейшие страны мира, мы принесли с собою лишь идеи и стремления, плодом которых было громадное несчастие, отбросившее нас на полвека назад[10]. В нашей крови есть нечто, враждебное всякому истинному прогрессу. И в общем мы жили и продолжаем жить лишь для того, чтобы послужить каким-то важным уроком для отдаленных поколений, которые сумеют его понять; ныне же мы, во всяком случае, составляем пробел в нравственном миропорядке. Я не могу вдоволь надивиться этой необычайной пустоте и обособленности нашего социального существования. Разумеется, в этом повинен отчасти неисповедимый рок, но, как и во всем, что совершается в нравственном мире, здесь виноват отчасти и сам человек. Обратимся еще раз к истории: она — ключ к пониманию народов.

Что мы делали о ту пору, когда в борьбе энергического варварства северных народов с высокою мыслью христианства складывалась храмина современной цивилизации? Повинуясь нашей злой судьбе, мы обратились к жалкой, глубоко презираемой этими народами Византии за тем нравственным уставом, который должен был лечь в основу нашего воспитания. Волею одного честолюбца* эта семья народов только что была отторгнута от всемирного братства, и мы восприняли, следовательно, идею, искаженную человеческою страстью. В Европе все одушевлял тогда животворный принцип единства. Все исходило из него и все сводилось к нему. Все умственное движение той эпохи было направлено на объединение человеческого мышления; все побуждения коренились в той властной потребности отыскать всемирную идею, которая является гением-вдохновителем нового времени. Непричастные этому чудотворному началу, мы сделались жертвою завоевания. Когда же мы свергли чужеземное иго и только наша оторванность от общей семьи мешала нам воспользоваться идеями, возникшими за это время у наших западных братьев, мы подпали еще более жестокому рабству, освященному притом фактом нашего освобождения.

---

* Фотия[11]

Сколько ярких лучей уже озаряло тогда Европу, на вид окутанную мраком! Бóльшая часть знаний, которыми теперь гордится человек, уже были предугаданы отдельными умами; характер общества уже определился, а, приобщившись к миру языческой древности, христианские народы обрели и те формы прекрасного, которых им еще недоставало. Мы же замкнулись в нашем религиозном обособлении, и ничто из происходившего в Европе не достигало до нас. Нам не было никакого дела до великой мировой работы. Высокие качества, которые религия принесла в дар новым народам и которые в глазах здравого разума настолько же возвышают их над древними народами, насколько последние стояли выше готтентотов и лапландцев; эти новые силы, которыми она обогатила человеческий ум; эти нравы, которые, вследствие подчинения безоружной власти, сделались столь же мягкими, как раньше были грубы,— все это нас совершенно миновало. В то время, как христианский мир величественно шествовал по пути, предначертанному его божественным основателем, увлекая за собою поколения,— мы, хотя и носили имя христиан, не двигались с места. Весь мир перестраивался заново, а у нас ничего не созидалось; мы по-прежнему прозябали, забившись в свои лачуги, сложенные из бревен и соломы. Словом, новые судьбы человеческого рода совершались помимо нас. Хотя мы и назывались христианами, плод христианства для нас не созревал.

Спрашиваю вас, не наивно ли предполагать, как это обыкновенно делают у нас, что этот прогресс европейских народов, совершившийся столь медленно и под прямым и очевидным воздействием единой нравственной силы, мы можем усвоить сразу, не дав себе даже труда узнать, каким образом он осуществлялся?

Совершенно не понимает христианства тот, кто не видит, что в нем есть чисто историческая сторона, которая является одним из самых существенных элементов догмата и которая заключает в себе, можно сказать, всю философию христианства, так как показывает, чтó оно дало людям и что даст им в будущем. С этой точки зрения христианская религия является не только нравственной системою, заключенной в преходящие формы человеческого ума, но вечной божественной силой, действующей универсально в духовном мире и чье явственное обнаружение должно служить нам постоянным уроком. Именно таков подлинный смысл догмата о вере в единую церковь, включенного в символ веры. В христианском мире все необходимо должно способствовать — и действительно способствует — установлению совершенного строя на земле; иначе не оправдалось бы слово господа, что он пребудет в церкви своей до скончания века. Тогда новый строй,— царство божие,— который должен явиться плодом искупления, ничем не отличался бы от старого строя,— от царства зла,— который искуплением должен быть уничтожен, и нам опять-таки оставалась бы лишь та призрачная мечта о совершенстве, которую лелеют философы и которую опровергает каждая страница истории,— пустая игра ума, способная удовлетворять только материальные потребности человека и поднимающая его на известную высоту лишь затем, чтобы тотчас низвергнуть в еще более глубокие бездны.

Однако, скажете вы, разве мы не христиане? и разве не мыслима иная цивилизация, кроме европейской? — Без сомнения, мы христиане; но не христиане ли и абиссинцы? Конечно, возможна и образованность, отличная от европейской; разве Япония не образованна, притом, если верить одному из наших соотечественников, даже в большей степени, чем Россия? Но неужто вы думаете, что тот порядок вещей, о котором я только что говорил и который является конечным предназначением человечества, может быть осуществлен абиссинским христианством и японской культурой? Неужто вы думаете, что небо сведут на землю эти нелепые уклонения от божеских и человеческих истин?

В христианстве надо различать две совершенно разные вещи: его действие на отдельного человека и его влияние на всеобщий разум. То и другое естественно сливается в высшем разуме и неизбежно ведет к одной и той же цели. Но срок, в который осуществляются вечные предначертания божественной мудрости, не может быть охвачен нашим ограниченным взглядом. И потому мы должны отличать божественное действие, проявляющееся в какое-нибудь определенное время в человеческой жизни, от того, которое совершается в бесконечности. В тот день, когда окончательно исполнится дело искупления, все сердца и умы сольются в одно чувство, в одну мысль, и тогда падут все стены, разъединяющие народы и исповедания. Но теперь каждому важно знать, какое место отведено ему в общем призвании христиан, то есть какие средства он может найти в самом себе и вокруг себя, чтобы содействовать достижению цели, поставленной всему человечеству.

Отсюда необходимо возникает особый круг идей, в котором и вращаются умы того общества, где эта цель должна осуществиться, то есть где идея, которую бог открыл людям, должна созреть и достигнуть всей своей полноты. Этот круг идей, эта нравственная сфера, в свою очередь, естественно обусловливают определенный строй жизни и определенное мировоззрение, которые, не будучи тождественными для всех, тем не менее создают у нас, как и у всех не европейских народов, одинаковый бытовой уклад, являющийся плодом той огромной 18-вековой духовной работы, в которой участвовали все страсти, все интересы, все страдания, все мечты, все усилия разума.

Все европейские народы шли вперед в веках рука об руку; и как бы ни старались они теперь разойтись каждый своей дорогой,— они беспрестанно сходятся на одном и том же пути. Чтобы убедиться в том, как родственно развитие этих народов, нет надобности изучать историю; прочтите только Тасса[12], и вы увидите их всех простертыми ниц у подножия Иерусалимских стен. Вспомните, что в течение пятнадцати веков у них был один язык для обращения к богу, одна духовная власть и одно убеждение. Подумайте, что в течение пятнадцати веков, каждый год в один и тот же день, в один и тот же час, они в одних и тех словах возносили свой голос к верховному существу, прославляя его за величайшее из его благодеяний. Дивное созвучие, в тысячу крат более величественное, чем все гармонии физического мира! Итак, если эта сфера, в которой живут европейцы и в которой в одной человеческий род может исполнить свое конечное предназначение, есть результат влияния религии и если, с другой стороны, слабость нашей веры или несовершенство наших догматов до сих пор держали нас в стороне от этого общего движения, где развилась и формулировалась социальная идея христианства, и низвели нас в сонм народов, коим суждено лишь косвенно и поздно воспользоваться всеми плодами христианства, то ясно, что нам следует прежде всего оживить свою веру всеми возможными способами и дать себе истинно христианский импульс, так как на Западе все создано христианством. Вот что я подразумевал, говоря, что мы должны от начала повторить на себе все воспитание человеческого рода.

Вся история новейшего общества совершается на почве мнений; таким образом, она представляет собою настоящее воспитание. Утвержденное изначала на этой основе, общество шло вперед лишь силою мысли. Интересы всегда следовали там за идеями, а не предшествовали им; убеждения никогда не возникали там из интересов, а всегда интересы рождались из убеждений. Все политические революции были там, в сущности, духовными революциями: люди искали истину и попутно нашли свободу и благосостояние. Этим объясняется характер современного общества и его цивилизации; иначе его совершенно нельзя было бы понять.

Религиозные гонения, мученичество за веру, проповедь христианства, ереси, соборы — вот события, наполняющие первые века. Все движение этой эпохи, не исключая и нашествия варваров, связано с этими первыми, младенческими усилиями нового мышления. Следующая затем эпоха занята образованием иерархии, централизацией духовной власти и непрерывным распространением христианства среди северных народов. Далее следует высочайший подъем религиозного чувства и упрочение религиозной власти. Философское и литературное развитие ума и улучшение нравов под державой религии довершают эту историю новых народов, которую с таким же правом можно назвать священной, как и историю древнего избранного народа. Наконец, новый религиозный поворот, новый размах, сообщенный религией человеческому духу, определил и теперешний уклад общества. Таким образом, главный и, можно сказать, единственный интерес новых народов всегда заключался в идее. Все положительные, материальные, личные интересы поглощались ею.

Я знаю — вместо того, чтобы восхищаться этим дивным порывом человеческой природы к возможному для нее совершенству, в нем видели только фанатизм и суеверие; но что бы ни говорили о нем, судите сами, какой глубокий след в характере этих народов должно было оставить такое социальное развитие, всецело вытекавшее из одного чувства, безразлично — в добре и во зле. Пусть поверхностная философия вопиет, сколько хочет, по поводу религиозных войн и костров, зажженных нетерпимостью,— мы можем только завидовать доле народов, создавших себе в борьбе мнений, в кровавых битвах за дело истины, целый мир идей, которого мы даже представить себе не можем, не говоря уже о том, чтобы перенестись в него телом и душой, как у нас об этом мечтают.

Еще раз говорю: конечно, не все в европейских странах проникнуто разумом, добродетелью и религией,— далеко нет. Но все в них таинственно повинуется той силе, которая властно царит там уже столько веков, все порождено той долгой последовательностью фактов и идей, которая обусловила современное состояние общества. Вот один из примеров, доказывающих это. Народ, физиономия которого всего резче выражена и учреждения всего более проникнуты духом нового времени,— англичане,— собственно говоря, не имеют иной истории, кроме религиозной. Их последняя революция, которой они обязаны своей свободою и своим благосостоянием, так же как и весь ряд событий, приведших к этой революции, начиная с эпохи Генриха VIII,— не что иное, как фазис религиозного развития. Во всю эпоху интерес собственно политический является лишь второстепенным двигателем и временами исчезает вовсе или приносится в жертву идее. И в ту минуту, когда я пишу эти строки*, все тот же религиозный интерес волнует эту избранную страну. Да и вообще, какой из европейских народов не нашел бы в своем национальном сознании, если бы дал себе труд разобраться в нем, того особенного элемента, который в форме религиозной мысли неизменно являлся животворным началом, душою его социального тела, на всем протяжении его бытия?

Действие христианства отнюдь не ограничивается его прямым и непосредственным влиянием на дух человека. Огромная задача, которую оно призвано исполнить, может быть осуществлена лишь путем бесчисленных нравственных, умственных и общественных комбинаций, где должна найти себе полный простор безусловная победа человеческого духа. Отсюда ясно, что все совершившееся с первого дня нашей эры, или, вернее, с той минуты, когда Спаситель сказал своим ученикам: *Идите по всему миру и проповедуйте Евангелие всей твари*[13],— включая и все нападки на христианство,— без остатка покрывается этой общей идеей его влияния. Стоит лишь обратить внимание на то, как власть Христа непреложно осуществляется во всех сердцах,— с сознанием или бессознательно, по доброй воле или принуждению,— чтобы убедиться в исполнении его пророчеств. Поэтому, несмотря на всю неполноту, несовершенство и порочность, присущие европейскому миру в его современной форме, нельзя отрицать, что царство божие до известной степени осуществлено в нем, ибо он содержит в себе начало бесконечного развития и обладает в зародышах и элементах всем, что необходимо для его окончательного водворения на земле.

Прежде чем закончить эти размышления о роли, которую играла религия в истории общества, я хочу привести здесь то, что говорил об этом когда-то в сочинении, вам неизвестном.

Несомненно, писал я, что, пока мы не научимся узнавать действие христианства повсюду, где человеческая мысль каким бы то ни было образом соприкасается с ним, хотя бы с целью ему противоборствовать,— мы не имеем о нем ясного

---

* 1829.

понятия. Едва произнесено имя Христа, одно это имя увлекает людей, что бы они ни делали. Ничто не обнаруживает так ясно божественного происхождения христианской религии, как эта ее безусловная универсальность, сказывающаяся в том, что она проникает в души всевозможными путями, овладевает умом без его ведома, и даже в тех случаях, когда он, по-видимому, всего более ей противится, подчиняет его себе и властвует над ним, внося при этом в сознание истины, которых там раньше не было, пробуждая ощущения в сердцах, дотоле им чуждые, и внушая нам чувства, которые без нашего ведома вводят нас в общий строй. Так определяет она роль каждой личности в общей работе и заставляет все содействовать одной цели. При таком понимании христианства всякое пророчество Христа получает характер осязательной истины. Тогда начинаешь ясно различать движение всех рычагов, которые его всемогущая десница пускает в ход, дабы привести человека к его конечной цели, не посягая на его свободу, не умерщвляя ни одной из его природных способностей, а, наоборот, удесятеряя их силу и доводя до безмерного напряжения ту долю мощи, которая заложена в нем самом. Тогда видишь, что ни один нравственный элемент не остается бездейственным в новом строе, что самые энергичные усилия ума, как и горячий порыв чувства, героизм твердого духа, как и покорность кроткой души,— все находит в нем место и применение. Доступная всякому разумному существу, сочетаясь с каждым биением нашего сердца, о чем бы оно ни билось, христианская идея все увлекает за собою, и самые препятствия, встречаемые ею, помогают ей расти и крепнуть. С гением она поднимается на высоту, недосягаемую для остальных людей; с робким духом она движется ощупью и идет вперед мерным шагом; в созерцательном уме она безусловна и глубока; в душе, подвластной воображению, она воздушна и богата образами; в нежном и любящем сердце она разрешается в милосердие и любовь;— и каждое сознание, отдавшееся ей, она властно ведет вперед, наполняя его жаром, ясностью и силой. Взгляните, как разнообразны характеры, как множественны силы, приводимые ею в движение, какие несходные элементы служат одной и той же цели, сколько разнообразных сердец бьется для одной идеи! Но еще более удивительно влияние христианства на общество в целом. Разверните вполне картину эволюции нового общества, и вы увидите, как христианство претворяет все интересы людей в свои собственные, заменяя всюду материальную потребность потребностью нравственной и возбуждая в области мысли те великие споры, каких до него не знало ни одно время, ни одно общество, те страшные столкновения мнений, когда вся жизнь народов превращалась в одну великую идею, одно безграничное чувство; вы увидите, как все становится им, и только им,— частная жизнь и общественная, семья и родина, наука и поэзия, разум и воображение, воспоминания и надежды, радости и печали. Счастливы те, кто носит в сердце своем ясное сознание части, им творимой, в этом великом движении, которое сообщил миру сам бог. Но не все суть деятельные орудия, не все трудятся сознательно; необходимые массы движутся слепо, не зная сил, которые приводят их движения, и не провидя цели, к которой они влекутся,— бездушные атомы, косные громады.

Но пора вернуться к вам, сударыня. Признаюсь, мне трудно оторваться от этих широких перспектив. В картине, открывающейся моим глазам с этой высоты,— все мое утешение, и сладкая вера в будущее счастье человечества одна служит мне убежищем, когда, удрученный жалкой действительностью, которая меня окружает, я чувствую потребность подышать более чистым воздухом, взглянуть на более ясное небо. Однако я не думаю, что злоупотребил вашим временем. Мне надо было показать вам ту точку зрения, с которой следует смотреть на христианский мир и на нашу роль в нем. То, что я говорил о нашей стране, должно было показаться вам исполненным горечи; между тем я высказал одну только правду, и даже не всю. Притом христианское сознание не терпит никакой слепоты, а национальный предрассудок является худшим видом ее, так как он всего более разъединяет людей.

Мое письмо растянулось, и, думаю, нам обоим нужен отдых. Начиная его, я полагал, что сумею в немногих словах изложить то, что́ хотел вам сказать; но, вдумываясь глубже, я вижу, что об этом можно написать целый том. По сердцу ли это вам? Буду ждать вашего ответа. Но, во всяком случае, вы не можете избегнуть еще одного письма от меня, потому что мы едва лишь приступили к рассмотрению нашей темы. А пока я был бы чрезвычайно признателен вам, если бы вы соблаговолили пространностью этого первого письма извинить то, что я так долго заставил вас ждать его. Я сел писать вам в тот же день, когда получил ваше письмо; но грустные и тягостные заботы поглотили меня тогда всецело, и мне надо было избавиться от них, прежде чем начать с вами разговор о столь важных предметах; затем нужно было переписать мое маранье, которое было совершенно неразборчиво. На этот раз вам не придется долго ждать: завтра же снова берусь за перо.

Некрополь[14], *1-го декабря 1829 г.*

ПИСЬМО ВТОРОЕ

Если я удачно передал намедни свою мысль, вы должны были убедиться, что я отнюдь не думаю, будто нам не хватает одних только знаний. Правда, и их у нас не слишком много, но приходится в данное время обойтись без тех обширных духовных сокровищ, которые веками скоплены в других странах и находятся там в распоряжении человека: нам предстоит другое. К тому же, если и допустить, что мы смогли бы путем изучения и размышления добыть себе недостающие нам знания, откуда нам взять живые традиции, обширный опыт, глубокое осознание прошлого, прочные умственные навыки — все эти последствия огромного напряжения всех человеческих способностей, а они-то и составляют нравственную природу народов Европы и дают им подлинное превосходство. Итак, задача сейчас не в расширении области наших идей, а в том, чтобы исправить их и придать им новое направление. Что касается вас, сударыня, то вам прежде всего нужна новая сфера бытия, в которой свежие мысли, случайно зароненные в ваш ум, и новые потребности, порожденные этими мыслями в вашей душе, нашли бы действительное приложение. Вы должны создать себе новый мир, раз тот, в котором вы живете, стал вам чуждым.

Начать с того, что состояние души нашей, как бы высоко она ни была настроена, по необходимости зависит от окружающей обстановки. Поэтому вам надлежит как следует разобраться в том, что можно сделать при вашем положении в свете и в собственной вашей семье для согласования ваших чувств с вашим образом жизни, ваших идей — с вашими домашними отношениями, ваших верований — с верованиями тех, кого вы видаете...

Ведь множество зол возникает именно оттого, что происходящее в глубине нашей мысли резко расходится с необходимостью подчиняться общественным условиям. Вы говорите, что средства не позволяют вам удобно устроиться в столице. Ну что ж, у вас прелестная усадьба: почему бы вам прочно там не обосноваться до конца ваших дней? Это счастливая необходимость, и от вас одной зависит извлечь из нее всю ту пользу, какую могли бы вам доставить самые поучительные указания философии. Сделайте свой приют как можно более привлекательным, займитесь его красивым убранством, почему бы даже не вложить в это некоторую изысканность и нарядность? Ведь это вовсе не особый вид чувственности, заботы ваши будут иметь целью не вульгарные удовольствия, а возможность всецело сосредоточиться в своей внутренней жизни. Очень прошу вас не пренебрегать этими внешними мелочами. Мы живем в стране, столь бедной проявлениями идеального, что если мы не окружим себя в домашней жизни некоторой долей поэзии и хорошего вкуса, то легко можем утратить всякую утонченность чувства, всякое понятие об изящном. Одна из самых поразительных особенностей нашей своеобразной цивилизации заключается в пренебрежении всеми удобствами и радостями жизни. Мы лишь с грехом пополам боремся с крайностями времен года, и это в стране, о которой можно не на шутку спросить себя: была ли она предназначена для жизни разумных существ. Раз мы сделали некогда неосторожность, поселившись в этом жестоком климате, то постараемся по крайней мере ныне устроиться там так, чтобы можно было несколько забыть его суровость.

Мне помнится, вы в былое время с большим удовольствием читали Платона. Вспомните, как заботливо самый идеальный, самый выспренний из мудрецов древнего мира окружает действующих лиц своих философских драм всеми благами жизни. То они медленно гуляют по прелестным прибрежьям Илисса или в кипарисных аллеях Гносса, то они укрываются в прохладной тени старого платана или вкушают сладостное отдохновение на цветущей лужайке, а то, выждав спадения дневной жары, наслаждаются ароматным воздухом и тихой прохладой вечера в Аттике или же, наконец, возлежат в удобных позах, увенчанные цветами и с кубками в руках, вокруг стола с яствами, и, только прекрасно устроив их на земле, автор возносит их в надлунные пространства, в которых так любит витать[1]. Я мог бы вам указать и в сочинениях самых строгих отцов церкви, у св. Иоанна Златоуста, у св. Григория Назианзина, даже и у св. Василия, прелестные изображения уединений, где эти великие люди находили покой и высокие вдохновения, сделавшие их светилами веры. Святые мужи не думали, что они унижают свое достоинство, отдаваясь заботам о таких предметах, наполняющих значительную часть жизни. В этом безразличии к жизненным благам, которое иные из нас вменяют себе в заслугу, есть поистине нечто циничное. Одна из главных причин, замедляющих у нас прогресс, состоит в отсутствии всякого отражения искусства в нашей домашней жизни.

Затем я бы хотел, чтобы вы устроили себе в этом убежище, которое вы как можно лучше украсите, вполне однообразный и методический образ жизни. Нам всем не хватает духа порядка и последовательности, исправимся от этого недостатка. Не стоит повторять доводов в пользу преимуществ размеренной жизни, во всяком случае одно лишь постоянное подчинение определенным правилам может научить нас без усилий подчиняться высшему закону нашей природы. Но для точного поддержания известного строя необходимо устранить все, что этому мешает. Часто с первых часов дня бываешь выбит из намеченного круга занятий, и весь день испорчен. Нет ничего важнее первых испытанных нами впечатлений, первых мыслей вслед за подобием смерти, которое разделяет один день от другого. Эти впечатления и эти мысли обычно предопределяют состояние нашей души на весь день. Вот он начался домашней сварой и может кончиться непоправимой ошибкой. Поэтому приучитесь первые часы дня сделать как можно более значительными и торжественными, сразу вознесите душу на всю ту высоту, к какой она способна, старайтесь провести эти часы в полном уединении, устраняйте все, что может слишком на вас повлиять, слишком вас рассеять, при такой подготовке вы можете безболезненно встретить те неблагоприятные впечатления, которые затем вас охватят и которые при других условиях превратили бы ваше существование в непрерывную борьбу, без надежды на победу. К тому же, раз это время упущено, потом уж не вернешь его для уединения и сосредоточенной мысли. Жизнь поглотит вас всеми своими заботами, как приятными, так и скучными, и вы покатитесь в нескончаемом колесе житейских мелочей. Не дадим же протекать без пользы единственному часу дня, когда мы можем принадлежать самим себе.

Признаюсь, я придаю большое значение этой потребности ежедневно сосредоточиться и расправить душу, я уверен, что нет другого средства уберечь себя от поглощения окружающим; но вы, конечно, понимаете, что это далеко еще не все. Одна идея, пронизывающая всю вашу жизнь, должна всегда стоять перед вами, служить вам светочем во всякое время дня. Мы являемся в мир со смутным инстинктом нравственного блага, но вполне осознать его мы можем лишь в более полной идее, которая из этого инстинкта развивается в течение всей жизни. Этой внутренней работе надо все приносить в жертву, применительно к ней надо установить весь порядок вашей жизни. Но все это должно протекать в сердечном молчании, потому что мир не сочувствует ничему глубокому. Он отвращает глаза от великих убеждений, глубокая идея его утомляет. Вам же должны быть свойственны верное чувство и сосредоточенная мысль, не зависимые от различных людских мнений, а уверенно ведущие вас к цели. Не завидуйте обществу из-за его чувственных удовольствий, вы обретете в своем уединении наслаждения, о которых там и понятия не имеют. Я не сомневаюсь в том, что, освоившись с ясной атмосферой такого существования, вы станете спокойно взирать из своей обители на то, как волнуется и для вас исчезает мир, вы с наслаждением будете вкушать тишину души. А там — надо усвоить себе вкусы, привычки, привязанности вашего нового образа жизни. Надо избавиться от всякого суетного любопытства, разбивающего и уродующего жизнь, и первым делом искоренить упорную склонность сердца увлекаться новинками, гоняться за злобами дня и вследствие этого постоянно с жадностью ожидать того, что случится завтра. Иначе вы не обретете ни мира, ни благополучия, а одни только разочарования и отвращение. Хотите вы, чтобы мирской поток разбивался у порога вашего мирного жилища? Если да, то изгоните из вашей души все эти беспокойные страсти, возбуждаемые светскими происшествиями, все эти нервные волнения, вызванные новостями дня. Замкните дверь перед всяким шумом, всякими отголосками света. Наложите у себя запрет, если хватит у вас решимости, даже и на всю легковесную литературу, по существу, она не что иное, как тот же шум, но только в письменном виде. На мой взгляд, нет ничего вреднее для правильного умственного уклада, чем жажда чтения новинок. Повсюду мы встречаем людей, ставших неспособными серьезно размышлять, глубоко чувствовать вследствие того, что пищу их составляли одни только эти произведения последнего дня, в которых за все хватаются, ничего не углубив, в которых все обещают, ничего не выполняя, где все принимает сомнительную или лживую окраску и все вместе оставляет после себя пустоту и неопределенность. Если вы ищете удовлетворения в избранном вами образе жизни, необходимо добиться, чтобы новшество из-за одной новизны своей никогда вами не ценилось.

Нет никакого сомнения, чем более вы согласуете свои вкусы и потребности с этим образом жизни, тем лучше вы будете себя чувствовать. Чем теснее вы свяжете внешнее с внутренним, видимое с невидимым, тем более вы облегчите предстоящий путь. Не надо, однако, скрывать от себя и ожидающих вас трудностей. Их у нас так много, что всех и не перечесть. Здесь не торная дорога, где колесо жизни катится по наезженной колее: это тропа, по которой приходится продираться сквозь тернии и колючки, а подчас и сквозь чащу. В старых цивилизованных странах Европы давно сложились определенные бытовые образцы, так что там, когда решишь переменить обстановку, приходится просто-напросто выбрать ту новую рамку, в которую желаешь перенестись,— место заранее готово. Распределение ролей сделано. Как только вы изберете подходящий род жизни, и люди и предметы сами собой расположатся вокруг вас. Вам остается только должным образом их использовать. Совсем иное дело у нас. Сколько издержек, сколько труда, прежде чем вы освоитесь в новой обстановке. Сколько теряется времени, сколько затрачивается сил на приспособление, на то, чтобы приучить окружающих смотреть на вас сообразно с новым вашим положением, чтобы заставить молчать глупца, чтобы улеглось любопытство. Разве здесь знают, что такое могущество мысли? Разве здесь испытали, как прочно убеждение вследствие тех или других причин вторгается в душу вопреки привычному ходу вещей, через некое внезапное озарение, через указание свыше, овладевает душой, опрокидывает целиком ваше существование и поднимает вас выше вас самих и всего, что вас окружает? Живое вызывало ли здесь когда-либо сердечный отклик?

Естественно, что всякий, кто отдался бы с жаром своим верованиям, наткнется среди этой толпы, которую никогда ничего не потрясало, на препятствия и возражения. Вам придется себе все создавать, сударыня, вплоть до воздуха для дыхания, вплоть до почвы под ногами. И это буквально так. Эти рабы, которые вам прислуживают, разве не они составляют окружающий вас воздух? Эти борозды, которые в поте лица взрыли другие рабы, разве это не та почва, которая вас носит? И сколько различных сторон, сколько ужасов заключает в себе одно слово: раб! Вот заколдованный круг, в нем все мы гибнем, бессильные выйти из него. Вот проклятая действительность, о нее мы все разбиваемся. Вот что превращает у нас в ничто самые благородные усилия, самые великодушные порывы. Вот что парализует волю всех нас, вот что пятнает все наши добродетели. Отягченная роковым грехом, где она, та прекрасная душа, которая бы не заглохла под этим невыносимым бременем? Где человек, столь сильный, чтобы в вечном противоречии с самим собою, постоянно думая одно и поступая по-другому, он не опротивел сам себе? И вот я снова вернулся, сам того не замечая, к тому, с чего начал: позвольте мне еще немного на этом остановиться, и я затем вернусь к вам.

Эта ужасная язва, которая нас изводит, в чем же ее причина? Как могло случиться, что самая поразительная черта христианского общества как раз именно и есть та, от которой русский народ отрекся на лоне самого христианства? Откуда у нас это действие религии наоборот? Не знаю, но мне кажется, одно это могло бы заставить усомниться в православии, которым мы кичимся. Вы знаете, что ни один философ древности не пытался представить себе общества без рабов, да и не находил никаких возражений против рабства. Аристотель, признанный представитель всей той мудрости, какая только была в мире до пришествия Христа, утверждал, что люди родятся — одни, чтобы быть свободными, другие — чтобы носить оковы[2]. Вы знаете также и то, что, по признанию самых даже упорных скептиков, уничтожением крепостничества в Европе мы обязаны христианству. Более того, известно, что первые случаи освобождения были религиозными актами и совершались перед алтарем и что в большинстве отпускных грамот мы встречаем выражение: pro redemptione animae — ради искупления души. Наконец, известно, что духовенство показало везде пример, освобождая собственных крепостных, и что римские первосвященники первые вызвали уничтожение рабства в области, подчиненной их духовному управлению. Почему же христианство не имело таких же последствий у нас? Почему, наоборот, русский народ подвергся рабству лишь после того, как он стал христианским, а именно в царствование Годунова и Шуйского? Пусть православная церковь объяснит это явление.

Пусть скажет, почему она не возвысила материнского голоса против этого отвратительного насилия одной части народа над другой. И посмотрите, пожалуйста, как мало нас знают, невзирая на всю нашу внешнюю мощь. Как раз на этих днях в одно время и на Босфоре и на Евфрате прогремел гром наших пушек[3]. А между тем историческая наука, которая именно в это самое время доказывает, что уничтожение рабства есть заслуга христианства, даже и не подозревает, что христианский народ в 40 миллионов душ пребывает в оковах. Дело в том, что значение народов в человечестве определяется лишь их духовной мощью и что то внимание, которое они к себе возбуждают, зависит от их нравственного влияния в мире, а не от шума, который они производят. Теперь вернемся назад.

После сказанного о желательном, на мой взгляд, для вас образе жизни, вы, пожалуй, могли бы подумать, что я требую от вас монашеской замкнутости. Но речь идет лишь о трезвом и осмысленном существовании, а оно не имеет ничего общего с мрачной суровостью аскетической морали. Я говорю о жизни, отличной от жизни толпы, с такой положительной идеей и таким чувством, преисполненным убеждения, к которому сводились бы все остальные мысли, все остальные чувства. Такое существование прекрасно мирится со всеми законными благами жизни: оно даже их требует, и общение с людьми — необходимое его условие. Одиночество таит свои опасности, в нем подчас нас ожидают еще большие искушения. Сосредоточенный в самом себе ум питается созданными им лживыми образами, и подобно св. Антонию населяет свою пустыню призраками, порождениями собственного воображения, и они его затем и преследуют[4]. А между тем, если развивать религиозную мысль без страсти, без насилия, то сохранишь даже и среди мирской суеты то внутреннее состояние, в котором все обольщения, все увлечения жизни теряют силу.

Надо найти такое душевное настроение, мягкое и простое, которое сумело бы без усилий сочетать со всеми действиями разума, со всеми возбуждениями сердца идею истины и добра. В особенности следует стремиться проникнуться истинами откровения. Огромное преимущество этих истин в том, что они доступны всякому разумному существу, что они мирятся с особенностями всех умов. К ним ведут всевозможные пути: и покорная и слепая вера, которую без размышления исповедуют массы, и глубокое знание, и простодушное сердечное благоговение, и вдохновенное размышление, и возвышенная поэзия души. Однако самый простой путь — целиком положиться на те столь частые случаи, когда мы сильнее всего подпадаем действию религиозного чувства на нашу душу и нам кажется, что мы лишились лично нам принадлежащей силы и против своей воли влечемся к добру какою-то высшей силой, отрывающей нас от земли и возносящей на небо. И вот тогда именно, в сознании своей немощи, дух наш раскроется с необычайной силой для мыслей о небе, и самые высокие истины сами собой потекут в наше сердце.

Многократно возвращаясь к основному началу нашей духовной деятельности, к тому, что вызывает наши мысли и наши поступки, невозможно не заметить, что значительная часть их определяется чем-то таким, что нам отнюдь не принадлежит, и что самое хорошее, самое возвышенное, самое для нас полезное из происходящего в нас вовсе не нами производится. Все то благо, которое мы совершаем, есть прямое следствие присущей нам способности подчиняться неведомой силе: [а] единственная действительная основа деятельности, исходящей от нас самих, связана с представлением о нашей выгоде, в пределах того отрезка времени, который мы зовем жизнью; это не что иное, как инстинкт самосохранения, который общ нам со всеми одушевленными существами, но видоизменяется в нас согласно нашей своеобразной природе. Поэтому, что́ бы мы ни делали, какую бы незаинтересованность ни стремились вложить в свои чувства и свои поступки, руководит нами всегда одна только эта выгода, более или менее правильно понятая, более или менее близкая или отдаленная. Как бы ни было пламенно наше стремление действовать для общего блага, это воображаемое нами отвлеченное благо есть лишь то, чего мы желаем для самих себя, а устранить себя вполне нам никогда не удается: в желаемое нами для других мы всегда подставляем нечто свое. И потому высший разум, выражая свой закон на языке человека, снисходя к нашей слабой природе, предписал нам только одно: поступать с другими так, как мы желаем, чтобы поступали с нами. И в этом, как и во всем другом, он идет вразрез с нравственным учением философии, которая берется постигнуть абсолютное благо, то есть благо универсальное, как будто только от нас зависит составить себе понятие о полезном вообще, когда мы не знаем и того, что нам самим полезно. Что такое абсолютное благо? Это незыблемый закон, по которому все стремится к своему предназначению: вот все, что мы о нем знаем. Но если руководить нашей жизнью должно понятие об этом благе, разве не необходимо знать о нем что-либо еще? Мы без всякого сомнения действуем в известной степени сообразно всеобщему закону, в противном случае мы заключали бы в себе самих основу нашего бытия, а это нелепость, но мы действуем именно так, сами не зная, почему: движимые невидимой силой, мы можем улавливать ее действие, изучать ее в ее последствиях, подчас отождествляться с нею, но вывести из всего этого положительный закон нашего духовного бытия — вот это нам недоступно. Смутное чувство, неоформленное понятие без обязательной силы — большего мы никогда не добьемся. Вся человеческая мудрость заключена в этой страшной насмешке бога в Ветхом завете: *вот Адам стал как один из нас, познав добро и зло*[5].

Я думаю, вы из сказанного уже предугадываете всю неизбежность откровения: и вот что́, по моему мнению, доказывает эту неизбежность. Человек научается познавать физический закон, наблюдая явления природы, которые чередуются у него перед глазами сообразно единообразному и неизменному закону. Собирая воедино наблюдения предшествующих поколений, он создает систему познаний, проверяемую его собственным опытом, а великое орудие исчисления облекает ее в неизменную форму математической достоверности. Хотя этот круг познаний охватывает далеко не всю природу и не возвышается до значения общей основы всех вещей, он заключает в себе вполне положительные познания, потому что познания эти относятся к существам, протяжение и длительность которых могут быть познаны чувствами или же предусмотрены достоверными аналогиями. Словом, здесь царство опыта, и, поскольку опыт может сообщить достоверность понятиям, которые он вводит в наш ум, постольку мир физический может быть нам ведом. Вы хорошо знаете, что эта достоверность доходит до того, что мы можем предвидеть известное явление за много времени вперед и способны с невероятной силой воздействовать на неодушевленную материю.

Итак, нами указаны средства достоверного познания, которыми располагает человек. Если, помимо этого, разум наш имеет еще способности собственного почина, то есть деятельное начало, независящее от восприятия материального мира, то во всяком случае и эту собственную свою силу он может применять лишь к материалу, который доставляет ему [в порядке материальном — наблюдение][6]; а в порядке духовном — [к чему] применит человек эти средства? Что именно придется ему наблюдать для раскрытия закона духовного порядка? Природу разума, не правда ли? Но разве природа разума такова же, как природа материальная? Не свободен ли он? Разве он не следует закону, который сам себе полагает? Поэтому, исследуя разум в его внешних и внутренних проявлениях, что́ мы узнаем? Что он свободен, вот и все. И если мы при этом исследовании достигнем чего-либо абсолютного, разве ощущение нашей свободы не отбросит нас немедленно, и притом неизбежно, в тот самый круг рассуждения, из которого мы только что перед тем как будто выбились? Не очутимся ли мы вслед за тем на прежнем месте? Круг этот неизбежен. Но это не все. Предположим, что мы на самом деле возвысились до некоторых истин, настолько доказанных, что разум вынужден их принять непременно. Предположим, что мы действительно нашли несколько общих законов, которым разумное существо непременно должно подчиниться. Эти законы, эти истины будут относиться лишь к одной части всей жизни человека, к его земной жизни, ничего общего не будут они иметь с другой частью, которая нам совершенно неведома и тайну которой не сможет нам раскрыть никакая аналогия. Каким же образом могут они быть истинными законами духовного существа, раз они касаются лишь части его существования, одного мгновения в его жизни? Так что если мы и постигнем эти законы на основании опыта, то и они смогут быть только законами одного периода времени, пройденного духовной природой, а в таком случае как можем мы их признать за законы духовной природы вообще? Не значило ли бы это то же самое, как если бы сказали, что для каждого возраста есть специальная врачебная наука и, чтобы лечить, например, детские болезни, излишне знать немощи зрелого возраста? Что для предписания образа жизни, подходящего для молодежи, нет нужды знать тот, который пригоден человеку вообще? Что состояние нашего здоровья не определяется состоянием здоровья всех моментов нашей жизни и, наконец, что мы можем предаваться всяким отступлениям и излишествам в известные эпохи безнаказанно для дальнейшей жизни? Я спрашиваю вас, какое мнение составили бы вы себе о человеке, который бы утверждал, что существует одна нравственность для юности, другая для зрелого возраста, еще другая для старости и что значение воспитания ограничивается [только] ребенком и юношей. А между тем это именно то, что утверждает мораль наших философов. Она научает нас тому, что надлежит нам делать сегодня, а о том, что будет с нами завтра, она не помышляет. А что́ такое будущая жизнь, если не завтрашний день жизни настоящей?

Все это приводит нас к такому заключению: жизнь духовного существа в целом обнимает собою два мира, из которых только один нам ведом, и так как всякое мгновение жизни неразрывно связано со всей последовательностью моментов, из которых слагается жизнь, то ясно, что собственными силами нам невозможно возвыситься до познания закона, который необходимо должен относиться к тому и другому миру. Поэтому закон этот неизбежно должен быть нам преподан таким разумом, для которого существует один-единственный мир, единый порядок вещей.

Впрочем, не подумайте, что нравственное учение философов не имеет, с нашей точки зрения, никакой ценности. Мы как нельзя лучше знаем, что оно содержит великие и прекрасные истины, которые долго руководили людьми и которые еще и сейчас с силой отзываются в сердце и в душе. Но мы знаем также, что истины эти не были выдуманы человеческим разумом, но были ему внушены свыше в различные эпохи общей жизни человечества. Это одна из первичных истин, преподанных естественным разумом и которую откровение лишь освящает своим высшим авторитетом. Хвала мудрым земли, но слава одному только богу. Человек никогда не шествовал иначе как при сиянии божественного света. Свет этот постоянно озарял шаги человека, но он не замечал того источника, из которого исходил яркий луч, падающий на его путь. *Он просвещает,* говорит евангелист, *всякого человека, приходящего в мир. Он всегда был в мире, но мир его не познал*[7].

Привычные представления, усвоенные человеческим разумом под влиянием христианства, приучили нас усматривать идею, раскрытую свыше, лишь в двух великих откровениях — Ветхого и Нового завета, и мы забываем о первоначальном откровении. А без ясного понимания этого первого общения духа божия с духом человеческим ничего нельзя понять в христианстве. Христианин, не находя в собственном своем учении разрешения великой загадки духовного бытия, естественно приводится к учению философов. А между тем философы способны объяснять человека только через человека: они отделяют его от бога и внушают ему мысль о том, будто он зависит только от себя самого. Обычно думают, что христианство не объясняет всего, что́ нам надлежит знать. Считают, что существуют нравственные истины, которые может нам преподать одна только философия: это великое заблуждение. Нет такого человеческого знания, которое способно было бы заменить собою знание божественное. Для христианина все движение человеческого духа не что иное, как отражение непрерывного действия бога на мир. Изучение последствий этого движения дает ему в руки лишь новые доводы в подтверждение его верований. В различных философских системах, во всех усилиях человека христианин усматривает лишь более или менее полное развитие духовных сил мира, сообразно различным состояниям и различным возрастам обществ, но тайну назначения человека он открывает не в тревожном и неуверенном колебании человеческого разума, а в символах и глубоких образах, завещанных человечеству учениями, источник которых теряется в лоне бога. Он следит за учением, в которое постепенно выливалась земная мысль, и находит там более или менее заметные следы первоначальных наставлений, преподанных человеку самим создателем в тот день, когда он его творил своими руками; он размышляет об истории человеческого духа и находит в ней сверхприродные озарения, не перестававшие просвещать без его ведома человеческий разум, пронизывая весь тот туман, весь тот мрак, которым этот разум так охотно себя облекает. Всюду примечает он эти всесильные и неизгладимые идеи, нисшедшие с неба на землю, без которых человечество давно бы запуталось в своей свободе. И наконец, он знает, что опять-таки благодаря этим самым идеям дух человеческий мог воспринять более совершенные истины, которые бог соблаговолил сообщить ему в более близкую нам эпоху.

И поэтому, далекий от попыток овладеть всеми заключающимися в мозгу человека измышлениями, он стремится лишь как можно лучше постигнуть пути господни во всемирной истории человечества. Он влечется к одной только небесной традиции; искажения, внесенные в нее людьми, для него дело второстепенное. И тогда он неизбежно поймет, что есть надежное правило, как среди всего необъятного моря человеческих мнений отыскать корабль спасения, неизменно направляющий путь по звезде, данной ему для руководства: и звезда эта вечно сияет, никогда не заволакивало ее никакое облако; она видима для всех глаз, во всех областях; она пребывает над нашими головами и днем и ночью. И если только ему единожды доказано, что весь распорядок духовного мира есть следствие удивительного сочетания первоначальных понятий, брошенных самим богом в нашу душу, с воздействием нашего разума на эти идеи, ему станет также ясно, что сохранение этих основ, их передача из века в век, от поколения к поколению, определяется особыми законами и что есть, конечно, некоторые видимые признаки, по которым можно распознать среди всех святынь, рассеянных по земле, ту, в которой, как в святом ковчеге, содержится непреложный залог истины.

Сударыня! Ранее, чем мир созрел для восприятия новых истин, которые должны были затем на него излиться, в то время как заканчивалось воспитание человеческого рода развитием всех его собственных сил, смутное, но глубокое чувство позволяло от времени до времени немногим избранникам провидеть светлый след звезды правды, которая протекала по своей орбите. Так Пифагор, Сократ, Зороастр и в особенности Платон узрели неизреченное сияние, и чело их озарено было необычайным отблеском. Их взоры, обращенные на ту точку, откуда должно было взойти новое солнце, до некоторой степени различали его зарю[8]. Но они не смогли возвыситься до познания абсолютной истины, потому что с той поры, как человек изменил свою природу, истина нигде не проявлялась [для него] во всем своем блеске, и невозможно было ее распознать сквозь туман, который ее заволакивал. Напротив, в новом мире, если человек все еще не распознает этой истины, то это только добровольное ослепление: если он сходит с надежного пути, то это не что иное, как преступное подчинение темному началу, оставленному в его сердце с единой целью сделать более действенным его присоединение к истине.

Вы, конечно, предвидите, сударыня, к чему клонится все это рассуждение: вытекающие из него последствия сами представляются уму. В дальнейшем мы ими и займемся. Я уверен, что вы овладеете ими без труда. Впрочем, мы не станем более прерывать свою мысль такими отступлениями, которые на этот раз встретились нам по пути, и сможем беседовать более последовательно и методично. Прощайте, сударыня.

ПИСЬМО ТРЕТЬЕ

*Absorpta est mors ad victoriam...**

Размышления наши о религии перешли в философское рассуждение, а оно вернуло нас снова к религиозной идее. Теперь станем опять на философскую точку зрения: мы ее не исчерпали. Рассматривая религиозный вопрос в свете чистого умозрения, мы религией лишь завершаем вопрос философский. К тому же, как бы ни была сильна вера, разум должен уметь опираться на силы, заключающиеся в нем самом. Есть души, в которых вера непременно должна в случае нужды найти доводы в разуме. Мне кажется, к числу таких душ как раз принадлежите и вы. Вы слишком сроднились со школьной философией, вера ваша слишком недавнего происхождения, привычки ваши слишком далеки от той замкнутой жизни, в которой простое благочестие само себя питает и собой довольствуется, вы поэтому не сможете руководиться одним только чувством. Вашему сердцу без рассуждений не обойтись. Правда, в чувстве таится много озарений, сердцу несомненно присущи великие силы; но чувство действует на нас временно, и вызываемое им волнение не может длиться постоянно. Наоборот, добытое рассуждением остается всегда с нами. Продуманная идея нас никогда не покидает, каково бы ни было душевное настроение, между тем как идея, только прочувствованная, неустойчива и изменчива: все зависит от силы, с какой бьется наше сердце. А сверх того, серд-

---

* Поглощена смерть победою... *(лат.)*[1]

ца не даются по выбору: какое в себе нашел, с тем и приходится мириться, разум же свой мы сами постоянно создаем.

Вы утверждаете, что от природы расположены к религиозной жизни. Я часто думал об этом, и мне кажется, вы ошибаетесь. За природную потребность вы принимаете случайно вызванное неопределенное чувство, мечтательную прихоть воображения. Нет, не так, не с таким беспокойным пылом отдаются настоящему призванию, раз оно найдено в жизни; тогда принимают судьбу свою с твердой решимостью, со спокойной уверенностью. Конечно, можно и даже должно себя переделывать, для христианина уверенность в такой возможности и сознание своего долга в этом отношении — предмет веры и самое важное из чаяний. Христианское учение рассматривает совокупность всего на основе возможного и необходимого перерождения нашего существа, и именно к этому должны быть направлены все наши усилия. Но пока мы не почувствовали, что наша ветхая природа упраздняется и что зарождается в нас новый человек, созданный Христом, мы должны использовать все средства, чтобы приблизить этот желанный переворот: ведь он и не может наступить, пока мы на это не направим целиком все свои силы.

Впрочем, как вы знаете, мы не собираемся здесь исследовать философию во всем ее объеме; задача наша скромнее: раскрыть не то, что содержится в философии, а скорее то, чего в ней нет. Надеюсь, это не окажется выше наших сил. Для верующей души это единственное средство понимать и обращать себе на пользу человеческую науку, но в то же время надо знать, в чем состоит эта наука, и по возможности все в ней рассмотреть с точки зрения наших верований.

Монтень сказал: «l'obeir est le propre office d'une ame raisonnable, recognaissant un celest superieur et bienfacteur»*. Как вы знаете, он не считается умом, склонным к вере: пусть же эта мысль скептика послужит нам на этот раз руководящим текстом: подчас хорошо завербовать себе союзников из вражьего стана; это соответственно ослабляет силы противной стороны.

Прежде всего, нет иного разума, кроме разума подчиненного; это без сомнения так; но это еще не все. Взгляните на человека; всю жизнь он только и делает, что ищет, чему бы подчиниться. Сначала он находит в себе силу, сознаваемую им отличною от силы, движущей все вне его; он ощущает жизнь в себе; в то же время он убеждается, что [внутренняя

---

* Повиновение есть истинный долг души разумной, признающей небесного владыку и победителя (*франц.*)[2].

его] сила не безгранична; он ощущает собственное ничтожество; тогда он замечает, что вне его стоящая сила над ним властвует и что он вынужден ей подчиняться, в этом вся его жизнь. С самого первого пробуждения разума эти два рода познания, одно — силы, внутри нас находящейся и несовершенной, другое — силы, вне нас стоящей и совершенной,— сами собой проникают в сознание человека. И хотя они доходят до нас не в таких ясных и определенных очертаниях, как познания, собираемые нашими чувствами или переданные нам при сношениях с другими людьми, все же все наши идеи о добре, долге, добродетели, законе, а также и им противоположные, рождаются только от этой ощущаемой нами потребности подчиниться тому, что зависит не от нашей преходящей природы, не от волнений нашей изменчивой воли, не от увлечений наших тревожных желаний. Вся наша активность есть лишь проявление силы, заставляющей нас стать в порядок общий, в порядок зависимости. Соглашаемся ли мы с этой силой или противимся ей,— все равно, мы вечно под ее властью. Поэтому нам только и надо стараться отдать себе возможно верный отчет в ее действии на нас и, раз мы что-либо об этом узнали, предаться ей со спокойной верой: эта сила, без нашего ведома действующая на нас, никогда не ошибается, она-то и ведет вселенную к ее предназначению. Итак, вот в чем главный вопрос жизни; как открыть действие верховной силы на нашу природу.

Так понимаем мы первооснову мира духовного и, как видите, она вполне соответствует первооснове мира физического. Но по отношению к природе первооснова эта кажется нам непреодолимой силой, которой все неизбежно подчиняется, а по отношению к нам — она представляется лишь силой, действующей в сочетании с нашей собственной силой и до некоторой степени видоизменяемой последней. Таков логический вид, придаваемый миру нашим искусственным разумом. Но этот искусственный разум, которым мы своевольно заменили уделенную нам изначала долю разума мирового, этот злой разум, столь часто извращающий предметы в наших глазах и заставляющий нас видеть их вовсе не такими, каковы они на самом деле, все же не в такой мере затемняет абсолютный порядок вещей, чтобы лишить нас способности признать главенство подчиненности над свободой и зависимость устанавливаемого нами для себя закона — от общего закона мирового. Поэтому разум этот отнюдь не препятствует нам, принимая свободу, как данную реальность, признавать зависимость подлинною реальностью духовного порядка, совершенно так, как мы это делаем по отношению к порядку физическому. Итак, все силы ума, все его средства познания основываются лишь на его покорности. Чем более он себя подчиняет, тем он сильнее. И перед человеческим разумом стоит один только вопрос: знать, чему он должен подчиниться. Как только мы устраним это верховное правило всякой деятельности, умственной и нравственной, так немедленно впадем в порочное рассуждение или в порочную волю. Назначение настоящей философии только в том и состоит, чтобы, во-первых, утвердить это положение, а затем показать, откуда исходит этот свет, который нами должен руководить в жизни.

Отчего, например, ни в одном из своих действий разум не возвышается до такой степени, как в математических исчислениях? Что такое исчисление? Умственное действие, механическая работа ума, в которой рассуждающей воле нет места. Откуда эта чудодейственная мощь анализа в математике? Дело в том, что ум здесь действует в полном подчинении данному правилу. Отчего так много дает наблюдение в физике? Оттого, что оно преодолевает естественную наклонность человеческого разума и дает ему направление, диаметрально противоположное обычному ходу мысли: оно ставит разум по отношению к природе в подчиненное положение, ему присущее*. Каким образом достигла своей высокой достоверности натурфилософия? Сводя разум до совершенно подчиненной отрицательной деятельности. Наконец, в чем действие блестящей логики, сообщившей этой философии такую исполинскую силу? Она сковывает разум, она подводит его под всемирное ярмо повиновения и делает его столь же слепым и подвластным, как та самая природа, которую он исследует. *Единый путь*, говорит Бэкон, *отверстый человеку для владычества над природой, есть тот самый, который ведет в царство небесное: войти туда можно лишь в смиренном образе ребенка***.

Далее. Что такое логический анализ, как не насилие разума над самим собою? Дайте разуму волю, и он будет действовать одним синтезом. Аналитическим путем мы можем идти лишь с помощью чрезвычайных усилий над самими собой: мы постоянно сбиваемся на естественный путь, синтетический. С синтеза и начал человеческий разум, и именно синтез есть отличительная черта науки древних. Но как ни

---

* Почему древние не умели наблюдать? Потому что они не были христианами.

** Novum organum[3].

естественен синтез, как он ни законен, и часто даже более законен, чем анализ, несомненно, все же к наиболее деятельным проявлениям мысли принадлежат именно процессы подчинения, анализа. С другой стороны, всмотревшись в дело внимательно, находим, что величайшие открытия в естественных науках — чистые интуиции, совершенно самостоятельные, то есть что они истекают из синтетического начала. Но заметьте, что, хотя интуиция и составляет по существу своему свойство человеческого разума и является одним из самых деятельных его орудий, мы все же не можем дать себе в ней полного отчета, как в других наших способностях. Дело в том, что мы ею владеем не в том чистом и простом виде, как другими способностями, в этой способности есть нечто, принадлежащее высшему разуму, ей дано лишь отражать этот высший разум в нашем. И потому-то мы и обязаны интуиции самыми блестящими нашими открытиями.

Таким образом, ясно, что человеческий разум не достигает самых положительных своих знаний чисто внутреннею своею силой, а направляется непременно извне. Следовательно, настоящая основа нашей умственной мощи, в сущности, не что иное, как своего рода *логическое самоотречение,* однородное с самоотречением нравственным и вытекающее из того же закона.

Впрочем, природа познается нами не только через опыт и наблюдение, а также и через рассуждение. Всякое природное явление есть силлогизм с большей и меньшей посылками и выводом. Следовательно, сама природа внушает уму путь, которому он должен следовать для ее познания; стало быть, и тут он только повинуется закону, который перед ним раскрывается в самом движении вещей. Таким образом, когда древние, например, стоики, с их блестящими предчувствиями, толковали о подражании природе, о повиновении ей, о согласованности с ней, они, находясь еще ближе нас к началу всех вещей и не разбив еще, подобно нам, мира на части, лишь провозглашали это основное начало духовной природы, именно то, что никакая сила, никакой закон не создаются нами из себя.

Что же касается побуждающего нас действовать начала, которое есть не что иное, как желание собственного блага, то к чему бы пришло человечество, если бы понятие об этом благе было одной лишь выдумкой нашего разума? Что ни век, что ни народ имели бы тогда о нем свою особую идею. Как могло бы человечество в целом шествовать вперед в своем беспредельном прогрессе, если бы в сердце человека не было одного мирового понятия о благе, общего всем временам и всем странам и, следовательно, не человеком созданного? В силу чего наши действия становятся нравственными? Не делает ли их таковыми то повелительное чувство, которое заставляет нас покоряться закону, уважать истину? Но ведь закон только потому и закон, что он не от нас исходит; истина потому и истина, что она не выдумана нами. Мы иногда устанавливаем правило поведения, отступающее от должного, но это лишь потому, что мы не в силах устранить влияние наших наклонностей на наше суждение; в этих случаях нам предписывают закон наши наклонности, а мы ему следуем, принимая его за общий мировой закон. Конечно, есть и такие люди, которые как будто без всяких усилий сообразуются со всеми предписаниями нравственности; таковы некоторые великие личности, которыми мы восхищаемся в истории. Но в этих избранных душах чувство долга развилось не через мышление, а через те таинственные побуждения, которые управляют людьми помимо их сознания, в виде великих наставлений, которые мы, не ища их, находим в самой жизни и которые гораздо сильнее нашей личной мысли. Они истекают из мысли, общей всем людям: ум бывает поражен то примером, то счастливым стечением обстоятельств, подымающих нас выше самих себя, то благоприятным устройством всей жизни, заставляющим нас быть такими, какими мы без этого никогда бы не были; все это живые уроки веков, которыми наделяются по неведомому нам закону определенные личности; и если ходячая психология не отдает себе отчета в этих таинственных пружинах духовного движения, то психология более углубленная, принимающая наследственность человеческой мысли за первое начало духовной природы, находит в этом разрешение большей части своих вопросов. Так, если героизм добродетели или вдохновение гения и не вытекли из мысли отдельного человека, они являются все же плодом мысли протекших веков. И все равно, мыслили мы или не мыслили, кто-то уже мыслил за нас еще до нашего появления на свет; в основе всякого нравственного действия, как бы оно ни казалось самостоятельным и оторванным, всегда лежит, следовательно, чувство долга, а тем самым — и подчинения.

Теперь посмотрим, как бы вышло, если бы человек мог довести свою подчиненность до совершенного лишения себя своей свободы. Из только что сказанного ясно, что это было бы высшей ступенью человеческого совершенства. Ведь всякое движение души его вызывалось бы тем самым началом, которое производит все другие движения в мире. Тогда исчез бы теперешний его отрыв от природы и он бы слился с нею. Ощущение своей собственной воли выделяет его теперь из всеобщего распорядка и делает из него обособленное существо; а тогда в нем бы проснулось чувство мировой воли, или, говоря иными словами,— внутреннее ощущение, глубокое сознание своей действительной причастности ко всему мирозданию. Теперь он проникнут своей собственной обособляющей идеей, личным началом, разобщающим его от всего окружающего и затуманивающим в его глазах все предметы; но это отнюдь не составляет необходимого условия его собственной природы, а есть только следствие его насильственного отчуждения от природы всеобщей, и если бы он отрешился от своего нынешнего пагубного Я, то разве он не нашел бы вновь и идею, и всеобъемлющую личность, и всю мощь чистого разума в его изначальной связи с остальным миром? И разве тогда все еще стал бы он ощущать себя живущим этой узкой и жалкой жизнью, которая его побуждает относить все к себе и глядеть на мир только через призму своего искусственного разума? Конечно нет, он снова начал бы жить жизнью, которую даровал ему сам господь бог в тот день, когда он извлек его из небытия. Вновь обрести эту исконную жизнь и предназначено высшему напряжению наших дарований. Один великий гений[4] когда-то сказал, что человек обладает воспоминанием о какой-то лучшей жизни: великая мысль, не напрасно брошенная на землю; но вот чего он не сказал, а что сказать следовало,— но здесь лежит предел, которого не мог преступить ни этот блестящий гений, ни какой-либо другой в ту пору развития человеческой мысли,— это то, что утраченное и столь прекрасное существование может быть нами вновь обретено, что это всецело зависит от нас и не требует выхода из мира, который нас окружает.

Время и пространство — вот пределы человеческой жизни, какова она ныне. Но прежде всего, кто может мне запретить вырваться из удручающих объятий времени? Откуда почерпнул я самую идею времени? — Из памяти о прошедших событиях. Но что же такое эта самая память? — Не что иное, как действие воли: это видно из того, что мы помним не более того, что желаем вспомнить; иначе весь ряд событий, сменявшихся на протяжении моей жизни, оставался бы постоянно в моей памяти, теснился бы без перерыва у меня в голове; а между тем, наоборот, даже в то время, когда я даю полную свободу своим мыслям, я воспринимаю лишь воспоминания, связанные с данным состоянием души, с волнующим меня чувством, с занимающей меня мыслью. Мы строим образы прошлого точно так же, как образы будущего. Что же мешает мне отстранить призрак прошлого, неподвижно стоящий позади меня, подобно тому, как я могу по желанию уничтожить колеблющееся видение будущего, парящее впереди, и выйти из того промежуточного момента, называемого настоящим, момента столь краткого, что его уже нет в то самое мгновение, когда я произношу выражающее его слово? Все времена мы создаем себе сами, в этом нет сомнения; бог времени не создал; он дозволил его создать человеку. Но в таком случае, куда делось бы время, эта пагубная мысль, обступающая и гнетущая меня отовсюду? Не исчезнет ли оно совершенно из моего сознания, не рассеется ли без остатка мнимая его реальность, столь жестко меня подавляющая? Моему существованию нет более предела; нет преград видению безграничного; мой взор погружается в вечность; земной горизонт исчез; небесный свод не упирается в землю на краях безграничной равнины, стелющейся перед моими глазами; я вижу себя в беспредельном пребывании, не разделенном на дни, на часы, на мимолетные мгновения, но в пребывании вечно едином, без движения и без перемен, где все отдельные существа исчезли друг в друге, словом, где все пребывает вечно. Всякий раз, как дух наш успевает сбросить с себя оковы, которые он сам же себе и выковал, ему доступен этот род времени, точно так, как и тот, в котором он ныне пребывает. Зачем порывается он постоянно за пределы непосредственной смены вещей, измеряемой однозвучными колебаниями маятника? Зачем кидается он беспрестанно в иной мир, где не слышен роковой бой часов? Дело в том, что беспредельность есть естественная оболочка мысли; в ней-то и есть единственное, истинное время, а другое — мы создаем себе сами, а для чего — неизвестно.

Обратимся к пространству: но ведь всем известно, что мысль не пребывает в нем; она логически приемлет условия осязаемого мира, но сама она в нем не обитает. Какую бы, следовательно, реальность ни придавали пространству, это факт вне мысли, и у него нет ничего общего с сущностью духа; это форма, пускай неизбежная, но все же лишь одна форма, в которой нам представляется внешний мир. Следовательно, пространство еще менее, чем время, может закрыть путь в то новое бытие, о котором здесь идет речь.

Так вот та высшая жизнь, к которой должен стремиться человек, жизнь совершенства, достоверности, ясности, беспредельного познания, но прежде всего — жизнь совершенной подчиненности; жизнь, которой он некогда обладал, но которая ему также обещана и в будущем. А знаете ли вы, что это за жизнь? Это Небо: и другого неба помимо этого нет. Вступить же в него мы можем отныне же, сомнений тут быть не должно. Ведь это не что иное, как полное обновление нашей природы в данных условиях, последняя грань усилий разумного существа, конечное предназначение духа в мире. Я не знаю, призван ли каждый из нас пройти этот огромный путь, достигнет ли он его славной конечной цели, но то, что предельной точкой нашего прогресса только и может быть полное слияние нашей природы с природой всего мира, это я знаю, ибо только таким образом может наш дух вознестись в совершенство всего, а это и есть подлинное выражение высшего разума*.

Но пока мы еще не достигли предела нашего паломничества, до того как свершится это великое слияние нашего существа с существом всемирным, не можем ли мы по крайней мере раствориться в мире одухотворенных существ? Разве не в нашей власти в любой степени отождествлять себя с подобными нам существами? Мы ведь способны усваивать себе их нужды, их выгоды, переноситься в их чувства так, что мы, наконец, начинаем жить только для них и чувствовать только через них. Это без сомнения верно. Как бы вы ни называли эту нашу удивительную способность сливаться с тем, что происходит вокруг нас,— симпатией, любовью, состраданием — она во всяком случае присуща нашей природе. Мы при желании можем до такой степени сродниться с нравственным миром, что все совершающееся в нем и нам известное мы будем переживать как совершающееся с нами; более того, если даже мировые события нас и не очень заботят, довольно одной уже общей, но глубокой мысли о делах других людей: одного только внутреннего сознания нашей действительной связи с человечеством, чтобы заставить наше сердце сильнее биться над судьбою всего человеческого рода, а все наши мысли и все наши поступки сливать с мыслями и поступками всех людей в одно созвучное целое. Воспитывая это замечательное свойство нашей природы, все более и более развивая его в душе, мы достигнем таких высот, с которых целиком раскро-

---

* Здесь надлежит заметить две вещи, во-первых, что мы не имели в виду утверждать, будто в этой жизни содержится все небо целиком: оно в этой жизни лишь начинается, ибо смерть более не существует с того дня, как она была побеждена спасителем; и во-вторых, что здесь, конечно, говорится не о слиянии вещественном во времени и пространстве, а лишь о слиянии в идее и в принципе.

ется перед нами остальная часть всего предстоящего нам пути; и благо тем из смертных, кто, раз поднявшись на эту высоту, сумеет на ней удержаться, а не низринется вновь туда, откуда началось его восхождение. Все существование наше до тех пор было непрерывным колебанием между жизнью и смертью, длительной агонией; тут началась настоящая жизнь, с этого часа от нас одних зависит идти по пути правды и добра, ибо с этой поры закон духовного мира перестал быть для нас непроницаемой тайной.

Но так ли протекает жизнь кругом нас? Совсем наоборот. Закон духовной природы обнаруживается в жизни поздно и неясно, но, как вы видите, его вовсе не приходится измышлять [он не зависит от нас], как и закон физический. Все, что от нас требуется, это — иметь душу раскрытую для этого познания, когда оно предстанет перед нашим умственным взором. В обычном ходе жизни, в повседневных заботах нашего ума, в привычной дремоте души нравственный закон проявляется гораздо менее явственно, чем закон физический. Правда, он над нами безраздельно господствует, определяет каждое наше действие, каждое движение нашего разума, но вместе с тем, сохраняя в нас, посредством какого-то дивного сочетания, через непрерывно длящееся чудо, сознание нашей самодеятельности, он налагает на нас грозную ответственность за все, что мы делаем, за каждое биение нашего сердца, даже за каждую мимолетную мысль, едва затронувшую наш ум; и, несмотря на это, он ускользает от нашего разумения в глубочайшем мраке. Что же происходит? Не зная истинного двигателя, бессознательным орудием которого он служит, человек создает себе свой собственный закон, и этот-то закон, который он по своему же почину себе предписывает, и есть то, что он называет *нравственный закон,* иначе — мудрость, высшее благо, или просто закон, или еще иначе*. И этому-то хрупкому произведению собственных рук, произведению, которое он может по произволу разрушить и действительно ежечасно разрушает, человек приписывает в своем жалком ослеплении все положительное, безусловное, все непреложное, присущее настоящему закону его бытия, а между тем при помощи одного только своего разума он, очевидно, мог бы постигнуть относительно этого сокровенного начала одну лишь его неизбежную необходимость — ничего более.

Впрочем, хотя нравственный закон пребывает вне нас и

* См. древних.

независимо от нашего знания его, совершенно так, как и закон физический, есть все же существенное различие между этими двумя законами. Бесчисленное множество людей жило и теперь еще живет без малейшего понятия о вещественных движущих силах природы: бог восхотел, чтобы человеческий разум открывал их самостоятельно и постепенно. Но как бы низко ни стояло разумное существо, как бы ни были жалки его способности, оно всегда имеет некоторое понятие о начале, побуждающем его действовать. Чтобы размышлять, чтобы судить о вещах, необходимо иметь понятие о добре и зле. Отнимите у человека это понятие, и он не будет ни размышлять, ни судить, он не будет существом разумным. Без этого понятия бог не мог оставить нас жить хотя бы мгновение; он нас и создал с ним. И эта-то несовершенная идея, непостижимым образом вложенная в нашу душу, составляет всю сущность разумного человека. Вы только что видели, что можно было бы извлечь из этой идеи, если бы удалось восстановить ее в ее первоначальной чистоте, как она была нам сообщена сначала; следует, однако, рассмотреть и то, чего можно достичь, если отыскивать начало всех наших познаний единственно в собственной нашей природе.

Сокольники, 1 июля [1830]

ПИСЬМО ЧЕТВЕРТОЕ

> Воля есть не что иное, как род мышления. Представлять ли себе волю конечною или бесконечною, все равно приходится признать некую причину, которая заставляет ее действовать: поэтому ее должно рассматривать не как начало свободное, а как начало обусловленное.
>
> *Спиноза. De anima*[1]

Как мы видели, всякое естественное явление можно рассматривать как силлогизм; но его можно также рассматривать как число. При этом или заставляют природу выразиться в числе и рассматривают ее в действии — это наблюдение, или исчисляют в отвлечении — это вычисление; или же, наконец, за единицы принимаются найденные в природе величины, и производят вычисления над ними; в этом случае прилагают вычисление к наблюдению, и этим завершают науку. Вот и весь круг положительного знания. Необходимо только иметь в виду, что количеств, собственно говоря, в природе не существует; если бы они там были, то аналитический вывод был бы равнозначащим творческому. Да *будет*, ибо совершенная достоверность его не была бы ничем ограничена и, следовательно, была бы всемогуществом*. Действительные количества, то есть абсолютные единицы, имеются лишь в нашем уме; во вселенной находятся лишь числовые видимости. Эти видимости, в форме которых материальность открывается нашим взорам, они-то и дают нам понятие о числах: вот основа математического восприятия. Итак, числовое выражение предметов не что иное, как идеологический механизм, который мы создаем из данных природы. Сначала мы переводим эти данные в область отвлеченности, затем мы их воспринимаем как величины; и наконец, поступаем с ними по своему усмотрению. Математическая достоверность, следовательно, имеет также свой предел; будем остерегаться упустить это из виду.

В приложении к явлениям природы наука чисел без сомнения вполне достаточна для эмпирического мышления, а также и для удовлетворения материальным нуждам человека; но никак нельзя сказать, чтобы в порядке безусловного она в той же мере соответствовала требуемой умом достоверности. Косное, неподвижное, геометрическое рассуждение, каким его по большей части воспринимают геометры, есть нечто, лишенное разума, безбожное. Если бы в математике заключалась совершенная достоверность, число было бы чем-то реальным. Так понимали его, например, пифагорейцы[2], каббалисты[3] и им подобные, приписывавшие числам силы разного рода и находившие в них начало и сущность всех вещей. Они были вполне последовательны, так как мыслили природу состоящею из числовых величин, и ни о чем другом не помышляли. Но мы видим в природе еще нечто другое, мы с полным сознанием верим в бога, и когда мы осмеливаемся вкладывать в руку создателя циркуль, то допускаем нелепость; мы забываем, что мера и предел одно и то же, что бесконечность есть первое из свойств, именно она, можно сказать, и составляет его божественность, так что, превращая высшее существо в измерителя, мы лишаем его свойственной ему вечной природы и низводим его до нашего уровня. Бессознательно нами владеют еще языческие представления: в этом и есть источник такого рода заблуждений. Число не могло заключаться в божественной мысли; творения истека-

* В таком случае уже не вера двигала бы горы, а Алгебра.

ют из бога, как воды потока, без меры и конца, но человеку необходима точка соприкосновения между его ограниченным разумом и бесконечным разумом бога, разделенными беспредельностью, и вот почему он так любит замыкать божественное всемогущество в размеры собственной природы. Здесь мы видим настоящий антропоморфизм, в тысячу раз более вредный, нежели антропоморфизм простецов, не способных в своем пламенном устремлении приблизиться к богу и представить себе духовное существо иным, чем то, которое совместимо с их пониманием, и поэтому низводящих божество до существа, подобного себе. В сущности, и философы поступают не лучше. «Они приписывают богу,— сказал великий мыслитель, который в этом хорошо разбирался,— разум, подобный их собственному. Почему? потому что они в своей природе не знают ничего лучше собственного разума. А между тем божественный разум есть причина всему, разум человека есть лишь следствие, что же может быть общего между тем и другим? Разве то же,— прибавляет он,— что между созвездием Пса, сияющим на небе, и тем псом, который бежит по улице,— одно только имя»*.

Как видите, все положительное наук, называемых точными, исходит из того, что они занимаются *количествами;* иными словами, предметами ограниченными. Естественно, что ум, имея возможность полностью обнять эти предметы, достиг в познании их высочайшей достоверности, ему доступной. Но вы видите также и то, что, как ни значительно прямое наше участие в создании этих истин, мы их все же не из себя извлекаем. Первые идеи, из которых истекают эти истины, даны нам извне. Итак, вот какие логические следствия вытекают сразу из самой природы этих познаний, наиболее близких к доступной нам достоверности: они относятся лишь к чему-то ограниченному, они не родятся непосредственно в нашем мозгу, мы в этой области понятий развиваем наши способности лишь по отношению к конечному, и мы здесь ничего не выдумываем. Так что же мы найдем, если захотим приложить приемы, основанные на достижении этих познаний, к познаниям другого рода? Что абсолютная форма познанного предмета, каков бы последний ни был, должна быть непременно формой чего-то конечного; что место его в познавательной области должно находиться вне нас. Ведь именно таковы естественные условия достоверности. А в каком положении на основании этого окажемся мы по отношению к предметам в

* Спиноза[4].

области духовной? Прежде всего, где предел данных, входящих в область психологии и морали? Предела нет. Затем, где совершается моральное действие? В нас самих. Итак, тот прием, который применяется разумом в области положительных понятий, может ли быть им использован в этой другой области? Отнюдь нет. Но, в таком случае, как достигнуть здесь очевидности? Что касается меня, я этого не знаю. Странно то, что, как ни просто это рассуждение, философия никогда до него не доходила. Никогда она не решалась отчетливо установить это существенное отличие двух областей человеческого знания; она всегда смешивала конечное с бесконечным, видимое с невидимым, поддающееся восприятию чувств с неподдающимся. Если иногда она и говорила другое, в глубине своей мысли она никогда не сомневалась, что мир духовный можно познать так же, как и мир физический, изучая его с циркулем в руке, вычисляя, измеряя величины духовные, как и материальные, подвергая опытам существо, одаренное разумом, как существо неодушевленное. Удивительно, как ленив человеческий разум. Чтобы избавиться от напряжения, которого требует ясное уразумение высшего мира, он искажает этот мир, он себя самого искажает и шествует затем своим путем как ни в чем не бывало. Мы еще увидим, почему он так поступает.

Не надо думать к тому же, будто в естественных науках все сводится к наблюдению и опыту. Одна из тайн их блестящих методов — в том, что наблюдению подвергают именно то, что́ может на самом деле стать предметом наблюдения. Если хотите, это начало отрицательное, но оно сильнее, плодотворнее положительного начала. Именно этому началу обязана своим успехом новая химия; это начало очистило общую физику от метафизики и со времен Ньютона сделалось ее главным правилом и основанием ее метода. А что это означает? Не иное что, как то, что совершенство этих наук, все их могущество проистекают из уменья всецело ограничить себя принадлежащей им по праву областью. Вот и все. А с другой стороны, в чем самый процесс наблюдения? Что делаем мы, когда наблюдаем движение светил на небесном своде или движение жизненных сил в организме: когда мы изучаем силы, движущие тела или сотрясающие молекулы, из коих тела состоят; когда занимаемся химией, астрономией, физикой, физиологией? Мы делаем вывод из того, что́ было, к тому, что́ будет; связываем факты, следующие в природе непосредственно друг за другом, и выводим из этого ближайшее заключение. Вот неизбежный путь опытного метода. Но, в порядке нравственном, известно ли вам что-нибудь, что бы совершилось в силу постоянного, неотвратимого закона, по которому вы могли бы заключать, как там, от одного факта к другому и предугадывать таким образом с уверенностью последующее на основании предшествующего? Ни в коем случае. Напротив, здесь совершается все лишь в силу свободных актов воли, не связанных между собою, не подчиненных другому закону, кроме своей прихоти; одним словом, все сводится здесь к действию хотения и свободы человека. К чему послужил бы здесь метод опытный? Ровно ни к чему.

Вот чему, в сфере тех познаний, где ему дана возможность достигнуть своей высшей достоверности, учит нас естественный *ход* человеческого разума. Перейдем к поучению, которое заключается в самом *содержании*[5] этих познаний?

Положительные науки были, разумеется, всегда предметом изучения, но, как вы знаете, лет сто тому назад они сразу возвысились до теперешнего их состояния. Три открытия сообщили им толчок, вознесший их на эту высоту: *анализ* — создание Декарта, *наблюдение* — создание Бэкона и небесная *геометрия* — создание Ньютона. Анализ ограничивается областью математики и нас здесь не касается; заметим только, что он вызвал приложение начала необоснованной принудительности к нравственным наукам, а это сильно повредило их успехам. Новый способ изучать естественные науки, открытый Бэконом, имеет величайшую важность для всей философии, ибо этот метод придал ей эмпирическое направление, а оно надолго определило весь строй современной мысли. Но в настоящем нашем исследовании нас особенно занимает закон, в силу которого все тела тяготеют к одному общему центру; этим законом мы и займемся.

С первого взгляда кажется, будто все силы природы сводятся к всемирному тяготению; а между тем эта сила природы отнюдь не единственная; и именно поэтому закон, которому природа подвластна, имеет, на наш взгляд, такой глубокий смысл. Само по себе притяжение не только не объясняет всего в мире, но оно вообще ничего еще не объясняет. Если бы оно одно действовало, то вся вещественность обратилась бы в одну бесформенную и косную массу. Всякое движение в природе производится двумя силами, возбуждающими в движимом стремление в двух противоположных направлениях, и в космическом движении эта истина проявляется всего явственнее. А между тем астрономы, удостоверившись, что тела небесные подлежат закону тяготения и что действия этого закона могут быть вычислены с точностью, превратили всю систему мира в геометрическую задачу, и теперь самый общий закон природы воспринимают при помощи некоторого рода математической фикции, под одним именем Притяжения или Всемирного Тяготения. Но есть еще другая сила, без которой тяжесть ни к чему бы не послужила: это *Начальный толчок,* или *Вержение.* Итак, вот две движущие силы природы: *Тяготение и Вержение.* На отчетливой идее совокупного действия этих двух сил, как она нам дается наукой, покоится все учение о *Параллелизме* двух миров: сейчас нам приходится только применить эту идею к совокупности тех двух сил, которые нами ранее установлены в духовной области, одной — силы, сознаваемой нами,— это наша *свободная воля,* наше хотение, другой, нами не сознаваемой,— это действие на наше существо *некоей вне нас лежащей силы,* и затем посмотреть, каковы будут последствия*.

Нам известно притяжение во множестве его проявлений; оно беспрестанно обнаруживается перед нашими глазами; мы его измеряем; мы имеем о нем знание вполне достоверное. Все это, как вы видите, точно соответствует представлению, которое мы имеем о нашей собственной силе. О Вержении мы знаем только его абсолютную необходимость; и совершенно то же знаем мы и о божественном действии на нашу душу. И тем не менее мы одинаково убеждены в существовании как той, так и другой силы. Итак, в обоих случаях мы имеем: познание отчетливое и точное одной силы, познание смутное и темное — другой, но совершенную достоверность обеих. Таково непосредственное приложение представления о вещественном порядке мира, и вы видите, что оно совершенно естественно является уму. Но должно еще принять во внимание, что астрономический анализ распространяет закон нашей солнечной системы и на все звездные системы, заполняющие небесные пространства, а молекулярная теория принимает его за причину самого образования тел и что мы имеем полное право почитать закон нашей системы общим едва ли

---

* Без сомнения, применения открытого Ньютоном закона в области предметов осязаемых чрезвычайны, и число их будет с каждым днем еще возрастать. Но не следует забывать, что закон падения тяжестей установлен Галилеем, закон движения планет — Кеплером. Ньютону принадлежит только счастливое вдохновение — связать воедино оба эти закона. Впрочем, все относящееся к этому славному открытию чрезвычайно важно. Немудрено, что один геометр сожалел, что нам неизвестны некоторые из формул, которыми Ньютон пользовался при своей работе; наука, конечно, много бы выиграла от находки этих талисманов гения. Но можно ли серьезно думать, что весь секрет гениальности Ньютона, вся его мощь, заключается в одних его математических приемах? Разве мы не знаем, что в этом возвышенном уме было

не для всего мироздания; таким образом, эта точка зрения получает чрезвычайно важное значение.

Впрочем, все разграничения наши между существами, все измышляемые нами между нами ради удобства или по произволу различия, все это не имеет никакого применения к самому творческому началу. Что бы мы ни делали, в нас есть внутреннее ощущение реальности высшей по сравнению с окружающей нас видимой реальностью. И эта иная реальность не есть ли единственно истинно реальная, реальность *объективная,* которая охватывает всецело существо и растворяет нас самих во всеобщем единстве? В этом-то единстве стираются все различия, все пределы, которые устанавливает разум в силу своего несовершенства и ограниченности своей природы: и тогда-то во всем бесконечном множестве вещей остается одно только действие, единственное и мировое. И в самом деле, одинаково, как внутреннее ощущение нашей собственной природы, так и восприятие вселенной не позволяет нам постигнуть все сотворенное иначе, как в состоянии непрерывного движения. Таково мировое действие. Поэтому в философии идея движения должна предварять всякую другую. Но идею движения приходится искать в геометрии, ибо лишь там мы находим ее очищенной от какой бы то ни было произвольной метафизики и только в линейном движении можем мы воспринять абсолютное знание всякого движения вообще. И что же? Геометр не может себе представить никакого движения, кроме движения сообщенного. Он поэтому принужден исходить из того, что *движущееся* тело само по себе инертно и что всякое движение есть следствие побуждения со стороны. Итак, и в наивысшем отвлечении, и в самой природе мы постоянно возвращаемся к какому-то действию [action], внешнему и первичному, независимо от рассматриваемого предме-

---

еще что-то сверх способности к вычислениям? Я вас спрашиваю, рождалась ли когда-либо подобная мысль в разуме безбожном? Истина такой огромной величины дана ли была когда-либо миру душой неверующей? И можно ли представить себе, будто в то время, когда Ньютон бежал от опустошавшей Лондон эпидемии в Кембридж[6] и закон вещественности блеснул его духу и разодралась завеса, скрывавшая природу, в благочестивой душе его были одни только цифры? Странное дело, есть еще люди, которые не могут подавить в себе улыбки жалости при мысли о Ньютоне, комментирующем Апокалипсис[7]. Не понимают, что великие открытия, составляющие гордость всего человеческого рода, могли быть сделаны только тем самым Ньютоном, каков он был, гением столь же покорным, как и всеобъемлющим, столь же смиренным, как и мощным, и отнюдь не тем высокомерным человеком, каким его хотят представить. Повторю еще раз: видано ли, чтобы человек, не говорю уже отрицающий бога, но хотя бы только равнодушный к религии, раздвинул, как он, границы науки за пределы, ей, казалось, предначертанные?

та. Стало быть, идея движения сама по себе, по неумолимому требованию логики, вызывает представление о таком действии, которое отлично от всякой силы и от всякой причины, находящихся в самом движущемся предмете.

И вот почему, между прочим, человеческому разуму так трудно освободиться от старого заблуждения, будто все идеи возникают в нем через внешние чувства. Все дело в том, что в мире нет ничего, в чем мы были бы более склонны сомневаться, чем в присущей нам самостоятельной силе, и несостоятельность системы сенсуалистов[8] единственно в том, что система эта приписывает вещественному непосредственное воздействие на невещественное и таким образом заставляет тела сталкиваться с сознаниями, вместо того, чтобы приводить в соприкосновение [и здесь] предметы одной и той же природы, как в области вещества, то есть одни сознания с другими сознаниями. И, наконец, проникнемся мыслью, что в чистой идее движения вещественность решительно ни при чем: все различие между движением материальным и движением в области духовной состоит в том, что элементы первого — пространство и время, а последнего — одно только время; а ведь очевидно, что идея времени уже достаточна для возникновения идеи движения. Итак, закон движения есть закон всего в мире, и то, что мы сказали о физическом движении, вполне применимо к движению умственному или нравственному.

Что же должно заключить из всего сказанного? Что нет ни малейшего затруднения принять собственные действия человека за причину *побочную* [principe occasionnel][9]: за силу, которая действует, лишь поскольку она соединяется с другой высшей силой, точно так, как притяжение действует лишь в совокупности с силой вержения. Вот то, к чему мы хотели прийти.

Может быть, подумают, что в этой системе нет места для философии нашего Я. И ошибутся. Напротив, эта философия прекрасно уживается с изложенной системой: она только сведена здесь к своей действительной значимости, вот и все. Из того, что мы сказали о двояком действии, управляющем мирами, отнюдь не следует, чтобы наша собственная деятельность сводилась к нулю; значит, должно разобраться в присущей нам силе и пытаться понять ее по возможности правильно. Человек постоянно побуждается силой, которой он в себе не ощущает, это правда; но это внешнее действие имеет на него влияние через сознание, следовательно, как бы ни дошла до меня идея, которую я нахожу в своей голове, нахожу я ее там только потому, что сознаю ее. А сознавать — значит действовать. Стало быть, я на самом деле и постоянно действую, хотя в то же время подчиняюсь чему-то, что гораздо сильнее меня,— я *сознаю*. Одно не устраняет другого, одно следует за другим, его не исключая, и первый факт мне так же доказан, как и последний. Вот если меня спросят, как именно возможно такое действие на меня извне, это совсем другой вопрос, и вы, конечно, понимаете, что здесь не время его рассматривать: на него должна ответить философия высшего порядка. Простому разуму следует только установить факт внешнего воздействия и принять его за одно из своих основных верований; остальное его не касается. Впрочем, кто не знает, как чужая мысль вторгается в наше сознание? Как мы подчиняемся мнениям, убеждениям других? Всякий, кто об этом размышлял, отлично понимает, что один разум подчиняется другому и вместе с тем сохраняет всю свою силу, все свои способности. Итак, несомненно, великий вопрос о свободе воли, как бы он ни был запутан, не представлял бы затруднений, если бы умели вполне проникнуться идеей, что природа существа, одаренного разумом, заключается только в сознании и что, поскольку одаренное разумом существо сознает, оно не утрачивает ничего из своей природы, каким бы путем сознание в него ни вливалось.

Дело в том, что шотландская школа[10], так долго царившая в философском мире, спутала все вопросы Идеологии. Вы знаете, что она берется найти источник всякой человеческой мысли и все объяснить, обнаружив нить, связывающую настоящее представление с представлением предшествовавшим. Дойдя до происхождения известного числа идей путем их ассоциации, заключили, что все совершающееся в нашем сознании происходит на том же основании, и с тех пор не пожелали принимать ничего другого. Поэтому вообразили, что все сводится к факту сознательности, и на этом-то факте была построена вся эмпирическая психология. Но позвольте спросить, разве есть в мире что-либо более согласное с нашим ощущением, нежели происходящая постоянно такая смена идей в нашем мозгу, в которой мы не принимаем никакого участия? Разве мы не твердо убеждены в такой непрерывной работе нашего ума, которая совершается помимо нас? Задача, впрочем, не была бы нисколько разрешена, если бы даже и удалось свести все наши идеи к некоторому ограниченному числу их и вполне установить их источник. Конечно, в нашем уме не совершается ничего, что не было бы так или иначе связано с совершившимся там ранее; но из этого никак не следует, чтобы каждое изменение моей мысли, изменение форм, которые она поочередно принимает, вызывалось моей собственной силой: здесь, следовательно, имеет место еще огромное воздействие, совершенно отличное от моего. Итак, эмпирическая теория устанавливает в лучшем случае некоторые явления нашей природы, но о всей совокупности явлений она не дает никакого понятия.

Наконец, собственное воздействие человека исходит действительно от него лишь в том случае, когда оно соответствует закону. Всякий раз, как мы от него отступаем, действия наши определяются не нами, а тем, чтó нас окружает. Подчиняясь этим чуждым влияниям, выходя из пределов закона, мы себя уничтожаем. С другой стороны, покоряясь божественной силе, мы никогда не имеем полного сознания этой силы; поэтому она никогда не может попирать нашей свободы. Итак, наша свобода заключается лишь в том, что мы не ощущаем нашей зависимости: этого достаточно, чтобы почесть себя совершенно свободными и солидарными со всем, чтó мы делаем, со всем, чтó мы думаем. К несчастью, человек понимает свободу иначе: *он почитает себя свободным,* говорит Ион, *как дикий осленок*[11].

Да, я свободен, могу ли я в этом сомневаться? Пока я пишу эти строки, разве я не знаю, что я властен их не писать? Если провидение и определило мою судьбу бесповоротно, какое мне до этого дело, раз его власть мне не ощутительна? Но с идеей о моей свободе связана другая ужасная идея, страшное, беспощадное последствие ее — злоупотребление моей свободой и *зло* как его последствие. Предположим, что одна-единственная молекула вещества один только раз приняла движение произвольное, что она, например, вместо стремления к центру своей системы, сколько-нибудь отклонилась в сторону от радиуса, на котором находится. Что же при этом произойдет? Не сдвинется ли с места всякий атом в бесконечных пространствах? Не потрясется ли тотчас весь порядок мироздания? Мало того, все тела стали бы по произволу в беспорядке сталкиваться и взаимно разрушать друг друга. Но что же? Понимаете ли вы, что это самое делает каждый из нас в каждое мгновение? Мы то и дело вовлекаемся в произвольные действия, и всякий раз мы потрясаем все мироздание. И эти ужасные опустошения в недрах творения мы производим не только внешними действиями, но каждым душевным движением, каждой из сокровеннейших наших мыслей. Таково зрелище, которое мы представляем всевышнему. Почему же он терпит все это? Почему не выметет из пространства этот мир возмутившихся тварей? И еще удивительнее,— зачем наделил он их этой страшной силой? Он так восхотел. *Сотворим человека по нашему образу и подобию*[12],— сказал он. Этот образ божий, его подобие — это наша свобода. Но, сотворив нас столь удивительным образом, он к тому же одарил нас способностью знать, что мы противимся своему создателю. Можно ли поверить, что, даровав нам эту удивительную силу, как будто идущую вразрез с мировым порядком, он не восхотел дать ей должное направление, не восхотел просветить нас, как мы должны ее использовать? Нет. Слову всевышнего внимало сначала все человечество, олицетворенное в одном человеке, в котором заключались все грядущие поколения; впоследствии он просветил отдельных избранников, дабы они хранили истину на земле, и, наконец, признал достойным одного из нас быть облеченным божественным авторитетом, быть посвященным во все его сокровенности, так что он стал с ним *одно*, и возложил на него поручение сообщить нам все, что́ нам доступно из божественной тайны. Вот чему учит нас священная мудрость. Но наш собственный разум не говорит ли нам то же самое? Если бы не поучал нас бог, разве мог бы пробыть хотя бы мгновение мир, мы сами и что бы то ни было? Разве все не превратилось бы вновь в хаос? Это несомненно так, и наш собственный разум, как скоро он выходит из ослепления обманчивой самонадеянности, из полного погружения в свою гордыню, говорит то же, что и вера, а именно что бог необходимо должен был поучать и вести человека с первого же дня его создания и что он никогда не переставал и не перестанет поучать и вести его до скончания века.

ПИСЬМО ПЯТОЕ

Much of the soul they talk, but all awry.
*Milton**

Вы видите, все приводит нас снова к абсолютному положению: закон не может быть дан человеческим разумом самому себе точно так же, как разум этот не в силах предписать закон любой другой созданной вещи. Закон духовной природы нам раз навсегда предуказан, как и закон природы физической: если мы находим последний готовым, то нет ни

---

* Они толкуют много о душе, но все превратно. Мильтон *(англ.)*[1].

малейшего основания полагать, будто дело обстоит иначе с первым. Однако свет нравственного закона сияет из отдаленной и неведомой области подобно сиянию тех солнц, которые движутся в иных небесах и лучи которых, правда ослабленные, все же до нас доходят, нам надо иметь очи отверстыми для восприятия этого света, как только он заблестит перед нами. Вы видели, мы пришли к этому заключению путем логических выводов, которые вскрыли некоторые элементы тождества между тем и другим порядком: материальным и духовным. Школьная психология, [хотя и] имеет почти ту же отправную точку, приводит к другим последствиям. Она заимствует у естественных наук один лишь прием наблюдения, то есть именно то, что менее всего применимо к предмету ее изучения. И вот вместо того, чтобы возвыситься до подлинного единства всего, она только смешивает то, что должно оставаться навеки раздельным, вместо закона она и находит хаос. Да, сомнения нет, имеется абсолютное единство во всей совокупности существ: это именно и есть то, что мы по мере сил пытаемся доказать; скажу больше: в этом-то и заключается основное верование всякой здравой философии. Но это единство объективное, стоящее совершенно вне ощущаемой нами действительности; нет сомнения, это факт огромной важности, и он бросает чрезвычайный свет на великое ВСЕ: он создает логику причин и следствий, но он не имеет ничего общего с тем пантеизмом, который исповедует большинство современных философов, печальное учение, сообщающее ныне свою ложную окраску всем философским направлениям и ввергающее все до единой современные системы, как бы они ни расточали своих обетов в верности спиритуализму, в необходимость обращаться с фактами духовного порядка совершенно так, как будто они имеют дело с фактами порядка материального.

Ум по природе своей стремится к единству, но, к несчастью, пока еще не поняли как следует, в чем заключается настоящее единство вещей. Чтобы в этом удостовериться, достаточно взглянуть на то, как большинство мыслящих понимает бессмертие души. Вечно живой бог и душа, подобно ему вечно живая, одна абсолютная бесконечность и другая абсолютная бесконечность рядом с первой,— разве это возможно? Абсолютная бесконечность не есть ли абсолютное совершенство? Как же могут пребывать рядом два вечных существа, два существа совершенных? А дело вот в чем. Так как нет никакого логического основания предполагать в существе, состоящем из сознания и материи, одновременное уничтожение обеих составных частей, то человеческому уму естественно было прийти к мысли, что одна из этих частей может пережить другую. Но на этом и надо было остановиться. Пусть я проживу сто тысяч лет после того мгновения, которое я называю смертью и которое есть чисто физическое явление, с моим сознательным существом не имеющее ничего общего, отсюда еще далеко до бессмертия. Как все инстинктивные идеи человека, идея бессмертия души была сперва простой и разумной; но, попав затем на слишком тучную почву Востока, она там разрослась свыше меры и вылилась, в конце концов, в нечестивый догмат, в котором творение смешивается с творцом, так что черта, навеки их разделяющая, стирается, дух подавляется огромной тяжестью беспредельного будущего, все смешивается и запутывается. А затем — эта идея вторглась вместе со многим другим, унаследованным от язычников, в христианство, в этой новой силе она нашла себе надежную опору и смогла таким образом совершенно покорить себе сердце человека. Между тем всякому известно, что христианская религия рассматривает бессмертие, как награду за жизнь совершенно святую, итак, если вечную жизнь приходится еще заслужить, то заранее обладать ею, очевидно, нельзя; будучи воздаянием за совершенную жизнь, как может она быть исходом существования, протекшего в грехе? Удивительное дело. Хотя дух человеческий осенен высочайшим из светочей, он все же не в силах овладеть полной истиной и постоянно мечется между истинным и ложным.

Всякая философия, приходится сказать это, по необходимости заключена в роковом круге без исхода. В области нравственности она сначала предписывает сама себе закон, а затем начинает ему подчиняться, неизвестно, ни как, ни почему; в области метафизики она всегда предварительно устанавливает какое-то начало, из которого затем по ее воле вытекает целый мир вещей, ею же созданных. Это — вечное petitio principii[2], и при этом оно неизбежно: иначе все участие разума в этом деле свелось бы, очевидно, к нулю.

Вот, например, как поступает самая положительная, самая строгая философия нашего времени[3]. Она начинает с установления факта, что орудием познания является наш разум, а поэтому необходимо прежде всего научиться его познать; без этого, утверждает она, мы не сможем использовать его должным образом. Далее философия эта и принимается изо всех сил рассекать и разбирать самый разум. Но при помощи чего производит она эту необходимую предварительную работу, эту анатомию сознания? Не посредством ли этого самого разума? Итак, вынужденная в этой своей наипервейшей и главной операции взяться за орудие, которым она, по собственному признанию, не умеет еще владеть, как может она прийти к искомому познанию? Этого понять нельзя. Но и это еще не все. Более уверенная в себе, чем все прежние философские системы, она утверждает, что с разумом надо обращаться точь-в-точь как с внешними предметами. Тем же оком, которое вы направляете на [внешний] мир, вы можете рассмотреть и свое собственное существо: точно так, как вы ставите перед собой мир, можете вы перед собой поставить и самого себя, и как вы над миром размышляете и производите над ним опыты, так размышляйте и проводите опыты над самим собой. Закон тождества, будучи общим природе и разуму, позволяет вам одинаково обращаться и с нею и с ним. На основании ряда тождественных явлений материального порядка вы выводите заключение об общем явлении, что же мешает вам из ряда одинаковых фактов заключать к всеобщему факту и в порядке умственном? Как вы в состоянии заранее предвидеть факт физический, с одинаковой уверенностью вы можете предвидеть и факт духовный; смело можно в психологии поступать так, как в физике. Такова эмпирическая философия. По счастью, философия эта стала в настоящее время уделом лишь нескольких отсталых умов, которые упорно топчутся на старых путях.

Но вот свет уже пробивается сквозь обступающую нас тьму, и все движение философии, вплоть до эклектизма, который так благодушен и уступчив, что, кажется, только и помышляет о самоупразднении, наперебой стремится вернуть нас на более надежные пути. Среди умственных течений современности есть, в частности, [одно], которое приходится особенно выделить. Это род тонкого платонизма, новое порождение глубокой и мечтательной Германии[4]; это преисполненный возвышенной вдумчивой поэзии трансцендент[аль]ный идеализм, который уже потряс ветхое здание философских предрассудков в самой их основе. Но [новое] направление пребывает пока на таких эфирных высотах, на которых захватывает дыхание. Оно как бы витает в прозрачном воздухе, порою светясь каким-то мягким и нежным отблеском, порою теряясь в неясных или мрачных сумерках, так что можно принять его за одно из фантастических видений, которые подчас появляются на южном небе, а через мгновение исчезают, не оставляя следа ни в воздухе, ни в памяти. Будем надеяться, что прекрасная и величественная мысль эта вскоре спустится в обитаемые пространства: мы будем ее приветствовать с живейшим сочувствием. А пока предоставим ей шествовать по ее извилистому пути, а сами пойдем намеченной себе дорогой, более надежной.

Так вот, если, как мы убедились, движение в мире нравственном, как и движение в мире физическом,— последствие изначального толчка, то не следует ли из этого, что то и другое движение и в дальнейшем подчинены одним и тем же законам, а следовательно, все явления жизни духа могут быть выведены по аналогии? Значит, подобно тому, как столкновение тел в природе служит продолжением этого первого толчка, сообщенного материи, столкновение сознаний также продолжает движение духа; подобно тому, как в природе всякая вещь связана со всем, что ей предшествует и что за ней следует, так и всякий отдельный человек и всякая мысль людей связаны со всеми людьми и со всеми человеческими мыслями, предшествующими и последующими: и как едина природа, так, по образному выражению Паскаля, и вся *последовательная смена людей есть один человек, пребывающий вечно*[5], и каждый из нас — участник работы сознания, которая совершается на протяжении веков. Наконец, подобно тому, как некая построяющая и непрерывная работа элементов материальных или атомов, то есть воспроизведение физических существ, составляет материальную природу, подобная же работа элементов духовных или идей, то есть воспроизведение душ, составляет природу духовную; и если я постигаю всю осязаемую материю как одно целое, то я должен одинаково воспринимать и всю совокупность сознаний как единое и единственное сознание.

Главный рычаг образования душ есть, без сомнения, слово: без него нельзя себе представить ни происхождения сознания в отдельной личности, ни его развития в человеческом роде. Но одно только слово недостаточно для того, чтобы вызвать великое явление всемирного сознания, слово далеко не единственное средство общения между людьми, оно, следовательно, совсем не обнимает собой всю духовную работу, совершающуюся в мире. Тысячи скрытых нитей связывают мысли одного разумного существа с мыслями другого; наши самые сокровенные мысли находят всевозможные средства вылиться наружу; рассеиваясь, скрещиваясь между собой, они сливаются воедино, сочетаются, переходят из одного сознания в другое, обсеменяют, оплодотворяют — и, в конце концов, порождают общее сознание. Иногда случается, что проявленная мысль как будто не производит никакого действия на окружающее; а между тем — движение передалось, толчок произошел; в свое время мысль найдет другую, родственную, которую она потрясет, прикоснувшись к ней, и тогда вы увидите ее возрождение и поразительное действие в мире сознаний. Вы знаете такой физический опыт: подвешивают несколько шариков в ряд: отстраняют первый шарик, и последний шарик отскакивает, а промежуточные остаются неподвижными. Вот так передается и мысль, проносясь сквозь головы людей*. Сколько великих и прекрасных мыслей, откуда-то явившихся, охватили бесчисленные массы и поколения. Сколько возвышенных истин живет и действует, властвуя или светясь среди нас, и никто не знает, ни откуда явились эти внушительные силы или блестящие светочи, ни как они пронеслись через времена и пространства. Цицерон где-то сказал: «Природа так устроила человеческий облик, что он выявляет чувства, скрытые в сердце: что бы мы ни чувствовали, глаза наши всегда это отражают»[6]. Это совершенно верно: в разумном существе все выдает его затаенную мысль; весь человек целиком сообщается ближнему, и так происходит зарождение сознаний. Ибо сознание возникает ничуть не более чудесными путями, чем все остальное. Здесь такое же зарождение, как и всякое другое. Один и тот же закон имеет силу при любом воспроизведении, какова бы ни была его природа: все возникает через соприкосновение или слияние существ: никакая сила, никакая власть, обособленная от других, не может оказать своего действия. Необходимо только принять во внимание, что самый факт зарождения происходит где-то вне нашего непосредственного наблюдения. Подобно тому, как в физическом мире вы наблюдаете действие различных природных сил — притяжения, ассимиляции, сродства и т. п., но в последнем счете подходите к факту неуловимому, к самому акту, сообщающему физическую жизнь,— и в мире духовном мы ясно различаем последствия, вызванные различными человеческими силами, но, в конце концов, мы подходим к чему-то, что ускользает от нашего непосредственного восприятия, к самому акту передачи духовной жизни.

А что такое мировое сознание, которое соответствует мировой материи и на лоне которого протекают явления духовного порядка подобно тому, как явления порядка физического протекают на лоне материальности? Это не что иное, как совокупность всех идей, которые живут в памяти людей. Для

---

* Известно, что знаменитое доказательство бытия божия, приписываемое Декарту, восходит к Ансельму, жившему в XI в. Доказательство оставалось погребенным в каком-то уголке человеческого сознания в течение почти 500 лет, пока не явился Декарт и не вручил его философии[7].

того чтобы стать достоянием человечества, идея должна пройти через известное число поколений; другими словами, идея становится достоянием всеобщего разума лишь в качестве традиции. Но речь идет здесь отнюдь не только о тех традициях, которые сообщаются человеческому уму историей и наукой: эти традиции составляют лишь часть мировой памяти. А много есть и таких, которые никогда не оглашались перед народными собраниями, никогда не были воспеты рапсодами, никогда не были начертаны ни на колоннах, ни в хартиях; самое время их возникновения никогда не было проверено исчислением и приурочено к течению светил небесных; критика никогда не взвешивала их на своих пристрастных весах; их влагает в глубину душ неведомая рука, их сообщает сердцу новорожденного первая улыбка матери, первая ласка отца. Таковы всесильные воспоминания, в которых сосредоточен опыт поколений: всякий в отдельности их воспринимает с воздухом, которым дышит. И в этой-то среде совершаются все чудеса сознания. Правда, этот сокрытый опыт веков в целости не доходит до каждой частицы человечества; но он все же составляет духовную сущность вселенной, он переливается в жилах человеческих рас, он воплощается в образовании их тел и, наконец,— служит продолжением других традиций, еще более таинственных, не имеющих корней на земле, но составляющих отправную точку всех обществ: твердо установлено, что в каждом племени, как бы оно ни обособилось от основного мирового движения, всегда находятся некоторые представления, более или менее отчетливые, о высшем существе, о добре и зле, о том, что справедливо и что несправедливо: без этих представлений невозможно было бы существование племени совершенно так же, как и без грубых произведений земли, которую племя попирает, и деревьев, которые дают ему приют. Откуда эти представления? Никто этого не знает; предания — вот и все; докопаться до их происхождения невозможно: дети восприняли их от отцов и матерей — вот и вся их родословная. А затем на эти первоначальные понятия нисходят века, на них скапливается опыт, на них создается наука, из этой невидимой основы вырастает человеческий дух. И вот как, путем наблюдений действительности, мы подошли к тому самому, к чему привело нас и рассуждение: к начальному толчку, без которого, как мы убедились, ничего бы не двинулось в природе и который необходим здесь точно так, как и там.

И скажите на милость, можете ли вы допустить сознательное существо без всякой мысли? Можете ли вы представить себе в человеке разум, ранее чем он пустил его в дело? Можете ли вы себе представить чтó-либо в голове ребенка до того, как ему было преподано нечто свидетелями появления его на свет? Находили детей среди лесных зверей, нравы которых эти дети себе усвоили; они затем восстанавливали свои умственные способности; но эти дети не могли быть покинуты с первых дней своего существования. Детеныш самого сильного животного неизбежно погибнет, оставленный самкой тотчас же после родов; а человек — слабейшее из животных, он требует кормления грудью в течение шести или семи месяцев, даже череп его остается незакостеневшим несколько дней после рождения, как бы он мог просуществовать первое время своей жизни, не попав в материнские руки? Значит, дети эти до разлуки с родителями восприняли духовное семя. Я ручаюсь, что только открылись на свет его глаза, если бы он ни разу не ощутил на себе взгляда одного из себе подобных, не воспринял бы ни единого звука их голоса и в таком отчуждении вырос до сознательного возраста, ничем не отличался бы от других млекопитающих, которых натуралист причислит к тому же роду. Может ли быть что-либо бессмысленнее, чем предположение, будто каждая человеческая личность, как животное, является начинателем своей породы? А между тем именно такова гипотеза, служащая основой всего идеологического построения. Предполагают, что это крохотное неоформившееся существо, еще связанное через пуповину с чревом матери,— одарено разумом. Но чем это подтверждается? Неужели по гальваническому содроганию, которое в нем заметно, определите вы небесный дар, ему уделенный? Или в бессмысленном его взгляде, в его слезах, в пронзительном крике распознали вы существо, созданное по образу божию? Есть в нем, спрашиваю я, какая-нибудь мысль, которая бы не вытекала из небольшого круга понятий, вложенных в его голову матерью, кормилицей или другим человеческим существом в первые дни его бытия? Первый человек не был крикливым ребенком, он был человеком сложившимся, поэтому он вполне мог быть подобен богу и, разумеется, был ему подобен: но, конечно, уж вовсе не подобен образу божию людской зародыш. Истинную природу человека составляет то, что из всех существ он один способен просвещаться беспредельно: в этом и состоит его превосходство над всеми созданиями. Но для того, чтобы он мог возвыситься до свойств разумного существа, необходимо, чтобы чело его озарилось лучом высшего разума. В день создания человека бог с ним беседовал и человек слушал и понимал его: таково истинное происхождение человеческого разума; психология никогда не отыщет объяснения более глубокого. В дальнейшем он частью утратил способность воспринимать голос бога, это было естественным следствием дара полученной им неограниченной свободы. Но он не потерял воспоминания о первых божественных словах, которые раздались в его ухе. Вот этот-то первый глагол бога к первому человеку, передаваемый от поколения к поколению, поражает человека в колыбели, он-то и вводит человека в мир сознаний и превращает его в мыслящее существо. Тем же действием, которое бог совершал, чтобы исторгнуть человека из небытия, он пользуется и сейчас для создания всякого нового мыслящего существа. Это именно бог постоянно обращается к человеку через посредство ему подобных.

Таким образом, представление о том, будто человеческое существо является в мир с готовым разумом, не имеет, как вы видите, никакого основания ни в опытных данных, ни в отвлеченных доводах. Великий закон постоянного и прямого воздействия высшего начала повторяется в общей жизни человека, как он осуществляется во всем творении. Там — это сила, заключающаяся в количестве, здесь — это принцип, заключающийся в традиции; но в обоих случаях повторяется одно и то же: внешнее воздействие на существо, каково бы оно ни было, воздействие сначала мгновенное, а затем — длительное и непрерывное.

Как бы ни замыкаться в себе, как бы ни копаться в сокровенных глубинах своего сердца, мы никогда там ничего не найдем, кроме мысли, унаследованной от наших предшественников на земле. Это разумение, как его ни разлагать, как его ни расчленять на части, оно всегда остается разумением всех поколений, сменившихся со времен первого человека и до нас; и, когда мы размышляем о способностях нашего ума, мы пользуемся лишь более или менее удачно этим самым мировым разумом, с тем чтобы наблюдать ту его долю, которую мы из него восприняли в продолжение нашего личного существования. Что означает то или иное свойство души? Это идея, идея, которую мы находим в своем уме вполне готовой, не зная, как она в нем появилась, а эта идея, в свою очередь, вызывает другую. Но первая-то идея, откуда, по-вашему, может в нас возникнуть она, если не из того океана идей, в который мы погружены? Лишенные общения с другими сознаниями, мы [мирно] щипали бы траву, а не рассуждали бы о своей природе. Если не согласиться с тем, что мысль человека есть мысль рода человеческого, то нет возможности понять, что она такое. Подобно всей остальной части в созданной вселенной, ничего в мире сознаний не может быть постигнуто совершенно обособленным, существующим самим собою. И, наконец, если справедливо, что в верховной или *объективной* действительности разум человеческий на самом деле лишь постоянное воспроизведение мысли бога, то его разум во времени, или разум *субъективный,* очевидно, тот, который он, благодаря свободной воле, сам себе создал. Правда, школьная мудрость не считается со всем этим: для нее существует только один и единственный разум; для нее данный человек и есть тот, каким он вышел из рук создателя; [хотя и] созданный свободным, он не употребил во зло своей свободы; при всем своем своеволии, он, подобно неодушевленным предметам, пребыл неизменным, повинуясь непреклонной силе; заблуждения без счета, грубейшие предрассудки, им порожденные, преступления, которыми он запятнал себя,— ничего из всего этого якобы не оставило следа в его душе. Вот он — тот самый, каким он был в тот день, когда божественное дыхание оживило его земное существо, он столь же чист, столь же непорочен, как тогда, когда еще ничто не осквернило его юной природы; для этой школьной мудрости человек постоянно один и тот же; всегда и всюду; мы именно таковы, какими должны были быть; и вот — это скопище мыслей, неполных, фантастических, несогласованных, которое мы именуем человеческим умом, по ее мнению, оно именно и есть чистый разум, небесная эманация, истекшая из самого бога; ничто его не изменило, ничто его не коснулось. Так рассуждает человеческая мудрость.

Тем не менее ум человеческий всегда ощущал потребность сызнова себя перестроить по идеальному образцу. До появления христианства он только и делал, что работал над созданием этого образца, который постоянно ускользал от него и над которым он постоянно продолжал трудиться; это и составляло великую задачу древности. В то время человек поневоле был обречен на искание образца в самом себе. Но удивительно то, что и в наши дни, имея перед собой возвышенные наставления, преподанные в христианстве, философ все еще подчас упорно пребывает в том кругу, в котором был замкнут древний мир, а не помышляет о поисках образца совершенного разума вне человеческой природы, не думает, например, обратиться к возвышенному учению, предназначенному сохранить в среде людей древнейшие традиции мира, к той удивительной книге, которая столь явственно носит на себе печать абсолютного разума, то есть именно того разума, который он ищет и не может найти. Стоит только несколько вдуматься с искренней верой в учение, раскрытое откровением,— и вас поразит то величавое выражение духовного совершенства, которое в этом учении царит нераздельно, вам откроется, что все выдающиеся умы, вами там встреченные, составляют лишь части одного обширного разума, который заполняет и пронизывает тот мир, в котором прошедшее, настоящее и будущее составляют одно неразделимое целое; вы почувствуете, что все там ведет к постижению природы такого разума, который не подчинен условиям времени и пространства, и [именно] того, которым человек некогда обладал, который он утратил и который он некогда вновь обретет [тот самый], который был нам явлен в лице Христа. Заметьте, что по этому вопросу философский спиритуализм ничем не разнится от противоположной системы, ибо все равно, признаем ли мы человеческое разумение за пустое место, согласившись со старой формулой сенсуалистов — *нет ничего в уме, что бы не было сперва* в *ощущении,* или же предположим ли мы, что разум действует по присущей ему собственной силе, и повторим за Декартом: *я замыкаю все свои ощущения* и *я живу,* и в том и в другом случае мы все же будем иметь дело с тем разумом, который мы сейчас в себе находим, а не с тем, который был нам дарован изначала; поэтому мы будем исследовать вовсе не подлинное духовное начало, но начало искаженное, искалеченное, извращенное произволом человека.

Впрочем, из всех известных систем, несомненно, самая глубокая и плодотворная по своим последствиям есть та, которая стремится, для того чтобы отчетливо понять явление разумности, добросовестно построить совершенно отвлеченный разум, существо исключительно мыслящее, не восходя при этом к источнику духовного начала. Но так как материалом, из которого эта система строит свой образец, служит ей человек в теперешнем его состоянии, то она все-таки вскрывает перед нами разум искусственный, а не разум первоначальный. Глубокий мыслитель, творец этой философии[8], не усмотрел, что все дело [заключалось] только в том, чтобы представить себе разум, который бы имел одно волевое устремление: обрести и вызвать к действию разум высший, но такой разум, свойство [mode] движения которого заключалось бы в совершенном подчинении закону, подобно всему существующему, а вся его сила сводилась бы к безграничному стремлению слиться с тем другим разумом. Если бы он избрал это своей исходной точкой, он бы, конечно, пришел к идее разума воистину чистого, потому что разум этот был бы простым отражением абсолютного разума и анализ этого разума привел бы его без сомнения к последствиям огромной важности, а сверх того, он не впал бы в ложное учение об *автономии* человеческого разума, о каком-то императивном законе, находящемся внутри самого нашего разума и дающем ему способность собственным порывом возвышаться до всей полноты доступного ему совершенства, наконец, другая, еще более самонадеянная философия[9], философия *всемогущества человеческого* Я, не была бы ему обязана своим существованием.

Но все же надо воздать ему должное: его создание и в теперешнем своем виде заслуживает с нашей стороны всяческого уважения. Тому направлению, которое он придал философским знаниям, обязаны мы всеми здравыми идеями современности, сколько их ни есть в мире; и мы сами — только логическое последствие его мысли. Он положил уверенной рукой пределы человеческому разуму; он выяснил, что разум этот принужден принять два самых глубоких своих убеждения, а именно: существование бога и неограниченное свое бытие, не имея возможности их доказать; он научил нас тому, что существует верховная логика, которая не подходит под нашу мерку и которая вне зависимости от нашей воли над нами тяготеет, и что имеется мир, отличный от нашего, а вместе с тем пребывающий одновременно с тем, в котором мы мечемся, и мир этот наш разум вынужден признать под опасением в противном случае самому ввергнуться в небытие, и, наконец, что именно отсюда мы должны почерпнуть все наши познания, чтобы затем применить их к миру реальному. И все же в конце концов приходится признать и то, что ему было предназначено только проложить новый путь философии и что если он оказал великие услуги человеческому духу, то лишь в том смысле, что заставил его вернуться вспять.

В итоге произведенного нами сейчас исследования получается следующее. Сколько ни есть на свете идей, все они последствия некоторого числа передаваемых традиционно понятий, которые так же мало составляют достояние отдельного разумного существа, как природные силы — принадлежность особи физической. *Архитипы* Платона[10], *врожденные идеи* Декарта[11], apriori Канта[12], все эти различные элементы мысли, которые всеми глубокими мыслителями по необходимости признавались за предваряющие какие бы то ни было проявления души, за предшествующие всякому опытному значению и всякому самостоятельному действию ума, все эти изначала существующие зародыши разума сводятся к идеям, которые переданы нам от сознаний, предваривших нас к жизни и предназначенных ввести нас в наше личное бытие. Без восприятия этих результатов человек был бы просто-напросто двуногим или двуруким млекопитающим, ни более, ни менее, и это несмотря на лицевой угол, близкий к прямому, несмотря на размер своей черепной коробки, несмотря на вертикальное положение своего тела и т. д. Вложенные чудесным образом в сознание первого человеческого существа в день его создания той же рукой, которая направила планету по эллиптической орбите, которая привела в движение мертвую материю, которая даровала жизнь органическому существу,— именно эти-то идеи сообщили разуму свойственное ему движение и кинули человека в тот огромный круг, который ему предначертано пробежать. Идеи эти, возникающие посредством взаимного соприкосновения душ и в силу таинственного начала, которое увековечивает в созданном сознании действие сознания верховного, поддерживают жизнь природы духовной таким же порядком, как сходное соприкосновение и аналогичное начало поддерживают жизнь природы материальной. Так продолжается во всем первичное воздействие; так оно выливается окончательно в некое провидение, постоянное и непосредственное, простирающее свое действие на всю совокупность существа.

Раз это установлено, ясно, что́ нам еще должно исследовать: нам остается лишь проследить движение этих традиций в истории человеческого рода, чтобы выяснить, каким образом и где идея, первоначально вложенная в сердце человека, сохранилась в целости и чистоте.

ПИСЬМО ШЕСТОЕ

> Можно сказать, каким образом среди стольких потрясений, гражданских войн, заговоров, преступлений и безумий — в Италии, а потом и в прочих христианских государствах находилось столько людей, трудившихся на поприще полезных или приятных искусств; в странах, подвластных туркам, мы этого не видим.
>
> *Вольтер. Опыт о нравах.*

Сударыня,

В предыдущих моих письмах вы видели, как важно правильно понять развитие мысли на протяжении веков; но вы должны были найти в них еще и другую мысль: раз проникшись этой основной идеей, что в человеческом духе нет никакой иной истины, кроме той, которую своей рукой вложил в него бог, когда извлекал его из небытия,— уже невозможно рассматривать движение веков, как это делает обиходная история. Тогда становится ясно, что не только некое провиденис или некий совершенно мудрый разум руководит ходом явлений, но и что он оказывает прямое и непрерывное действие на дух человека. В самом деле: если только допустить, что разум твари, чтобы прийти в движение, должен был первоначально получить толчок, исходивший не из его собственной природы, что его первые идеи и первые знания не могли быть не чем иным, как чудесными внушениями высшего разума, то не следует ли отсюда, что эта сформировавшая его сила должна была и на всем протяжении его развития оказывать на него то самое действие, которое она произвела в ту минуту, когда сообщила ему его первое движение?

Такое представление об исторической жизни разумного существа и его прогрессе должно было, впрочем, стать для вас совершенно привычным, если вы вполне усвоили себе те идеи, относительно которых мы с вами предварительно условились. Вы видели, что чисто метафизическое рассуждение безусловно доказывает непрерывность внешнего воздействия на человеческий дух. Но в этом случае даже не было надобности прибегать к метафизике; вывод неоспорим сам по себе, отвергнуть его — значит отвергнуть те посылки, из которых он вытекает. Но если подумать о характере этого постоянного воздействия божественного разума в нравственном мире, то нельзя не заметить, что оно не только должно быть, как мы сейчас видели, сходно с его начальным импульсом, но и должно осуществляться таким образом, чтобы человеческий разум оставался совершенно свободным и мог развивать всю свою деятельность. Поэтому нет ничего удивительного в том, что существовал народ, в недрах которого традиция первых внушений бога сохранялась чище, чем среди прочих людей, и что от времени до времени появлялись люди, в которых как бы возобновлялся первичный факт нравственного бытия. Устраните этот народ, устраните этих избранных людей,— и вы должны будете признать, что у всех народов, во все эпохи всемирной истории и в каждом отдельном человеке божественная мысль раскрывалась одинаково полно и одинаково жизненно,— а это значило бы, конечно, отрицать всякую индивидуальность и всякую свободу в духовной сфере, иными словами — отрицать данное. Очевидно, что индивидуальность и свобода существуют лишь постольку, поскольку существует разность умов, нравственных сил и познаний. А приписывая лишь немногим лицам, одному народу, нескольким отдельным интеллектам, специально предназначенным быть хранителями этого клада, чрезвычайную степень покорности начальным внушениям или особенно широкую восприимчивость по отношению к той истине, которая первоначально была внедрена в человеческий дух, мы утверждаем лишь моральный факт, совершенно аналогичный тому, который постоянно совершается на наших глазах, именно что одни народы и личности владеют известными познаниями, которых другие народы и лица лишены.

В остальной части человеческого рода эти великие предания также сохранялись более или менее в чистом виде, смотря по положению каждого народа, и человек всюду мог идти вперед по предначертанной ему дороге лишь при свете этих могучих истин, рожденных в его мозгу не его собственным, а иным разумом; но источник света был один на земле. Правда, этот светильник не сиял, подобно человеческим знаниям; он не распространял далеко вокруг себя обманчивого блеска; сосредоточенный в одном пункте, вместе и лучезарный, и незримый, как все великие таинства мира, пламенный, но скрытый, как пламя жизни он все освещал, этот неизреченный свет, и все тянулось к этому общему центру, между тем как с виду все блистало собственным сиянием и стремилось к самым противоположным целям*. Но когда наступил момент великой катастрофы в духовном мире, все пустые силы, созданные человеком, мгновенно исчезли, и среди всеобщего пожара уцелела одна только скиния вечной истины. Только так может быть понято религиозное единство истории, и только с такой точки зрения эта концепция возвышается до настоящей исторической философии, в которой разумное существо является подчиненным общему закону наравне со всем остальным творением. Я очень желал бы, сударыня, чтобы вы освоились с этой отвлеченной и глубокой точкой зрения на исторические явления; ничто не расширяет нашу мысль и не очищает нашу душу в большей степени, нежели это созерцание божественной воли, властвующей в веках и ведущей человеческий род к его конечным целям.

---

* Бесполезно пытаться точно определить, в каком именно месте земли находился этот источник света; но то достоверно, что предания всех народов мира единогласно признают родиной первых человеческих познаний одни и те же страны.

Но постараемся прежде всего составить себе философию истории, способную пролить на всю беспредельную область человеческих воспоминаний свет, который должен быть для нас как бы зарею грядущего дня. Это подготовительное изучение истории будет для нас тем полезнее, что оно само по себе может представить полную систему, которою мы в крайнем случае смогли бы удовольствоваться, если бы что-нибудь роковым образом затормозило наш дальнейший прогресс. Впрочем, не забывайте, пожалуйста, что я сообщаю вам эти размышления не с высоты кафедры и что эти письма являются лишь продолжением наших прерванных бесед, тех бесед, которые доставили мне столько приятных минут и которые, повторяю, были для меня настоящим утешением в те дни, когда я крайне нуждался в нем. Поэтому не ждите от меня в этот раз большей поучительности, чем обыкновенно, и не откажите сами, как всегда, возмещать собственной догадкой все, что окажется неполным в этом очерке.

Без сомнения, вы уже заметили, что современное направление человеческого духа побуждает его облекать все виды познания в историческую форму. Вдумываясь в философские основы исторической мысли, нельзя не признать, что она призвана теперь подняться на несравненно большую высоту, нежели на какой она держалась до сих пор; можно сказать, что ум чувствует себя теперь привольно лишь в сфере истории, что он старается ежеминутно опереться на прошлое и лишь настолько дорожит вновь возникающими в нем силами, насколько способен уразуметь их сквозь призму своих воспоминаний, понимания пройденного пути, знания тех факторов, которые руководили его движением в веках. Это направление, принятое наукою, разумеется, чрезвычайно благотворно. Пора сознать, что человеческий разум не ограничен той силой, которую он черпает в узком настоящем,— что в нем есть и другая сила, которая, сочетая в одну мысль и времена протекшие, и времена обетованные, образует его подлинную сущность и возносит его в истинную сферу его деятельности.

Но не кажется ли вам, сударыня, что повествовательная история по необходимости неполна, так как она при всяких условиях может заключать в себе лишь то, что удерживается в памяти людей, а последняя удерживает не все происходящее? Итак, очевидно, что нынешняя историческая точка зрения не может удовлетворять разума. Несмотря на полезные работы критики, несмотря на помощь, которую в последнее время старались оказать ей естественные науки, она, как видите, не сумела достигнуть ни единства, ни той высокой нравственной поучительности, какая неизбежно вытекала бы из ясного представления о всеобщем законе, управляющем сменою эпох. К этой великой цели всегда стремился человеческий дух, углубляясь в смысл минувшего; но та поверхностная ученость, которая приобретается столь разнообразными способами исторического анализа, эти уроки банальной философии, эти примеры всевозможных добродетелей,— как будто добродетель способна выставлять себя напоказ на шумном торжище света,— эта пошлая поучительность истории, никогда не создавшая ни одного честного человека, но многих сделавшая злодеями и безумцами и лишь подстрекающая затягивать в бесконечных повторениях жалкую комедию мира,— все это отвлекло разум от тех истинных поучений, которые ему предназначено черпать из человеческого предания. Пока дух христианства господствовал в науке, глубокая, хотя и плохо формулированная, мысль распространяла на эту отрасль знания долю того священного вдохновения, которым она сама была порождена; но в ту эпоху историческая критика была еще так несовершенна, столько фактов, особенно из истории первобытных племен, сохранялись памятью человечества в столь искаженном виде, что весь свет религии не мог рассеять этой глубокой тьмы, и историческое изучение, хотя и озаряемое высшим светом, тем не менее подвигалось ощупью. Теперь рациональный способ изучения исторических данных привел бы к несравненно более плодотворным результатам. Разум века требует совершенно новой философии истории,— философии, которая так же мало походила бы на господствующую теперь, как точные изыскания современной астрономии непохожи на элементарные гномонические наблюдения[1] Гиппарха и других древних астрономов. Надо лишь заметить, что никогда не будет достаточно фактов, чтобы доказать все, и что уже во времена Моисея и Геродота их было больше, чем нужно, чтобы дать возможность все предчувствовать. Поэтому, сколько бы ни накоплять их, они никогда не приведут к полной достоверности, которую может дать нам лишь способ их группировки, понимания и распределения; совершенно так, как, например, опыт веков, научивший Кеплера законам движения небесных светил, сам по себе был не в силах разоблачить пред ним общий закон природы, и для этого открытия потребовалось, как известно, некое сверхъестественное озарение благочестивой мысли.

И прежде всего, к чему эти сопоставления веков и народов, которые нагромождает тщеславная ученость? Какой смысл имеют эти родословные языков, народов и идей? Ведь слепая или упрямая философия всегда сумеет отделаться от них своим старым доводом о всеобщем однообразии человеческой природы и объяснит дивное сплетение времен своей любимой теорией о естественном развитии человеческого духа, не обнаруживающем будто бы никаких признаков вмешательства божьего промысла и осуществляемом единственно собственной динамической силой его природы. Человеческий дух для нее, как известно,— снежный ком, который, катаясь, увеличивается. Впрочем, она видит всюду или естественный прогресс и совершенствование, присущие, по ее мнению, самой природе человека, или беспричинное и бессмысленное движение. Смотря по свойству ума разных своих представителей,— мрачен ли он и безнадежен или полон надежд и веры в воздаяние,— эта философия то видит в человеке лишь мошку, бессмысленно суетящуюся на солнце, то — существо, поднимающееся все выше в силу своей выспренней природы; но всегда она видит пред собою только человека, и ничего более. Она добровольно обрекла себя на невежество и, воображая, что знает физический мир, на самом деле познает из него лишь то, что он открывает праздному любопытству ума и чувствам. Потоки света, непрерывно изливаемые этим миром, не достигают ее, и когда, наконец, она решается признать в ходе вещей план, намерение и разум, подчинить им человеческий ум и принять все вытекающие отсюда последствия относительно всеобщего нравственного миропорядка,— это оказывается для нее невозможным. Итак, ни отыскивать связь времен, ни вечно работать над фактическим материалом — ни к чему не ведет. Надо стремиться к тому, чтобы уяснить нравственный смысл великих исторических эпох; надо стараться точно определить черты каждого века по законам практического разума.

К тому же, присмотревшись внимательнее, мы увидим, что исторический материал почти весь исчерпан, что народы рассказали почти все свои предания и что если отдаленные эпохи еще могут быть когда-нибудь лучше освещены (но во всяком случае не той критикой, которая умеет только рыться в древнем прахе народов, а какими-нибудь чисто логическими приемами), то— что касается фактов в собственном смысле слова — они уже все извлечены; наконец, что истории в наше время больше нечего делать, как размышлять.

Раз мы признáем это, история естественно должна войти в общую систему философии и сделаться ее составной частью. Многое тогда, разумеется, отделилось бы от нее и было бы предоставлено романистам и поэтам. Но еще больше оказалось бы в ней такого, что поднялось бы из скрывающего его доселе тумана, чтобы занять первенствующее место в новой системе. Эти вещи получали бы характер истины уже не только от хроники: отныне печать достоверности налагалась бы нравственным разумом, подобно тому, как аксиомы естественной философии, хотя открываются опытом и наблюдением, но только геометрическим разумом сводятся в формулы и уравнения. Такова, например, та, на наш взгляд, еще столь мало понятая эпоха (и притом не по недостатку данных и памятников, но по недостатку идей), в которой сходятся все времена, в которой все оканчивается и все начинается, о которой без преувеличения можно сказать, что все прошлое рода человеческого сливается в ней с его будущим: я говорю о первых моментах христианской эры. Наступит время, я не сомневаюсь в этом, когда историческое мышление более не в силах будет оторваться от этого внушительного зрелища крушения всех древних величий человека и зарождения всех его грядущих величий. Таков и долгий период[2], сменивший и продолжавший эту эпоху обновления человеческого существа,— период, о котором философский предрассудок и фанатизм еще недавно создавали такое неверное представление, между тем как здесь в густом мраке скрывались столь яркие светочи и столько разнообразных сил сохранялось и поддерживалось среди кажущейся неподвижности умов,— период, который начали понимать лишь с тех пор, как исторические исследования приняли свое новое направление.

Затем выйдут из окутывающей их тьмы некоторые гигантские фигуры, затерянные теперь в толпе исторических лиц, между тем как многие прославленные имена, которым люди слишком долго расточали нелепое или преступное поклонение, навсегда погрузятся в забвение. Таковы будут, между прочим, новые судьбы некоторых библейских лиц, не понятых или презренных человеческим разумом, и некоторых языческих мудрецов, окруженных большей славой, чем какую они заслуживают, например *Моисея* и *Сократа, Давида* и *Марка Аврелия.* Тогда раз навсегда поймут, что Моисей указал людям истинного бога, между тем как Сократ завещал им лишь малодушное сомнение, что Давид — совершенный образ самого возвышенного героизма, между тем как Марк Аврелий — в сущности, только любопытный пример искусственного величия и тщеславной добродетели. Точно так же о Катоне, раздирающем свои внутренности[3], тогда будут вспоминать лишь для того, чтобы оценить по достоинству философию, внушавшую такие неистовые добродетели, и жалкое величие, которое создавал себе человек[4]. В ряду славных имен язычества имя Эпикура, я думаю, будет очищено от тяготеющего на нем предрассудка и память о нем возбудит новый интерес. Точно так же и другие громкие имена постигнет новая судьба. Имя Стагирита[5], например, будет произноситься не иначе как с известным омерзением, имя Магомета — с глубоким почтением. На первого будут смотреть, как на ангела тьмы, в течение многих веков подавлявшего все силы добра в людях; в последнем же будут видеть благодетельное существо, одного из тех людей, которые наиболее способствовали выполнению плана, предначертанного божественной мудростью для спасения рода человеческого. Наконец,— сказать ли? — своего рода бесчестие покроет, может быть, великое имя Гомера. Приговор Платона над этим развратителем людей[6], подсказанный ему его религиозным инстинктом, будут признавать уже не одной из его фантастических выходок, а доказательством его удивительной способности предвосхищать будущие мысли человечества[7]. Должен наступить день, когда имя преступного обольстителя, столь ужасным образом способствовавшего развращению человеческой природы, будет вспоминаться не иначе как с краской стыда; когда-нибудь люди должны будут с горестью раскаяться в том, что они так усердно воскуряли фимиам этому потворщику их гнуснейших страстей, который, чтобы понравиться им, осквернил священную истину предания и наполнил их сердце грязью. Все эти идеи, до сих пор едва затрагивавшие человеческую мысль или, в лучшем случае, безжизненно покоившиеся в глубине нескольких независимых умов, навсегда займут теперь свое место в нравственном чувстве человеческого рода и станут аксиомами здравого смысла.

Но один из самых важных уроков истории, понимаемой в этом смысле, состоял бы в том, чтобы отвести в воспоминаниях человеческого ума соответствующие места народам, сошедшим с мировой сцены, и наполнить сознание существующих народов предчувствием судеб, которые они призваны осуществить. Всякий народ, отчетливо уяснив себе различные эпохи своей прошлой жизни, постиг бы также свое настоящее существование во всей его правде и мог бы до известной степени предугадать поприще, которое ему назначено пройти в будущем. Таким образом у всех народов явилось бы истинное национальное сознание, которое слагалось бы из нескольких положительных идей, из очевидных истин, основанных на воспоминаниях, и из глубоких убеждений, более или менее господствующих над всеми умами и толкающих их все к одной и той же цели. Тогда национальности, освободившись от своих заблуждений и пристрастий, уже не будут, как до сих пор, служить лишь к разъединению людей, а станут сочетаться одни с другими таким образом, чтобы произвести гармонический всемирный результат, и мы увидели бы, может быть, народы, протягивающие друг другу руку в правильном сознании общего интереса человечества, который был бы тогда не чем иным, как верно понятым интересом каждого отдельного народа.

Я знаю, что наши мудрецы ожидают этого слияния умов от философии и успехов просвещения вообще; но если мы размыслим, что народы, хотя и сложные существа, являются на деле такими же нравственными существами, как отдельные люди, и что, следовательно, один и тот же закон управляет умственной жизнью тех и других, то, мне кажется, мы придем к заключению, что деятельность великих человеческих семейств необходимо зависит от того личного чувства, в силу которого они сознают себя обособленными от остального рода человеческого, имеющими свое самостоятельное существование и свой индивидуальный интерес; что это чувство есть необходимый элемент всемирного сознания и составляет, так сказать, личное я коллективного человеческого существа; что поэтому в своих надеждах на будущее благоденствие и на безграничное совершенствование мы точно так же не вправе выделять эти большие человеческие индивидуальности, как и те меньшие, из которых первые состоят, и что надо, следовательно, все их принимать безусловно, как принципы и средства, заранее данные для достижения более совершенного состояния.

Итак, космополитическое будущее, обещаемое нам философией,— не более как химера. Надо заняться сначала выработкой домашней нравственности народов, отличной от их политической нравственности; надо, чтобы народы сперва научились знать и ценить друг друга совершенно так же, как отдельные личности, чтобы они знали свои пороки и свои добродетели, чтобы они научились раскаиваться в содеянных ими ошибках, исправлять сделанное ими зло, не уклоняться от стези добра, которою они идут. Вот, по нашему мнению, первые условия истинного совершенствования как индивидов, так равно и масс. Лишь вникая в свою протекшую жизнь, те и другие научатся выполнять свое назначение; лишь в ясном понимании своего прошлого почерпнут они силу воздействовать на свое будущее.

Вы видите, что при таком взгляде на дело историческая критика не сводилась бы только к удовлетворению суетного любопытства, но сделалась бы высочайшим из трибуналов. Она свершила бы неумолимый суд над красою и гордостью всех веков; она тщательно проверила бы все репутации, всякую славу; она покончила бы со всеми историческими предрассудками и ложными авторитетами; она направила бы все свои силы на уничтожение лживых образов, загромождающих человеческую память, для того чтобы разум, увидев прошлое в его истинном свете, мог вывести из него некоторые достоверные заключения относительно настоящего и с твердой надеждою устремить свой взор в бесконечные пространства, открывающиеся перед ним.

Я думаю, что одна огромная слава, слава Греции, померкла бы тогда почти совсем; я думаю, что наступит день, когда нравственная мысль не иначе как со священной печалью будет останавливаться перед этой страной обольщенья и ошибок, откуда гений обмана так долго распространял по всей остальной земле соблазн и ложь; тогда будет уже невозможно, чтобы чистая душа какого-нибудь Фенелона с негою упивалась сладострастными вымыслами, порожденными ужаснейшей испорченностью, в какую когда-либо впадало человеческое существо, и могучие умы* больше не дадут себя увлечь чувственным внушениям Платона[8]. Напротив, старые, почти забытые мысли религиозных умов, некоторых из тех глубоких мыслителей, настоящих героев мысли, которые на заре нового общества одной рукой начертывали предстоящий ему путь, между тем как другой боролись с издыхающим чудовищем многобожия, дивные наития тех мудрецов, которым бог доверил хранение первых слов, произнесенных им в присутствии творения,— найдут тогда столь же удивительное, как и неожиданное применение. И так как, вероятно, в странных видениях будущего, которых были удостоены некоторые избранные умы, увидят тогда главным образом выражение глубокого сознания безусловной связи между эпохами, то поймут, что на деле эти предсказания не относятся ни к какой определенной эпохе, но являются указаниями, безразлично касающимися всех времен; мало того, увидят, что достаточно, так сказать, взглянуть вокруг себя, чтобы заметить, что они беспрестанно осуществляются в последовательных фазисах общества, как ежедневное ослепительное проявление вечного закона, управляющего нравственным миром; так что факты, о которых говорят пророчества, будут для нас тогда столь же

---

* Как Шлейермахер, Шеллинг, Кузен и др.

ощутительными, как и самые факты увлекающих нас событий*.

Наконец, вот самый важный урок, который, по нашему мнению, преподала бы нам история, таким образом понятая; и в нашей системе этот урок, уясняя нам мировую жизнь разумного существа, которое одно дает ключ к решению человеческой загадки, резюмирует всю философию истории. Вместо того, чтобы тешиться бессмысленной системой механического совершенствования нашей природы, системой, так явно опровергнутой опытом всех веков, мы узнали бы, что, предоставленный самому себе, человек всегда шел, напротив, лишь по пути беспредельного падения и что если время от времени у всех народов бывали эпохи прогресса, моменты просветления в мировой жизни человека, высокие порывы человеческого разума, дивные усилия человеческой природы — чего нельзя отрицать,— то, с другой стороны, ничто не свидетельствует о постоянном и непрерывном поступательном движении общества в целом и что на самом деле лишь в том обществе, которого мы члены, обществе, не созданном руками человеческими, можно заметить истинное восходящее движение, действительный принцип непрерывного развития и прочности. Мы без сомнения восприняли то, что ум древних открыл раньше нас, мы воспользовались этим знанием и сомкнули таким образом звенья великой цепи времен, порванной варварством; но отсюда вовсе не следует, что народы пришли бы к тому состоянию, в котором они находятся ныне, когда бы не великое историческое явление, стоящее совершенно в стороне от всего предшествующего, вне всякой естественной преемственности человеческих идей в обществе и всякого необходимого сцепления вещей,— явление, которое отделяет древний мир от нового.

Если тогда, сударыня, взор мудрого человека обратится к прошлому, мир, каким он был в момент, когда сверхъестественная сила сообщила ему новое направление, предстанет его воображению в своем истинном свете — развратный, лживый, обагренный кровью. Он признает тогда, что тот самый прогресс народов и поколений, которым он так восхищался, в действительности лишь привел их к несравненно большему огрубению, чем то, в каком находятся племена, которые мы на-

---

* Тогда, например, люди уже не будут искать великий Вавилон[9] в том или другом земном государстве, как это делали еще недавно, но почувствуют, что сами живут среди грохота его разрушения, то есть они поймут, что вдохновенный историк будущих веков, рассказавший нам это ужасающее падение, имел в виду не крушение одной какой-либо державы, но крушение материального общества вообще, того общества, какое мы видим.

зываем дикими; и — что́ особенно ясно свидетельствует о несовершенстве цивилизаций древнего мира,— он без сомнения убедится, что в них не было никакого элемента прочности, долговечности. Глубокая мудрость Египта, чарующая прелесть Ионии, суровые добродетели Рима, ослепительный блеск Александрии, что сталось с вами?— спросит он себя. Блестящие цивилизации, древностью равные миру, взлелеянные всеми силами земли, приобщенные ко всякой славе, ко всем величиям и всем земным владычествам, связанные, наконец, с обширнейшей властью, когда-либо тяготевшей над миром*, со всемирной империей,— каким образом могли вы обратиться в прах? К чему же вела вся эта вековая работа, все эти гордые усилия разумной природы, если новые народы, явившиеся бог весть откуда и не принимавшие в них никакого участия, должны были со временем разрушить все это, ниспровергнуть великолепное здание и провести плуг по его развалинам? Так для того созидал человек, чтобы увидеть когда-нибудь все творение рук своих обращенным в прах? для того он накопил так много, чтобы все потерять в один день? для того поднялся так высоко, чтобы еще ниже упасть?

Но не заблуждайтесь, сударыня: не варвары разрушили древний мир. Это был истлевший труп; они лишь развеяли его прах по ветру. Разве эти самые варвары не нападали и раньше на древние общества, не будучи, однако, в силах хотя бы только поколебать их? Но истина в том, что жизненный принцип, поддерживавший дотоле человеческое общество, истощился; что материальный, или, если хотите, реальный интерес, которым одним до тех пор определялось социальное движение, так сказать, выполнил свою задачу, завершил предварительное образование рода человеческого; что человеческий дух, как бы он ни стремился выйти из своей земной среды, может лишь изредка подниматься в высшие сферы, где пребывает истинный принцип общественного бытия, и что, следовательно, он не в состоянии придать обществу его окончательную форму.

Мы слишком долго привыкли видеть в мире только отдельные государства; вот почему огромное превосходство нового общества над древним еще не оценено надлежащим образом. Упускали из виду, что в течение целого ряда веков это общество составляло настоящую федеральную систему, которая была расторгнута только реформацией [12]; что до этого прискорбного события народы Европы смотрели на себя не иначе

---

* Александр, Селевкиды[10], Марк Аврелий, Юлиан, Лагиды[11] и т. д.

как на части единого социального тела, разделенного в географическом отношении на несколько государств, но в духовном отношении составляющего одно целое; что долгое время у них не было другого публичного права, кроме предписаний церкви; что войны в то время считались междоусобиями; что, наконец, весь этот мир был одушевлен одним исключительным интересом, движим одним стремлением. История средних веков — в буквальном смысле слова — история одного народа,— народа христианского. Главное содержание ее составляет развитие нравственной идеи; чисто политические события занимают в ней лишь второстепенное место; и это в особенности доказывается как раз теми войнами из-за идеи, к которым питала такое отвращение философия прошлого века. Вольтер справедливо замечает[13], что только у христиан мнения бывали причиною войн; но не надо было останавливаться здесь, надо было добраться до причины этого исключительного явления. Ясно, что царство мысли могло водвориться в мире не иначе как путем сообщения самому элементу мысли всей его реальности. И если теперь положение вещей с виду изменилось, то это является результатом раскола, который, нарушив единство мысли, уничтожил вместе с тем и единство социальное; но сущность вещей без всякого сомнения остается той же, что и прежде, и Европа все еще тождественна с христианством, что бы она ни делала и что бы ни говорила. Конечно, она не вернется больше к тому состоянию, в котором находилась в эпоху своей юности и роста, но нельзя также сомневаться, что наступит день, когда границы, разделяющие христианские народы, снова изгладятся, и первоначальный принцип нового общества еще раз проявится в новой форме и с большей силой, чем когда бы то ни было. Для христианина это предмет веры; ему так же не позволено сомневаться в этом будущем, как и в том прошлом, на котором основаны его верования; но для всякого серьезного ума это вещь *доказанная*. И даже, кто знает, не ближе ли этот день, чем можно было бы думать? Какая-то огромная религиозная работа совершается теперь в умах; в ходе науки, этой верховной владычицы нашего века, замечается какое-то поворотное движение; души настроены торжественно и сосредоточенно; как знать, не предвестники ли это каких-нибудь великих социальных явлений, долженствующих вызвать в разумной природе некое всеобщее движение, которое заменит достоверными доводами здравого смысла то, что теперь — только чаяния веры? слава богу, реформация не все разрушила; слава богу, общество было уже вполне построено для вечной жизни, когда бич поразил христианский мир.

Итак, истинный характер нового общества надо изучать не в той или другой отдельной стране, но во всем этом громадном обществе, составляющем европейскую семью; в нем находится истинный элемент устойчивости и прогресса, отличающий новый мир от мира древнего; в нем все великие светочи истории. Так, мы видим, что, несмотря на все перевороты, которые постигли новое общество, оно не только ничуть не утратило своей жизненности, но что с каждым днем его мощь возрастает, с каждым днем в нем рождаются новые силы. Так, мы видим, что арабы, татары и турки не только не могли его уничтожить, но, напротив, лишь способствовали его укреплению. Надо заметить, что первые два народа напали на Европу до изобретения пороха, что, следовательно, вовсе не огнестрельное оружие спасло ее от гибели и что нашествию одного из них в то же самое время подверглись оба уцелевшие до сих пор государства древнего мира*.

---

* Из зрелища, представляемого Индией и Китаем, можно почерпнуть важные назидания. Благодаря этим странам, мы являемся современниками мира, от которого вокруг нас остался только прах; на их судьбе мы можем узнать, что сталось бы с человечеством без того нового толчка, который был дан ему всемогущей рукою в другом месте.

Заметьте, что Китай с незапамятных времен обладал тремя великими орудиями, которые, как говорят, всего более ускорили у нас прогресс человеческого ума: компасом, книгопечатанием и порохом. Между тем к чему они послужили ему? Совершили ли китайцы кругосветное путешествие? открыли ли они новую часть света? обладают ли они более обширной литературой, чем какою обладали мы до изобретения книгопечатания? В пагубном искусстве убивать были ли у них, как у нас, свои Фридрихи и Бонапарты? Что касается Индостана, то жалкая доля, на которую обрекли его сначала татарское, потом английское завоевания, ясно обнаруживает, как мне кажется, то бессилие и ту мертвенность, какие присущи всякому обществу, не основанному на истине, непосредственно исходящей от высшего разума. Я лично думаю, что такое необыкновенное уничижение народа, являющегося носителем древнейшего естественного просвещения и зачатков всех человеческих знаний, заключает в себе, сверх того, еще какой-то особый урок. Не вправе ли мы видеть здесь приложение к коллективному уму народов того закона, действие которого мы ежедневно наблюдаем на отдельных лицах, именно что ум, по какой бы то ни было причине ничего не заимствовавший из массы распространенных среди человечества идей и не подчинившийся действию общего закона, но обособившийся от человеческой семьи и совершенно замкнувшийся в самом себе, неизбежно приходит тем в больший упадок, чем своевольнее была его собственная деятельность? В самом деле, была ли когда-либо какая другая нация доведена до такого жалкого состояния, чтобы стать добычей не другого народа, но нескольких торговцев, которые в своей родной стране сами являются подданными, здесь же неограниченными властителями? Притом, помимо этого неслыханного уничижения индусов, явившегося следствием их покорения, самый упадок индусского общества начался, как известно, гораздо раньше. Его литература и философия и самый язык, на котором они изложены, относятся к давно уже исчезнувшему порядку вещей.

Падение Римской империи обыкновенно приписывают порче нравов и проистекшему отсюда деспотизму. Но этот мировой переворот касался не одного Рима: не Рим погиб тогда, но вся цивилизация. Египет времен фараонов, Греция эпохи Перикла, второй Египет Лагидов и вся Греция Александра, простиравшаяся дальше Инда, наконец, самый иудаизм[14], с тех пор как он эллинизировался,— все они смешались в римской массе и слились в одно общество, которое представляло собою все предшествовавшие поколения от самого начала вещей и которое заключало в себе все нравственные и умственные силы, развившиеся до тех пор в человеческой природе. Таким образом, не одна империя пала тогда, но все человеческое общество уничтожилось и снова возродилось в этот день. Теперь, когда Европа как бы охватила собою земной шар, когда Новый Свет, поднявшийся из океана, пересоздан ею, когда все остальные человеческие племена до такой степени подчинились ей, что существуют лишь как бы с ее соизволения,— не трудно понять, что́ происходило на земле в то время, когда рушилось старое здание и на его месте чудесным образом воздвигалось новое: здесь получал новый закон, новую организацию духовный элемент природы. Материалы древнего мира, конечно, пошли в дело при созидании нового общества, так как высший разум не может уничтожать творение собственных рук, и материальная основа нравственного порядка необходимо должна была остаться той же; другие же человеческие материалы, совсем новые, из залежи, не тронутой древней цивилизацией, были доставлены провидением. Мощный и сосредоточенный ум северных народов сочетался с пылким духом Юга и Востока; казалось, все разлитые по земле духовные силы проявились и соединились в этот день, чтобы дать жизнь поколениям идей, элементы которых были до тех пор погребены в самых таинственных глубинах человеческого сердца. Но ни план здания, ни цемент, скрепивший эти разнородные материалы, не были делом рук человеческих: *все сделала* идея истины. Вот что необходимо понять, и вот тот величайшей важности факт, которого чисто историческое мышление, даже пользуясь всеми орудиями человеческой мысли, известными нашей эпохе, никогда не в состоянии будет выяснить настолько, чтобы удовлетворить ум. Вот та ось, вокруг которой вращается вся историческая сфера, и чем вполне объясняется весь факт воспитания человеческого рода. Конечно, уже одно величие события и его тесная, необходимая связь со всем, что ему предшествовало и за ним следовало, сами по себе ставят его вне обычного течения человеческих дел, которые никогда не бывают свободны от известного произвола, от некоторой прихотливости; но непосредственное воздействие этого события на ум человеческий, новые силы, которыми оно его сразу обогатило, новые потребности, которые оно сразу вызвало в нем, и в особенности это чудесное уравнение умов, совершенное тем, благодаря кому человек стал во всяком положении *жаждать истины* и *быть способным к ее познаванию,*— вот что налагает на этот исторический момент поразительную печать промысла и высшего разума.

И вот взгляните: как часто человеческая мысль ни возвращалась с тех пор к вещам, которые болеее не существуют, не могут и не должны существовать,— в основе она всегда крепко держалась за этот момент. Взгляните: разве сознание верховного разума не вошло целиком в новый нравственный порядок и разве эта часть мирового ума, увлекающая за собой остальную его массу, не возникла в самом деле в первый день нашей эры? Не знаю, может быть, черта, отделяющая нас от древнего мира, видна не всем взорам, но она, конечно, ощутительна для всякого ума, наученного нравственным чувством сколько-нибудь понимать то, что разделяет элементы разумной природы, и то, что их соединяет. Поверьте мне, наступит время, когда своего рода возврат к язычеству, происшедший в пятнадцатом веке и очень неправильно названный возрождением наук, будет возбуждать в новых народах лишь такое воспоминание, какое сохраняет человек, вернувшийся на путь добра, о каком-нибудь сумасбродном и преступном увлечении своей юности[15].

Заметьте притом, что, благодаря особого рода оптическому обману, древность представляется нам в виде бесконечного ряда веков, между тем как новый период кажется начавшимся чуть ли не со вчерашнего дня. На самом же деле история древнего мира, считая хотя бы от водворения Пелазгов[16] в Греции, охватывает период времени, не более как на одно столетие превышающий продолжительность нашей эры, а собственно исторический период и того короче. И вот за такой-то короткий промежуток времени сколько государств погибло в древнем мире, между тем как в истории новых народов вы видите лишь всевозможные перемещения географических границ, самое же общество и отдельные народы *остаются нетронутыми!* Мне нет надобности говорить вам, что такие факты, как изгнание мавров из Испании, истребление американских племен и уничтожение власти татар в России только подтверждают наше рассуждение. Точно так же и падение Оттоманской империи[17], например, отголоски которого уже долетают до нашего слуха, снова представит зрелище одной из тех страшных катастроф, которые христианским народам никогда не суждено испытать; затем наступит черед других нехристианских народов, живущих у самых отдаленных пределов нашей системы. Таков круг всемогущего действия истины: отталкивая одни народности, другие принимая в свою окружность, он беспрестанно расширяется, приближая нас к возвещенным временам.

Надо сознаться, удивительно равнодушие, с которым долго относились к новейшей цивилизации. Вы видите, однако, что понять ее правильно — значит вместе с тем решить весь социальный вопрос. Вот почему философия истории в самых широких и в самых общих своих рассуждениях волей-неволей принуждена возвращаться к этой цивилизации. В самом деле, не содержит ли она в себе плод всех истекших веков и грядущие века будут ли чем иным, как плодом этой цивилизации? Дело в том, что нравственное существо всецело создано временем, и время же должно завершить выработку его. Никогда масса распространенных в мире идей не была так сконцентрирована, как в современном обществе; никогда за все время существования человека вся деятельность его природы не была до такой степени поглощена одной идеей, как в наши дни. Прежде всего, мы безусловно унаследовали все, что когда-либо было сказано или сделано людьми; далее, нет ни одного места, куда бы не простиралось влияние наших идей; наконец, во всем мире существует теперь лишь одна умственная власть; таким образом, все основные вопросы нравственной философии по необходимости заключены в едином вопросе о новейшей цивилизации. Но люди думают, что, раз они произнесли свои громкие слова о способности человека к совершенствованию, о прогрессе человеческого ума,— этим все сказано, все объяснено: как будто человек искони неустанно шел вперед, никогда не останавливаясь, никогда не возвращаясь вспять, как будто в ходе развития разумной природы никогда не было ни задержек, ни отступлений, а всегда только совершенствование и прогресс. Если бы дело обстояло так, то почему народы, о которых я вам только что говорил, остаются неподвижными с тех пор, как мы их знаем? Почему азиатские нации впали в косность? Чтобы достигнуть состояния, в котором они находятся теперь, им ведь надо было в свое время, подобно нам, искать, изобретать, открывать. Почему же, дойдя до известной ступени, они на ней остановились и с тех пор не могли придумать ничего нового?* Ответ простой: дело в том, что прогресс человеческой природы вовсе не безграничен, как это обыкновенно воображают; для него существует предел, за который он никогда не переходит. Вот почему цивилизации древнего мира не всегда шли вперед; вот почему Египет со времени посещения его Геродотом вплоть до эпохи греческого владычества не сделал больше никаких успехов; вот почему прекрасный и блестящий римский мир, сосредоточивший в себе всю образованность, какая существовала тогда на пространстве от столбов Геркулеса[18] до берегов Ганга, в момент, когда новая идея озарила человеческий ум, пришел в то состояние неподвижности, которым неизбежно завершается всякий чисто человеческий прогресс. Стоит только, отбросив классические суеверия, поразмыслить об этом моменте, столь богатом последствиями,— и станет ясно, что кроме отличавшей эту эпоху крайней развращенности нравов, кроме утраты всякого понятия о добродетели, свободе, любви к родине, кроме настоящего упадка в некоторых областях человеческого знания, здесь наблюдался также полнейший застой во всех остальных, и умы дошли до такого состояния, что могли вращаться только в определенном тесном кругу, за пределами которого они неизбежно впадали в тупую беспорядочность. Дело в том, что, как только материальный интерес удовлетворен, человек больше не прогрессирует: хорошо еще, если он не идет назад! Не будем заблуждаться: в Греции, как и в Индостане, в Риме, как и в Японии, вся умственная работа, какой бы силы ни достигала она в прошлом и в настоящем, всегда вела и теперь ведет лишь к одной и той же цели; поэзия, философия, искусство, все это, как прежде, так и теперь, всегда преследует там только удовлетворение физического существа. Все, что есть самого возвышенного в учениях и умственных привычках Востока, не только не противоречит этому общему факту, но, напротив, подтверждает его, так как кто же не видит, что беспорядочный разгул мысли, который мы там встречаем, объясняется не чем иным, как иллюзиями и самообольщением материального существа в человеке? Не надо думать, однако, что этот земной интерес, являющийся исконным двигателем всей человеческой деятельности, ограничивается одними чувственными вожделениями; он просто выражает общую потребность в благополучии, которая проявляется всевозможными способами и в самых раз-

---

* Когда говорят о какой-нибудь культурной нации, что она находится в застое, то надо прибавить, с каких пор она пришла в это состояние, иначе эта фраза совсем не имеет смысла.

нообразных формах, в зависимости от большей или меньшей степени развития общества и от разных местных причин, но никогда не подымается до уровня чисто духовных потребностей. Только христианское общество поистине одушевлено духовными интересами, и именно этим обусловлена способность новых народов к совершенствованию, именно здесь вся тайна их культуры. Как бы ни проявлялся у них тот другой интерес, вы видите, что он всегда подчинен этой могучей силе, которая овладевает всеми способностями души, заставляет служить себе все силы разума и чувства и направляет все в человеке на выполнение его предназначения.

Этот интерес, конечно, никогда не может быть удовлетворен; он беспределен по самой своей природе. Таким образом христианские народы в силу необходимости постоянно идут вперед. При этом хотя цель, к которой они стремятся, не имеет ничего общего с тем другим благополучием, на которое одно только и могут рассчитывать нехристианские народы, но они попутно находят его и пользуются им. Утехи жизни, которых единственно ищут другие народы, достаются также на их долю, согласно слову спасителя: *«Ищите же прежде всего царства божия и правды его, и все остальное приложится вам»**. Таким образом, огромный размах, который сообщает всем умственным силам этих народов идея, владеющая ими, в изобилии обеспечивает им все телесные блага, так же как и духовные. Нельзя, впрочем, и сомневаться в том, что нас никогда не постигнет ни китайский застой, ни греческий упадок; еще менее можно себе представить полное уничтожение нашей цивилизации. Чтобы убедиться в этом, достаточно бросить взгляд кругом. Весь мир должен был бы перевернуться, новый переворот, подобный тому, который придал ему его теперешнюю форму, должен бы произойти для того, чтобы современная цивилизация погибла. Без вторичного всемирного потопа невозможно вообразить себе полную гибель нашего просвещения. Пусть даже, например, погрузится в море целое полушарие,— того, что уцелеет от нашей цивилизации на другом полушарии, будет достаточно, чтобы возродить человеческий дух. Нет, идея, которая должна завоевать вселенную, никогда не замрет и не погибнет, если только не будет ей так определено свыше особою волею того, кто вложил ее в человеческую душу. Этот философский вывод из размышлений об истории, как мне кажется, более положителен, более очевиден и более назидателен, чем все те заключения, которые банальная история по-своему выводит из картины веков,

* Мат⟨фей⟩, VI, 33.

ссылаясь на влияние почвы, климата, расы и т. д., и в особенности на теорию *необходимого совершенствования*.

Надо сознаться, однако, что если до сих пор влияние христианства на общество, на развитие человеческого ума и на современную цивилизацию еще не оценено достаточно, то это в значительной степени вина протестантов. Вы знаете, что во всех пятнадцати веках, предшествовавших реформации, или по крайней мере во всем периоде с тех пор, как первоначальное христианство, по их мнению, исчезло,— они видят только папизм[19]; поэтому их нисколько не интересует проследить ход развития христианства в продолжение средних веков; для них эта эпоха — пробел в истории: как же им понять воспитание новых народов? Ничто так не способствовало искажению картины новой истории, как предрассудки протестантизма. Это он так усердно преувеличивал важность возрождения наук, которого, собственно говоря, никогда не было, так как наука никогда не погибала совершенно; это он придумал множество разных причин прогресса, которые, в сущности, влияли лишь очень второстепенным образом или проистекали всецело из главной причины. К счастию, менее пристрастная философия[20], исходящая из более высоких взглядов, в наши дни, обратившись к прошлому, исправила наши понятия об этом интересном периоде. Благодаря ей сразу открылось столько нового, что самое упорное недоброжелательство не может устоять перед этими достоверными фактами, и, я думаю, мы имеем право сказать, что если вразумление людей этим путем входит в планы провидения, то недалек тот момент, когда яркий свет разгонит тьму, еще отчасти покрывающую прошлое нового общества*.

Мы не можем не вернуться еще раз к упорству, с которым протестанты утверждают, что христианство перестало существовать начиная со второго или, в лучшем случае, с третьего века. Если верить им, то в этот период от него уцелело лишь ровно столько, сколько нужно было, чтобы оно не погибло окончательно. Суеверие и невежество этих одиннадцати веков кажутся им столь беспросветными, что во всей этой эпохе они не видят ничего, кроме идолопоклонства еще более ужасного, чем у языческих народов. По их мнению, не будь вальденцев, нить священного предания совершенно оборвалась бы, а не явись еще несколько дней Лютер,— религия Христа перестала бы существовать. Но, спрашиваю вас, можно ли

---

* С тех пор, как эти строки были написаны, г. Гизо в значительной степени оправдал нашу надежду[21].

признать печать божественности на таком учении, лишенном силы, долговечности и жизни, каким они выставляют христианство, учении преходящем и лживом, которое вместо того, чтобы возродить род человеческий и влить в него новую жизнь, как оно обещало,— лишь на мгновение появилось на земле, чтобы затем угаснуть, возникло лишь для того, чтобы сейчас же исчезнуть или чтобы стать орудием человеческих страстей? Итак, судьба церкви зависела лишь от желания Льва X достроить базилику св. Петра?[22] и если бы он не велел с этой целью продавать индульгенции[23] в Германии, то в наше время уже почти не оставалось бы следов христианства? Не знаю, может ли что-нибудь яснее показать коренное заблуждение реформации, чем этот узкий и мелочный взгляд на откровенную религию. Не значит ли это противоречить собственным словам Иисуса Христа и всей идее его религии? Если слово его не должно прейти, доколе не прейдут небо и земля, и сам он всегда среди нас, то каким образом храм, воздвигнутый его руками, мог быть близок к падению? И как мог бы он столь долгое время оставаться пустым, точно покинутый дом, готовый рухнуть?

Надо, однако, сознаться,— они были последовательны. Если они сначала разожгли пожар в целой Европе, а затем разрушили связи, объединявшие все христианские народы в одну семью, то они сделали это потому, что христианство было на краю гибели. В самом деле, разве не надо было всем пожертвовать, лишь бы спасти его? Но вот в чем дело: ничто лучше не доказывает божественность нашей религии, чем ее постоянное действие на человеческий ум,— действие, которое, хотя и изменялось смотря по времени, хотя и сочеталось с различными потребностями народов и веков, но никогда не ослабевало, не говоря уже о том, чтобы вовсе прекратиться. Это зрелище ее державной мощи, непрестанно действующей среди бесконечных препятствий, создаваемых и порочностью нашей природы, и пагубным наследием язычества,— вот что более всего удовлетворяет в ней разум.

Что же означает утверждение, будто католическая церковь выродилась из первоначальной церкви? Разве, начиная с третьего века, отцы церкви не сокрушались об испорченности христиан? И разве не повторялись те же жалобы постоянно, в каждом веке, на каждом соборе? Разве истинное благочестие не возвышало постоянно свой голос против злоупотреблений и пороков духовенства, а когда бывал к тому повод, и против захватов со стороны духовной власти? Что может быть прекраснее тех ярких лучей света, которые время от времени загорались в глубине темной ночи, окутывавшей мир? Иногда это были примеры самых возвышенных добродетелей, иногда — случаи чудесного действия веры на дух народов и отдельных людей; церковь собирала все это и создавала из этого свою силу и свое богатство: так сооружался вечный храм тем способом, который лучше всего мог придать ему надлежащую форму. Первоначальная чистота христианства естественно не могла сохраняться всегда; оно должно было принять все отпечатки, какие только могла наложить на него свобода человеческого разума. Сверх того, совершенство апостольской церкви обусловливалось малочисленностью христианской общины, затерянной среди огромной общины языческой; следовательно, оно не может быть присуще всемирному человеческому обществу. Золотой век церкви, как известно, был веком ее величайших страданий,— веком, когда еще совершалось мученичество, которое должно было лечь в основу нового порядка, когда еще лилась кровь спасителя; нелепо мечтать о возвращении такого порядка вещей, который был порожден лишь безмерными несчастиями, сокрушавшими первых христиан.

Хотите ли знать теперь, что сделала эта реформация, хвалящаяся тем, будто она вновь обрела христианство? Вы видите,— это один из важнейших вопросов, какие только может задать себе история. Реформация снова повергла мир в языческую *разъединенность;* она восстановила те огромные нравственные индивидуальности, ту обособленность умов и душ, которую спаситель приходил разрушить. Если она ускорила развитие человеческого духа, то, с другой стороны, она вытравила из сознания разумного существа плодотворную и высокую идею всеобщности. Сущностью всякого раскола в христианском мире является нарушение того таинственного *единства*, в котором заключается вся божественная идея и вся сила христианства. Вот почему католическая церковь никогда не примирится с отпавшими от нее общинами. Горе ей и горе христианству, если факт разделения когда-либо будет признан законною властью, ибо тогда все скоро сызнова превратилось бы в хаос человеческих идей, все стало бы ложью, тленом и прахом. Истина должна быть видимо, так сказать, осязательно закреплена, чтобы царство духа могло устоять на земле; только осуществляясь в формах, свойственных человеческой природе, господство идеи становится прочным и долговечным. И затем, во что обратится таинство причастия, это дивное изобретение христианской мысли, которое — если можно так выразиться — материализует души, чтобы лучше соединить их,— во что обратится оно, если видимое единение будет отвергнуто, если люди будут довольствоваться внутренней общностью мнений, лишенной внешней реальности? Что пользы людям в единении со спасителем, если они разъединены между собою? Если силу любви и единения, которую заключает в себе великое таинство, не познали свирепый Кальвин, убийца Сервета, буйный Цвингли и тиран Генрих VII с его лицемерным Кранмером,— я этому не удивляюсь; но непостижимо то, каким образом некоторые глубокие и истинно религиозные умы лютеранской церкви[24], в которой это искажение Евхаристии[25] не возведено в догмат, да и ревностно оспаривалось ее основателем,— как эти умы могли так странно ошибаться относительно духа этого таинства и слепо подчиняться мертвенной идее кальвинизма[26]. Нельзя не признать, что все протестантские церкви отличаются какой-то непонятной страстью к разрушению; они как бы неудержимо стремятся к самоуничтожению, как бы нарочно отвергают все то, что могло бы сделать их слишком долговечными. Этому ли учит нас тот, кто явился принести на землю жизнь и победил смерть? Разве мы уже на небе, чтобы безнаказанно отбрасывать условия существующего порядка вещей? И что такое этот порядок вещей, как не сочетание самых чистых помыслов разумного существа с потребностями его существования? Первая же из этих потребностей — общество, соприкосновение умов, слияние идей и чувств. Лишь удовлетворяя этому условию, истина становится живой и из области умозрения спускается в область реального; лишь тогда идея делается фактом, получает, наконец, характер силы природы и действие ее становится таким же верным, как действие всякой другой естественной силы. Но как может все это произойти в идеальном обществе, существующем лишь в области желаний и воображения? Вот что представляет собою невидимая церковь протестантов; она действительно невидима, как все несуществующее.

Днем соединения всех христианских исповеданий будет тот день, когда отделившиеся церкви с полным смирением, в глубоком раскаянии и самоуничижении признают, что, отпав от церкви-матери, они далеко оттолкнули от себя исполнение этой молитвы спасителя: «Отче святый, соблюди их во имя твое, тех, которых ты мне дал, чтобы они были едино, как и мы»*.

Допустим даже, что папство — человеческое учреждение, каким его хотели бы представить,— если только явление та-

* Иоан⟨н⟩, XVII, II.

ких размеров может быть делом рук человеческих,— но оно существенным образом вытекает из самого духа христианства: это — видимый знак единства, а вместе с тем — ввиду происшедшего разделения — и символ воссоединения. На этом основании как не признать за ним верховной власти над всеми христианскими обществами? И кто не изумится его необыкновенным судьбам? Несмотря на все испытанные им превратности и невзгоды, несмотря на его собственные ошибки, несмотря на все нападки неверия и даже его торжество, оно стоит непоколебимо и тверже, чем когда-либо! Лишившись своего человеческого блеска, оно стало от этого только сильнее, а равнодушие, которое проявляют к нему теперь, лишь укрепляет его еще более и лучше обеспечивает ему долговечность. Некогда его поддерживало почитание христианского мира, особый инстинкт, в силу которого народы видели в нем оплот своего земного благополучия, как и залог вечного спасения; теперь оно держится своим смиренным положением среди земных держав. Но, как и прежде, оно в совершенстве выполняет свое назначение: оно *централизует* христианские идеи, сближает их между собою, напоминает даже тем, кто отверг идею единства, об этом высшем принципе их веры,— и всегда, в силу этого своего божественного призвания, величаво парит над миром материальных интересов. Как бы мало внимания ни уделяли ему с виду в настоящее время, но пусть случилось бы невозможное и папство исчезло бы с лица земли, вы увидите, в какое смятение придут все религиозные общины, когда этот живой памятник истории великой общины не будет стоять перед их глазами. Они повсюду будут искать его тогда, это видимое единство, которым они так мало дорожат теперь, но его нигде не окажется. И не подлежит сомнению, что драгоценное сознание своей великой будущности, наполняющее теперь христианский разум и сообщающее ему ту особую высшую жизнь, которая отличает его от обыденного разума, неизбежно изгладится тогда, подобно надеждам, основанным на воспоминании о деятельном существовании: эти надежды утрачиваются с той минуты, как вся деятельность оказывается бесплодной, и самая память прошлого ускользает от нас тогда, став ненужной.

ПИСЬМО СЕДЬМОЕ

Сударыня,

Чем более вы будете размышлять о том, что я говорил вам намедни, тем более вы убедитесь, что все это уже сотни раз было высказано людьми всевозможных партий и мнений и что мы только вносим в этот предмет особый интерес, которого до сих пор в нем не находили. Однако я не сомневаюсь в том, что, если бы этим письмам случайно привелось увидеть свет, их обвинили бы в парадоксальности. Когда с известной степенью убежденности настаиваешь даже на самых обыкновенных понятиях, их всегда принимают за какие-то необычайные новшества. Что касается меня, то, на мой взгляд, время парадоксов и систем, лишенных реального основания, миновало настолько безвозвратно, что теперь было бы прямо глупостью впадать в эти былые причуды человеческого ума. Несомненно, что если человеческий ум в настоящее время и не так обширен, возвышен и плодовит, как в великие эпохи вдохновения и изобретения, то, с другой стороны, он стал бесконечно более строгим, трезвым, непреклонным и методичным, словом, более точным, чем когда бы то ни было прежде. И я прибавлю с чувством истинного удовлетворения, что с некоторого времени он стал также более безличным, чем когда-либо, что служит самой верной гарантией против безрассудности отдельных мнений.

Если, размышляя о воспоминаниях человечества, мы пришли к некоторым оригинальным взглядам, несогласным с предрассудками, то это потому, что, на наш взгляд, пора откровенно определить свое отношение к истории, как это было сделано в прошлом веке относительно естественных наук, то есть познать ее во всем ее рациональном идеализме, как естественные науки были познаны во всей их эмпирической реальности. Так как предмет истории и способы ее изучения — всегда одни и те же, то ясно, что круг исторического опыта должен когда-нибудь замкнуться; применения никогда не будут исчерпаны, но к установленному однажды правилу больше нечего будет прибавить. В физических науках каждое новое открытие дает новое поприще уму и открывает новое поле наблюдению; чтобы не идти далеко, вспомним, что один только микроскоп познакомил нас с целым миром, о котором ничего не знали древние естествоиспытатели. Таким образом, в изучении природы прогресс по необходимости беспределен; в истории же всегда познается только человек, и для познавания его нам всегда служит одно и то же орудие. Поэтому, если в истории действительно сокрыто важное поучение, то когда-нибудь люди должны прийти в ней к чему-нибудь определенному, что раз навсегда завершило бы опыт, то есть к чему-нибудь вполне рациональному. Прекрасная мысль Паскаля, которую я, кажется, уже приводил вам однажды, та мысль, что *весь последовательный ряд людей есть не что иное, как один человек, пребывающий вечно*[1], должна со временем из фигурального выражения отвлеченной истины стать реальным фактом человеческого ума, который с этих пор будет, так сказать, вынужден для каждого дальнейшего шага потрясать всю огромную цепь человеческих идей, простирающуюся через все века.

Но, спрашивается, может ли человек когда-нибудь, вместо того вполне индивидуального и обособленного сознания, которое он находит в себе теперь, усвоить себе такое всеобщее сознание, в силу которого он постоянно чувствовал бы себя частью великого духовного целого? Да, без сомнения, может. Подумайте только: наряду с чувством нашей личной индивидуальности мы носим в сердце своем ощущение нашей связи с отечеством, семьей и идейной средой, членами которых мы являемся; часто даже это последнее чувство живее первого. Зародыш высшего сознания живет в нас самым явственным образом; он составляет сущность нашей природы; наше нынешнее *я* совсем не предопределено нам каким-либо неизбежным законом: мы сами вложили его себе в душу. Люди увидят, что человек не имеет в этом мире иного назначения, как эта работа уничтожения своего личного бытия и замены его бытием вполне социальным или безличным. Вы видели, что это составляет единственную основу нравственной философии*; вы видите теперь, что на этом же должно основываться и историческое мышление, и вы увидите далее, что с этой точки зрения все заблуждения, которые затемняют и искажают различные эпохи общей жизни человечества, должны быть рассматриваемы не с холодным научным интересом, но с глубоким чувством нравственной правды. Как отожествлять себя с чем-то, что никогда не существовало? Как связать себя с *небытием?* Только в истине проявляются притягательные силы той и другой природы. Для того, чтобы подняться на эти высоты, мы должны при изучении истории усвоить себе правило — никогда не мириться ни с грезами воображения, ни с привычками памяти, но с таким же рвением преследовать положительное и достоверное, с каким до сих пор люди всегда искали живописного и занимательного. Наша задача не в том, чтобы наполнить свою память фактами; что пользы в них? Ошибочно думать, будто масса фактов непременно приносит с собою достоверность. Как и вообще гадательность исторического понимания обусловливается не недостатком фак-

---

* См. другое письмо.

тов, точно так же и незнание истории объясняется не незнакомством с фактами, но недостатком размышления и неправильностью суждения. Если бы в этой научной области желали достигнуть достоверности или прийти к положительному знанию с помощью одних только фактов, то кто же не понял бы, что их никогда не наберется достаточно? Часто одна черта, удачно схваченная, проливает больше света и больше доказывает, чем целая хроника. Итак, вот наше правило: будем размышлять о фактах, которые нам известны, и постараемся держать в уме больше живых образов, чем мертвого материала. Пусть другие роются, сколько хотят, в старой пыли истории; что касается нас, то мы ставим себе иную задачу. Таким образом, исторический материал мы во всякое время считаем полным; но к исторической логике мы всегда будем питать недоверие; ее мы постоянно должны будем осмотрительно проверять. Если в потоке времен мы, наравне с другими, будем видеть только деятельность человеческого разума и проявления совершенно свободной воли, то сколько бы мы ни нагромождали фактов в нашем уме и с каким бы тонким искусством ни выводили их одни из других, мы не найдем в истории того, что ищем. В этом случае она всегда будет представляться нам той самой человеческой игрой, какую люди видели в ней во все времена*. Она останется для нас по-прежнему той динамической и психологической историей, о которой я вам говорил недавно, которая стремится все объяснять личностью и воображаемым сцеплением причин и следствий, человеческими фантазиями и мнимо-неизбежными следствиями этих фантазий и которая таким образом предоставляет человеческий разум его собственному закону, не постигая того, что именно в силу бесконечного превосходства этой части природы над всей остальною действие высшего закона необходимо должно быть здесь еще более очевидным, чем там**.

---

* Ни Геродота, ни Тита Ливия, ни Григория Турского нельзя упрекать за то, что они заставляли провидение вмешиваться во все человеческие дела; но надо ли говорить, что не к этой суеверной идее повседневного вмешательства бога хотели бы мы снова привести человеческий ум?

** В том самом Риме, о котором столько говорят, где все бывали и который все-таки очень мало понимают, есть удивительный памятник, о котором можно сказать, что это — событие древности, длящееся доныне, факт другой эпохи, остановившийся среди течения времен: это Колизей. По моему мнению, в истории нет ни одного факта, который внушал бы столько глубоких идей, как зрелище этой руины, который отчетливее обрисовывал бы характер двух эпох в жизни человечества и лучше бы доказывал ту великую историческую аксиому, что до появления христианства в обществе никогда не было ни истинного прогресса, ни настоящей устойчивости. В самом деле, эта арена, куда

Чтобы не остаться голословным, я приведу вам, сударыня, один из самых разительных примеров ложности некоторых ходячих исторических воззрений. Вы знаете, что искусство сделалось одной из величайших идей человеческого ума благодаря грекам. Посмотрим же, в чем состоит это великолепное созданис их гения. Все, что есть материального в человеке, было идеализировано, возвеличено, обожествлено; естественный и *законный порядок был извращен;* то, что по своему происхождению должно было занимать низшую сферу духовного бытия, было возведено на уровень высших помыслов человека; действие чувств на ум было усилено до бесконечности, и великая разграничительная черта, отделяющая в разуме божественное от человеческого, была нарушена. Отсюда хаотическое смешение всех нравственных элементов. Ум устремился на предметы, наименее достойные его внимания, с такой же страстью, как и на те, познать которые для него всего важнее. Все области мышления сделались равно привлекательными. Вместо первобытной поэзии разума и правды, чувственная и лживая поэзия проникла в воображение, и эта мощная способность, созданная для того, чтобы мы могли представлять себе лишенное образа и созерцать незримое, стала с тех пор служить лишь для того, чтобы делать осязаемое еще более осязательным и земное еще более земным; в результате наше физическое существо выросло настолько же, насколько наше нравственное существо умалилось. И хотя мудрецы, как Пифагор и Платон, боролись с этой пагубной наклонностью духа своего времени, будучи сами более или менее заражены им,

---

римский народ стекался толпами, чтобы упиться кровью, где весь языческий мир так верно отражался в ужасной забаве, где вся жизнь той эпохи раскрывалась в самых упоительных своих наслаждениях, в самом ярком своем блеске,— не стоит ли она перед нами, чтобы рассказать нам, к чему пришел мир в тот момент, когда все силы человеческой природы уже были употреблены на постройку социального здания, когда уже со всех сторон все предвещало его падение и готов был начаться новый век варварства? И там же впервые задымилась кровь, которая должна была оросить фундамент нового здания. Не сто́ит ли поэтому один этот памятник целой книги? Но, странное дело! ни разу он не внушил ни одной исторической мысли, полной тех великих истин, которые он в себе заключает! Среди полчищ путешественников, стекающихся в Рим, нашелся, правда, один, который, стоя на соседнем знаменитом холме, откуда он свободно мог созерцать удивительные очертания Колизея, казалось, видел, по его словам, как развертывались перед ним века и объясняли ему загадку своего движения. И что же? он видел одних только триумфаторов и капуцинов. Как будто там никогда не происходило ничего другого, кроме победных шествий и религиозных процессий! Узкий и мелочный взгляд, которому мы обязаны известным всему миру лживым произведением! настоящее поругание одного из прекраснейших исторических гениев, когда-либо существовавших!

но их усилия не привели ни к чему, и лишь после того, как человеческий дух был обновлен христианством, их доктрины приобрели действительное влияние. Итак, вот что сделало искусство греков; оно было апофеозом материи[2],— этого нельзя отрицать. Что же, так ли был понят этот факт? Далеко нет. На дошедшие до нас памятники этого искусства смотрят — не понимая их значения; услаждают себя зрелищем этих дивных вдохновений гения, которого, к счастию, более нет на земле,— даже не подозревая нечистых чувств, рождающихся при этом в сердце, и лживых помыслов, возникающих в уме; это какое-то поклонение, опьянение, очарование, в котором нравственное чувство гибнет без остатка. Между тем достаточно было бы хладнокровно отдать себе отчет в том чувстве, которым бываешь полон, когда предаешься этому нелепому восхищению, чтобы понять, что это чувство вызывается самой низменной стороной нашей природы, что мы постигаем эти мраморные и бронзовые тела, так сказать, нашим телом. Заметьте притом, что вся красота, все совершенство этих фигур происходят исключительно от полнейшей тупости, которую они выражают: стоило бы только проблеску разума проявиться в их чертах, и пленяющий нас идеал мгновенно исчез бы. Следовательно, мы созерцаем даже не образ разумного существа, но какое-то человекоподобное животное, существо вымышленное, своего рода чудовище, порожденное самым необузданным разгулом ума,— чудовище, изображение которого не только не должно было бы доставлять нам удовольствие, но скорее должно было бы нас отталкивать. Итак, вот каким образом самые важные факты исторической философии искажены или затемнены предрассудком,— теми школьными привычками, той рутиной мысли и той прелестью обманчивых иллюзий, которыми и обусловливаются обыденные исторические воззрения.

Вы спросите меня, может быть, всегда ли я сам был чужд этим обольщениям искусства? Нет, сударыня, напротив. Прежде даже, чем я их познал, какой-то неведомый инстинкт заставлял меня предчувствовать их, как сладостные очарования, которые должны наполнить мою жизнь. Когда же одно из великих событий нашего века[3] привело меня в столицу, где завоевание собрало в короткое время так много чудес,— со мной было то же, что с другими, и я даже с большим благоговением бросал мой фимиам на алтари кумиров[4]. Потом, когда я во второй раз увидал их при свете их родного солнца[5], я снова наслаждался ими с упоением. Но надо сказать правду,— на дне этого наслаждения всегда оставалось что-то горькое, подобное угрызению совести; поэтому, когда понятие об истине озарило меня, я не противился ни одному из выводов, которые из него вытекали, но принял их все тотчас же без уверток[6].

Вернемся, однако, сударыня, к тем крупным историческим личностям, которым, как я вам говорил намедни, история, по моему мнению, не отводит подобающих им мест в воспоминаниях человечества. У вас должно было получиться лишь неполное представление об этом предмете. Начнем с Моисея, самой гигантской и величавой из всех исторических фигур[7].

Слава богу, прошло уже то время, когда великий законодатель еврейского народа был даже в глазах людей, претендующих на глубокомыслие, не более как существом какого-то фантастического мира, подобно всем этим героям, полубогам и пророкам, каких мы встречаем на первых страницах истории всякого древнего народа,— не более как поэтическим образом, в котором историческая мысль должна открыть лишь то, что он представляет поучительного как тип, символ или выражение эпохи, к которой его относит человеческая традиция. В настоящее время нет никого, кто бы сомневался в исторической реальности Моисея. Но тем не менее несомненно, что священная атмосфера, окружающая его имя, вовсе неблагоприятна для него, так как она мешает ему занять подобающее ему место. Влияние, оказанное этим великим человеком на род человеческий, далеко еще не понято и не оценено надлежащим образом. Облик его слишком затуманен таинственным светом, который его окружает. Благодаря тому, что его недостаточно изучали, Моисей не представляет того назидания, какое обыкновенно дает нам созерцание великих исторических личностей. Ни общественный человек, ни частное лицо, ни мыслитель, ни деятель не находят в истории его жизни всего поучения, которое в ней содержится. Это — следствие привычек, сообщенных уму религией и придающих библейским фигурам сверхъестественный вид, что́ заставляет их казаться совсем не такими, каковы они в действительности*. Личность Моисея представляет, между прочим, какое-

* Заметьте, что, в сущности, библейские лица должны быть нам всего более знакомы, так как ничьи черты не обрисованы так хорошо. Это — одно из могущественнейших средств, которыми Писание действует на людей. Так как надо было дать нам возможность столь тесно сливаться с этими лицами, чтобы они могли влиять на самое внутреннее существо наше и тем самым подготовляли души к восприятию гораздо более нужного влияния личности Христа, то в Писании было найдено средство так ярко обрисовать черты этих лиц, что образы их неизгладимо врезываются в ум, производя впечатление людей, с которыми мы жили в близком общении.

то необыкновенное смешение величия и простоты, силы и добродушия и особенно суровости и кротости, дающее, на мой взгляд, неисчерпаемую пищу размышлению. Мне кажется, что в истории нет другого лица, характер которого представлял бы соединение столь противоположных свойств и способностей. И когда я размышляю об этом необыкновенном человеке и о том влиянии, которое он оказал на людей, я не знаю, чему более удивляться: историческому ли явлению, виновником которого он был, или духовному явлению, каким представляется его личность. С одной стороны — это величавое представление об избранном народе, то есть о народе, облеченном высокой миссией хранить на земле *идею единого бога,* и зрелище необычайных средств, использованных им с целью дать своему народу особое устройство, при котором эта идея могла бы сохраниться в нем не только во всей своей полноте, но и с такой жизненностью, чтобы явиться со временем мощной и непреодолимой, как сила природы, пред которой должны будут исчезнуть все человеческие силы и которой когда-нибудь подчинится весь разумный мир. С другой стороны — человек простодушный до слабости, умеющий проявлять свой гнев только в бессилии, умеющий приказывать только путем усиленных увещаний, принимающий указания от первого встречного; странный гений, вместе и самый сильный, и самый покорный из людей! Он творит будущее, и в то же время смиренно подчиняется всему, что представляется ему под видом истины; он говорит людям, окруженный сиянием метеора, его голос звучит через века, он поражает народы как рок, и в то же время он повинуется первому движению чувствительного сердца, первому убедительному доводу, который ему приводят! Не поразительное ли это величие, не единственный ли пример?

Это величие пытались умалить, утверждая, будто вначале он помышлял лишь об освобождении своего народа от невыносимого ига, хотя и отдавали при этом должное героизму, выказанному им в этом деле. В нем старались видеть не более как великого законодателя, и, кажется, в настоящее время его законы находят удивительно либеральными. Говорили также, что его бог был только национальным богом и что он заимствовал всю свою теософию у египтян. Конечно, он был патриотом, да и может ли великая душа, каково бы ни было ее призвание на земле, быть лишенной патриотизма? К тому же есть общий закон, в силу которого воздействовать на людей можно лишь через посредство того домашнего круга, к которому принадлежишь, той социальной семьи, в которой родился; чтобы явственно говорить роду человеческому, надо обращаться к своей нации, иначе не будешь услышан и ничего не сделаешь. Чем более непосредственно и конкретно нравственное воздействие человека на его ближних, тем оно надежнее и сильнее; чем индивидуальнее слово, тем оно могущественнее. Высшее начало, двигавшее этим великим человеком, ни в чем не познается так ясно, как в безусловной действительности и верности тех средств, которыми он пользовался для осуществления предпринятого им дела. Возможно также, что он нашел у своего племени или других народов идею национального бога и что он воспользовался этим фактом, как и многими другими данными, почерпнутыми им в прошлом, чтобы ввести в человеческий ум свой возвышенный монотеизм. Но отсюда не следует, чтобы Иегова[8] не был и для него, как для христиан, всемирным богом. Чем более он старается замкнуть и изолировать этот великий догмат в своем племени, чем более он прибегает для достижения этой цели к необычайным средствам, тем яснее выступает во всей этой работе высокого ума глубоко универсальный замысел — сохранить для всего мира, для всех грядущих поколений понятие о едином боге. Среди господствовавшего тогда по всей земле многобожия можно ли было найти более верное средство воздвигнуть истинному богу неприкосновенный алтарь, как внушить народу, ставшему хранителем этого святилища, расовое отвращение ко всякому племени идолопоклонников и связать все социальное бытие этого народа, всю его судьбу, все его воспоминания и надежды, с одним этим принципом? Прочитайте с этой точки зрения Второзаконие[9] и вы будете изумлены тем, какой свет оно проливает не только на систему Моисея, но и на всю философию откровения. В каждом слове этого необыкновенного повествования видна сверхчеловеческая идея, владевшая умом автора. Ею объясняются также те ужасные поголовные истребления, которые предписывал Моисей и которые так странно противоречат мягкости его натуры и казались столь возмутительными философии еще более непонятливой, чем безбожной. Эта философия не постигала того, что человек, являвшийся столь дивным орудием в руке провидения, доверенным всех его тайн, не мог действовать иначе, чем действует само провидение или природа; что для него эпохи и поколения не имели никакой цены, что его миссия заключалась не в том, чтобы явить миру образец правосудия или нравственного совершенства, но в том, чтобы внести в человеческий ум необъятную идею, которая не могла родиться в нем самостоятельно. Не думают ли, что, когда, заглушая вопль своего любящего сердца, он приказывал истреблять целые племена и поражал людей мечом божественного правосудия, он был озабочен лишь расселением тупого и непокорного народа, который он вел за собой? Поистине превосходная психология! Как поступает она, чтобы не восходить до истинной причины рассматриваемого явления? Она избавляет себя от труда, совмещая в одной и той же душе самые противоречивые черты, соединения которых в одной личности ей на деле никогда не приходилось наблюдать!

Что нам за дело, впрочем, до того, почерпнул ли Моисей некоторые указания из египетской мудрости? Что за важность, если он и помышлял сначала лишь об освобождении своего народа от ига рабства? Разве от этого становится менее достоверным тот факт, что, осуществив среди этого народа идею, либо заимствованную им со стороны, либо почерпнутую в глубине собственного духа, и окружив ее всеми условиями нерушимости и вечности, какие только можно найти в человеческой природе, он тем самым дал людям истинного бога, и, следовательно, род человеческий всем своим умственным развитием, вытекающим из этого принципа, бесспорно обязан ему?

Давид — одно из тех исторических лиц, чьи черты нам переданы всего лучше. Что может быть ярче, драматичнее, правдивее его истории, что может быть характернее его физиономии? Повесть его жизни, его возвышенные песни, в которых настоящее удивительно сливается с будущим, так хорошо рисуют стремления его души, что в его личности не остается для нас решительно ничего скрытого. При всем том впечатление, подобное тому, какое мы получаем от героев Греции и Рима, он производит лишь на умы глубоко религиозные. Это опять-таки происходит оттого, что все эти великие люди Библии принадлежат к особому миру; сияние, окружающее их чело, удаляет их всех, к несчастию, в такую область, куда ум переносится неохотно, в сферу неотвязных сил, непреклонно требующих покорности, где всегда стоишь перед лицом неумолимого закона, где больше ничего не остается, как пасть ниц перед этим законом. А между тем как уразуметь развитие эпох, если не изучать его там, где обусловливающее его начало обнаруживается всего явственнее?

Противопоставляя этим двум исполинам Писания Сократа и Марка Аврелия, я хотел этим контрастом столь несходных примеров величия заставить вас лучше оценить те два мира, откуда они взяты. Прочитайте у Ксенофонта анекдоты о Сократе[10], отрешившись при этом, если можете, от предубеждения, связанного с его памятью; подумайте о том, как много его смерть прибавила к его славе, вспомните о его пресловутом демоне, о его снисходительном отношении к пороку, которое он, надо сознаться, доводил иногда до удивительной степени*; вспомните различные обвинения, которые взводили на него его современники; вспомните ту фразу, которую он произнес перед самой смертью и которая навсегда запечатлела для потомства всю шаткость его мысли; вспомните, наконец, о всех несогласных, нелепых и противоречивых учениях, которые вышли из его школы. Что касается Марка Аврелия, то и по отношению к нему надо отбросить всякое суеверие; обдумайте хорошенько его книгу[11]; припомните лионскую резню[12], ужасного человека[13], в руки которого он предал мир, время, в которое он жил, высокую сферу, к которой он принадлежал, и все средства величия, которыми он располагал благодаря своему положению в мире. Затем сравните, пожалуйста, плоды сократовской философии с влиянием религии Моисея, личность римского императора с личностью того, кто, из пастуха став царем, поэтом, мудрецом, воплотил в себя великий и таинственный идеал пророка-законодателя, кто сделался центром того мира чудес, в котором должны были свершиться судьбы человечества, кто окончательно определил глубокое и исключительное религиозное направление своего народа, долженствовавшее поглотить все его существование, и этим путем создал на земле порядок вещей, благодаря которому только и стало возможным возникновение на ней царства истины. Я не сомневаюсь, что вы согласитесь тогда, что если поэтическая мысль изображает нам людей, подобных Моисею и Давиду, сверхчеловеческими существами и окружает их особым светом, то, с другой стороны, и здравый смысл, при всей своей холодности, не может не видеть в них нечто большее, чем просто великих, необыкновенных людей, и вам станет ясным, мне кажется, что в духовной жизни мира эти люди несомненно были вполне непосредственными проявлениями управляющего ею высшего закона и что их появление соответствует тем великим эпохам физического порядка, которые время от времени преобразуют и обновляют природу**.

---

* Если бы я писал не к женщине, я предложил бы читателю, чтобы составить себе об этом понятие, прочесть особенно «Пир» Платона.

** Впрочем, ничто не может быть понятнее огромной славы Сократа, единственного в древнем мире человека, умершего за свои убеждения. Этот единичный пример идейного героизма должен был в самом деле ошеломить народы, как нечто из ряда вон выходящее. Но для нас, видевших целые народы жертвующими жизнью за дело истины, не безумие ли так же ошибаться на его счет?

Затем идет Эпикур. Вы понимаете, конечно, что я не придаю особенного значения репутации этого лица. Но надо вам сказать прежде всего, что, поскольку дело касается его материализма, последний ничем не отличался от идей других древних философов; разница лишь в том, что, обладая более прямым и последовательным суждением, чем большинство из них, Эпикур не запутывается, подобно им, в бесконечных противоречиях. Языческий деизм кажется ему тем, чем он был на самом деле,— нелепостью; спиритуализм же обманом. Его физика, заимствованная, впрочем, целиком у Демокрита, о котором Бэкон где-то отозвался, как о единственном разумном физике древности, не стоит ниже воззрений на природу других естествоиспытателей его времени; что же касается его теории атомов[14], то, если очистить ее от метафизики, она в наше время, когда молекулярная философия сделалась столь положительной, далеко не будет казаться столь смешной, как ее находили. Но в особенности его имя связано, как вам известно, с его нравственной доктриной[15], и она-то была причиною его дурной славы. Дело в том, однако, что о его морали мы судим только по излишествам его секты и по более или менее произвольным ее истолкованиям, сделанным после него; собственные его сочинения, как вы знаете, до нас не дошли. Цицерон, конечно, был волен содрогаться при одном имени сладострастия; но сравните, пожалуйста, это столь поносимое учение — в том виде, как его должно представлять себе, основываясь на всем, что мы знаем о самой личности его автора, и отбросив те последствия, к которым оно привело в языческом мире, так как эти последствия в гораздо большей степени объясняются общим складом ума в ту эпоху, чем самой доктриной Эпикура,— сравните, говорю я, эту мораль с другими нравственными системами древних, и вы найдете, что, не будучи ни столь высокомерной, ни столь суровой, ни столь невыполнимой, как мораль стоиков[16], ни столь неопределенной, расплывчатой и бессильной, как мораль платоников[17], она отличалась сердечностью, благоволением, гуманностью и в некотором роде заключала в себе долю христианской морали. Никоим образом нельзя не признать того, что эта философия содержала в себе один существенно важный элемент, которого была совершенно лишена практическая мысль древних, именно элемент единения, солидарности, благоволения между людьми. Она в особенности отличалась здравым смыслом и отсутствием гордости, чего нельзя сказать ни об одном из остальных философских учений того времени. Впрочем, она и видела высшее благо в душевном мире и кроткой радости, которые являются-де на земле подобием небесного блаженства богов. Эпикур сам подал пример такого безмятежного существования; он прожил свою жизнь почти безвестным, отдаваясь самым нежным привязанностям и научным занятиям. Если бы его нравственному учению удалось вкорениться в умах народов, не исказившись под влиянием порочного начала, властвовавшего тогда над миром, то, без всякого сомнения, оно сообщило бы сердцам кротость и гуманность, которых совершенно не в состоянии были внушить ни хвастливая мораль Портика[18], ни мечтательное умозрение академиков[19]. Прошу вас также обратить внимание на то, что Эпикур — единственный из мудрецов древности, отличавшийся вполне безупречным характером, и единственный, память о котором у его учеников соединялась с любовью и почитанием, близкими к поклонению*. Вы понимаете теперь, почему нам надо было постараться несколько исправить наше представление об этом человеке.

К Аристотелю мы не станем возвращаться. Правда, с ним связан один из важнейших отделов новой истории, но это слишком обширный предмет, чтобы трактовать его мимоходом. Прошу вас только заметить, что Аристотель в некотором роде является порождением нового ума. Вполне естественно, что в юности своей новый разум, томимый огромной потребностью в знании, всеми силами привязался к этому механику человеческого ума, который с помощью своих рукояток, рычагов и блоков заставлял познание двигаться с поразительной быстротой. Вполне понятно также, что он пришелся так по вкусу арабам, которые первые откопали его. У этого внезапно возникшего народа не было ничего своего, на что он мог бы опереться; естественно, что готовая мудрость была для него подходящим делом. Как бы то ни было, все это уже миновало: арабы, схоластики и их общий учитель — все они выполнили свои различные назначения. Уму все это придало бо́льшую основательность и самонадеянность, ход его развития стал увереннее; он усвоил себе приемы, облегчающие его движения и ускоряющие его работу. Все сделалось к лучшему, как видите,— зло обратилось во благо, благодаря скрытым силам и озарениям обновленного ума. Теперь нам надо вернуться назад и снова вступить на широкий путь, которым сознание шло в те времена, когда оно не располагало еще никакими другими орудиями, кроме золотых и лазоревых крыльев своей небесной природы.

---

* Пифагор не составляет исключения. Это была баснословная личность, которой всякий приписывал все, что хотел.

Обратимся к Магомету. Если подумать о благих последствиях, которые его религия имела для человечества, во-первых, потому, что вместе с другими более могущественными причинами она содействовала искоренению многобожия, затем потому, что она распространила на огромной части земного шара и даже в местностях, казалось бы, недоступных общему умственному движению, понятие о едином боге и о всемирной вере и тем подготовила бесчисленное множество людей к конечным судьбам человеческого рода,— если подумать обо всем этом, то нельзя не признать, что, несмотря на дань, которую этот великий человек, без сомнения, заплатил своему времени и месту, где он родился, он несравненно более заслуживает уважения со стороны людей, чем вся эта толпа бесполезных мудрецов, которые не сумели ни одно из своих измышлений облечь в плоть и кровь и ни в одно человеческое сердце вселить твердое убеждение, которые лишь вносили разделение в человеческое существо, вместо того, чтобы постараться объединить разрозненные элементы его природы. Ислам представляет одно из самых замечательных проявлений общего закона; судить о нем иначе — значит отрицать всеобъемлющее влияние христианства, от которого он произошел. Самое существенное свойство нашей религии заключается в том, что она может облекаться в самые разнообразные формы религиозной мысли, способна даже комбинироваться при случае с заблуждением, чтобы достигнуть своего полного результата. В великом процессе развития откровенной религии учение Магомета необходимо должно быть рассматриваемо как одна из ее ветвей. Самый исключительный догматизм должен без всяких затруднений признать этот важный факт, и он, конечно, сделал бы это, если бы хоть раз, как следует, отдал себе отчет в том, что́ побуждает нас видеть в магометанах естественных врагов нашей религии, так как лишь отсюда и проистекает предрассудок*. Вы знаете, впрочем, что в Коране нет почти ни одной главы, в которой не упоминалось бы об Иисусе Христе. А не видеть действия христианства повсюду, где произносится хотя бы только имя спасителя, не замечать, что он оказывает влияние на все умы, каким бы

---

* Первоначально магометане не питали никакой антипатии к христианам; ненависть и презрение к последним развилась у них лишь в результате долгих войн, которые они с ними вели. Что касается христиан, то они, естественно, должны были смотреть на мусульман сначала как на идолопоклонников, а потом — как на врагов своей веры, какими те действительно и сделались.

то ни было образом соприкасающиеся с его заповедями,— значит не иметь ясного представления о великом деле искупления и ничего не понимать в тайне царства Христова; иначе пришлось бы исключить из числа лиц, пользующихся милостью искупления, множество людей, носящих название христиан,— а не значило ли бы это — свести царство Христово к пустякам, а всемирное христианство к ничтожной горсти людей?

Представляя результат религиозного брожения, вызванного на Востоке появлением новой религии, магометанство занимает первое место в ряду явлений, на первый взгляд не вытекающих из христианства, на деле же несомненно происходящих от него. Таким образом, помимо отрицательного воздействия, которое оно оказало на образование христианского общества, заставив различные частные интересы народов слиться в едином интересе их общей безопасности, помимо обширного материала, который арабская цивилизация доставила нашей (два обстоятельства, в которых следует видеть окольные пути, избранные провидением с целью выполнить задачу возрождения рода человеческого),— в собственном влиянии ислама на дух покорившихся ему народов необходимо признать прямое действие того учения, из которого он проистекает и которое в этом случае лишь приспособилось к некоторым требованиям места и времени, в целях распространения семени истины на возможно большее пространство. Конечно, счастливы те, кто служит господу с полным сознанием и убеждением! Но не будем забывать, что в мире существует бесконечное множество сил, которые повинуются голосу Христа, нисколько не отдавая себе отчета в том, что ими двигает высшая сила.

Нам остается еще только Гомер. В настоящее время вопрос о том влиянии, которое Гомер оказал на человеческий ум, не оставляет больше сомнений. Мы отлично знаем, что такое гомеровская поэзия; мы знаем, каким образом она содействовала определению греческого характера, в свою очередь определившего характер всего древнего мира; мы знаем, что эта поэзия явилась на смену другой, более возвышенной и более чистой, от которой до нас дошли только обрывки. Мы знаем также, что она ввела новый порядок идей на место прежнего, выросшего на греческой почве, и что эти первоначальные идеи, отвергнутые новым мышлением и нашедшие себе убежище частью в мистериях Самофракия[20], частью под сенью других святилищ забытых истин, продолжали существовать с тех пор лишь для небольшого числа избранных или посвященных*; но чего, мне кажется, мы не знаем, это той общей связи, которая существует между Гомером и нашим временем, того, что до сих пор уцелело от него в мировом сознании. Между тем в этом, собственно, и заключается весь интерес настоящей философии истории, так как главная цель ее исследований состоит, как вы видели, в отыскании постоянных результатов и вечных последствий исторических явлений.

Итак, для нас Гомер в современном мире остается все тем же Тифоном[21] или Ариманом[22], каким он был в мире, им самим созданном. На наш взгляд, гибельный героизм страстей, грязный идеал красоты, необузданное пристрастие к земле — это все заимствовано нами у него. Заметьте, что ничего подобного никогда не наблюдалось в других цивилизованных обществах мира. Одни только греки решились таким образом идеализировать и обоготворять порок и преступление, так что поэзия зла существовала только у них и у народов, унаследовавших их цивилизацию. По истории средних веков можно ясно видеть, какое направление приняла бы мысль христианских народов, если бы она всецело отдалась руке, которая ее вела. Следовательно, эта поэзия не могла прийти к нам от наших северных предков: ум людей севера отличался совсем другим складом и менее всего был склонен прилепляться к земному; если бы он один сочетался с христианством, то, вместо того, что произошло, он скорее потерялся бы в туманной неопределенности своего мечтательного воображения. Впрочем, от крови, которая текла в их жилах, у нас уже ничего не осталось, и мы учимся жить не у народов, описанных Цезарем и Тацитом, а у тех, которые составляли мир Гомера.

Лишь с недавнего времени поворот к нашему собственному прошлому снова приводит нас понемногу на лоно родной семьи и позволяет нам мало-помалу восстановить отцовское наследие. Мы унаследовали от народов севера одни лишь привычки и традиции; ум же питается только знанием; наиболее застарелые привычки утрачиваются, наиболее укоренившиеся традиции изглаживаются, если они не связаны со знанием. Между тем все наши идеи, за исключением религиозных, мы несомненно получили от греков и римлян.

---

* Влияние гомеровской поэзии естественно сливается с влиянием греческого искусства, так как она представляет собою прообраз последнего; другими словами, поэзия создала искусство, которое продолжало влиять в том же направлении. Вопрос о том, существовал ли когда-нибудь Гомер как личность, для нас совершенно безразличен: историческая критика никогда не будет в состоянии изгладить память Гомера, философа же должна занимать только идея, связанная с этой памятью, а не самая личность поэта.

Таким образом, гомеровская поэзия, отвратив сперва на древнем Западе ход человеческой мысли от воспоминаний о великих днях творения, сделала то же и с новым; перейдя к нам вместе с наукой, философией и литературой древних, она до такой степени заставила нас слиться с ними, что в настоящее время, при всем том, чего мы достигли, мы все еще колеблемся между миром лжи и миром истины. Хотя в наши дни Гомером занимаются очень мало и, наверно, его не читают, его боги и герои тем не менее все еще оспаривают почву у христианской мысли. Дело в том, что в этой глубоко земной, глубоко материальной поэзии, необычайно снисходительной к порочности нашей природы, действительно заключается какое-то удивительное обаяние; она ослабляет силу разума, своими призраками и обольщениями держит его в каком-то тупом оцепенении, убаюкивает и усыпляет его своими мощными иллюзиями. И до тех пор, пока глубокое нравственное чувство, порожденное ясным пониманием всей древности и всецелым подчинением ума христианской истине, не наполнит наши сердца презрением и отвращением к этим векам обмана и безумия, которые до сих пор в такой степени владеют нами, к этим настоящим сатурналиям[23] в жизни человечества,— пока своего рода сознательное раскаяние не заставит нас стыдиться того бессмысленного поклонения, которое мы слишком долго расточали этому гнусному величию, этой ужасной добродетели, этой нечистой красоте,— до тех пор старые дурные впечатления не перестанут составлять самый жизненный и деятельный элемент нашего разума. Что касается меня, то, по моему мнению, для того, чтобы нам вполне переродиться в духе откровения, мы должны еще пройти через какое-нибудь великое испытание, через всесильное искупление, которое весь христианский мир испытывал бы во всей его полноте, которое на всей земной поверхности ощущалось бы как грандиозная физическая катастрофа; иначе я не представляю себе, каким образом мы могли бы очиститься от грязи, еще оскверняющей нашу память*. Итак, вот как философия истории должна понимать гомеризм. Судите теперь, какими глазами должна она смотреть на личность Гомера. Подумайте, не

---

* Для нашего времени положительным счастьем является вновь открытая с недавних пор историческому мышлению область, не зараженная гомеризмом. Влияние идей Индии уже сказывается на ходе развития философии чрезвычайно благотворным образом. Дай бог, чтобы мы возможно скорее пришли этим кружным путем к той цели, к которой более короткий путь до сих пор не мог нас привести.

обязана ли она ввиду этого по совести наложить на его чело клеймо неизгладимого позора!

Вот сударыня, мы и пересмотрели всю нашу галерею лиц. Я не сказал вам всего, что имел сказать, но пора кончить. И знаете ли что? В сущности, у нас, русских, нет ничего общего ни с Гомером, ни с греками, ни с римлянами, ни с германцами; нам все это совершенно чуждо. Но что же делать? поневоле приходится говорить языком Европы. Наше чужеземное образование до такой степени заставило нас держаться Европы, что, хотя мы и не усвоили ее идей, у нас нет другого языка, кроме того, на котором говорит она; таким образом нам не остается ничего другого, как говорить этим языком. Если немногие имеющиеся у нас умственные навыки, традиции и воспоминания и все наше прошлое не связывают нас ни с одним народом земли, если мы не принадлежим, в сущности, ни к одной из систем нравственного мира, то во всяком случае внешность нашего социального быта связывает нас с западным миром. Эта связь, очень слабая в действительности, не скрепляет нас с Европой так тесно, как это воображают, и не заставляет нас всем нашим существом почувствовать совершающееся там великое движение, но она тем не менее ставит всю нашу будущую судьбу в зависимость от судеб европейского общества. Поэтому, чем больше мы будем стараться слиться с последним, тем лучше это будет для нас. До сих пор мы жили совершенно обособленно. То, чему мы научились у других, оставалось снаружи, служа простым украшением и не проникая нам в душу. Но в настоящее время силы господствующего общества настолько возросли, его влияние на остальную часть человеческого рода столь далеко распространилось, что скоро мы душой и телом будем вовлечены в мировой поток. Это не подлежит сомнению, и, наверно, нам нельзя будет долго оставаться в нашем одиночестве. Сделаем же все, что можем, чтобы подготовить путь нашим потомкам. Так как мы не можем завещать им то, чего не имели сами,— верований, образованного временем ума, резко очерченной индивидуальности, мнений, развившихся в течение долгой оживленной и деятельной умственной жизни, плодотворной по своим результатам,— то оставим им, по крайней мере, несколько идей, которые, хотя мы и не сами их нашли, все же, перейдя от одного поколения к другому, будут заключать в себе некоторый традиционный элемент и в силу этого будут обладать несколько большей силой и плодовитостью, чем наши собственные мысли. Таким образом мы окажем потомству важную услугу и не напрасно проживем на земле.

Прощайте, сударыня. Вполне в вашей власти заставить меня продолжить мои рассуждения об этом предмете, сколько вам будет угодно. Впрочем, к чему в задушевной беседе, где собеседники вполне понимают друг друга, разрабатывать и исчерпывать до конца каждую мысль? Если того, что я сказал вам, достаточно, чтобы изучение истории могло дать вам нечто новое и возбудить в вас более глубокий интерес, чем какой оно вызывает обыкновенно, я буду вполне удовлетворен*.

Некрополь, 1829, 16 февраля

ПИСЬМО ВОСЬМОЕ

Да, сударыня, пришло время говорить простым языком разума. Нельзя уже более ограничиваться слепой верой, упованием сердца; пора обратиться прямо к мысли. Чувству самому по себе не проложить себе пути через всю эту груду искусственных потребностей, враждебных друг другу интересов, беспокойных забот, овладевших жизнью. Во Франции и Англии она стала слишком сложной, слишком подвластной интересам, слишком личной; в Германии — она слишком отвлеченна, слишком эксцентрична, так что веления сердца утрачивают там свою по существу присущую им силу. А об остальном мире сейчас не стоит и говорить. Приходится ныне свести вопрос к одной, основанной на учете всех возможностей задаче, разрешение которой было бы по плечу всем сознаниям, подходило бы ко всяким настроениям, не поражало

* Отдавая эти письма в печать, нам следовало бы, может быть, просить читателя о снисхождении к слабости и даже неправильности слога. Излагая свои мысли на чужом языке и не имея никаких литературных притязаний, мы, конечно, вполне сознавали, чего нам недостает в этом отношении. Но мы полагали, во-первых, что в нынешнее время сведущий читатель не придает уже форме, как прежде, большего значения, чем она заслуживает, и готов немного потрудиться, чтобы извлечь мысль, если она кажется ему сто́ящей того, из-под спуда самого несовершенного изложения. Затем мы полагали, что в наше время цивилизация более, чем когда-либо,требует распространения идей в какой бы то ни было форме и что бывают такие случаи, такие социальные условия, когда человек, полагающий, что он имеет сообщить человечеству нечто важное, лишен выбора: ему ничего другого не остается, как говорить на общераспространенном языке, хотя бы он владел лишь смешным, искаженным наречием его. Наконец, мы полагали, что литературная держава слишком благородна в настоящее время, чтобы предписывать всем своим подданным всяких местностей и широт официальный язык своего академического трибунала, и что, дорожа лишь тем, чтобы высказываемое было правдой, она не обращает особенного внимания на то, хорошо или дурно эта правда высказана. Вот на что мы рассчитывали.

бы ничьих наличных интересов и таким образом могло бы увлечь даже самые упорные умы.

Это не значит, что предметы чувства навсегда изъяты из мира мысли. Не дай бог, настанет вновь и их черед. И тогда мы их увидим столь сильными, широкими, чистыми, какими они еще никогда не бывали. Я не сомневаюсь, время это скоро настанет. Но в наши дни, в данной обстановке, чувствам не дано потрясать души. Очень важно проникнуться этим сознанием. Правда, сейчас заметно некоторое пробуждение живых дарований, свойственных юношеской поре человечества. Но это лишь заря прекрасного дня; равнины пока сплошь покрыты сумеречной тенью, только некоторые вершины начинают загораться первыми лучами рассвета.

Для всякого, кому истина не безразлична, явные признаки ее налицо. Знаете ли вы, сударыня, что́ я разумею под этими признаками? Это вся совокупность исторических фактов, должным образом проработанных. Сейчас их надо свести в стройное целое, облечь в доступную форму и так их выразить, чтобы они подействовали на душу людей, самых равнодушных к добру, менее всего открытых правде, на тех, кто еще толчется в прошлом, когда для всего мира оно уже миновало и, конечно, более не вернется, но которое еще живо для ленивых сердец, для низменных душ, никогда не угадывающих настоящего дня, а вечно пребывающих во вчерашнем.

Окончательное просветление должно вытечь из общего смысла истории. И этот смысл должен быть впредь сведен к идее высшей психологии, а именно чтобы раз навсегда человеческое существо было постигнуто как разумное существо в отвлечении, а отнюдь не существо обособленное и личное, ограниченное в данном моменте, то есть насекомое-поденка, в один и тот же день появляющееся на свет и умирающее, связанное с совокупностью всего одним только законом рождения и тления. Да, надо обнаружить то, чем действительно жив человеческий род: надо показать всем таинственную действительность, которая в глубине духовной природы и которую пока еще усматривают только при некотором особом озарении. Лишь бы не быть слишком исключительным, мечтательным или схематичным, а главное — лишь бы говорить с веком языком века, а не устарелым языком догмата, ставшим непонятным, и тогда, без всякого сомнения, успех обеспечен, именно в наше время, когда и разум, и наука, и даже искусство страстно рвутся навстречу новому нравственному перевороту, как это было и в великую эпоху спасителя мира.

Я вам уже не раз говорил о влиянии христианской истины на общество. Но я сказал не все. Трудно этому поверить, а между тем то, что я скажу, совсем еще новая мысль: нравственное значение христианства достаточно оценено, но о чисто умственном его действии, о могучей силе его логики почти еще не думают. Ничего еще не было сказано о том значении, которое имело христианство в развитии и в образовании современной мысли. Пока еще не осознано, что вся наша аргументация — христианская; мы все еще мыслим себя в царстве категорий и силлогизмов Аристотеля. Дело в том, что нескончаемые сетования философов и отщепенцев на те века, когда якобы всесильны были одни только предрассудки, невежество и изуверство, заставили нас совершенно упустить из виду, как благодетельно было действие веры. Так что, когда пыл неверия миновал, самые праведные и смиренные уже оказались чуждыми на собственной своей почве и лишь с большим трудом вновь водворяли в своих мыслях все на свои места. Правда, эти умы к тому же не интересуются в должной мере изучением чисто человеческой действительности. Они к этому относятся слишком пренебрежительно. По привычке созерцать действия сверхчеловеческие, они не замечают действующих в мире природных сил и почти совсем упускают из виду вещественные условия умственной деятельности. Как бы то ни было, пора современному разуму признать, что всей своей силой он обязан христианству. Пора уразуметь, что лишь при содействии необычайных средств, дарованных откровением, и благодаря той живой ясности, которую оно сумело внести во все предметы человеческого мышления, воздвигнуто величавое здание современной науки. Эта горделивая наука должна, наконец, сама признать, что она так высоко поднялась теперь благодаря строгой дисциплине, незыблемости принципов и, прежде всего, благодаря инстинкту и страстному исканию истины, которые она нашла в учении Христа.

По счастью, мы живем уже не в те времена, когда партийное упорство принималось за убеждение, а выпады сект — за благочестивое рвение. Можно поэтому надеяться, что удастся сговориться. Но вы, конечно, согласитесь, что не истине делать уступки. И тут дело не в требованиях этикета: для законного авторитета уступка означала бы отказ от всякой власти, всякой активной роли, уступка была бы самоуничтожением. Вопрос тут не в поддержании престижа, не в каком-либо внешнем впечатлении. Всякий престиж навсегда утратил значение, и иллюзии отошли в вечность. Дело идет о самой реальной вещи, более реальной, чем это можно выразить словами. Ведь протекшее определяет будущее: таков закон жизни. Отказаться от своего прошлого — значит лишить себя будущего. Но те триста лет, которые числит за собой великое христианское заблуждение[1], вовсе не такое воспоминание, которое не могло бы быть при желании стерто. Отколовшиеся могут поэтому по произволу строить свое будущее. Исконная община изначала дышала лишь надеждой и верой в обещанное ей предназначение, а они — пребывали до сих пор без всякой идеи будущего.

Необходимо, однако, прежде всего выяснить одно важное обстоятельство. Между предметами, которые способствуют сохранению истины на земле, одним из наиболее существенных является, без сомнения, священная книга Нового завета. К книге, содержащей подлинный акт установления нового строя на земле, естественно относятся с особым непререкаемым уважением. Слово писаное не улетучивается, как слово произнесенное. Оно кладет свою печать на разум. Оно его сурово подчиняет себе своею нерушимостью и длительным признанием святости. Но вместе с тем, кодифицируя дух, слово лишает его подвижности, оно гнетет его, втесняя его в узкие рамки писания, и всячески его сковывает. Ничто так не задерживает религиозную мысль в ее высоком порыве, в ее беспредельном шествии вперед, как книга, ничто так не затрудняет вполне прочного утверждения религиозной мысли в человеческой душе. В религиозной жизни все теперь основано на букве, и подлинный голос воплощенного разума пребывает немым. С амвонов истины раздаются только лишенные силы и авторитета слова. Проповедь стала лишь случайным явлением в строительстве добра. А между тем — надо же, наконец, прямо признать это,— проповедь, переданная нам в Писании, была, само собою разумеется, обращена к одним присутствовавшим слушателям. Она не может быть одинаково понятна для людей всех времен и всех стран. По необходимости она должна была принять известную местную и современную ей окраску, а это замыкает ее в такие пределы, вырваться из которых она может лишь с помощью толкования, более или менее произвольного и вполне человеческого. Так может ли это древнее слово всегда вещать миру с той же силой, как в то время, когда оно было подлинной речью своего века, действительной силой данного момента! Не должен ли раздаться в мире новый голос, связанный с ходом истории[2], такой, чтобы его призывы не были никому чужды, чтобы они одинаково гремели во всех концах земли и чтобы отзвуки и в нынешнем веке наперебой его схватывали и разносили его из края в край вселенной.

Слово — обращенный ко всем векам глагол — это не одна только речь спасителя, это весь его небесный образ, увенчанный его сиянием, покрытый его кровью, с распятием на кресте. Словом, тот самый, каким бог раз навсегда запечатлел его в людской памяти. Когда сын божий говорил, что он пошлет людям духа и что он сам пребудет среди них вечно, неужели он помышлял об этой книге, составленной после его смерти, где, худо ли, хорошо ли, рассказано об его жизни и его речах и собраны некоторые записи его учеников? Мог ли он полагать, что эта книга увековечит его учение на земле? Конечно, не такова была его мысль. Он хотел сказать, что после него явятся люди, которые так вникнут в созерцание и изучение его совершенств, которые так будут преисполнены его учением и примером его жизни, что нравственно они составят с ним *одно целое,* что эти люди, следуя друг за другом из поколения в поколение, будут передавать из рук в руки всю его мысль, все его существо: вот что он хотел сказать, и вот именно то, чего не понимают. Думают найти все его наследие в этих страницах, которые столько раз искажены были различными толкователями, столько раз сгибались по произволу.

[Как известно, христианство упрочилось без содействия какой бы то ни было книги. Начиная со второго века оно уже покорило мир. И с тех пор человеческий род был ему подчинен безвозвратно.]

Воображают, что стоит только распространить эту книгу по всей земле, и земля обратится к истине: жалкая мечта, которой так страстно предаются отпадшие.

Его божественный разум живет в людях, таких, каковы мы и каков он сам, а вовсе не в составленной церковью книге. И вот почему упорная привязанность со стороны верных преданию к поразительному догмату о действительном присутствии тела в евхаристии[3] и их не знающее пределов поклонение телу спасителя столь достойны уважения. Именно в этом лучше всего постигается источник христианской истины: здесь всего убедительнее обнаруживается необходимость стараться всеми доступными средствами делать действительным присутствие среди нас бого-человека, вызывать беспрестанно его телесный образ, чтобы иметь его постоянно перед глазами, во всем его величии, как образец и вечное поучение нового человечества. По-моему, это заслуживает самого глубокого размышления. Этот странный догмат об евхаристии, предмет издевательства и презрения, открытый со стольких сторон злым нападкам человеческих доводов, сохраняется в некоторых умах, несмотря ни на что, нерушимым и чистым. В чем тут дело? Не для того ли, чтобы когда-нибудь послужить средством единения между разными христианскими учениями? Не для того ли, чтобы в свое время выявить в мире новый свет, который пока еще скрывается в тайнах судьбы? Я в этом не сомневаюсь.

Итак, хотя печать, наложенную человеческой мыслью, надо признать необходимой составной частью нравственного мира, настоящая основа слияния сознаний и мирового развития разумного существа, на самом деле, содержится в ином, а именно в живом слове, в слове, которое видоизменяется по временам, странам и лицам и пребывает всегда тем, чем оно должно быть, которое не нуждается ни в разъяснениях, ни в толковании, подлинность которого не требует защиты на основе канонов — в слове, этом естественном орудии нашей мысли. Так что предположение, будто вся мудрость заключается в столбцах одной книги[4], как это утверждают протестанты, не скажу даже — неправоверно, оно, во всяком случае, не имеет ничего общего с философией. А с другой стороны, несомненно, есть высшая философия в этих столь устойчивых верованиях, заставляющих людей закона признавать другой источник истины, более чистый, другой авторитет, менее земной.

Надо уметь ценить этот христианский разум, столь уверенный в себе, столь точный в этих людях: этот инстинкт правды, это последствие нравственного начала, перенесенного из области поступков в область сознания; это бессознательная логика мышления, вполне подчинившегося дисциплине. Удивительное понимание жизни, принесенное на землю создателем христианства; дух самоотвержения; отвращение от разделения; страстное влечение к единству: вот что сохраняет христиан чистыми при любых обстоятельствах. Так сохраняется раскрытая свыше идея, а через нее совершается великое действие слияния душ и различных нравственных сил мира в одну душу, в единую силу. Это слияние — все предназначение христианства. Истина едина: царство божие, небо на земле, все евангельские обетования — все это не иное что, как прозрение и осуществление соединения всех мыслей человечества в единой мысли; и эта единая мысль самого бога, иначе говоря,— *осуществленный нравственный закон.* Вся работа сознательных поколений предназначена вызвать это окончательное действие, которое есть предел и цель всего, последняя фаза человеческой природы, разрешение мировой драмы, великий апокалиптический синтез.

АПОЛОГИЯ СУМАСШЕДШЕГО

О мои братья! Я сказал много горьких истин, но без всякой горечи[1].

Кольридж

Милосердие, говорит ап. Павел, *все терпит, всему верит, все переносит*[2]: итак, будем все терпеть, все переносить, всему верить,— будем милосердны. Но прежде всего, катастрофа, только что столь необычайным образом исказившая наше духовное существование и кинувшая на ветер труд целой жизни, является в действительности лишь результатом того зловещего крика, который раздался среди известной части общества при появлении нашей статьи, едкой, если угодно, но конечно вовсе не заслуживавшей тех криков, какими ее встретили.

В сущности, правительство только исполнило свой долг; можно даже сказать, что в мерах строгости, применяемых к нам сейчас, нет ничего чудовищного, так как они, без сомнения, далеко не превзошли ожиданий значительного круга лиц. В самом деле, что еще может делать правительство, одушевленное самыми лучшими намерениями, как не следовать тому, что оно искренно считает серьезным желаньем страны? Совсем другое дело — вопли общества. Есть разные способы любить свое отечество; например, самоед, любящий свои родные снега, которые сделали его близоруким, закоптелую юрту, где он, скорчившись, проводит половину своей жизни, и прогорклый олений жир, заражающий вокруг него воздух зловонием, любит свою страну конечно иначе, нежели английский гражданин, гордый учреждениями и высокой цивилизацией своего славного острова; и без сомнения, было бы прискорбно для нас, если бы нам все еще приходилось любить места, где мы родились, на манер самоедов. Прекрасная вещь — любовь к отечеству, но есть еще нечто более прекрасное — это любовь к истине. Любовь к отечеству рождает героев, любовь к истине создает мудрецов, благодетелей человечества. Любовь к родине разделяет народы, питает национальную ненависть и подчас одевает землю в траур; любовь к истине распространяет свет знания, создает духовные наслаждения, приближает людей к божеству. Не через родину, а через истину ведет путь на небо. Правда, мы, русские, всегда мало интересовались тем, что́ — истина и что — ложь, поэтому нельзя и сердиться на общество, если несколько язвительная филиппика против его немощей задела его за живое. И потому, смею уверить, во мне нет ни тени злобы против этой милой публики, которая так долго и так коварно ласкала меня: я хладнокровно, без всякого раздражения, стараюсь отдать себе отчет в моем странном положении. Не естественно ли, скажите, чтобы я постарался уяснить по мере сил, в каком отношении к себе подобным, своим согражданам и своему богу стоит человек, пораженный безумием по приговору высшей юрисдикции страны?

Я никогда не добивался народных рукоплесканий, не искал милостей толпы; я всегда думал, что род человеческий должен следовать только за своими естественными вождями, помазанниками бога, что он может подвигаться вперед по пути своего истинного прогресса только под руководством тех, кто тем или другим образом получил от самого неба назначение и силу вести его; что общее мнение отнюдь не тождественно с безусловным разумом, как думал один великий писатель нашего времени[3]; что инстинкты масс бесконечно более страстны, более узки и эгоистичны, чем инстинкты отдельного человека, что так называемый здравый смысл народа вовсе не есть здравый смысл; что не в людской толпе рождается истина; что ее нельзя выразить числом; наконец, что во всем своем могуществе и блеске человеческое сознание всегда обнаруживалось только в одиноком уме, который является центром и солнцем его сферы. Как же случилось, что в один прекрасный день я очутился перед разгневанной публикой,— публикой, чьих похвал я никогда не добивался, чьи ласки никогда не тешили меня, чьи прихоти меня не задевали? Как случилось, что мысль, обращенная не к моему веку, которую я, не желая иметь дело с людьми нашего времени, в глубине моего сознания завещал грядущим поколениям, лучше осведомленным,— при той гласности в тесном кругу, которую эта мысль приобрела уже издавна, как случилось, что она разбила свои оковы, бежала из своего монастыря и бросилась на улицу, вприпрыжку среди остолбенелой толпы?

Этого я не в состоянии объяснить. Но вот что я могу утверждать с полною уверенностью.

Уже триста лет Россия стремится слиться с Западной Европой, заимствует оттуда все наиболее серьезные свои идеи, наиболее плодотворные свои познания и свои живейшие наслаждения. Но вот уже век и более, как она не ограничивается и этим. Величайший из наших царей[4], тот, который, по общепринятому мнению, начал для нас новую эру, которому, как все говорят, мы обязаны нашим величием, нашей славой и всеми благами, какими мы теперь обладаем, полтораста лет назад пред лицом всего мира отрекся от старой России. Своим могучим дуновением он смёл все наши учреждения; он вырыл пропасть между нашим прошлым и нашим настоящим и грудой бросил туда все наши предания. Он сам пошел в страны Запада и стал там самым малым, а к нам вернулся самым великим; он преклонился пред Западом и встал нашим господином и законодателем. Он ввел в наш язык западные речения; свою новую столицу он назвал западным именем; он отбросил свой наследственный титул и принял титул западный; наконец, он почти отказался от своего собственного имени и не раз подписывал свои державные решения западным именем. С этого времени мы только и делали, что, не сводя глаз с Запада, так сказать, вбирали в себя веяния, приходившие к нам оттуда, и питались ими. Должно сказать, что наши государи, которые почти всегда вели нас за руку, которые почти всегда тащили страну на буксире без всякого участия самой страны, сами заставили нас принять нравы, язык и одежду Запада. Из западных книг мы научились произносить по складам имена вещей. Нашей собственной истории научила нас одна из западных стран; мы целиком перевели западную литературу, выучили ее наизусть, нарядились в ее лоскутья и наконец стали счастливы, что походим на Запад, и гордились, когда он снисходительно соглашался причислять нас к своим.

Надо сознаться — оно было прекрасно, это создание Петра Великого, эта могучая мысль, овладевшая нами и толкнувшая нас на тот путь, который нам суждено было пройти с таким блеском. Глубоко было его слово, обращенное к нам: «Видите ли там эту цивилизацию, плод стольких трудов,— эти науки и искусства, стоившие таких усилий стольким поколениям! все это ваше при том условии, чтобы вы отказались от ваших предрассудков, не охраняли ревниво вашего варварского прошлого и не кичились веками вашего невежества, но целью своего честолюбия поставили единственно усвоение трудов, совершенных всеми народами, богатств, добытых человеческим разумом под всеми широтами земного шара». И не для своей только нации работал великий человек. Эти люди, отмеченные провидением, всегда посылаются для всего человечества. Сначала их присваивает один народ, затем их поглощает все человечество, подобно тому, как большая река, оплодотворив обширные пространства, несет затем свои воды в дань океану. Чем иным, как не новым усилием человеческого гения выйти из тесной ограды родной страны, чтобы занять место на широкой арене человечества, было зрелище, которое он явил миру, когда, оставив царский сан и свою страну, он скрылся в последних рядах цивилизованных народов? Таков был урок, который мы должны были усвоить; мы действительно воспользовались им и до сего дня шли по пути, который предначертал нам великий император. Наше громадное развитие есть только осуществление этой великолепной программы. Никогда ни один народ не был менее пристрастен к самому себе, нежели русский народ, каким воспитал его Петр Великий, и ни один народ не достиг также более славных успехов на поприще прогресса. Высокий ум этого необыкновенного человека безошибочно угадал, какова должна быть наша исходная точка на пути цивилизации и всемирного умственного движения. Он видел, что, за полным почти отсутствием у нас исторических данных, мы не можем утвердить наше будущее на этой бессильной основе; он хорошо понял, что, стоя лицом к лицу со старой европейской цивилизацией, которая является последним выражением всех прежних цивилизаций, нам незачем задыхаться в нашей истории и незачем тащиться, подобно западным народам, чрез хаос национальных предрассудков, по узким тропинкам местных идей, по изрытым колеям туземной традиции, что мы должны свободным порывом наших внутренних сил, энергическим усилием национального сознания овладеть предназначенной нам судьбой. И вот он освободил нас от всех этих пережитков прошлого, которые загромождают быт исторических обществ и затрудняют их движение; он открыл наш ум всем великим и прекрасным идеям, какие существуют среди людей; он передал нам Запад сполна, каким его сделали века, и дал нам всю его историю за историю, все его будущее за будущее.

Неужели вы думаете, что, если бы он нашел у своего народа богатую и плодотворную историю, живые предания и глубоко укоренившиеся учреждения, он не поколебался бы кинуть его в новую форму? Неужели вы думаете, что, будь пред ним резко очерченная, ярко выраженная народность, инстинкт организатора не заставил бы его, напротив, обратиться к этой самой народности за средствами, необходимыми для возрождения его страны? И, с другой стороны, позволила ли бы страна, чтобы у нее отняли ее прошлое и, так сказать, навязали ей прошлое Европы? Но ничего этого не было. Петр Великий нашел у себя дома только лист белой бумаги и своей сильной рукой написал на нем слова *Европа* и *Запад;* и с тех пор мы принадлежим к Европе и Западу. Не надо заблуждаться: как бы велик ни был гений этого человека и необычайная энергия его воли, то, что он сделал, было возможно лишь среди нации, чье прошлое не указывало властно того пути, по которому она должна была двигаться, чьи традиции были бессильны создать ее будущее, чьи воспоминания смелый законодатель мог стереть безнаказанно. Если мы оказались так послушны голосу государя, звавшего нас к новой жизни, то это, очевидно, потому, что в нашем прошлом не было ничего, что́ могло бы оправдать сопротивление. Самой глубокой чертой нашего исторического облика является отсутствие свободного почина в нашем социальном развитии. Присмотритесь хорошенько, и вы увидите, что каждый важный факт нашей истории пришел извне, каждая новая идея почти всегда заимствована. Но в этом наблюдении нет ничего обидного для национального чувства; если оно верно, его следует принять — вот и все. Есть великие народы,— как и великие исторические личности,— которые нельзя объяснить нормальными законами нашего разума, но которые таинственно определяет верховная логика провидения: таков именно наш народ; но, повторяю, все это нисколько не касается национальной чести. История всякого народа представляет собою не только вереницу следующих друг за другом фактов, но и цепь связанных друг с другом идей. Каждый факт должен выражаться идеей; чрез события должна нитью проходить мысль или принцип, стремясь осуществиться: тогда факт не потерян, он провел борозду в умах, запечатлелся в сердцах, и никакая сила в мире не может изгнать его оттуда. Эту историю создает не историк, а сила вещей. Историк приходит, находит ее готовою и рассказывает ее; но придет он или нет, она все равно существует, и каждый член исторической семьи, как бы ни был он незаметен и ничтожен, носит ее в глубине своего существа. Именно этой истории мы и не имеем. Мы должны привыкнуть обходиться без нее, а не побивать камнями тех, кто первый подметил это.

Возможно, конечно, что наши фанатические славяне при их разнообразных поисках будут время от времени откапывать диковинки для наших музеев и библиотек; но, по моему мнению, позволительно сомневаться, чтобы им удалось когда-нибудь извлечь из нашей исторической почвы нечно такое, что могло бы заполнить пустоту наших душ и дать плотность нашему расплывчатому сознанию. Взгляните на средневековую Европу: там нет события, которое не было бы в некотором смысле безусловной необходимостью и которое не оставило бы глубоких следов в сердце человечества. А почему? Потому что за каждым событием вы находите там идею, потому что средневековая история — это история мысли нового времени, стремящейся воплотиться в искусстве, науке, в личной жизни и в обществе. И оттого — сколько борозд провела эта история в сознании людей, как разрыхлила она ту почву, на которой действует человеческий ум! Я хорошо знаю, что не всякая история развивалась так строго и логически, как история этой удивительной эпохи, когда под властью единого верховного начала созидалось христианское общество; тем не менее несомненно, что именно таков истинный характер исторического развития одного ли народа или целой семьи народов и что нации, лишенные подобного прошлого, должны смиренно искать элементов своего дальнейшего прогресса не в своей истории, не в своей памяти, а в чем-нибудь другом. С жизнью народов бывает почти то же, что́ с жизнью отдельных людей. Всякий человек живет, но только человек гениальный или поставленный в какие-нибудь особенные условия имеет настоящую историю. Пусть, например, какой-нибудь народ, благодаря стечению обстоятельств, не им созданных, в силу географического положения, не им выбранного, расселится на громадном пространстве, не сознавая того, что делает, и в один прекрасный день окажется могущественным народом: это будет, конечно, изумительное явление, и ему можно удивляться сколько угодно; но что, вы думаете, может сказать о нем история? Ведь, в сущности, это — не что иное, как факт чисто материальный, так сказать, географический, правда, в огромных размерах, но и только. История запомнит его, занесет в свою летопись, потом перевернет страницу, и тем все кончится. Настоящая история этого народа начнется лишь с того дня, когда он проникнется идеей, которая ему доверена и которую он призван осуществить, и когда начнет выполнять ее с тем настойчивым, хотя и скрытым, инстинктом, который ведет народы к их предназначению. Вот момент, который я всеми силами моего сердца призываю для моей родины, вот какую задачу я хотел бы, чтобы вы взяли на себя, мои милые друзья и сограждане, живущие в век высокой образованности и только что так хорошо показавшие мне, как ярко пылает в вас святая любовь к отечеству.

Мир искони делился на две части — Восток и Запад. Это не только географическое деление, но также и порядок вещей, обусловленный самой природой разумного существа: это — два принципа, соответствующие двум динамическим силам природы, две идеи, обнимающие весь жизненный строй человеческого рода. Сосредоточиваясь, углубляясь, замыкаясь в самом себе, созидался человеческий ум на Востоке; раскидываясь вовне, излучаясь во все стороны, борясь со всеми препятствиями, развивается он на Западе. По этим первоначальным данным естественно сложилось общество. На Востоке мысль, углубившись в самое себя, уйдя в тишину, скрывшись в пустыню, предоставила общественной власти распоряжение всеми благами земли; на Западе идея, всюду кидаясь, вступаясь за все нужды человека, алкая счастья во всех его видах, основала власть на принципе права; тем не менее и в той, и в другой сфере жизнь была сильна и плодотворна; там и здесь человеческий разум не имел недостатка в высоких вдохновениях, глубоких мыслях и возвышенных созданиях. Первым выступил Восток и излил на землю потоки света из глубины своего уединенного созерцания; затем пришел Запад со своей всеобъемлющей деятельностью, своим живым словом и всемогущим анализом, овладел его трудами, кончил начатое Востоком и, наконец, поглотил его в своем широком обхвате. Но на Востоке покорные умы, коленопреклоненные пред историческим авторитетом, истощились в безропотном служении священному для них принципу и в конце концов уснули, замкнутые в своем неподвижном синтезе, не догадываясь о новых судьбах, которые готовились для них; между тем на Западе они шли гордо и свободно, преклоняясь только пред авторитетом разума и неба, останавливаясь только пред неизвестным, непрестанно устремив взор в безграничное будущее. И здесь они еще идут вперед,— вы это знаете; и вы знаете также, что со времени Петра Великого и мы думали, что идем вместе с ними.

Но вот является новая школа[5]. Больше не нужно Запада, надо разрушить создание Петра Великого, надо снова уйти в пустыню. Забыв о том, что сделал для нас Запад, не зная благодарности к великому человеку, который нас цивилизовал, и к Европе, которая нас обучила, они отвергают и Европу, и великого человека, и в пылу увлечения этот новоиспеченный патриотизм уже спешит провозгласить нас любимыми детьми Востока. Какая нам нужда, говорят они, искать просвещения у народов Запада? Разве у нас самих не было всех зачатков социального строя неизмеримо лучшего, нежели европейский? Почему не выждали действия времени? Предоставленные самим себе, нашему светлому уму, плодотворному началу, скрытому в недрах нашей мощной природы, и особенно нашей святой вере, мы скоро опередили бы все эти народы, преданные заблуждению и лжи. Да и чему нам было завидовать на Западе? Его религиозным войнам, его папству, рыцарству, инквизиции? Прекрасные вещи, нечего сказать! Запад ли родина науки и всех глубоких вещей? Нет — как известно, Восток. Итак, удалимся на этот Восток, которого мы всюду касаемся, откуда мы не так давно получили наши верования, законы, добродетели, словом, все, что сделало нас самым могущественным народом на земле. Старый Восток сходит со сцены: не мы ли его естественные наследники? Между нами будут жить отныне эти дивные предания, среди нас осуществятся эти великие и таинственные истины, хранение которых было вверено ему от начала вещей.— Вы понимаете теперь, откуда пришла буря, которая только что разразилась надо мной, и вы видите, что у нас совершается настоящий переворот в национальной мысли, страстная реакция против просвещения, против идей Запада,— против того просвещения и тех идей, которые сделали нас тем, что мы есть, и плодом которых является эта самая реакция, толкающая нас теперь против них. Но на этот раз толчок исходит не сверху. Напротив, в высших слоях общества память нашего державного преобразователя, говорят, никогда не почиталась более, чем теперь. Итак, почин всецело принадлежит стране. Куда приведет нас этот первый акт эмансипированного народного разума? Бог весть! Но кто серьезно любит свою родину, того не может не огорчать глубоко это отступничество наших наиболее передовых умов от всего, чему мы обязаны нашей славой, нашим величием; и, я думаю, дело честного гражданина — стараться по мере сил оценить это необычайное явление.

Мы живем на востоке Европы — это верно, и тем не менее мы никогда не принадлежали к Востоку. У Востока — своя история, не имеющая ничего общего с нашей. Ему присуща, как мы только что видели, плодотворная идея, которая в свое время обусловила громадное развитие разума, которая исполнила свое назначение с удивительной силою, но которой уже не суждено снова проявиться на мировой сцене. Эта идея поставила духовное начало во главу общества; она подчинила все власти одному ненарушимому высшему закону — закону истории; она глубоко разработала систему нравственных иерархий; и хотя она втиснула жизнь в слишком тесные рамки, однако она освободила ее от всякого внешнего воздействия и отметила печатью удивительной глубины. У нас не было ничего подобного. Духовное начало, неизменно подчиненное светскому, никогда не утвердилось на вершине общества; исторический закон, традиция, никогда не получал у нас исключительного господства; жизнь никогда не устраивалась у нас неизменным образом; наконец, нравственной иерархии у нас никогда не было и следа. Мы просто северный народ и по идеям, как и по климату, очень далеки от благоуханной долины Кашмира и священных берегов Ганга. Некоторые из наших областей, правда, граничат с государствами Востока, но наши центры не там, не там наша жизнь, и она никогда там не будет, пока какое-нибудь планетное возмущение не сдвинет с места земную ось или новый геологический переворот опять не бросит южные организмы в полярные льды.

Дело в том, что мы еще никогда не рассматривали нашу историю с философской точки зрения. Ни одно из великих событий нашего национального существования не было должным образом характеризовано, ни один из великих переломов нашей истории не был добросовестно оценен; отсюда все эти странные фантазии, все эти ретроспективные утопии, все эти мечты о невозможном будущем, которые волнуют теперь наши патриотические умы. Пятьдесят лет назад немецкие ученые открыли наших летописцев[6]; потом Карамзин рассказал звучным слогом дела и подвиги наших государей[7]; в наши дни плохие писатели, неумелые антикварии и несколько неудавшихся поэтов, не владея ни ученостью немцев, ни пером знаменитого историка, самоуверенно рисуют и воскрешают времена и нравы, которых уже никто у нас не помнит и не любит: таков итог наших трудов по национальной истории. Надо признаться, что из всего этого мудрено извлечь серьезное предчувствие ожидающих нас судеб. Между тем именно в нем теперь все дело; именно эти результаты составляют в настоящее время весь интерес исторических изысканий. Серьезная мысль нашего времени требует прежде всего строгого мышления, добросовестного анализа тех моментов, когда жизнь обнаруживалась у данного народа с большей или меньшей глубиной, когда его социальный принцип проявлялся во всей своей чистоте, ибо в этом — будущее, в этом элементы его возможного прогресса. Если такие моменты редки в вашей истории, если жизнь у вас не была мощной и глубокой, если закон, которому подчинены ваши судьбы, представляет собою не лучезарное начало, окрепшее в ярком свете национальных подвигов, а нечто бледное и тусклое, скрывающееся от солнечного света в подземных сферах вашего социального существования,— не отталкивайте истины, не воображайте, что вы жили жизнью народов исторических, когда на самом деле, похороненные в вашей необъятной гробнице, вы жили только жизнью ископаемых. Но если в этой пустоте вы как-нибудь наткнетесь на момент, когда народ действительно жил, когда его сердце начинало биться по-настоящему, если вы услышите, как шумит и встает вокруг вас народная волна,— о, тогда остановитесь, размышляйте, изучайте,— ваш труд не будет потерян: вы узнаете, на что способен ваш народ в великие дни, чего он может ждать в будущем. Таков был у нас, например, момент, закончивший страшную драму междуцарствия[8], когда народ, доведенный до крайности, стыдясь самого себя, издал наконец свой великий сторожевой клич и, сразив врага свободным порывом всех скрытых сил своего существа, поднял на щит благородную фамилию, царствующую теперь над нами: момент беспримерный, которому нельзя достаточно надивиться, особенно если вспомнить пустоту предшествующих веков нашей истории и совершенно особенное положение, в каком находилась страна в эту достопамятную минуту. Отсюда ясно, что я очень далек от приписанного мне требования вычеркнуть все наши воспоминания.

Я сказал только и повторяю, что пора бросить ясный взгляд на наше прошлое, и не затем, чтобы извлечь из него старые, истлевшие реликвии, старые идеи, поглощенные временем, старые антипатии, с которыми давно покончил здравый смысл наших государей и самого народа, но для того, чтобы узнать, как мы должны относиться к нашему прошлому. Именно это я и пытался сделать в труде, который остался неоконченным и к которому статья, так странно задевшая наше национальное тщеславие, должна была служить введением. Без сомнения, была нетерпеливость в ее выражениях, резкость в мыслях, но чувство, которым проникнут весь отрывок, нисколько не враждебно отечеству: это — глубокое чувство наших немощей, выраженное с болью, с горестью,— и только.

Больше, чем кто-либо из вас, поверьте, я люблю свою страну, желаю ей славы, умею ценить высокие качества моего народа; но верно и то, что патриотическое чувство, одушевляющее меня, не совсем похоже на то, чьи крики нарушили мое спокойное существование и снова выбросили в океан людских треволнений мою ладью, приставшую было у подножья креста. Я не научился любить свою родину с закрытыми глазами, с преклоненной головой, с запертыми устами. Я нахожу, что человек может быть полезен своей стране только в том случае, если ясно видит ее; я думаю, что время слепых влюбленностей прошло, что теперь мы прежде всего обязаны родине истиной. Я люблю мое отечество, как Петр Великий научил меня любить его. Мне чужд, признаюсь, этот блаженный патриотизм лени, который приспособляется все видеть в розовом свете и носится со своими иллюзиями и которым, к сожалению, страдают теперь у нас многие дельные умы. Я полагаю, что мы пришли после других для того, чтобы делать лучше их, чтобы не впадать в их ошибки, в их заблуждения и суеверия. Тот обнаружил бы, по-моему, глубокое непонимание роли, выпавшей нам на долю, кто стал бы утверждать, что мы обречены кое-как повторять весь длинный ряд безумств, совершенных народами, которые находились в менее благоприятном положении, чем мы, и снова пройти через все бедствия, пережитые ими. Я считаю наше положение счастливым, если только мы сумеем правильно оценить его; я думаю, что большое преимущество — иметь возможность созерцать и судить мир со всей высоты мысли, свободной от необузданных страстей и жалких корыстей, которые в других местах мутят взор человека и извращают его суждения. Больше того: у меня есть глубокое убеждение, что мы призваны решить большую часть проблем социального порядка, завершить большую часть идей, возникших в старых обществах, ответить на важнейшие вопросы, какие занимают человечество. Я часто говорил и охотно повторяю: мы, так сказать, самой природой вещей предназначены быть настоящим совестным судом по многим тяжбам, которые ведутся перед великими трибуналами человеческого духа и человеческого общества.

В самом деле, взгляните, что делается в тех странах, которые я, может быть, слишком превознес, но которые тем не менее являются наиболее полными образцами цивилизации во всех ее формах. Там неоднократно наблюдалось: едва появится на свет божий новая идея, тотчас все узкие эгоизмы, все ребяческие тщеславия, вся упрямая партийность, которые копошатся на поверхности общества, набрасываются на нее, овладевают ею, выворачивают ее наизнанку, искажают ее, и минуту спустя, размельченная всеми этими факторами, она уносится в те отвлеченные сферы, где исчезает всякая бесплодная пыль. У нас же нет этих страстных интересов, этих готовых мнений, этих установившихся предрассудков; мы девственным умом встречаем каждую новую идею. Ни наши учреждения, представляющие собою свободные создания наших государей или скудные остатки жизненного уклада, вспаханного их всемогущим плугом, ни наши нравы — эта странная смесь неумелого подражания и обрывков давно изжитого социального строя, ни наши мнения, которые все еще тщетно силятся установиться даже в отношении самых незначительных вещей,— ничто не противится немедленному осуществлению всех благ, какие провидение предназначает человечеству. Стоит лишь какой-нибудь властной воле высказаться среди нас — и все мнения стушевываются, все верования покоряются и все умы открываются новой мысли, которая предложена им. Не знаю, может быть, лучше было бы пройти через все испытания, какими шли остальные христинские народы, и черпать в них, подобно этим народам, новые силы, новую энергию и новые методы; и может быть, наше обособленное положение предохранило бы нас от невзгод, которые сопровождали долгое и многотрудное воспитание этих народов; но несомненно, что сейчас речь идет уже не об этом: теперь нужно стараться лишь постигнуть нынешний характер страны в его готовом виде, каким его сделала сама природа вещей, и извлечь из него всю возможную пользу. Правда, история больше не в нашей власти, но наука нам принадлежит; мы не в состоянии проделать сызнова всю работу человеческого духа, но мы можем принять участие в его дальнейших трудах; прошлое уже нам не подвластно, но будущее зависит от нас. Не подлежит сомнению, что большая часть мира подавлена своими традициями и воспоминаниями: не будем завидовать тесному кругу, в котором он бьется.

Несомненно, что большая часть народов носит в своем сердце глубокое чувство завершенной жизни, господствующее над жизнью текущей, упорное воспоминание о протекших днях, наполняющее каждый нынешний день. Оставим их бороться с их неумолимым прошлым.

Мы никогда не жили под роковым давлением логики времен; никогда мы не были ввергаемы всемогущею силою в те пропасти, какие века вырывают перед народами. Воспользуемся же огромным преимуществом, в силу которого мы должны повиноваться только голосу просвещенного разума, сознательной воли. Познаем, что для нас не существует непреложной необходимости, что, благодаря небу, мы не стоим на крутой покатости, увлекающей столько других народов к их неведомым судьбам; что в нашей власти измерять каждый шаг, который мы делаем, обдумывать каждую идею, задевающую наше сознание; что нам позволено надеяться на благоденствие еще более широкое, чем то, о котором мечтают самые пылкие служители прогресса, и что для достижения этих окончательных результатов нам нужен только один властный акт той верховной воли, которая вмещает в себе все воли нации, которая выражает все ее стремления, которая уже не раз открывала ей новые пути, развертывала пред ее глазами новые горизонты и вносила в ее разум новое просвещение.

Что же, разве я предлагаю моей родине скудное будущее? Или вы находите, что призываю для нее бесславные судьбы? И это великое будущее, которое, без сомнения, осуществится, эти прекрасные судьбы, которые, без сомнения, исполнятся, будут лишь результатом тех особенных свойств русского народа, которые впервые были указаны в злополучной статье. Во всяком случае, мне давно хотелось сказать, и я счастлив, что имею теперь случай сделать это признание: да, было преувеличение в этом обвинительном акте, предъявленном великому народу, вся вина которого в конечном итоге сводилась к тому, что он был заброшен на крайнюю грань всех цивилизаций мира, далеко от стран, где естественно должно было накопляться просвещение, далеко от очагов, откуда оно сияло в течение стольких веков; было преувеличением не признать того, что мы увидели свет на почве, не вспаханной и не оплодотворенной предшествующими поколениями, где ничто не говорило нам о протекших веках, где не было никаких задатков нового мира; было преувеличением не воздать должного этой церкви, столь смиренной, иногда столь героической, которая одна утешает за пустоту наших летописей, которой принадлежит честь каждого мужественного поступка, каждого прекрасного самоотвержения наших отцов, каждой прекрасной страницы нашей истории; наконец, может быть, преувеличением было опечалиться хотя бы на минуту за судьбу народа, из недр которого вышли могучая натура Петра Великого, всеобъемлющий ум Ломоносова и грациозный гений Пушкина.

Но за всем тем надо согласиться также, что капризы нашей публики удивительны.

Вспомним, что вскоре после напечатания злополучной статьи, о которой здесь идет речь, на нашей сцене была разыграна новая пьеса[9]. И вот, никогда ни один народ не был так бичуем, никогда ни одну страну не волочили так в грязи, никогда не бросали в лицо публике столько грубой брани, и, однако, никогда не достигалось более полного успеха[10]. Неужели же серьезный ум, глубоко размышлявший о своей стране, ее истории и характере народа, должен быть осужден на молчание, потому что он не может устами скомороха высказать патриотическое чувство, которое его гнетет? Почему же мы так снисходительны к циническому уроку комедии и столь пугливы по отношению к строгому слову, проникающему в сущность явлений? Надо сознаться, причина в том, что мы имеем пока только патриотические инстинкты. Мы еще очень далеки от сознательного патриотизма старых наций, созревших в умственном труде, просвещенных научным знанием и мышлением; мы любим наше отечество еще на манер тех юных народов, которых еще не тревожила мысль, которые еще отыскивают принадлежащую им идею, еще отыскивают роль, которую они призваны исполнить на мировой сцене; наши умственные силы еще не упражнялись на серьезных вещах; одним словом, до сего дня у нас почти не существовало умственной работы. Мы с изумительной быстротой достигли известного уровня цивилизации, которому справедливо удивляется Европа. Наше могущество держит в трепете мир, наша держава занимает пятую часть земного шара, но всем этим, надо сознаться, мы обязаны только энергичной воле наших государей, которой содействовали физические условия страны, обитаемой нами.

Обделанные, отлитые, созданные нашими властителями и нашим климатом, только в силу покорности стали мы великим народом. Просмотрите от начала до конца наши летописи,— вы найдете в них на каждой странице глубокое воздействие власти, непрестанное влияние почвы, и почти никогда не встретите проявлений общественной воли. Но справедливость требует также признать, что, отрекаясь от своей мощи в пользу своих правителей, уступая природе своей страны, русский народ обнаружил высокую мудрость, так как он признал тем высший закон своих судеб: необычный результат двух элементов различного порядка, непризнание которого привело бы к тому, что народ извратил бы свое существо и парализовал бы самый принцип своего естественного развития. Быстрый взгляд, брошенный на нашу историю с точки зрения, на которую мы стали, покажет нам, надеюсь, этот закон во всей его очевидности.

II

Есть один факт, который властно господствует над нашим историческим движением, который красною нитью проходит чрез всю нашу историю, который содержит в себе, так сказать, всю ее философию, который проявляется во все эпохи нашей общественной жизни и определяет их характер, который является в одно и то же время и существенным элементом нашего политического величия, и истинной причиной нашего умственного бессилия: это — факт географический*.

---

* На этом рукопись обрывается, и ничто не указывает на то, чтобы она когда-нибудь была продолжена. *(Примеч. И. Гагарина.)*

II

ОТРЫВКИ И АФОРИЗМЫ

1

Вдохновение — сверхъестественное ли оно событие, изменяющее обычный ход природы? — Нимало. Оно необходимое последствие прямого действия неизвестного начала на силы нравственной природы, посредством которого эти силы получают несравненно большее развитие, нежели какими пользуются в обыкновенном положении.

Стоит только понять, что эта восторженность разумных способностей произведена творцом, а не творением, не ограничивается одним особым действием, но относится к общему целому, как и все непосредственно вдохновенное богом; стоит это понять, и будем, поверьте мне, истинно правоверны; с тою только выгодою перед ревностным догматиком, что будем понимать предмет нашей веры. Так точно знание откровенное есть только знание, превышающее все ведения, приобретенные обыкновенным ходом рассудка: знания сверхъестественного — нет!

Являясь разуму человека, господь не весь ему сообщается: *не яко отца видел есть кто;* след.: тут нет нарушения установленного порядка, а только чрезвычайный избыток естественных сил. Жизнь, данная прежде этим силам, возобновлена, удвоена тою же дающею рукою.— Где тут чудо?

К тому же знаем ли мы все способы ведения, принадлежащие душе? Все действия, все изменения, возможные ее способностям? Почему в некоторое время, при особенном содействии обстоятельств, новые силы, новые качества, не могут проснуться и развиться в природе человека? — по недостатку пищи, или упражнения, погаснуть, изгладиться опять? — потом явиться снова? и все следуя порядку, предназначенному провидением? — что же будет тут чудного? — Если же, наконец, признаем в человеке свободную волю, то должна она иметь сходство, или даже тождество, с волею верховною; по крайней мере такую же силу свободы. И тогда, как узнать, сколько эта свободная человеческая воля может получить силы, если встретится с волею вышнею, сольется с нею, исчезнет в ней?

Иностранец, очутившись в Англии без предуведомления, без всякого приготовления прежде, чувствует, что все пружины многосложной машины, составляющей наружную жизнь англичан, неприязненно его отталкивают. Нет мысли для деления: движение необъятное, вот все, что предстоит ему везде, симпатизировать не с чем. В Англии одна действующая мысль является наружу; мысль рассудка, мысль спокойная хранится в святилище связей семейных или во внутренности души, там только можно найти ее.— Но и там, сблизясь с этим хранилищем, странное смешение застенчивости и многосторонней сообщительности, характеризующие английский ум, долго отчуждают пришлеца.— Когда же вы поселились однажды в недрах древней Англии, когда кроткая приязнь, наслаждение симпатии окружат вас отовсюду и заменят всю скуку первого приема; когда вам удастся, наконец, там, посреди английского семейства, на зеленой лужайке красивого загородного дома, под тенью прекрасных дубов и кленов,— удастся произнести слово home, как говорит его природный житель, тогда, не знаю, но мне кажется, что без сожаления изгладится из памяти воспоминание об отечестве, хотя бы это отечество была дорогая наша Россия!

В Германии плавают на океане отвлечений; немец там больше на просторе, больше дома, нежели на земле. Невоздержность мысли доведена в Германии до последней крайности, и это не странно: мысль отдельная, без применения, без телесности — что помешает ее полету? где ей препона? где опасность? Когда же захочет она взойти в жизнь, в употребление, когда с пределов вышних слетит на практическую действительность, тогда поневоле должна она себя умерить. Иначе, все неизмеримые пространства вселенной ей недостаточны: занесясь за все существенное, она уносится все далее и далее; нет причины остановиться.

Должно, однако же, признаться, что в этих беспредельных

путешествиях души есть наслаждение чудное.— Думаю также, что одним забвением существенного, одною беззаботностью о благах мирских может она приобрести возможность возвышаться и дойти наконец до самых высоких сведений, какие способна только принять в той частице жизни, которую принуждена провести здесь на земле.

Слово! — А что такое Слово? — Смотрите на кормщика;— среди подводных камней он правит верно кораблем своим, по воле своей вертит им, как простым куском дерева, плавающим на поверхности вод: от времени до времени повторяет он несколько слов, и они-то производят это чудо.— Взгляните на поле сражения: сотни полков подвиглись, в одно время вдруг бросаются они на неприятеля — одно мановение, одно слово начальника тому причиною.— Вот слабое подобие глагола могущего, который яснее и звонче всякого человеческого голоса в ограниченном пространстве раздается в беспредельности вселенной,— и этот глагол есть слово.— *Слово* есть действующая сила речи, глагол творящий.

Те много ошибаются, кто пророчества Св. писания почитают простыми предсказаниями, предвещанием будущего, и ничем больше.— В них заключается учение; учение, относящееся ко всем временам; столько же важная часть вероисповедания, как и все прочие.

Дух святой, говоря устами своих пророков, не переделывал человеческой природы. Сердце же человека сделано таким образом, что будущего предчувствовать иначе не может, как выводя его из известных ему настоящего и прошедшего. Разумная природа, действующая по собственному произволу, перестанет быть сердцем человеческим, если будет действовать иначе.— Сия-то строгая связь будущего, настоящего и прошедшего, скрытая от прочих людей, была ясно открыта провоззрителям Израиля, то есть яснее, нежели прочим людям. Связь эта, будучи неизменна, необходима, непременна, неминуемо должна быть сегодня та же; та же завтра; та же всегда. Одинаковые положения, одинаковые обстоятельства во все времена производят одинаковые действия. Следовательно, учение пророков простирается на все времена, на все случаи, если только уметь прилично применять его.

Трудно, конечно, уловить это строгое сходство начертанных эпох. Глубокое чувство, сердечное ведение путей божиих, происходящее от безмерной покорности к изъявлениям его верховной власти, одни могут указать его. То же вышнее начало, дающее дар пророчества, дает и разумение оного. Пророк и толкователь его стоят на одной степени посреди невещественной иерархии; тот сам пророк, кто совершенно понимает пророчества.

Иные, например, относили великие сказания Апокалипсиса к определенным временам: толкование смешное! или лучше сказать бестолковое! — Мысль Апокалипсиса есть беспредельный урок, применяющийся к каждой минуте вечного бытия, ко всему, что происходит около нас. Эти ужасающие голоса, оттуда взывающие,— их надобно слушать ежедневно; эти чудовища, там являющиеся,— на них надобно смотреть каждый день; этот треск машины мира, там раздающийся,— мы слышим его беспрестанно. Одним словом, превосходная поэма Иоанна есть драма вселенной, ежедневная, и развязка ее не так, как в драмах, произведенных нашим воображением, но по закону бесконечности продолжается во все веки и началась с самого начала действия.

Мечтатели, толковавшие Апокалипсис, действовали по призванию.— Все безрассудности, священной книгой произведенные, никогда не были напрасны, для каждой из них была причина необходимая. Например, тысячелетники — без них не было бы крестовых походов. Крестовые же походы по всему были непременно нужны: без них новое общество не могло образоваться. Без них человеческому рассудку недоставало бы примера величайшего исступления, возможного чувству набожности, и мы не имели бы истинного мерила этого великого побудителя человеческих поступков. Без них, наконец, грядущие поколения не имели бы воспоминания великого, возвышенного; урока нравственности, исполненного мыслей необыкновенно плодотворных и высоких.

Благоразумный человек, говорите вы, но потому беспокоится, что так же, как все прочие, бегает за счастием. Он, видно, не знает, что невозможно быть вместе благоразумным и счастливым.— Что нужно для счастия, посмотрим? — Не нужно ли прежде всего быть довольным собою и всеми? Скажите же, кроме безумца, кому это возможно? — Доказать, что одни глупые могут быть счастливы, есть, кажется мне, прекрасное средство отвратить некоторых от пламенного искания счастия.

Нет сомнения, что счастие, такое, какого желает большая

часть людей, недостижимо никому без глупого довольства собою и всем окружающим. Для этого счастия ищут богатства, почестей, славы, но, получивши их, не надобно ли считать себя умнее, совершеннее прочих людей, не надобно ли с удовольствием смотреть на все около нас происходящее? — иначе на что и все? без этого какое счастие? — Пусть вообразят благополучие, какое только может быть на земле, для довершения этого благополучия надобно же предположить безумное самодовольство, и равнодушие вдвое безумнее ко всему окружающему.— Древние это знали: простодушнее, откровеннее нас не проповедовали они другого нравственного учения. Что такое их мудрый? — Дерзкий глупец, нечувствительный ко всему, при нем совершающемуся, восхищенный собою и всеми своими поступками. В этом не разнятся ни Эпикур, ни Зенон. Человек не умел создать себе иного идеала вышней мудрости. Какое же неизмеримое пространство между этой холодной, вялой, неподвижной сухой философией и тою, которая говорит нам: царствие божие ищите и все прочее вам дано будет! — Что может быть простее урока, заключенного в этих словах нашего спасителя? Не ищите благ для самих себя, говорят они нам; ищите для других; тогда неминуемо будут они и вашим уделом; без домоганий ваших найдут они вас; счастие частное не заключено ли в счастии общем?

Прочь страсти! — прочь беспокойные волнения себялюбия! живши для других, живешь вполне для себя: вот истинное счастие, единственно возможное, другого нет. Доброжелательство, неизмеримая любовь к ближнему, вот что украшает жизнь истинным благополучием.

Всякое вещественное движение не есть ли оно произведение звучного и гармонического потрясения воздушной жидкости? или иной какой жидкости, еще точнее, еще эфирнее, которая, проницая в самые твердые тела, действует прямо на первобытные частицы, их составляющие.

Звук есть для нас то, что поражает органы нашего слуха. Почему не может он, по гармоническому своему свойству, быть началом или причиной бесчисленного множества перемен, перестановок и изменений вещества, которых ни причин, ни начал мы теперь не знаем?

Звук есть потрясение воздуха. Может ли воздух, потрясаясь, не дотрагиваться до окружающих его тел? Противное уже доказано.

Несомненно, что воздух находится в беспрестанном движении. Почему же не приписать этому беспрестанному движению воздухообразной материи некоторые из непостижимых явлений органической природы, происходящих во внутренности тел, как, например, восходящее брожение сока в растительном мире, обращение крови в животных и пр.? Эти явления все более или менее противоречат известным законам природы, и именно закону всеобщего тяготения. Не вижу, например, почему вследствие этого движения не совершаться некоторым созвучиям, слияниям между частицами мозга, фибров и прочего, когда они, пребывая в одном или в разных существах, находятся между собою в определенном сношении? почему не производить им многие, удивительные нам, действия? Если перелив воздуха может потрясти струну, натянутую однозвучно с другою струною, почему же, скажите мне, нервы не могут потрястись так же и по той же причине?

Все это вопросы неразрешенные; но сознайтесь, что, если можно отвечать на них, какие необъятные приложения может доставить тогда наука счислений и как увеличится владение математической достоверности!

Есть ли беспредельность пространства, не знаю: но знаю, что есть беспредельность времени, и что эта беспредельность, это неизмеримое продолжение, это бесконечное последование вещей *есть жизнь*, истинное, совершенное существование.

Конечное может раздробляться — бесконечное никогда. Мысль раздробления соединяется в уме моем с мыслью уничтожения: мысль о единстве с вечностью. Следовательно, уничтожение есть для меня зло, вечность — благо.— Зло клонится к истреблению, добро к сохранению; и потому вечность, благо, жизнь — одно и то же.

Эти две идеи я называю *идеями совершительными* человеческого разума; они находятся на обоих концах той черты, которая дает ему меру. Все прочие идеи человека в них заключаются или таким образом входят, что разум не может принять ничего, не связавши прежде с одной из двух этих идей: уничтожения или сохранения.— Опора всех наших суждений, и не только суждений, всех чувств наших, эта связь, в которой происходят все действия разума без ведома нашего, дает закон нашим мыслям. Заметьте, что даже идеи числ, хоть кажутся несовместными с этими понятиями, не выходят из них: все числа и расчеты принадлежат или делению, или умножению; делить — уничтожать; умножать — производить.

Нравственная мысль не может, по моему мнению, иметь другого начала. Идея о совершенстве, красоте, гармонии, добродетели, любви есть только изменение идеи о вечном сохранении; идея несовершенства, безобразия, порока, несогласия, ненависти есть также изменение идеи ничтожества. Ничего не можем мы придумать доброго, прекрасного, не приписывая ему вместе продолжительности, прочности, устойчивости; ничего не воображаем дурного, злого, не привязывая к тому мысли о проходимости, неверности, уничтожения. Таким образом, наш разум пребывает постоянно между мыслию смерти и жизни, и они одни управляют им повсюду.

...снисходят к нему, оно облекается в понятный ему язык; тут нет ничего удивительного. Но на этом должно утверждать веру в ангелов; иначе каждое слово священной книги может дать повод особенному учению.

Итак, вера в ангелов не есть догмат веры? Конечно, нет.— Скажу больше: человек, созданный по образу божию, может ли законно признавать существа превыше себя? — Не думаю. Иисус не был ангел: он был бог и вместе человек. И поэтому позволено сомневаться, чтобы нужно было средним существам наполнять пространство, разделяющее разумное естество человека с естеством божиим. Правда, что целые народы и умы самые глубокие всегда склонны были признавать бытие существ совершеннее нашего человеческого существа; это понятно, и можно допустить эту веру, но отвергать ее как грубое суеверие — кажется мне суеверием еще грубейшим.

Сведенборг был очень глубокомысленный человек. Но он напрасно составил себе такое внутреннее пифагорическое учение: оно ослабило действие его творений. Что же касается до его короткого знакомства с силами небесными, то оно совсем не удивительно; я удивился бы гораздо больше, если бы с таким особенным устройством разума он не считал себя коротко с ними знакомым.

Вы часто слыхали, что сон есть образ смерти; мне кажется, что сон есть настоящая смерть, а то что смертью называют, кто знает? — Может быть, оно-то и есть жизнь? — Мое я перерывается сном, смертью — нет: иначе было бы ничтожество. Из гроба не просыпаемся; ото сна встаем, и входим опять в наше я.— Но скажите мне, живем ли мы, когда ни на минуту не чувствуем своей жизни?

Дело в том, что истинная смерть находится в самой жизни. Половину жизни бываем мы мертвы, мертвы совсем, не гиперболически, не воображаемо, но действительно, истинно мертвы. Взгляните на себя со вниманием обдуманности: вы тысячу раз на день увидите, что за минуту перед этой вы столько же были живы, сколько за час до вашего рождения; что не имели понятия ни о том, что делали, ни даже сознания о вашем существовании. Где же тогда была жизнь? — Это жизнь растительная, жизнь зоофита, но такая ли жизнь одушевленного творения? — тем паче существа разумного!

Жизнь убегает от нас повсеминутно, часто к нам возвращается, но никак нельзя сказать, чтобы мы жили не переставая. Жизнь разумная прерывается всякий раз, как исчезает сознание жизни. Чем больше таких минут, тем меньше разумной жизни, а если они совсем не возвращаются, вот и смерть.— Чтобы умереть таким образом, не нужно прекращать жизни, другой же смерти нет. Смерть в самой жизни, вот все, что называют смертью.

Между тем объясним возможные здесь недоразумения. Когда говорю сознание жизни, я не подразумеваю то идеологическое сознание, на которое опирается новая философия: простое чувство существования. Я понимаю под этим сознанием не только чувство жизни, но и отчетливость в ней. Это сознание есть власть, данная нам действовать в настоящую минуту на минуту будущую; устраивать, обделывать жизнь нашу, а не просто предаваться ее течению, как делают скоты бессловесные.— Когда эта совесть, это сознание потеряно, то нет воскресения. Знаете ли почему? — Потому что это-то и есть ад, проклятие, отчуждение! — Для существа разумного может ли быть мука тяжелее ничтожества?

То, что язычники называли мудростью, добродетелью, верховным благом, мы зовем одним словом: небо.

Очень знаю, откуда приходят ко мне дурные мысли; одному безумцу предоставляю знать, откуда берет он благие.

Любовь христианская: рассудок без эгоизма.— Рассудок, отказавшийся от способности все относить к себе.

Правильно организованный разум стремится к покорности, к вере, так точно, как дурно организованный отталкивает всякую веру, противится всякой покорности.

Философ называет богом закон, гармонию, вселенную, не знаю, что еще; потом говорит: божества нельзя постигнуть.— Мудрено ли? Как мне постигнуть этого несообразного бога, раздробленного до бесконечности, материю и разум вкупе? —

Но этот бог, он дело рук ваших, не тот бог, который *есть*

сый. Из самой простой идеи вы сделали самую сложную, великое чудо, что не умеете взгромоздить ее в вашу голову!

Мы знаем одну только маленькую частицу бытия нашего, ту, которую проходим в настоящей жизни; знаем и то, что оно продолжится гораздо более, и, однако, неимоверная вещь! хотим постигнуть закон целого бытия нашего!

Пантеист называет мир *Все:* предполагает его совершенным. В этом *Все* находит причину и начало всего. Это *Все* вечно, бесконечно, разумно, содержит в себе все времена и все пространства. Одним словом, все качества, которые деист приписывает богу, пантеист отдает их своему *Все.*

Почему же и не так. Система основательная и способная подтвердиться строгими доказательствами. Допустите слово *Все,* и остальное будет необходимый вывод принятого начала.

Но все это заключено очевидно в одном слове, помещенном на месте другого. Спиноза мог быть очень благочестив и, вероятно, был благочестив. Читая его, против воли увлекаешься чем-то чрезмерно набожным, чем-то проникающим сквозь математическую дерзость его аргумента и тем вернее поражающим, чем менее действие было ожидано.

Впрочем, всякий излишний восторг, с которым рассматривают природу, ведет к пантеизму;— находя во всем разум, дает душу всему, и вся вселенная становится великой разумной душою, как у пантеиста.— Смотрите Бонета, Палея и других.

Инстинкт животный, инстинкт человека, два совершенно различных свойства.— Первое есть побуждение физическое, чувственное; другое — неясное разумение души, которое хотя по неясности своей сливается с ощущением, но весьма от него отлично.

Человек не по образу животных обладает инстинктом своим: это уничтожило бы разум; он обладает им свойственным человеку образом. Один инстинкт ничего не решает для человека, он действует в нем, соединясь с разумом, которого он иногда удваивает энергию, иногда ослабляет. В животных инстинкт есть единственная причина всей деятельности, потому-то власть его над ними так велика, что в иных случаях превышает будто власть самого разума над человеком.

Что нужно для того, чтобы ясно видеть? Не глядеть сквозь самих себя.

Что такое христианство? — Наука жизни и смерти.

Что такое общественный порядок? Временное лекарство временному недугу.

Учреждения политические, юридические, законодательные и прочие подобные, на что они? Для поправления вреда ими же сделанного.

Куда делись варвары, истребители древнего мира? — Обратились в христиан.

Что был бы мир, если б не явился Христос? — Ничто.

Случалось ли кому видеть во сне, что дважды два пять? — Никому.— Почему же говорить, что во сне не действует разум?

Во Франции на что нужна мысль? — чтоб ее высказать.— В Англии? — чтоб привести ее в исполнение.— В Германии? — чтоб ее обдумать.— У нас? — Ни на что! — и знаете ли почему?

Люди воображают, что живут в обществе, когда стеснятся в города, в селы. Как будто собраться в кучу, вместе пастись, как бараны, называется жить в обществе!

Пять лет тому, как во Флоренции я встретился с человеком, который очень мне понравился. Я провел с ним несколько часов; часов, не больше, но приятных, сладких часов, и тогда еще не умел я извлечь из него всю пользу, которую мог бы извлечь. Он был английский методист; жил, кажется, при миссии в Южной Франции. Когда я с ним познакомился, то он возвратился недавно из Иерусалима. В нем поражала чудная смесь живости, горячего усердия к высокому предмету всех его мыслей — к религии — и равнодушия, холодного небрежения ко всему прочему. В галереях Италии великие образцы искусства не волновали души его, между тем как маленькие саркофаги первых веков христианства неизъяснимо его привлекали. Он рассматривал их, разбирал с исступлением; видел в них что-то святое, трогательное, глубоко поучительное и погружался охотно в возбужденные ими размышления.— Итак, повторяю: с этим человеком провел я несколько часов, скоро протекших, почти мгновение,— и с тех пор не имел о нем никакого известия;— и что же? — теперь я наслаждаюсь его обществом чаще, нежели обществом прочих людей. Каждый день воспоминание о нем посещает меня; оно приносит с собою такое волнение, такую сердечную думу, что укрепляет против печалей, меня окружающих, защищает от частых нападений уныния.— Вот общество, приличное существам разумным! вот как души действуют взаимно одна на другую: им время, ни пространство препоною быть не могут.

Слышу, что говорят иногда о старом человеке: бедный! он стал опять ребенком! — Нет, он, видно, не выходил еще из ребячества. Пересмотрите жизнь его: вероятно прежде он ребячился больше, нежели теперь, а теперь продолжает быть тем, чем всегда был.

Счастлив был бы человек, если б мог возвратиться на прежний путь свой! — Это невозможно! Установленный порядок требует, чтоб он шел вперед, всегда, не останавливаясь, вперед; ни шагу назад, вперед беспрестанно, собирая на главу свою вину за виною.— Перейдет смерть, тогда, да, тогда есть надежда, что благость божия позволит ему остановиться, пересмотреть пройденное время и, может статься, отступить назад.

Есть, однако, христианское вероисповедание (вы его знаете), в котором не признают чистилища. Хотят перепрыгнуть из этой жизни прямо в другую, где все невозвратно, неизменно, неисправимо.— Учение жестокое! — больше жестокое, нежели ложное.

Если хотите знать, что такое душа в животных, то (прошу извинения!) разберите, что происходит в вашей душе в течение большей половины дня.

Заметьте, что самая высокая степень понятливости в животном не доказывает ничего.— Например, если мы видим, что оно не может решиться на какое-нибудь действие и останавливается, как будто обдумывая его, то ведь не знаем, до какой степени простираться может ощущение в существах, им одним руководимых.— В животных есть дар подражания совершенно чувственный, почти механический, который, если б мы умели его хорошенько постигнуть, изъяснил бы нам все, что кажется непонятным, не оставляя следа недоумения.— Мы сами очень многому подражаем машинально, без малейшего размышления, не думая, берем привычки людей, с которыми живем, присваиваем себе их движения, их ухватки, и даже иногда перенимаем голос. Вот наша чисто животная натура.

Что же касается до этой слабой возможности усовершенствования, которую встречаем в животных, то для нее не нужно прибегать даже к ощущению: одно органическое начало изъяснит нам ее.— Растения не имеют ли свои привычки? — Между тем можно, зная совершенно устройство их, дать им новые привычки, некоторого рода воспитание,— след, и в растениях было бы усовершенствование, как в животных. Бюффон и прочие натуралисты почти то же сказали. Но опытное созерцание собственной нашей природы заслуживает особенное внимание. Нам очень важно знать, что человек не целый день бывает человеком.

Бюффон, отнявши у них разум, дает животным какое-то самосознание, ощущение собственного бытия. Странная мысль! Я сам могу ли постоянно иметь это самосознание? Не нужно ли даже некоторое усилие, чтоб его себе напомнить?— Неужели животное будет иметь качество, которое мне не дано во всякую минуту?

Скажем себе в минуты уныния: можем ли быть несчастны, жалки мы, созданные по образу и подобию божию?

Все, все отражается в самосознании. Всякий закон природы повторяется в моем я. Все явления физического мира являются в мире невещественном. Мысль во внутренности поверяет все изменения внешней природы. Но мысль понимает, ведает свое действие, природа не ведает.— Знание есть жизнь мысли, жизнь природы есть отрицательное явление. Когда мысль перестает познавать, она уничтожается.— Вот почему спаситель сказал: жизнь вечная есть знать тебя, Отец!

Человек может верить уничтожению бытия своего в течение целой своей жизни, но за минуту перед смертью эта уверенность исчезала и всегда исчезать будет. В минуту, начинающую уничтожение, он чувствует продолжение жизни своей.— В эту минуту великий закон всеобщей непроходимости существ в высочайшей степени выражается в каждом отдельном существе!

В натуре есть сила пластическая, творящая одни формы. В ней-то, вероятно, заключено истинное жизненное начало, сосредоточенье всех естественных сил. Оно замечательнее всего является в кристаллизации, там надобно изучать его и обдумывать. Кристаллизация есть поистине странное явление: вполне геометрическое. Достойно удивления то, что природа таким способом образует первобытные составы тел: неистощимый источник размышлений!

В разуме есть также сила, этой силе соответствующая: *воображение*.— Эти две силы всеобщей натуры не больше ли прочих содержат в себе могущественной способности созидать? Не больше ли прочих подходят к этому могуществу и подражают ему?

Что делаем мы, занимаясь спасением нашим? Даем жизнь душе: труд божественный.— Тот, кто дал жизнь неисчислимому множеству душ, кто дает ее беспрестанно, кто до скончания веков будет разливать, распространять жизнь повсюду и во всем — скажите, бог он или нет?

Что такое разум? — Признать другого, кроме собственного, не имею я права; свой же разум называю я *ничто*;— скажите, не властен ли дать ему такое название?

Думаете ли вы, что человек способнее понять смерть, нежели рождение? — Нет, конечно. Он видит, как около него образуются и истребляются существа; и между прочими существа ему подобные. Он не знает, жили ли они под другою оболочкою прежде, нежели приняли теперешний образ, не знает, будут ли они жить, сложив его с себя.— Однако он воображает, что постигает несколько смерть, потому что ее боится. Его пугает не страдание: он не знает, есть ли в смерти страдание; не уничтожение: ибо что же страшного в мысли уничтожиться, перестать жить? — Выходит, что он проведал, неизвестно как, что после смерти будет опять жить. Но какая это будет жизнь и каким образом жить ее, какое в ней отличие от здешней? — вот что ему кажется ужасно.— Вот еще великое предание, теряющееся в незапамятных временах, как и многие другие основные идеи человеческого рассудка, созданные не им самим, но переданные и сообщенные тогда еще, когда созидался во вселенной разум!

Но что же такое смерть? Та минута в целом бытии человека, в которую он перестает видеть себя в теле.— Вот все.

Нельзя доказать строго ни бессмертия души, ни ее невещественность: но можно доказать жизнь души после той минуты, которую называем смертью: для нравственности этого довольно.

Христианин беспрестанно переходит с неба на землю, с земли на небо: кончит тем, что остается на небе.

Есть больше веры законной, нежели законного сомнения: отсюда превосходное слово св. Павла: *Любовь всему верит.*

Никто не считает себя вправе получить какую-нибудь вещь, не потрудившись протянуть за нею хоть руку: одно счастие исключено из этого общего правила. Всякий требует счастия, не сделавши ничего для его приобретения, т. е. для того, чтобы быть достойным счастия.

Надеяться на бога есть единственный способ в него верить, и потому кто не молится, тот не верит.

Христианское бессмертие это жизнь без смерти, совсем не так, как думают, жизнь после смерти.

Умер человек, которого вы любили, уважали: теперь он стал для вас воспоминанием печальным, может быть печальным и сладостным вместе. Но вы уже не любите его, не уважаете, вы только о нем помните. И можно ли в самой вещи любить и уважать прах? — Но если этот человек жив? Живет где, не знаю, в какой-нибудь стране дальней, в земле неизвестной? Если он только в отсутствии? разлучен с вами, как и многие друзья ваши? — Для чего же тогда не питать к нему тех же чувств любви, которые вы имели прежде? — И вот наше служение святым. Верить бессмертию души, быть убежденным в этой вере и не чтить людей, заслуживших почтение, потому что они живут не на этой земле — не безрассудно ли такое противоречие?

Помните ли, что было с вами в первый год вашей жизни? — Не помню, говорите вы.— Ну что же мудреного, что вы не помните, что было с вами прежде вашего рождения?

Нам приказано любить ближнего, но для чего? — Для того, чтобы мы любили кого-нибудь кроме самих себя. Урока нравственного тут нет, это просто логика. Что б я ни делал, всегда нахожу что-нибудь между истиной и мною: это нечто сам я; истина сокрыта мне одним мною.— Есть одно средство увидеть истину — удалить себя.— Мне кажется, не худо говорить себе почаще то, что Диоген, как вы знаете, сказал Александру: отойди, друг мой, ты застишь мне солнце.

Одно только око христианской любви видит ясно: в этом заключена вся философия христианства.

Что производят люди, живучи вместе? Азот, т. е. истребляют друг друга.

Понимаете ли вы, откуда в вас родится правда? — Нет? — А ложь? — Понимаю.

Все мое существо возмущается, когда слышу, что богу приписывают какое-нибудь несовершенство, какую-нибудь неспособность.— А это делают всякий раз, когда признают вечные законы: неизменный порядок или лейбницову гармонию, или вечную материю, или монад, стихий, или что иное подобное. Следовательно, предполагают, что бог не имеет возможности истребить все зло.

Декарт, как известно, не мог переносить, чтобы определяли границы всемогуществу божию.— Что же до меня касается, ужас, который я чувствовал при одной этой мысли, был всегда звездою моей жизни.

Все определения, какими будем описывать организованное существо, всегда будут годиться целому земному шару. Природу разделяют на организованную и неорганизованную.— Небесные тела не принадлежат ни к тому, ни к другому разряду: в ожидании нового распределения из них составили просто математические точки, благодаря неизмеримому пространству, в коем они движутся. Что же касается до нашей планеты, мы знаем одну ее оболочку и из этой оболочки сделали запас обширной науки. Вам это не нравится? Эмпиризм доволен таким распоряжением. Чего же вам более?

Вы, неверующие христианству, вы почитаете себя крепкими духом? — Знайте же, что и крепостью этой нельзя вам хваниться: больше крепости духовной потребно, чтоб быть христианином, нежели, чтоб не быть им.— Вас пугает суеверие, предрассудок; больше предрассудка и суеверия в неверии, нежели в вере.— Как сделались вы неверующим? Не так ли, как народ становится христианином? — Не так ли и вы, как народ, повторяете ваш катехизис, не понимая его? — Вы ли выдумали то, что рассказываете с таким убеждением? Бедные люди! посмотрите, не начальник ли вашего прихода научил вас тому?

Когда философ произносит слово *человек,* всегда ли он знает его значение? — Сомневаюсь.

Человек родится на свет, подобно другим животным; отличается от них организацией, ему свойственной, которая во всем животном царстве дана одному ему. Но не это делает человека существом разумным, просвещенным, существом отдельным, без определенного места во всей природе. Когда пишут рассуждения или истории ума человеческого, то отыскивают способы, какими человек животный доходит до степени человека разумного. Тут столько же заблуждения, сколько неведения. Человек животный становится разумным, правда, но этот переход не необходимый, а только случайный.

Гипотеза человека животного (я говорю гипотеза, потому что никто не видал такого человека; рожденный посреди подобных себе, человек ни минуты не остается в первородном состоянии). Эта гипотеза может иметь место в патологии, в гигиене, примененным к философии, но самой философии на что она годиться может? — Когда философия этим занимается, то вместо философии человека становится философией животных; становится только тою частью натуральной истории, которая описывает нравы животных: главою о человеке в зоологии.

2

106

Говорят про Россию, что она не принадлежит ни к Европе, ни к Азии, что это особый мир. Пусть будет так. Но надо еще доказать, что человечество, помимо двух своих сторон, определяемых словами — запад и восток, обладает еще третьей стороной.

107

Я предпочитаю бичевать свою родину, предпочитаю огорчать ее, предпочитаю унижать ее, только бы ее не обманывать.

108

Русский либерал — бессмысленная мошка, толкущаяся в солнечном луче; солнце это — солнце запада.

109

За каждым предметом в природе имеется нечто, что вкладывается в него нашим умом или нашим воображением: это и есть то невидимое, что художник должен воплотить в своем произведении, ибо это именно нас трогает, нас волнует, а вовсе не сам предмет, нами созерцаемый.

110

Горе народу, если рабство не смогло его унизить, такой народ создан, чтобы быть рабом.

111

Граф де Местр говорил: «Преувеличение есть правда честных людей», т.е. людей с убеждениями, потому что честный человек не может не иметь их.

112

Недоброжелательство смертельно для красноречия, если только оно не вызывает негодования или презрения.

113

Есть лица, на которых написано «нет»; человек с убеждениями инстинктивно от них отворачивается.

114

Есть натуры, лишенные способности утверждать что-либо, которые боятся произнести роковое «да», как молодая девушка, брошенная неумолимою волей родителей в объятия ненавистного человека.

115

Слово звучит лишь в отзывчивой среде.

117

Люди, всегда красно говорящие, никогда не бывают красноречивы.

118

Есть глупцы столь невосприимчивые, что и солнце гения не в силах их оплодотворить.

119

Есть умы столь лживые, что даже истина, высказанная ими, становится ложью.

120

Болезнь одна лишь заразительна, здоровье не заразительно; то же самое с заблуждением и истиной.

Вот почему заблуждения распространяются быстро, и истина так медленно.

122

Ясно, что бог, предоставив человеку свободу воли, отказался от части своего владычества в мире и предоставил место этому новому началу в мировом порядке; вот почему можно и должно ежечасно взывать к нему о пришествии царствия его на земле, т. е. о том, чтобы он соблаговолил восстановить порядок вещей, господствовавший в мире, пока злоупотребление человеческой свободой еще не ввело в него зло. Но просить его, как это требуют некоторые из наших учителей, чтобы царство его наступило на небе, бессмысленно, потому что там царство его никогда не прерывалось, так как мы знаем, что создания, по своей природе предназначенные обитать в небе, которые ослушались бога, были оттуда изгнаны, прочие же, просветленные неизъяснимым светом, там сияющим, никогда не злоупотребляли своей свободой и шествовали всегда по божьим путям. Надо еще сказать, что, если бы указанная система была верна, пока не настало царство бога, он не царствует нигде, ни на земле, ни на небе. Мы хотели бы верить, что это следствие не было учтено сторонниками этого учения.

123

Благо, внесенное христианством, утверждают еще наши «учителя», если оно и воспоследствовало, вовсе не должно было непременно произойти, а явилось чисто случайно; христианство предназначено к воздействию на отдельную личность: до общества и всего человечества ему нет дела. Человечество по их мнению, шествует к погибели и должно к ней идти; Иисус Христос пришел и должен был прийти не на помощь к нему. Христианство обращается именно к отдельной личности, если же оно было полезно человечеству, то произошло это по недосмотру. К тому же христианство вовсе не заботится о земных благах, оно занимается лишь благами небесными. Мир должен прийти в полное расстройство, отнюдь не останавливайте его движения, несущего его к разрушению! Наконец, эта предписанная спасителем возвышенная молитва: «да приидет царствие твое», которая как бы заключает в себя всю социальную идею христианского учения, согласно этому взгляду есть лишь нескромное пожелание, которому никогда не суждено сбыться. Ясно, что эта точка зрения чрезмерного и непросвещенного аскетизма, в сущности, не отличается вовсе или очень мало от взгляда неверующих, так как те также отрицают благодеяния христианства или же рассматривают их как невольное последствие этой религии на том бесспорном основании, что ей дела нет до земных интересов.

124

Есть люди, которые умом создают себе сердце, другие — сердцем создают себе ум; последние успевают больше первых, потому что в чувстве гораздо больше разума, чем в разуме чувств.

125

Религия начинает с веры в то, что она хочет познать: это путь веры; наука принимает что-либо на веру, лишь подтвердив это путем ряда совпадающих фактов: это путь индукции; и та и другая, как видите, разными путями приходит к тому же результату — к познанию.

126

Религия — есть познание бога. Наука есть познание вселенной. Но с еще большим основанием можно утверждать, что религия научает познать бога в его сущности, а наука в его деяниях; таким образом, обе в конце концов приходят к богу. В науке имеются две различные вещи: содержание или достижения, с одной стороны, приемы или методы — с другой; поэтому, когда ставится вопрос об определении ее отношения к природе, следует им ясно указать, хотят ли говорить о самой сущности науки или об ее методе; а вот этого-то и не различают.

127

Нет ничего легче, как полюбить тех, кого любишь; но надо немножечко любить и тех, кого не любишь.

128

Есть только три способа быть счастливым: думать только о боге, думать только о ближнем, думать только об одной идее.

129

В области нравственности, движение не основано на одном удовольствии двигаться, должна быть и цель; отрицать возможность достичь совершенства, то есть дойти до цели, значило бы — просто сделать движение невозможным.

131

Некоторые люди никогда не творят добро из-за одного удовольствия, доставляемого добрым поступком; немудрено, что они не могут постигнуть абсолютного блага, а понимают, по их же словам, одно только благо относительное. Постигнуть совершенство дано только тем, которые к нему стремятся с единой целью стать к нему ближе.

132

Общество заставляют двигаться вперед не те, кто колеблется между истиной и ложью, эти плясуны на канате, а люди принципиальные. Логика золотой середины может поэтому, в лучшем случае, поддерживать некоторое время существование общества, но она никогда ни на шаг не двинет его вперед. Плодотворен один лишь фанатизм совершенства, страстное стремление к истинному и прекрасному.

133

Законы о наказаниях имеют в виду не только охрану общества, целью их служит еще наибольшее возможное усовершенствование человеческого существа. И эти две задачи как нельзя лучше согласуются одна с другой; больше того: ни одна из них не достижима отдельно от другой. Уголовное законодательство предназначено не только оградить общество от внутреннего врага, но еще и развить чувство справедливости. С этой точки зрения следует рассматривать все виды наказания, и самую смертную казнь, которая ни в коем случае не есть возмездие, а лишь грозное поучение, действительность которого, к сожалению, весьма сомнительна.

134

Как всем известно, христианство с самого возникновения своего подвергалось живейшим нападкам, и только путем отчаянной, страстной сознательной борьбы возвысилось до господства над миром. И все же нашлись в наше время люди, которые в религии Христа усматривают не что иное, как миф. Между тем видано ли, чтобы миф создавался в подобной среде и при таких условиях? Правда, указывают, что христианская легенда явилась на свет не в образованных слоях среди евреев, а среди населения невежественного и весьма склонного воспринимать самые нелепые верования. Но это совсем неверно: мы видим, напротив, что христианство с первого же века поднимается до общественных верхов и немедленно упрочивается среди самых выдающихся умов. Другие уверяют нас, будто христианство просто-напросто еврейская секта, будто все его нравственное учение заключается в Ветхом завете, что Иисус Христос присоединил к этому лишь несколько идей, имевших более общее распространение в его время.

Надо признать, что эта последняя точка зрения, как она ни отлична от христианской, вносит нечто такое, что может до некоторой степени удовлетворить если не положительное христианство, то по крайней мере христианство рассудочное. В самом деле, было ли это простым человеческим действием — придать жизнь, действительность и власть всем этим разрозненным и бессильным истинам, разрушить мир, создать другой, соорудить из всей груды разрозненных идей, разнообразных учений однородное целое, единое стройное учение победоносной силы, чреватое бесчисленными последствиями и заключающее в себе основу беспредельного движения вперед? И выразить всю совокупность рассеянных в мире нравственных истин на языке, доступном всем сознаниям, и, наконец, сделать добро и правду осуществимыми для каждого? Удивительное дело! Даже и низведенное до этих ничтожных размеров, великое явление христианства еще в такой степени носит на себе печать независимого действия высшего разума, что не может быть объяснено приемами человеческой логики, какие бы логические измышления при этом ни пускались в ход.

135

Есть три непобедимые вещи: гений, доблесть, рождение.

136

Неудовлетворительность философских приемов особенно ясно обнаруживается при этнографическом изучении языков.

Разве не очевидно, что ни наблюдение, ни анализ, ни индукция нисколько не участвовали в создании этих великих орудий человеческого разума? Никто не может сказать, при помощи каких приемов народ создал свой язык. Но несомненно, что это не был ни один из тех приемов, к которым мы прибегаем при наших логических построениях. Это был лишь синтез от начала до конца. Нельзя себе представить ничего остроумнее, ничего глубже различных сочетаний, которые народ применяет на заре своей жизни для выражения тех идей, которые его занимают и которые ему нужно бросить в жизнь, и вместе с тем нет ничего более таинственного. Сверх того, первобытный человеческий язык несомненно явился на свет разом, и это по той простой причине, что без слов нельзя мыслить. Но вот как образовались эти группы, эти семьи наречий, на которые распадается ныне мир,— наши философы-лингвисты никогда не смогут это объяснить. А именно в этих поразительных явлениях таинственно заключены самые творческие приемы человеческого разума, т. е. именно те, которые было бы всего важнее изучить.

137

Вы ведь хотите быть счастливыми. Так думайте как можно меньше о собственном благополучии, заботьтесь о чужом; можно биться об заклад, тысяча против одного, что вы достигнете высших пределов счастья, какие только возможны.

138

Как известно, по Канту, работа разума сводится к некоей постоянной проверке собственных наших восприятий: по его мнению, мы знаем и наблюдаем только нас самих, поэтому мы можем воздействовать только на самих себя. Ясно, что человеческий разум не мог на этом остановиться, как не мог он несколько позднее довольствоваться и точкой зрения Фихте, в сущности составляющей чрезмерное развитие той же критической философии. Впрочем, это возвеличивание своего «Я», начатое Кантом и завершенное Фихте, должно было неизбежно погрузить человеческий разум в своего рода ужас и заставить его отшатнуться от необходимости в будущем раз и навсегда рассчитывать на одни только свои единичные силы; поневоле человеческому разуму пришлось искать убежища в *«абсолютном тождестве»* Шеллинга, *искать* помощи и содействия в чем-то вне самого себя, в чем-то таком, что не есть он сам. К несчастью, разум обратился к природе, и, к еще большему несчастью, он, в конце концов, слился с природой. Вот в каком он сейчас положении, несмотря на работу *спекулятивной* философии, несмотря на все те более или менее осторожные оговорки, которые она пытается установить. Остается теперь, воспользовавшись все же завоеванием человеческого разума, вернуть его к подножию вечного. Таково предназначение философии наших дней, и, как нам кажется, она его недурно выполняет, хотя, может быть, и не отдает себе отчета во всем значении своей работы.

139

Бессильный враг — наш лучший друг; завистливый друг — злейший из наших врагов.

140

Спор о человеческих расах стал для нас злободневным вопросом с тех пор, как мы принялись создавать для себя новую народность. Точка зрения этой идеи весьма любопытна. Вся философия истории сводится у них к физиологической классификации великих семейств человечества; отсюда делают несколько неожиданные выводы о социальном развитии человечества, движении человеческого разума, о будущем мира. А так как все идеи, как бы они ни были отвлеченны, в наши дни окрашиваются своего рода материальной актуальностью, то и эти идеи отвечают на известные запросы дня и вступают отчасти в область политики. К сожалению, вся эта работа совершается вдали от великих очагов цивилизации, источников плодотворных мыслей. Успех этой своеобразной революции в пользу расы, которая являлась до сих пор на мировой арене лишь в пассивных ролях, пока довольно сомнителен. Но как бы то ни было, это интересное и немаловажное явление для дальнейшего хода просвещения, поэтому следует обратить на него внимание основательных умов и постараться его охарактеризовать.

141

Что расы существуют, в этом никто не сомневается; что они внесли во всю совокупность знания на земле свои необходимые начала, никто не станет оспаривать; но как только что выяснено, сейчас дело этим не ограничивается; вопрос в том, должны ли они сохраниться навсегда; следует ли стремиться к общему слиянию всех народов или же надлежит монголу навсегда оставаться монголом, малайцу — малайцем, негру — негром, славянину — славянином? Словом, следует ли идти вперед по пути, начертанному Евангелием, которое не знает рас помимо одной человеческой, или же следует обратить человечество вспять, вернуть его к исходной точке, на которой оно стояло в то время, когда слово человечность еще не было изобретено, т. е. следует ли вернуться к язычеству? Дело, по существу, в том, что вся эта философия своей колокольни, которая занята разбивкой народов по загородкам на основании френологических и филологических признаков, только питает национальную вражду, создает новые рогатки между странами, она стремится совсем к другим целям, а не к тому, чтобы создать из человеческого рода один народ братьев.

142

Реальное, без сомнения, не есть *материальное,* потому что всякая верная мысль становится более или менее реальной вне зависимости от того, воплотилась ли она в материю; но вместе с тем не следует забывать, что совершенно реальное, как таковое, обладает свойством осуществляться и материально, потому что всякая совершенная реальность заключает в себе и форму, в которой она должна явиться на свет. Так это бывает по отношению к любой математической аксиоме, ко всякой абсолютной истине; так обстояло дело и с истиной христианской, пока она еще не обнаружилась в мире, и, наконец, так обстоит дело и с царствием божиим, совершенной реальностью, пока еще не материализованной.

143

Вы имеете форму познания и его содержание; факт субъективный и факт объективный; Я и не-Я, приходится согласовать все это. Все философские системы пытались этого достигнуть, порой более или менее сознательно относясь к этой задаче, порой не осознавая ее; философия наших дней действует с полным сознанием поставленной перед собой цели, и в этом и заключается ее отличие по сравнению со всеми прежними системами.

144

Без слепой веры в отвлеченное совершенство невозможно шагу ступить по пути к совершенству, осуществляемому на деле. Только поверив в недостижимое благо, мы можем приблизиться к благу достижимому. Без этой светящейся точки, которая сияет впереди нас в отдалении, мы шагу не могли бы ступить среди глубокой окружающей нас тьмы. Всякий раз, когда этот блестящий светоч затмевался, приходилось останавливаться и выжидать его появления на беспросветном небосклоне. На пути, ведущем к абсолютному совершенству, расположены все те маленькие совершенства, на которые могут притязать люди.

3

145

Позволительно, думаю я, всякому честному русскому, искренне любящему свое отечество, в этот решающий час слегка досадовать на тех, кто влиянием своим, прямым или косвенным, толкнул его на эту гибельную войну, кто не учел ее нравственных и материальных ресурсов и свои теории принял за истинную политику страны, свои незавершенные изыскания — за подлинное национальное чувство, кто, наконец, преждевременно воспел победные гимны и ввел в заблуждение общественное мнение, когда еще не поздно остановиться на том скользком пути, по которому увлекло страну легкомыслие или бездарность.

146

Позволительно, думаю я, пред лицом наших бедствий не разделять стремлений разнузданного патриотизма, который привел страну на край гибели и который думает вывести ее из беды, упорствуя в своих иллюзиях, не желая признавать отчаянного положения, им же созданного.

147

Позволительно, думаю я, надеяться, что, если провидение призывает народ к великим судьбам, оно в то же время пошлет ему и средства свершить их: из лона его восстанут тогда великие умы, которые укажут ему путь; весь народ озарится тогда ярким светом знаний и выйдет из-под власти бездарных вождей, возомнивших о себе, праздных умников, упоенных успехами в салонах и кружках.

148

Позволительно, думаю я, всякому истинно русскому, предпочитающему благо своей страны торжеству нескольких модных идей, позволительно ему заметить, что во всем мире есть только две страны, обремененные национальной партией; одна из этих стран накануне исчезновения с мировой арены; другой грозит потеря положения первостепенной державы, плода благородных и настойчивых усилий мудрости и мужества.

150

Слава богу, я ни стихами, ни прозой не содействовал совращению своего отечества с верного пути.

151

Слава богу, я не произнес ни одного слова, которое могло бы ввести в заблуждение общественное мнение.

152

Слава богу, я всегда любил свое отечество в его интересах, а не в своих собственных.

153

Слава богу, я не заблуждался относительно нравственных и материальных ресурсов своей страны.

154

Слава богу, я не принимал отвлеченных систем и теорий за благо своей родины.

155

Слава богу, успехи в салонах и в кружках я не ставил выше того, что считал истинным благом своего отечества.

156

Слава богу, я не мирился с предрассудками и суеверием, дабы сохранить блага общественного положения — плода невежественного пристрастия к нескольким модным идеям.

157

Как вы думаете, не должен ли был тридцатилетний гнет со стороны правительства, жестокого и упорного в своих воззрениях и поступках, развратить ум народа, который его не особенно упражнял?

158

Воображают, что имеют дело с Францией, с Англией. Вздор, мы имеем дело с цивилизацией в ее целом, а не только с ее результатами, но с ней самой, как с орудием, как с верованиями, с цивилизацией, применяемой, развиваемой, усовершенствованной тысячелетними трудами и усилиями. Вот с чем мы имеем дело, мы, которые живем лишь со вчерашнего дня, мы, ни один орган которых, в том числе даже и память, достаточно не упражнялся и не развивался.

159

Ни характером англичан, ни их мудростью не создан английский народ; он создан их историей; не будучи таким, каков он есть, естественно, что он считает себя более мудрым, чем другие народы; не английская раса привилегированная раса, но Англия привилегированная страна, и история ее — сплошная удача от начала до конца. Не английский народ дал себе свою конституцию, ее урвали норманнские бароны у своих норманнских королей. Старые учреждения Альфреда ни к чему бы не привели, если бы не меч феодального барона. Говорили прежде, что учреждения создают народы, теперь говорят, что народы создают учреждения. И то и другое верно. Но нужно принять во внимание хронологию фактов. Сперва история создает учреждения, затем народы, воспитанные своими учреждениями, продолжают дело истории, завершают или искажают его, в зависимости от того, насколько они счастливо одарены. Таков естественный ход общественного развития. Делить народы на расы привилегированные или расы отверженные бессмысленно.

160

Среди причин, затормозивших наше умственное развитие и наложивших на него особый отпечаток, следует отметить две: во-первых, отсутствие тех центров, тех очагов, в которых сосредоточивались бы живые силы страны, где созревали бы идеи, откуда по всей поверхности земли излучалось бы плодотворное начало; а во-вторых, отсутствие тех знамен, вокруг которых могли бы объединяться тесно сплоченные и внушительные массы умов. Появится неизвестно откуда идея, занесенная каким-то случайным ветром, как пробьется через всякого рода преграды, начнет незаметно просачиваться через умы, и вдруг в один прекрасный день испарится или же забьется в какой-нибудь темный угол национального сознания, чтобы затем уж более не всплывать на поверхность: таково у нас движение идей. Всякий народ несет в самом себе то особое начало, которое накладывает свой отпечаток на его социальную жизнь, которое направляет его путь на протяжении веков и определяет его место среди человечества; это образующее начало у нас — элемент географический, вот чего не хотят понять; вся наша история — продукт природы того необъятного края, который достался нам в удел. Это она рассеяла нас во всех направлениях и разбросала в пространстве с первых же дней нашего существования; она внушила нам слепую покорность силе вещей, всякой власти, провозглашавшей себя нашим же владыкой. В такой среде нет места для правильного повседневного обращения умов между собой; в этой полной обособленности отдельных сознаний нет места для логического развития мысли, для непосредственного порыва души к возможному улучшению, нет места для сочувствия людей между собой, связывающего их в тесно сплоченные огромные союзы, перед которыми неизбежно должны склониться все материальные силы; словом, мы лишь геологический продукт обширных пространств, куда забросила нас какая-то неведомая центробежная сила, лишь любопытная страница физической географии. Вот почему, насколько велико в мире наше материальное значение, настолько ничтожно все значение нашей силы нравственной. Мы важнейший фактор в политике и последний из факторов жизни духовной. Однако эта физиология страны, несомненно столь невыгодная в настоящем, в будущем может представить большие преимущества, и, закрывая глаза на первые, рискуешь лишить себя последних.

161

Причина и действие не разнородны; начало и следствие — одно целое. Одно не может существовать без другого, ибо начало таково, только поскольку оно производит такое-то действие или порождает такую-то вещь. В индивидууме часто преобладает та или другая сторона, только во вселенной, в совокупности вещей субъект и объект совершенно сливаются, тождество полное. Такова система Шеллинга. Раз не-Я признано и допущено его действие на мое Я, спрашивается, нет ли в не-Я чего-то, что по отношению к самому себе тоже есть Я, и если это нечто действительно существует, то какова его природа и каково его действие на первичное Я. Такова проблема, поставленная Фихте. Движение человеческого ума не что иное, как последовательное рассуждение. Достигнув конечного предела этого универсального рассуждения, человеческий разум достигнет полной своей мощи. Гегель.

161-а

В первой части своей системы, или, вернее, в первый период своей философской деятельности, Фихте утверждал, что в мире нет ничего реального, кроме познания, а так как всякое познание заключается в Я, то в действительности ничего не существует помимо Я. Ему возражали, что знание, естественно, предполагает познаваемый предмет, следовательно, существует еще нечто помимо Я и познания. Впоследствии Фихте отказался от прежней теории, не признаваясь, однако, в этом открыто, а быть может, не вполне отдавая в этом отчет и самому себе, ибо он никогда не переставал рассматривать свою новую точку зрения лишь как вывод из первой. Как бы то ни было, для того, чтобы правильно судить об учении Фихте, нужно придерживаться только того, что мы предпочитаем называть второй его манерой, рассматривая первую часть его системы лишь как предварительные опыты, как глубокий анализ природы Я или субъекта, опыт, принадлежащий истории.

162

Думаете ли Вы, что для Европы и для самой России было бы полезно, чтобы эта последняя стала вершителем судеб мира?

163

Другой вопрос. Что должна была выбрать Европа: сохранение Турции или всемогущество России?

164

Что такое эта война? Семейная ссора между истинно верующими.

165

Жаль, что наши бедные славяне прогуляли третье отделение*.

166

Я согласен с мнением архиепископа Иннокентия и не сомневаюсь в том, что скипетр мировой власти останется в руках русского императора; меня удивляет только одно: почему святой отец не изобразил нам картины того благоденствия, которым будет наслаждаться мир под эгидой этой отеческой власти.

167

Известно, что Шеллинг считается лишь продолжателем Спинозы, развившим его учение и придавшим окончательный облик современному пантеизму. Нет сомнения, что, с его точки зрения, действенные силы природы только утверждают себя, проявляя свое действие в мире, и что поэтому природные явления приравниваются как бы к логическим операциям, а не вещественным фактам. Из этого, однако, не следует, что при таком взгляде на физические силы вселенной природа превращается в разум, а отсюда вообще еще далеко до пантеизма. В сущности, это не что иное, как философская фразеология, налагаемая на нас бессилием человеческого языка и потребностью нашего разума все свести к идее единства, идее, под вдохновением которой, как известно, была сформулирована вся эта система. Идеалист объясняет природу на языке спиритуализма, вот и все, но отсюда не следует, что он видит повсюду Дух и Идею. За каждым явлением природы он видит акт духа, но этот акт духа, по его мысли, всегда остается отличным от явления. Вы рассуждаете, вы вычисляете,— говорит он, и вы приходите к известным логическим выводам, реальное осуществление которых зависит только от вас; вы встречаетесь затем в природе с фактами, которые соответствуют этим выводам и которые, как вам известно, являются результатом аналогичных актов; вы заключаете из этого, что между природой и вашим разумом существует тождество. Вот исходный пункт этого учения. Но, очевидно, здесь речь идет не о самой природе, но о силе, определяющей дви-

* В подлиннике этот фрагмент написан по-русски.

жение материи, совокупностью которых только и является природа. Но пребывает ли эта сила в недрах самой природы или вне ее, этого идеалист не знает; более того, у него нет никакого основания предполагать, что она пребывает скорее в природе, где-либо вне ее. Он, впрочем, прекрасно знает, что те приемы, которыми пользуется человеческий разум, не заимствованы им из мира физического, что он нашел их в самом себе, что поэтому их тождество с приемами, применяемыми природой, не есть результат присутствия природы или действия, оказываемого ею на наш ум, но что это первичный факт, т. е. что тут просто два разума, действующие независимо друг от друга, но тождественно, две силы раздельные, но одного порядка. Поэтому, с его точки зрения, тождественны между собой не мысль и природа, но один управляющий ими закон, который проявляется известным образом в природе и иначе в разумном существе. Одно из его проявлений знакомо нам по голосу нашего сознания, другое — путем наблюдения; эти два рода знаний взаимо дополняют друг друга, современное же знание, естественно, знание общее и всемирное. Особым законам природы соответствуют частные законы логики и мышления; никогда нет противоречия между тем, что совершается внутри и вне нас, если только мы, злоупотребляя своей свободой, не исказим своего суждения, ибо всякому, как известно, мыслящему существу предоставлено право и возможность заблуждаться равно как и познавать; наконец, подлинное тождество существует не между нашим разумом и природой, но между нашим разумом и другим разумом. Вот как нужно понимать теорию *абсолютного тождества.*

168

Теория Фихте подвергалась нападкам такого же рода. Утверждали, будто он ведет к нигилизму, т.е. к логическому упразднению внешнего мира, но это совсем неверно. Фихте имел в виду только теорию познания (Wissenschaftslehre), поэтому совершенно естественно, что он придал своему Я, т. е. познающему, высшую возможную абсолютность, ибо всякое познание от него исходит и в нем, естественно, и завершается; но неверно, как, например, утверждал Якоби, будто он хотел вознести наше Я и поставить его над развалинами мира и бога. Его построение не завершено, вот и все. Почитайте только его посмертные труды, и вы убедитесь, как далек он был от отрицания существования внешнего мира. Для него речь шла только о познании, поэтому ему нужно было определить природу последнего; отсюда вытекает субъективизм его философии и огромное значение, приписываемое им деятельности нашего разума, которая, если хотите, логически поглощает в себе всякую иную деятельность, даже деятельность бога, но только в порядке предварительного приема. Если бы он дошел до рассмотрения объекта, он, несомненно, отдал бы и ему должное. Чтобы построить учение о Я, что, по-моему, он сделал мастерски, он придал этому Я преувеличенные размеры и поставил его в центр творения. Вот и все, в чем его можно упрекнуть.

169

Христианская религия исходила из идеи, но по самой природе своей она должна была на время отказаться от своего основного начала и утвердиться на деле; отсюда неизбежные ее поражения. В настоящее время христианская религия утвердилась фактически, и она явно стремится вновь возвыситься до чистой своей идеи. Такова основная черта того религиозного движения, которого мы являемся свидетелями. Это, конечно, не значит, что христианство должно совершенно отрешиться от факта и пребывать отныне лишь в сфере отвлеченной мысли. Придет время, и оно не за горами, когда действительность и идея составят одно и то же и будут поглощены жизнью, и жизнь, обнимая и ту и другую, в последней своей фазе должна будет естественно включать их в высшей мере.

Но до наступления этого последнего периода великой эволюции духа, безостановочно шествующего вперед на протяжении веков, должен еще совершиться поворот в сторону основного начала христианства, и это начало должно явиться в новом блеске, в новой силе.

170

До перехода к новым вопросам, которые нам надлежит исследовать, вернемся несколько назад и остановимся мысленно на том, что можно считать точкой отправления автора, а именно на установленном им различии между объектами веры и объектами чистого разума. Затем нам останется рассмотреть его теорию двух законов, одного раскрытого через откровение и другого, который он именует выработанным.

171

И прежде всего, когда он говорит: *вера*, он, очевидно, имеет в виду только веру религиозную. Между тем, по-моему, это точка зрения совершенно не философская. Есть вещи, которые могут быть постигаемыми лишь посредством веры, т.е. для того, чтобы их понять, нужно предварительно в них поверить; есть другие, которые могут быть постигаемы лишь как догмат веры, а это значит, что, раз вы их поняли, они тем самым уже становятся вашими верованиями. Говоря языком философии, вера — не что иное, как момент или период человеческого знания, не более того. Относить науку и религию к двум совершенно различным областям, и притом делать это искренне, без задней мысли — значит возвращаться к схоластике, к эпохе, предшествующей Абеляру, т.е. совершать анахронизм на девять столетий, ни более ни менее. Я прекрасно понимаю того богослова-догматика, который еще в наши дни не выходит из старой семинарской колеи, для которого мир не шагнул вперед со времен Алкуина, ибо догмат по природе своей неподвижен и неподатлив; прислужнику догмата поэтому дозволено оставаться вечно пригвожденным к своему обязательному верованию, но, признаюсь, я не могу понять того писателя, который, стремясь прослыть современным умом, в то же время рассматривает религию как неприкосновенную область, куда уму разрешено проникнуть лишь под условием самоупразднения. Кому же в наше время неизвестно, что вера — один из самых мощных и самых плодотворных факторов мышления; что порой вера приводит к знанию, а порой знание — к вере, что поэтому между ними не существует резко очерченных границ, что знание всегда предполагает известную долю веры точно так же, как вера всегда предполагает известную долю знания; что на дне веры по необходимости есть знание точно так же, как на дне знания по необходимости есть вера; наконец, что мы не можем постигнуть предмет, не веря в него так или иначе, точно так же, как мы не можем верить во что-либо, если мы в известной мере этого не постигаем.

172

Каковы, впрочем, естественные основы философии? Я и не-Я, мир внутренний и мир внешний, субъект и объект. Признаете ли вы эти первичные факты или нет, вы все равно не можете серьезно заниматься философией, не исходя из них. Между тем что такое для нас факты, которые, разумеется, не могут быть ни доказаны сами по себе, ни выведены из факта предшествующего? Предметы веры. Затем, когда философская работа завершена и вы добились какой-то достоверности, какова логическая форма, в которую в вашем уме облекается эта достоверность? Форма верования, верования, налагаемого на вас вашим же разумом. Мы не можем выйти из этого круга, не разбившись о замыкающие его грани; вне их безграничное сомнение, полнейшее неведение, небытие. Поэтому устранять веру из философии — не значит ли это уничтожать самую философию, не значит ли это самую работу мысли сделать несущественной, более того: не значит ли это свести на нет самое начало разумения?

173

Заметьте, что человеческий ум во все времена принимал некоторые истины как предметы веры, как истины априорные, элементарные, без которых нельзя представить себе ни одного акта разума, истины, которые, следовательно, предшествуют собственному движению разума и, в известном смысле, соответствуют той силе вернее, которая некогда потрясла инертную материю и раскидала миры в пространстве. Долго разум человеческий жил этими истинами, долго они его удовлетворяли; но затем его собственное развитие привело его к новым истинам, и эти истины, в свою очередь, превратились в верования. Таков естественный ход умственного развития. Вера стоит в начале и конце пути, пройденного человеческим разумом как в отдельном индивидууме, так и в человечестве в целом. Прежде чем знать, он верит, а после того, как узнает, он опять верит. Всегда он от веры исходит, чтобы к ней вернуться. Не совершаете ли вы двадцать раз в день акт веры, хотя религия тут ни при чем? Как же вы хотите внести многообразные верования человеческого разума в единую сферу религиозного чувства? Это невозможно. Переходим к другой теории.

174

Что такое закон? Начало, в силу которого совершается или должно совершиться явление на своем пути к возможному совершенству. Следовательно, всякий закон предсуществует; мы можем его только знать или не знать, но знаем мы его или нет, он тем не менее существует и тем не менее действует в соответствующей ему области; нельзя достаточно повторять то, что в порядке нравственном или в царстве свободы, точно так же, как в порядке материальном или в области неизбежного, все совершается согласно закону, знаем ли мы его или не знаем, с той только разницей, что, если мы знаем первый закон, мы должны сообразоваться с ним, так как это закон нашего бытия и условие нашего движения вперед; если же мы знаем второй закон, нам приходится применять его к своим потребностям или в форме поучения, или в форме материального использования. Что касается познания закона, мы можем приобретать его различными путями: посредством деятельности отдельного индивидуального разума, непосредственным актом высшего разума, проявляющегося в разуме человека, или через медленное поступательное движение всемирного разума на протяжении веков; но ни в одном из возможных случаев мы не можем ни изобрести, ни создать самый закон. Всякий закон, если он справедлив или истинен — и только в таком случае он заслуживает название закона,— предвечно существовал в божественном разуме. Настанет день, когда человек познает его; закон так или иначе раскрывается ему, западает в его сознание, тогда законодатель человеческий встречается с законодателем высшим, и с той поры закон становится для него законом мира. Таково происхождение всех наших законодательств — политических, нравственных и иных. Можно, конечно, с точки зрения социальной допустить фикцию законодательной власти, принадлежащей человеку, но с точки зрения общей философии такая фикция недопустима. Человек может, конечно, под давлением властной необходимости распространить на самого себя и на своих ближних законодательство, но при этом он должен понимать, что все законы, которые он на досуге сочиняет и включает в различные свои кодексы, будь то закон положительный, закон гражданский или уголовный, что все эти законы таковы, только поскольку они совпадают с законами предшествующими, которые, по словам Цицерона, не *представляют ни выдумку человеческого ума, ни волю народов, но нечто вечное;* в силу этих предвечных законов общества живут и действуют. Безразлично, сознают ли они или нет действие, на них оказываемое; человек должен знать, что, когда законы, которые, по его мнению, он сам себе дал, кажутся ему дурными или ложными, это значит одно: или они противоречат законам истинным, или же это вовсе не законы, ибо, повторяю, законы творим не мы, скорее они нас творят, но мы можем принять за закон то, что вовсе не есть закон; так мы и поступаем, и это относится и к физической, и к нравственной области. Наконец, закон есть причина, а не действие, поэтому считать его плодом человеческого разума — не значит ли ошибаться насчет самой идеи закона? А тогда я вас спрашиваю, что такое представляет собой закон выработанный, закон, который вчера еще не существовал, который существует лишь с сегодняшнего дня и, следовательно, мог бы и вовсе не существовать? Этого понять нельзя.

175

Впрочем, вот, по-моему, самый правильный взгляд на вопрос. С объективной точки зрения существует два закона: закон мира физического и закон мира нравственного. Первый имеет целью сохранение жизни физических существ и природы, являющейся их совокупностью, второй — сохранение жизни разумных существ и человеческого общества, являющегося совокупностью этих существ, и все это в соответствии со свойствами каждого существа или каждого порядка существ в отдельности. Но ясно, что на самом деле эти два закона составляют единый закон, который, рассматриваемый объективно, действует совершенно тождественно в той и другой области. Этот универсальный закон — закон *жизни* или закон *бытия;* совершенно очевидно, что он не подлежит ни развитию, ни выработке. Развивается, вырабатывается жизнь, бытие, закон — остается неизменным. Человек может, конечно, в силу своей разумной и свободной природы, не постигать законов этой природы, или знать их в той или другой степени совершенно, или же, зная закон, не подчиняться ему. Но тем не менее закон пребывает всегда неизменным, и так же неизменно действие его на человека. Прогресс человеческого разума состоит не в том, чтобы налагать на мир законы собственного изобретения, а в том, чтобы непрестанно приближаться к более совершенному познанию тех законов, которые миром управляют. Человек не вырабатывает тех законов, которые первоначально были преподаны ему творцом, но по мере своего поступательного движения во времени открывает новые законы, ему неизвестные; он научается лучше понимать те, которые ему уже известны, и находить для них новое применение. Так, например, знание закона, раскрытого в откровении, с каждым днем все более и более распространяется среди людей, тогда как самый закон не вырабатывается и не развивается, а среди всех тех новых сил, которые он ежедневно порождает для удовлетворения возрастающих потребностей человечества, он сам остается незыблемым и тем же, каким некогда вышел из лона божественного разума.

176

Думаю я, можно сказать, что способность к творчеству была дарована человеку только в области искусства; вот где настоящая область его творчества, единственный мир, в котором ему дано из небытия создавать нечто реальное, вызывать жизнь актом воли. Вне этого мы можем лишь искать и подчас находить реальное. Однако при всей беспредельности нашей творческой мощи в искусстве оно все же подчинено и здесь некоторым началам, которые тоже не нами изобретены, которые существовали ранее всего нашего творчества, которые, как все вечные истины, воздействовали на нас задолго до того, как мы их осознали. Идея красоты не была порождением человека, как и всякая другая истинная идея, он нашел ее запечатленной во всем творении, разлитой вокруг него в тысячах разнообразных форм, отраженной неизреченными чертами на каждом предмете в природе; он постиг ее, присвоил себе, и из этого благодатного начала он излил на мир все то множество творческих произведений, то возвышенных, то чарующих, которыми он населил мир фантазии, которыми украсил поверхность земли.

177

В заключение уместно будет заметить, что все только что сказанное говорилось и повторялось тысячу раз всеми серьезными умами века, но весьма естественно — мы ничего об этом не знаем: хронология Европы чужда нам, мы присутствуем при жизни нашего века, но не участвуем в ней. Не будем заблуждаться: наша роль в мире, как бы значительна она ни была, как бы ни была славна,— роль доныне лишь политическая; и до движения идей в собственном смысле слова нам еще нет дела. К тому же из тех излучений научной мысли, которые случайно заносят на наши отдаленные прибрежья дуновения Запада, сколько сбившихся с пути, сколько застывших под леденящим дыханем севера. Как бы то ни было, надо признать, что безотрадное зрелище представляет у нас выдающийся ум, бьющийся между стремлением предвосхитить слишком медленное поступательное движение человечества, как это всегда представляется избранным душам, и убожеством младенческой цивилизации, не затронутой еще серьезной наукой, ум, который, таким образом, поневоле кинут во власть всякого рода причуд воображения, честолюбивых замыслов и иногда, приходится это признать, и глубоких заблуждений.

178

Человек очень редко сознает творимое им добро, часто ему ничего не стоит поступок, который со стороны представляется подвигом сверхчеловеческой доблести. В наших действиях, по видимости самых героических, нередко всего меньше бескорыстия. Далеко не единственным побуждением к великодушным поступкам нашим служит сочувствие бедствиям ближнего; обычно побуждением служит простое желание напрячь деятельные способности души, испытать свою силу. Та же потребность подвергнуть себя без нужды какой-либо опасности в других случаях побуждает нас рисковать жизнью для спасения одного из нам подобных. Опасность имеет свою прелесть; мужество не только добродетель, оно в то же время и счастие. Человек создан так, что величайшее наслаждение из всех, ему дарованных, он испытывает, делая добро,— чудесный замысел провидения, пользующегося человеком как орудием для достижения своей цели — величайшего возможного блаженства всех созданных им существ.

181

Не будут, думаю, оспаривать, что логический аппарат самого ученого мандарина небесной империи функционирует несколько иначе, чем логический аппарат берлинского профессора. Как же вы хотите, чтобы ум целого народа, который не испытал на себе влияния ни преданий древнего мира, ни религиозной иерархии с ее борьбой против светской власти, ни схоластической философии, ни феодализма с его рыцарством, ни протестантизма, словом, ничего того, что более всего воздействовало на умы на Западе, как хотите вы, чтобы ум этого народа был построен точь-в-точь, как умы тех, кто всегда жил, кто вырос и кто теперь еще живет под влиянием всех этих факторов? Конечно, и среди нас, независимо от этой преемственности мыслей и чувств, могло появиться несколько гениальных людей, несколько избранных душ, но тем не менее нельзя не пожалеть о том, что в мировом историческом распорядке нация в целом оказалась обездоленной и лишенной всех этих предпосылок. На нас, без сомнения, очень сильно сказалось нравственное влияние христианства; что же касается его логического действия, нельзя не признать, что оно было в нашей стране почти равно нулю. Прибавим, что это один из интереснейших вопросов, которым должна будет заняться философия нашей истории в тот день, когда она явится на свет.

183

Есть люди, которые говорят вам, что между христианством и общественным порядком нет ничего общего; что христианство ничего не сделало для общества, что оно ничего и не должно было для него делать, что оно обращается лишь к отдельной личности, что блага, им обещанные, относятся только к будущей жизни. Действительно, научило ли оно людей чему-либо такому, что имело бы отношение к их благополучию в здешнем мире? Ничему оно не научило только потому, что они братья, вот и все.

184

Нужно признать, что есть такая любовь к отечеству, на которую способно существо самое гнусное: пример г-на В. Прежде всего ты обязан своей родине, как и своим друзьям, правдой.

186

Допускаете ли вы несколько видов цивилизации?

187

Думаете ли вы, что такая страна, которая в ту самую минуту, когда она призвана взять в свои руки принадлежащее ей по праву будущее, сбивается с истинного пути настолько, что выпускает это будущее из своих неумелых рук, достойна этого будущего?

188

Думаете ли вы, что на место старого Востока, каким создали его история и основное свойство человеческого ума, может встать новый Восток, христианский?

Прошло не более полувека с тех пор, как русские государи перестали целыми тысячами раздавать своим придворным поселянам государственные земли. Каким же образом, скажите, могли зародиться хотя бы самые элементарные понятия справедливости, права, какой-либо законности под управлением власти, которая со дня на день могла превратить в рабов целое население свободных людей? Благодаря либеральному государю, который появился среди нас, благодаря великодушному победителю, которого мы окружили своей любовью, в России уже не применяется это отвратительное злоупотребление самодержавной власти в самом зловредном для народа ее проявлении, в развращении их общественного сознания, но уже наличие рабства, в том виде, в каком оно у нас создалось, продолжает все омрачать, все осквернять и все развращать в нашем отечестве. Никто не может избежать рокового его действия, и менее всего, быть может, сам государь. С колыбели он окружен людьми, которые владеют себе подобными, или же теми, отцы которых были сами рабами, и дыхание рабства проникает сквозь все поры его существа и тем более влияет на его сознание, чем более он себя считает огражденным от него. Было бы притом большим заблуждением думать, будто влияние рабства распространяется лишь на ту несчастную, обездоленную часть населения, которая несет его тяжелый гнет; совершенно наоборот, изучать надо влияние его на те классы, которые извлекают из него выгоду. Благодаря своим верованиям, по преимуществу аскетическим, благодаря темпераменту расы, мало пекущейся о лучшем будущем, ничем не обеспеченном, наконец, благодаря тем расстояниям, которые часто отделяют его от его господина, русский крепостной достоин сожаления не в той степени, как это можно было бы думать. Его настоящее положение к тому же лишь естественное следствие его положения в прошлом. В рабство обратило его не насилие завоевателя, а естественный ход вещей, раскрывающийся в глубине его внутренней жизни, его религиозных чувств, его характера. Вы требуете доказательства? Посмотрите на свободного человека в России! Между ним и крепостным нет никакой видимой разницы. Я даже нахожу, что в покорном виде последнего есть что-то более достойное, более покойное, чем в озабоченном и смутном взгляде первого. Дело в том, что между русским рабством и тем, которое существовало и еще существует в других странах света, нет ничего общего. В том виде, в каком мы его знаем в древности, или в том, в каком видим в Соединенных Штатах Америки, оно имело лишь те последствия, какие естественно вытекают из этого омерзительного учреждения: бедствие раба, развращение владельца, между тем как в России влияние рабства неизмеримо шире.

191

Мы только что говорили, что, хотя русский крепостной — раб в полном смысле слова, он, однако, с внешней стороны не несет на себе отпечатка рабства. Ни по правам своим, ни в общественном мнении, ни по расовым отличиям он не выделяется из других классов общества; в доме своего господина он разделяет труд человека свободного, в деревне он живет вперемежку с крестьянами свободных общин; всюду он смешивается со свободными подданными империи безо всякого видимого отличия. В России все носит печать рабства — нравы, стремления, просвещение и даже вплоть до самой свободы, если только последняя может существовать в этой среде.

192

Чем больше думаешь, тем больше убеждаешься, что у нас в настоящее время совершается нечто необычное. Это нечто, не дошедшее еще до состояния простой идеи, ибо оно не нашло еще своего четкого выражения, тем не менее заключает в себе огромной важности социальный вопрос. Дело касается не пустяка: приходится решить, может ли народ, раз сознавший, что он в течение века шел по ложному пути, в один прекрасный день простым актом сознательной воли вернуться по пройденному следу, порвать с ходом своего развития, начать его сызнова, воссоединить порванную нить своей жизни на том самом месте, где она некогда, не очень-то ясно, каким образом, оборвалась. А между тем приходится сознаться, что мы накануне если не разрешения, то во всяком случае попытки разрешения этой небывалой задачи, накануне такого социального эксперимента, о котором никогда еще не решались мечтать самые смелые утописты в дерзновеннейших своих фантазиях. Слишком смело, конечно, было бы пытаться определить возможный срок этого события, но так как народные чувства плохо подчиняются мировым динамическим законам и так как социальное движение большей частью совершается в зависимости не от размеров самих движущих сил, а от степени бессилия общества, то можно ожидать, что недалек час бурного проявления национального чувства, по крайней мере в образованной части общества. Вы думаете, быть может, что нам угрожает революция на манер западноевропейских,— успокойтесь, слава богу, не к этому идет дело. Исходные точки у западного мира и у нас были слишком различны, чтобы мы когда-либо могли прийти к одинаковым результатам. К тому же в русском народе есть что-то неотвратимо неподвижное, безнадежно ненарушимое, а именно — его полное равнодушие к природе той власти, которая им управляет. Ни один народ мира не понял лучше нас знаменитый текст Писания: *«несть власти аще не от бога»*. Установленная власть всегда для нас священна. Как известно, основой нашего социального строя служит семья, поэтому русский народ ничего другого никогда и не способен усматривать во власти, кроме родительского авторитета, применяемого с большей или меньшей суровостью, и только. Всякий государь, каков бы он ни был, для него — батюшка. Мы не говорим, например, я имею право сделать то-то и то-то, мы говорим: это разрешено, а это не разрешено. В нашем представлении не закон карает провинившегося гражданина, а отец наказывает непослушного ребенка. Наша приверженность к семейному укладу такова, что мы с радостью расточаем права отцовства по отношению ко всякому, от кого зависим. Идея законности, идея права для русского народа бессмыслица, о чем свидетельствует беспорядочная и странная смена наследников престола, вслед за царствованием Петра Великого, в особенности же ужасающий эпизод междуцарствия. Очевидно, если бы природе народа свойственно было воспринимать эти идеи, он бы понял, что государь, за которого он проливал кровь, не имел ни малейшего права на престол, а в таком случае ни у первого самозванца, ни у всех остальных не нашлось бы той массы приверженцев, производивших опустошения, ужасавшие даже чужеземные шайки, шедшие вслед за ними. Никакая сила в мире не заставит нас выйти из того круга идей, на котором построена вся наша история, который еще теперь составляет всю поэзию нашего существования, который признает лишь право дарованное и отметает всякую мысль о праве естественном; и что бы ни совершилось в слоях общества, народ в целом никогда не примет в этом участия; скрестив руки на груди — любимая поза чисто русского человека,— он будет наблюдать происходящее и по привычке встретит именем батюшки своих новых владык, ибо — к чему тут обманывать себя самих — ему снова понадобятся владыки, всякий другой порядок он с презрением или гневом отвергнет.

193

Чего хочет новая школа? Вновь обрести, восстановить национальное начало, которое нация по какой-то рассеянности некогда позволила Петру Великому тайно у себя похитить; начало, вне которого, однако, невозможен для любого народа подлинный прогресс. Сущая истина — и мы первые под этим подписываемся,— что народы, точно так же, как и отдельные личности, не могут ни на шаг продвинуться на пути прогресса или предназначенного им развития, без глубокого чувства своей индивидуальности, без сознания того, что они такое; более того, лишенные этого чувства и этого сознания, они не могли бы и существовать; но это и доказывает ошибочность вашего учения, ибо никогда народ не утрачивал своей национальности, не перестав в то же время существовать; между тем, если я не ошибаюсь, мы как-никак существуем!

194

Когда *бесконечный разум* принял форму *разума конечного,* воплотившись в человеке, он, естественно, должен был в новом модусе бытия сохранить свойства своего прежнего существования, он прежде всего должен был *сознавать*. Человек, таким образом, ведет свое начало не от двуногого животного, как это представляют себе материалисты, но от наивного, хотя и неполного, ощущения своей природы. Ум человеческий, значит, никогда не был в состоянии полного неведения по отношению ко всему. Представление более или менее ясное о законе своего бытия явилось у него в тот самый день, когда этот ум сознал, что существует. Не будь это так, он не заключал бы в себе основного начала своего бытия, он не был бы *духовным существом*. Но несомненно и то, что в последовательности времен индивидуальный ум, именно в силу своей свободной природы, должен был обособиться, оторваться от всемирного разума, развиваться как субъект, и с этой поры полное непонимание стало неизбежным возвращением индивидуального бытия к бытию всеобщему, восстановление падшего Я. Эту цель и поставило себе христианство в порядке логическом, что оно и осуществило на деле, поскольку переворот такого рода мог совершиться без нарушения равновесия между различными силами, движущими нравственный мир, без полного нарушения всех законов творения. В этот день, когда на Голгофе была принесена искупительная жертва человека, разум мировой был восстановлен в разуме индивидуальном и на этот раз занял в нем место навсегда. Отныне человеку стало доступно *действенное* обладание абсолютным добром и абсолютной истиной; перед злом выросла преграда, которую оно не смело переступить; перед добром путь был чист; рассеялась мрачная тень, которую отбрасывала когда-то исполинская личность человека на все предметы его видения, и от него одного зависело отныне жить в истине.

195

Впрочем, через какие бы фазы своего существования человечество доселе ни проходило, в те ли времена, когда оно еще жило на лоне первобытной природы, или когда оно уже шествовало вперед под собственным импульсом, или, наконец, тогда, когда его развитие творчески определилось непосредственным проявлением мирового разума, никогда оно не выходило из сферы *сознания;* это и есть та среда, в которой протекает всякое человеческое действие; разум есть разум, он может только сознавать; с утра до ночи человек только это и делает, даже ощущения его, по мере их переживания, превращаются в его мозгу в восприятие, и это постоянное участие его разумного существа во всем происходящем с его существом физическим и создает в нем единство и делает из него нечто большее, нежели чистое разумение.

195-а

Поэтому мысль того гениального человека, который создал свое *учение о науке,* была верной мыслью; но никак при этом не следовало забывать, что, если человек ничего не делает помимо сознания (это совершенно справедливо), все же вне его существует нечто такое, что есть предмет его познавания, и поэтому для постижения закона самого познания прежде всего надлежит установить отношение между познаванием и его предметом. А вот это и не было сделано, занимались только *субъектом,* т.е. познающим, а до *объекта,* т.е. познаваемого, не дошли. Система, явившаяся непосредственно после упомянутой, естественно должна была все свое внимание обратить на объект человеческого познания; так в действительности и произошло. Но при этом человек растворялся в природе, *во всем;* это был пантеизм со всеми его последствиями. Оказалась необходимой новая реакция, при которой Я, не отказываясь от своих прав, должно было признать *совершившийся синтетический факт* и предстать перед лицом вселенной и божества в истине и реальности. Это последняя глава современной философии.

196

Вы видите, в этой системе разум станет, так сказать, высшей категорией, или окончательной формой жизни. Чтобы дойти до этого, бытие проходит через несколько фаз, опять-таки категорий, но гораздо более важных, чем идеологические категории Канта. Все эти фазы всеобщей жизни человечества логически связаны между собой и следуют одна за другой, и человеческое Я не перестает более или менее смутно ощущать их: в каждую данную эпоху оно старается дать себе отчет в том, что оно испытывает, что вокруг него происходит. Прогресс человечества, таким образом, должен был заключаться в том, чтобы все более приближаться к такому положению, когда ему будет дано полное сознание того, что тогда составит его содержание, а достигнув до этого, человечество оказалось бы в положении абсолютного разума, т.е. такого разума, который сознает и постигает себя самого в совершенстве — последняя фаза человеческого развития.

197

Мы только что видели, в чем ошибка знаменитого учения о Я, учения, пытающегося установить, что не существует ничего, помимо познавания, а не подозревавшего, что познавание предполагает бытие познаваемого предмета, т. е. чего-то не созданного человеком и существовавшего прежде познания его человеком; нельзя, однако, отрицать, что это учение оставило глубокие следы в человеческом разуме. Дело в том, что это дерзновенное превозношение личности заключало в себе начало необычайно плодотворное. Если Фихте не видел *объекта,* то это, конечно, не по недостатку философского понимания, а просто потому, что он был поглощен страстно увлекавшей его работой, которую ему пришлось проделать на пути к построению *внутреннего факта.* Явившийся после него Гегель, ученик Шеллинга, естественным образом должен был быть приведен к построению *факта внешнего,* и эту задачу выполнил блестяще; вопрос в том, не слишком ли он со своей стороны увлекся *объектом,* и в своей теории всеобщего примирения достаточное ли место он отвел индивидууму. Беспристрастное рассмотрение его учения с этой точки зрения дало бы наиболее правильную его оценку. Его философия, однако, была, по существу, синтетической, поэтому он не мог остановиться на полпути, как это сделал Фихте, который поневоле вернулся к анализу, несмотря на могучий толчок, сообщенный Шеллингом философской мысли. Гегель поэтому необычайно двинул вперед синтез человеческого разума, это верно, но да будет нам разрешено заметить, что он не вполне доработал свою мысль; он умер преждевременно, в разгар своей деятельности, и не успел сказать своего последнего слова, окончательно отделать свое учение. Вот, впрочем, несколько строчек самого Гегеля, которые лучше, чем сумеем это сделать мы, покажут, куда направлена его система. «Человеческий разум,— говорит он,— постиг искусство анализа, но не научился еще синтезу. Так он отделил душу от тела, и это было хорошо, так как бог есть дух, а природа не что иное, как материя; но, сделав это, он забыл магическое слово, долженствовавшее воссоединить то и другое, подобно тому гетевскому ученику, который, напустив воды в дом своего хозяина, не знал, как остановить ее приток, и неизбежно бы утонул, если бы, на счастье, не спас его появившийся вовремя хозяин». Вы догадываетесь, кто мастер-чародей в философии.

198

Неужели вы воображаете, будто такой пустяк — вырвать пытливый ум из сферы его мышления и втиснуть его в тот узкий и мелочный мир, в котором вращается людская пошлость? Вас окружает множество людей или человеческих жребиев, которым суждено пройти свой путь бесследно; почему вы не проповедуете им свои возвышенные учения? Но не сбивайте с пути того, кто сосредоточенно и покорно отдается началу, в нем заложенному; не отвлекайте его от пути, по которому он следует не по своей воле, с которого не может отклониться, не разбившись сам, он увлечет, быть может, и вас в своем падении. Не видите ли вы, что орбита, по которой он движется, начертана заранее? Преградить ему путь — значит восстать против законов природы. Вы думаете, что лишь невинная шутка — бросать камни под ноги мыслящего человека, чтобы он споткнулся, чтобы он грохнулся на мостовой во весь рост и мог бы подняться лишь облитый грязью, с разбитым лицом, с одеждой в лохмотьях. Уязвленный, искалеченный, измученный окружающей его пустотой — он тайна для самого себя, а тем более для вас; как же, в самом деле, разгадать, что скрывается на дне этой стесненной души; как разгадать те мысли и чувства, которые вы и ваши присные загнали в его бедное сердце; не вам понять, сколько задатков, какие силы задушены миром и жизнью, среди которых он, задыхаясь, влачит свое существование. Мир его не принял, и он не принял мира. Он имел наивность думать, что хоть как-нибудь подхватят мысль, которую он провозглашал, что его жертвы, его муки не пройдут незамеченными, что кто-нибудь из вас соберет те блестки, которые он с такой щедростью расточал. Безумие, конечно. Но пристало ли вам расставлять ему сети, провокаторски его завлекая, вам, которые сами называли мощным его слово и мужественным его сердце? Если в этом не было горькой насмешки, то как дерзнули вы заткнуть ему рот, посадить его на цепь? А кто знает, что бы вышло, если бы вы не преградили ему пути? Быть может, поток смыл бы все нечистоты, под которыми вы погребены? Быть может, рассек бы сковывающие вас путы?

201

Чем больше размышляешь над влиянием христианства на общество, тем больше убеждаешься, что в общем плане провидения западная церковь была создана в видах социального развития человечества, что вся ее история лишь логическое последствие вложенного в нее организующего начала. Можно осуждать средства, которыми она пользовалась для достижения своей цели, но нужно признать, что эти средства были не только самые действительные, но и единственно возможные в различные эпохи, через которые лежал ее путь; что, верная своему призванию, она никогда не уклонялась в сторону от направления, ей сообщенного; что изумительное чутье предназначенной ей роли неизменно руководило ею на протяжении веков борьбы, поражений и поразительных побед; наконец, хотя нельзя отрицать, что она была честолюбива, нетерпима, не пренебрегала земными благами, приходится признать, что только при этих условиях могут осуществиться начертания провидения.

202

Что было прежде всего необходимо? Не осуществить ли доверенную ей идею? Потому все должно быть подчинено этому высшему велению. Разве не нелепо упрекать ее в том, что она последовательно, пламенно, страстно выполняла свою задачу? Что сталось бы с миром, если бы она то и дело колебалась между различными ересями, которые стали появляться с первого же дня ее установления, не переставали возникать до тех пор, пока, наконец, не были поглощены великой ересью XVI в., решившейся заменить реальность церкви пустотой своей церкви неосязаемой?

Если вы меня спросите, носил ли каждый из членов церкви в сердце своем совершенное сознание великого дела, которое выполнялось вокруг него, я вам отвечу, что этого не думаю, ибо такое сознание станет доступным в божественной церкви лишь после того, как она пройдет весь цикл человеческого разума; тогда, исчерпав весь путь ограниченного разума, она вступит в область разума предельного, чтобы затем уже не выходить из нее. Нельзя, однако, сомневаться в том, что в ней всегда жило некое глубокое ощущение этого разума, и, сосредоточенное в некоторых избранных душах, некоторых увенчанных священным сиянием умах, оно излучалось на всю сферу разумных существ, составляющих христианскую общину, и наполняло их всей силой, всей правдой глубокого личного чувства.

Задача восточной церкви, по-видимому, была совершенно иная: она должна была поэтому идти иными путями; ее роль состояла в том, чтобы явить силу христианства, предоставленного единственно своим силам; она в совершенстве выполняла это высокое призвание. Родившись под дыханием пустыни, перенесенная затем в другую пустыню, где, живя в уединении, созданном для нее окружавшим ее варварством, она, естественно, стала аскетической и созерцательной — самое происхождение ее отрезало ей путь к какому бы то ни было честолюбию. И она, надо сознаться, довела покорность до крайности; она всячески стремилась себя ограничить: преклонять колена перед всеми государями, каковы бы они ни были, верные или неверные, православные или схизматики, монголы или сельджуки; когда гнет становился невыносимым или когда иноземное иго над ней разрешалось, редко умела она прибегнуть к иному средству, помимо того, чтобы заливать слезами церковную паперть, или же, повергнувшись в прах, призывать помощь небесную в тихой молитве. Все это совершенно верно, но верно и то, что ничего иного она делать и не могла, что она изменила бы своему призванию, если бы попыталась облечься в иную одежду. Разве только в славные дни русского патриаршества она дерзнула быть честолюбивой, и мы знаем, какова была расплата за эту попытку противоестественной гордости.

Как бы то ни было, этой церкви, столь смиренной, столь покорной, столь униженной, наша страна обязана не только самыми прекрасными страницами своей истории, но и своим сохранением. Вот урок, который она была призвана явить миру: великий народ, образовавшийся всецело под влиянием религии Христа, поучительное зрелище, которое мы представляем на размышление серьезных умов.

205

Перед нами произведения молодого французского философа, человека во многих отношениях очень умного, стоящего совершенно особняком от философской клики своей страны, но, к несчастью, находящегося также в полном неведении о том, что происходит по ту сторону Рейна, и судящего о философии вообще по той, которой учат с кафедр Коллеж де Франс. А надо сказать, что страна, в которой увидел свет родоначальник современной философии, не пользовалась его наследием; в наши дни это замечательное наследство не является достоянием ни г. Кузена, ни г. Жуфруа.

206

Наш автор, например, громко возражает против притязаний очень известной во Франции школы, которая хотела бы упразднить чувство личное и заменить его чувством социальным. В своих возражениях он совершенно прав, но он не прав, смешивая эту младенческую теорию с учением немецких философов. Мы берем на себя смелость уверить его, что ничего нет общего между гуманитарными теориями французов и серьезной философией, предметом которой являются вопросы совершенно иного порядка, чем частные вопросы жизни того общества, в котором сталкиваются всевозможные анархические теории, логические и политические. Эта философия стремится к определению связи между миром внешним и миром внутренним, к примирению идеи с действительностью: все эти вопросы, которые человеческий ум ставил себе искони, которые христианство разрешило по-своему при помощи веры, но которые еще никогда не были разрешены разумом. Поэтому можно сказать, что дело этой философии есть дело христианства, перенесенное или продолженное на почве чистой мысли; как видите, отсюда далеко до фурьеризма, до размещения человечества по фаланстерам. Социальные вопросы, конечно, входят сюда же, но они стоят впереди, ждут своего разрешения от разрешения проблемы жизни, но в философской области они должны будут раскрыться сами собой, когда разум будет окончательно утвержден, когда идея найдет свое завершение, когда логическое действие осуществится — до тех пор философии нечего сказать по этим вопросам.

207

В общем, нет разногласия по вопросу о том, что нравственная личность, созданная христианством, иная, нежели та, которую породило язычество, теперь же философия занята воссозданием индивидуума логического. Речь идет вовсе не об уничтожении Я, о замене его каким-то отвлеченным сознанием массового человечества. Речь идет только о том, чтобы воссоздать это Я на основе более верной, вот и все. Если вы хотите знать, каким методом философия думает достигнуть этой желанной цели, я скажу вам: она прежде всего ищет вокруг себя нечто такое, в чем был бы уже осуществлен тот великий синтетический факт, который она хочет осуществить, или лучше сказать: нечто такое, в чем никогда не было разделения между двумя основными началами мира и не было их кажущегося антагонизма, и это свое искомое она находит в идее *абсолютного бытия.* Абсолютное же бытие есть свойство только *абсолютного разума,* поэтому абсолютный разум и является отныне объектом ее изучения, ее размышления, ее анализа. Все его проявления, где бы она их ни встретила, она запомнит, она обдумает каждый в отдельности, она исследует все века, дойдет до современного положения, таящего в себе итог истекших времен, она, наконец, попытается вскрыть действия, еще не осуществленные, но витающие уже в туманной дали будущего; весь этот труд она передает мысли человека и предложит ей его методом, ею разработанным. Она не только не замышляет уничтожить субъект, наоборот, она на него возлагает выполнение всей задачи, заставив его предварительно осознать свою природу; а с другой стороны, дав нам точное и явное представление об объекте, она и субъект, и объект выводит из области неопределенной абстракции, вводит их в действительность и таким образом уже ныне в известном отношении осуществляет то их согласование, которое она должна была найти лишь в конце своей деятельности. Такова философия в наши дни.

211

Как объяснить себе, что в книге о христианстве, которая вообще признана хорошей книгой и где говорится о всех религиях и всех философских системах мира, ни слова не сказано о православной церкви, хотя бы для того, чтобы опровергнуть ее учение?

212

Христианство существует. Оно существует не только как религия, но и как наука, как религиозная философия; оно было признано не только невежественными народными массами, но самыми просвещенными, самыми глубокими умами. Вот чего не могут отрицать его злейшие враги. Поэтому они должны доказать одно из трех: или что И<исус>Х<ристос> никогда не существовал и поэтому религия, которая носит его имя, была основана каким-то ловким фокусником, или же, что если Иисус Христос действительно существовал, то он сам был только ловким фокусником; или же, наконец, что он был восторженным фанатиком, убежденным как в том, с чем он выступал, так и в своем божественном происхождении. А если допустить какое бы то ни было из этих трех предположений, пришлось бы еще разъяснить, каким образом христианство, рожденное из лжи, могло дойти до такого положения, в каком мы его ныне видим, и произвести то действие, какое оно оказало.

213

Социализм победит не потому, что он прав, а потому, что не правы его противники.

214

Доказательством того, что такими, какие мы есть, создала нас церковь, служит, между прочим, то обстоятельство, что еще в наши дни самый важный вопрос в нашей стране — это вопрос сектантов, раскольников*.

215

С одной стороны, беспорядочное движение европейского общества к своей неведомой судьбе, в то время как сама почва на Западе все колеблется, готовая рухнуть под стопами новаторского гения; с другой — величавая неподвижность нашей родины и совершеннейшее спокойствие ее народов, ясным и спокойным взором наблюдающих страшную бурю, бушующую у ее порога: вот величественное зрелище, представляемое в наши

* Последнее слово в оригинале написано по-русски.

дни двумя половинами человеческого общества, зрелище поучительное и которым нельзя достаточно восхищаться... *десять страниц в том же духе.*

216

Этот человек был бы терпим, если бы он согласился чего-нибудь не знать; но нет, ему нужно знать все, все. Одной очень простой вещи он, однако, не знает: а именно что, если, на беду, человек одарен внешностью гиппопотама, он должен быть скромным или же гениальным. У того, другого, ум такого же рода, но он, по крайней мере, мудро сидит дома, в блаженном и одиноком созерцании своих достоинств и достоинств своего ребенка; он не вешается вам на шею, чтобы сообщить, что он знает все лучше вас.

217

Вся философия Гегеля, как известно, заключена в двух понятиях: бытия и духа. Конечно, не это заслуживает в нем упрека. Что, в конце концов, можно найти в мире мысли и свободной воли, кроме действия и того, что оно производит. Ничего. К несчастью, промежуточное расстояние между этими двумя основными понятиями заполнено диалектикой, правда строгой, даже подчас, пожалуй, слишком строгой, но превращающейся часто в настоящий номинализм, в узкую логомахию (игру словами)*, возможную только на таком языке, где на каждого существительного вы можете по желанию сделать неопределенное наклонение глагола. Странная грамматика, которая выражает одним и тем же словом причину и следствие и уничтожает причинность в результате ошибки в языке. Гегель, очевидно, приписал диалектике слишком большую роль; он, очевидно, не понял своего века, века, столь поглощенного идеей практической, нетерпеливо стремящегося добиться цели; дойти *до реальности,* пользуясь выражением, заимствованным у самого Гегеля. Как вы хотите, я вас спрашиваю, чтобы мы изводились этими бесконечными словопрениями, этой возродившейся схоластикой средневековья, мы, которые мчимся по железной дороге с быстротой солнечного луча ко всеобщей развязке. Невозможно.

---

* Пояснение Шаховского.

218

Известно, что приобретение какой-нибудь вещи происходит двояким способом: посредством производства ее или посредством обмена, другими словами, для того, чтобы приобрести вещь, нужно или произвести ее, или купить. Но если вы не обладаете умением произвести вещь или не имеете средств купить ее, не имеете также равноценного предмета, который могли бы предложить в обмен,— что же, добудьте только кредит, и вы все же сможете приобрести ее; настоящий собственник вещи охотно уступит ее вам на веру в обмен на равноценный предмет с уплатой впредь. И надо сказать, что ничто так не возбуждает жажды наслаждений, как возможность приобретать предмет этим последним путем, ничто не вызывает столь легкой растраты своего будущего, ничто так не повышает расходов и не предоставляет столь широких средств для материального существования за счет завтрашнего дня. Но в порядке интеллектуальном, где приобретение идей и познаний совершается только посредством умственного труда и науки, где, стало быть, немыслим простой обмен, где нельзя получить одну идею взамен другой, случается, что человек оказывает кредит самому себе, что он потребляет ценности раньше их приобретения, что он пускает в ход некоторые идеи, не понимая их. В наше время это самая обычная вещь. Это опять та же жажда наслаждений, ищущая удовлетворения в другой области. Как видите, теория кредита, применяемая в области умственной, удивительно усовершенствована.

219

Распространение просвещения вызвало во всех классах общества новые потребности, и они требуют удовлетворения: таково современное положение вещей в его подлинной сущности. В этом все дело. Ваше дело разъяснить нам, законно это требование или нет. Рабочий хочет иметь досуг, чтобы так же, как и вы, прочесть новую книгу, как и вы — посмотреть новую пьесу, как и вы — иногда побеседовать с друзьями; он, конечно, не прав, но тогда почему же вы так старались распространять просвещение, организовывать начальное обучение, сделать науку всякому доступной? Следовало бы оставить массы в грубом невежестве. Средства, пускаемые в ход обездоленными классами для завоевания земных благ, без сомнения, отвратительные, но думаете ли вы, что те, которые феодальные сеньоры использовали для своего обогащения, были лучше? Должно показать им другие, более законные, более действительные средства, такие, которые бы меньше нарушали ваши привычки *комфорта* и *безделья,* а не оскорблять их. Оскорбление не есть политико-экономический трактат. Бедняк, стремящийся к малой доле достатка, которого вам девать некуда, бывает иногда жесток, это верно, но никогда не будет так жесток, как жестоки были ваши отцы, те именно, кто сделал из вас то, что вы есть, кто наделил вас тем, чем вы владеете.

220

Много толкуют о том, что общество лишено обеспеченного спокойствия. Но с каких это пор оно наслаждается этим вожделенным чувством безопасности, по которому вы так тоскуете? Наслаждалось ли им общество в средние века, когда каждый барон обирал округу, над которой высилась его башня, и когда жакерия разоряла деревни, наслаждалось ли общество Италии, когда в каждом городе был свой тиран со своим набором орудий пытки? Или во время войн против гугенотов, когда Колиньи был умерщвлен, а король Франции расстреливал своих подданных? Или во время тридцатилетней войны, когда вся Германия дымилась от пожаров, всюду сопровождавших шайки Валленштейна и Тилли? Или когда Палатинат был разорен по приказу Лувуа и драгонады разгоняли промышленное население Франции? Или когда гирлянды человеческих трупов украшали белокаменные стены нашего Кремля? Или во времена наполеоновских военных наборов, когда цвет нации погибал на полях сражений? Наконец, наслаждается ли оно этим чувством безопасности в наши дни в тех странах, где кредита не существует, где 10% — нормальная процентная ставка, где громадные капиталы лежат втуне из страха себя обнаружить, где господа убивают своих крепостных, когда последние их не убивают, где осадное положение — нормальное состояние страны? Повторяю: не будем смешивать двух фактов, совершенно разнородных и связанных между собой только в порядке хронологическом. Общество под ударом, но оно защищается, и в этой защите оно просвещается. Оно, несомненно, найдет средство выйти из беды. Это уже не то, что было в старину, когда бессмысленный и нелепый предрассудок боролся против всеобщего разума, теперь серьезные интересы борются, защищая себя против серьезных же интересов.

221

Философическое Я во всем этом ни при чем. Религиозное чувство, наивные чаяния, юная вера первых веков христианства уже невозможны и более не могут овладеть массами. Они могут служить утешением лишь для некоторых разрозненных существований, для отдельных душ, вечно пребывающих в младенчестве. Божественная мудрость никогда не помышляла затормозить движение мира. Это она внушила человечеству большинство идей, которые его теперь потрясают. Она не могла и не хотела упразднить свободу человеческого духа. Она вложила в сердце человека задатки всех тех благ, которыми человеку дозволено пользоваться, и затем предоставила действовать человечеству. Посмеете ли вы сказать, что этот росток погиб среди современных бурь или что он стал бесплодным, это было бы богохульством более преступным, чем все зло, принесенное миру революциями, ибо это значило бы лишить мир надежды, той силы, которую Евангелие осмелилось признать добродетелью—

222

Мы идем освобождать райев*, чтобы добиться для них *равенства* прав. Можно ли при этом не прыснуть со смеха?

223

Морская держава — без побережья, без колоний, без торгового флота. Можно ли при этом не прыснуть со смеха?

226

Вы претендуете на звание представителей *идей;* постарайтесь иметь *идеи*, это будет лучше.

227

Закон, как вы знаете, карает сообщничество точно так же, как и преступление.

---

* Р а й а — турецкое название христиан, живших в Турции.

III

ПИСЬМА

1829

А. С. ПУШКИНУ

Мое пламеннейшее желание, друг мой,— видеть вас посвященным в тайну времени. Нет более огорчительного зрелища в мире нравственном, чем зрелище гениального человека, не понимающего свой век и свое призвание. Когда видишь, как тот, кто должен был бы властвовать над умами, сам отдается во власть привычкам и рутинам черни, чувствуешь самого себя остановленным в своем движении вперед; говоришь себе, зачем этот человек мешает мне идти, когда он должен был бы вести меня? Это поистине бывает со мной всякий раз, как я думаю о вас, а думаю я о вас столь часто, что совсем измучился. Не мешайте же мне идти, прошу вас. Если у вас не хватает терпения, чтоб научиться тому, что происходит на белом свете, то погрузитесь в себя и извлеките из вашего собственного существа тот свет, который неизбежно находится во всякой душе, подобной вашей. Я убежден, что вы можете принести бесконечное благо этой бедной России, заблудившейся на земле. Не обманите вашей судьбы, мой друг. Последнее время стали везде читать по-русски; вы знаете, что г. Булгарин переведен[1] и поставлен рядом с г. де Жуи[2]; что касается вас, то нет ни одной книжки журнала, где бы не шла речь о вас; я нахожу имя моего друга Гульянова[3], с уважением упомянутое в толстом томе, и знаменитый Клапрот[4] присуждает ему египетский венец; по-видимому, он потряс пирамиды в их основаниях. Видите, что могли бы сделать вы для своей славы. Обратитесь с воплем к небу,— оно ответит вам.

Я говорю вам все это, как вы видите, по поводу книги, которую вам посылаю[5]. Так как в ней всего понемножку, то, быть может, она пробудит в вас несколько хороших мыслей. Будьте здоровы, мой друг. Говорю вам, как некогда Магомет говорил своим арабам,— о, если б вы знали!

1831

А. С. ПУШКИНУ

Что же, мой друг, что сталось с моей рукописью?[1] От вас нет вестей с самого дня вашего отъезда. Сначала я колебался писать вам по этому поводу, желая, по своему обыкновению, дать времени сделать свое дело; но, подумавши, я нашел, что на этот раз дело обстоит иначе. Я окончил, мой друг, все, что имел сделать, сказал все, что имел сказать: мне не терпится иметь все это под рукою. Постарайтесь поэтому, прошу вас, чтобы мне не пришлось слишком долго дожидаться моей работы, и напишите мне поскорее, что вы с ней сделали. Вы знаете, какое это имеет значение для меня? Дело не в честолюбивом эффекте, но в эффекте полезном. Не то, чтоб я не желал выйти немного из своей неизвестности, принимая во внимание, что это было бы средством дать ход той мысли, которую я считаю себя призванным дать миру; но главная забота моей жизни — это довершить эту мысль в глубинах моей души и сделать из нее мое наследие.

Это несчастье, мой друг, что нам не пришлось в жизни сойтись ближе с вами. Я продолжаю думать, что нам суждено было идти вместе и что из этого воспоследовало бы нечто полезное и для нас, и для других. Эти мысли пришли мне снова в голову с тех пор, как я бываю иногда, угадайте где? — в Английском клубе[2]. Вы мне говорили, что вам пришлось бывать там; я бы вас встречал там, в этом прекрасном помещении, среди этих греческих колоннад, в тени этих прекрасных деревьев; сила излияния наших умов не замедлила бы сама собой проявиться. Мне нередко приходилось испытывать нечто подобное.

Будьте здоровы, мой друг. Пишите мне по-русски; вам не следует говорить на ином языке, кроме языка вашего призвания. Жду от вас милого и длинного письма; говорите мне о всем, что вам вздумается: все, что идет от вас, будет мне интересно. Нам надо только разойтись; я уверен, что мы найдем тысячу вещей сказать друг другу. Ваш и искренно ваш всей душою. Чаадаев.

17-го июня

А. С. ПУШКИНУ

Дорогой друг, я писал вам, прося вернуть мою рукопись; я жду ответа. Признаюсь вам, что мне не терпится получить ее обратно; пришлите мне ее, пожалуйста, без промедления. У меня есть основания думать, что я могу ее использовать немедленно и выпустить ее в свет вместе с остальными моими писаниями.

Неужели вы не получили моего письма? Ввиду постигшего нас великого бедствия[3], это не представляется невозможным. Говорят, что Царское Село еще не затронуто. Мне не нужно говорить вам, как я был счастлив узнать это. Простите мне, друг мой, что я занимаю вас собою в такую минуту, когда ангел смерти столь ужасно носится над местностью, где вы живете[4]. Я бы так не поступил, если бы вы жили в самом Петербурге; но уверенность в безопасности, которой вы еще пользуетесь там, где вы находитесь, придала мне смелости написать вам.

Как мне было бы приятно, мой друг, если бы в ответ на это письмо вы сообщили мне подробности о себе и не оставляли меня без вестей все время, пока у вас будет продолжаться эпидемия. Могу ли я рассчитывать на это? Будьте здоровы. Шлю непрестанные мольбы о вашем благосостоянии и обнимаю вас со всей нежностью. Пишите мне, прошу вас. Ваш верный Чаадаев.

7 июля 1831

А. С. ПУШКИНУ

Ну что же, мой друг, куда вы девали мою рукопись? Холера ее забрала, что ли?[5] Но слышно, что холера к вам не заходила. Может быть, она сбежала куда-нибудь? Но, в последнем случае, сообщите мне, пожалуйста, хоть что-нибудь об этом. С большой радостью увидал я вновь ваш почерк. Он напомнил мне время, по правде сказать немногого стоившее[6], но когда была еще надежда; великие разочарования еще не наступали тогда. Вы, конечно, понимаете, что я говорю о себе; но и для вас, думается мне, было некоторое преимущество в том, что еще не все реальности были исчерпаны вами. Отрадными и блестящими были эти ваши реальности, мой друг; но все же есть ли между ними такие, которые сравнились бы с ложными ожиданиями, обманчивыми предчувствиями, лживыми грезами счастливого возраста неведения?

Вам хочется потолковать, говорите вы: потолкуем. Но берегитесь, я не в веселом настроении; а вы, вы нервны. Да притом, о чем мы с вами будем толковать? У меня только одна мысль, вам это известно. Если бы невзначай я и нашел в своем мозгу другие мысли, то они наверно будут стоять в связи со сказанной: смотрите, подойдет ли это вам. Если бы вы хоть подсказали мне какие-нибудь мысли из вашего мира, если бы вы вызвали меня? Но вы хотите, чтоб я начал говорить первый, ну что ж; но еще раз, берегите свои нервы!

Итак, вот что я вам скажу. Заметили ли вы, что происходит нечто необычное в недрах морального мира, нечто подобное тому, что происходит, говорят, в недрах мира физического? Скажите же мне, прошу вас, как это отзывается на вас? Что меня касается, то мне сдается, что это готовый материал для поэзии,— этот великий переворот в вещах; вы не можете остаться безучастным к нему, тем более что эгоизм поэзии найдет в нем, как мне кажется, богатую пищу. Разве есть какая-либо возможность не быть затронутым в задушевнейших своих чувствах среди этого всеобщего столкновения всех начал человеческой природы! Мне пришлось видеть недавно письмо вашего друга, великого поэта[7]: это — такая беспечность и веселие, что страх берет. Можете ли вы объяснить мне, как подобный человек, знакомый некогда с печалью всех вещей, не испытывает ныне ни малейшего чувства горя перед гибелью целого мира? Ибо взгляните, мой друг: разве не воистину некий мир погибает, и разве для того, кто не обладает предчувствием нового мира, имеющего возникнуть на месте старого, здесь может быть что-либо, кроме надвигающейся ужасной гибели. Неужели и у вас не найдется чувства, мысли, обращенной к этому? Я убежден, что это чувство и эта мысль, неведомо для вас, тлеют где-нибудь в глубинах вашей души; только они не проявляются вовне, они погребены, по всей вероятности; они под кучей старых мыслей, привычек, условностей, приличий, которыми, что бы вы ни говорили, неизбежно пропитан каждый поэт, хотя бы он и принимал против этого всякие меры, ибо, друг мой, начиная с индуса Вальмики, певца «Рамаяны»[8], и грека Орфея, до шотландца Байрона, всякий поэт принужден был доселе повторять одно и то же, в каком бы месте света он ни пел.

О, как желал бы я иметь власть вызвать сразу все силы вашего поэтического существа! Как желал бы я извлечь из него, уже теперь, все то, что, как я знаю, скрывается в нем, дабы и вы дали нам услышать когда-нибудь одну из тех песней, какие требует век. Как тогда все, что теперь бесследно для вашего ума проходит перед вами, тотчас поразило бы вас! Как все приняло бы новый облик в ваших глазах!

А в ожидании этого все же потолкуем. Еще недавно, с год тому назад, мир жил в полном спокойствии за свое настоящее и будущее и в молчании проверял свое прошлое, поучаясь на нем. Ум возрождался в мире, человеческая память обновлялась, мнения сглаживались, страсть была подавлена, гнев не находил себе пищи, тщеславие находило себе удовлетворение в прекрасных трудах; все людские потребности ограничивались мало-помалу кругом умственной деятельности, и все интересы людей сводились мало-помалу к единственному интересу прогресса вселенского разума. Во мне это было верой, было легковерием бесконечным. В этом счастливом покое мира, в этом будущем я находил мой покой, мое будущее. И вдруг нагрянула глупость человека[9], одного из тех людей, которые бывают призваны, без их согласия, к управлению людскими делами. И мир, безопасность, будущее,— все сразу обратилось в ничто. Подумайте только: не какое-либо из тех великих событий, которые ниспровергают царства и несут гибель народам, а нелепая глупость одного человека сделала все это! В вашем вихре вы не могли почувствовать этого, как я; это вполне понятно. Но статочное ли дело, чтобы это небывалое и ужасное событие, несущее на себе столь явную печать провидения, казалось вам самой обыкновенной прозой или самое большее дидактической поэзией, вроде какого-нибудь лиссабонского землетрясения, с которым вам нечего было бы делать? Это невозможно! Что до меня, у меня навертываются слезы на глазах, когда я вижу это необъятное злополучие старого, моего старого общества; это всеобщее бедствие, столь непредвиденно постигшее мою Европу, удвоило мое собственное бедствие. И тем не менее да, из этого воспоследует одно только добро; я в этом вполне уверен, и мне служит утешением видеть, что я не один не теряю надежды на то, что разум образумится. Но как совершится этот возврат, когда? Будет ли в этом посредником какой-либо могучий дух, облеченный провидением на чрезвычайное посланничество для совершения этого дела, или это будет следствием ряда событий, вызванных провидением для наставления рода человеческого? Не знаю.

Но смутное сознание говорит мне, что скоро придет человек, имеющий принести нам истину времени. Быть может, на первых порах это будет нечто, подобное той политической религии, которую в настоящее время проповедует Сен-Симон в Париже[10], или тому католицизму нового рода, который несколько смелых священников пытаются поставить на место прежнего, освященного временем[11]. Почему бы и не так? Не все ли равно, так или иначе будет пущено в ход движение, имеющее завершить судьбы рода человеческого? Многое из предшествовавшего той великой минуте, когда добрая весть была возвещена во дни оны посланником божиим, имело своим предназначением приготовить вселенную; многое также несомненно совершится и в наши дни с подобной же целью, прежде чем новая добрая весть будет нам принесена с небес. Будем ждать.

Говорят, ходят толки о всеобщей войне? Я утверждаю, что ничего подобного не будет. Нет, мой друг, пути крови не суть пути провидения. Как люди ни глупы, они не станут раздирать друг друга, как звери: последний поток крови пролит, и теперь, в тот час, когда я пишу вам, источник ее, слава богу, иссяк.

Спора нет, бури и бедствия еще грозят нам; но уже не из слез народов возникнут те блага, которые им суждено получить; отныне будут лишь случайные войны, несколько бессмысленных и смешных войн, чтобы отбить окончательно у людей охоту к разрушениям и убийствам. Заметили ли вы, что только что произошло во Франции? Разве люди не вбили себе в голову, что она намерена поджечь мир с четырех концов? И что же, ничего подобного; а что произошло? Любителей славы, захватов подняли на смех; люди мира и разума восторжествовали; старые фразы, которые еще недавно так отменно звучали для французских ушей, уже не находят себе отклика.

Отклик! Кстати, по его поводу. Конечно, весьма счастливо, что г-да Ламарк и его сотоварищи не находят отклика во Франции; но я-то найду ли его, мой друг, в вашей душе? Посмотрим. Однако при одной возможности сомнения в этом у меня падает из рук перо. От вас будет зависеть, чтобы я поднял его; немного сочувствия в вашем следующем письме. Г-н Нащокин говорил мне, что вы изумительно ленивы. Поройтесь немного в вашей голове, и в особенности в вашем сердце, которое так горячо бьется, когда хочет этого: вы найдете там больше предметов для переписки, чем нам может понадобиться на весь остаток наших дней. Прощайте, дорогой и старый друг. А что ж моя рукопись? Я чуть было не забыл ее. Вы не забудьте о ней, прошу вас. Чаадаев.

18 сентября

Мне говорят, что вы назначены, или еще каким-то способом поручено вам написать историю Петра Великого?[12] В добрый час! Поздравляю вас от всего сердца.

Подожду, прежде чем сказать вам что-либо по этому поводу, чтобы вы сами заговорили со мной об этом. Итак, прощайте.

Я только что увидал два ваших стихотворения[13]. Мой друг, никогда еще вы не доставляли мне такого удовольствия. Вот, наконец, вы — национальный поэт; вы угадали, наконец, свое призвание. Не могу выразить вам того удовлетворения, которое вы заставили меня испытать. Мы поговорим об этом другой раз, и подробно. Я не знаю, понимаете ли вы меня, как следует? Стихотворение к врагам России в особенности изумительно; это я говорю вам. В нем больше мыслей, чем их было высказано и осуществлено за последние сто лет в этой стране. Да, мой друг, пишите историю Петра Великого. Не все держатся здесь моего взгляда, это вы, вероятно, и сами подозреваете; но пусть их говорят, а мы пойдем вперед; когда угадал... малую часть той силы, которая нами движет, другой раз угадаешь ее... наверное всю. Мне хочется сказать: вот, наконец, явился наш Дант...* может быть, слишком поспешный. Подождем.

1832

ШЕЛЛИНГУ[1]

1832. Москва

Милостивый государь.

Не знаю, помните ли вы молодого человека, русского по национальности, которого вы видели в Карлсбаде в 1825 году. Он имел преимущество часто беседовать с вами о философских предметах, и вы сделали ему честь сказать, что с удовольствием делитесь с ним вашими мыслями. Вы сказали ему, между прочим, что по некоторым пунктам вы изменили свои воззрения, и вы посоветовали ему подождать выхода нового произведения, которым вы тогда были заняты, прежде чем знакомиться с вашей философией. Это произведение не появилось, и этот молодой человек был я. В ожидании я прочел, милостивый государь, все ваши произведения. Сказать, что

* Подлинник оборван.

я поднялся по вашим стопам на те высоты, куда в таком прекрасном порыве вознес вас ваш гений, было бы, может быть, самонадеянностью с моей стороны; помнится, вы находили, что г. Кузен плохо вас понял; и было бы слишком смело со стороны человека, неизвестного в европейском мире, притязать на превосходство перед столь крупной литературной известностью; но мне будет позволено, думаю я, сказать вам, что изучение ваших произведений открыло мне новый мир; что при свете вашего разума мне приоткрылись в царстве мыслей такие области, которые дотоле были для меня совершенно закрытыми; что это изучение было для меня источником плодотворных и чарующих размышлений; мне будет позволено сказать вам еще и то, что, хотя и следуя за вами по вашим возвышенным путям, мне часто доводилось приходить в конце концов не туда, куда приходили вы. В настоящее время я узнал от одного из своих друзей, который провел недавно несколько дней в ваших местах, что вы преподаете *философию откровения.* Публичный курс, который вы читаете в настоящее время, милостивый государь, является, думается мне, развитием той мысли, которая зарождалась в вашем уме, когда я вас видел в Карлсбаде. Мне неизвестно, что представляет из себя то учение, которое вы излагаете в данное время вашим слушателям, хотя, признаюсь, при чтении вас у меня зачастую являлось предчувствие, что из вашей системы должна когда-нибудь проистечь религиозная философия; но я не нахожу слов сказать вам, как я был счастлив, когда узнал, что глубочайший мыслитель нашего времени пришел к этой великой мысли о слиянии философии с религией. С первой же минуты, как я начал философствовать, эта мысль встала передо мной, как светоч и цель всей моей умственной работы. Весь интерес моего существования, вся любознательность моего разума были поглощены этой единственной мыслью; и по мере того, как я подвигался в моем размышлении, я убеждался, что в ней лежит и главный интерес человечества. Каждая новая мысль, примыкавшая в моем уме к этой основной мысли, казалась мне камнем, который я приносил для построения храма, где все люди должны будут когда-нибудь сойтись для поклонения, в совершенном знании, явному богу. Затерянный в умственных пустынях моей страны, я долго полагал, что я один истощаю свои силы над этой работой или имею, по крайней мере, лишь немного сотоварищей, рассеянных по земле; впоследствии я открыл, что весь мыслящий мир движется в том же направлении; и великим был для меня тот день, когда я сделал это открытие. Но в то же время я был поражен потребностью в высоком индивидуальном разуме, в отдельном великом деятеле, созданном для того, чтоб руководить всеми разумами, всеми деятелями толпы. С тех пор естественно я стал думать о вас. Я сказал себе, возможно ли, чтоб новый свет, который несомненно вскоре просветит нас всех, не воссиял во всем своем блеске, прежде чем открыться глазам всего мира, пред очами этого человека, столь высоко поставленного в моральной сфере мира и которому род человеческий обязан в значительной мере тем, что вновь обрел свои первые и святые воззрения? Он, согласивший столько расходящихся начал человеческой мысли, не приведет ли к соглашению религиозное начало с началом философским, которые уже теперь соприкасаются? Одним словом, в моих сокровенных положениях прогресса и совершенствования я предназначал вас к осуществлению того великого переворота, к которому, на мой взгляд, стремится новый разум: и вот мне говорят, что уже не земную науку возвещает ваше красноречивое слово, а науку небесную; мои желания, мои предчувствия осуществились в некотором роде!

Сначала, милостивый государь, я хотел написать вам лишь в целях поблагодарить вас. Но теперь я не могу противостать желанию узнать что-нибудь об этом новом облике вашей системы. Будет ли с моей стороны нескромностью просить вас (без всяких других прав на благосклонное внимание, кроме моей страсти к прогрессу человеческого разума и моего качества гражданина страны, в высокой степени нуждающейся в просвещении) сообщить мне некоторые данные об общих основах или главной мысли вашего теперешнего учения. Ибо, как ни могуществен ваш голос, милостивый государь, он не достигает наших широт; мы очень удалены от вас, милостивый государь; мы принадлежим к другой солнечной системе; и светлый луч, исходящий от какой-либо из звезд вашего мира, совершает огромный путь, прежде чем достигнуть нашего, и зачастую теряется в пути.

Если г. Тургенев, друг, о котором я только что говорил вам, все еще в сношениях с вами, он мог бы, пожалуй, сообщить вам, что мои научные занятия и мои труды делают меня достойным общения с вами. Как бы то ни было, в данную минуту я не хочу ни говорить вам о своих собственных мыслях, ни повергать на ваше авторитетное суждение то, что я с моей стороны называю своей системой; я знаю, что если на этот раз я могу рассчитывать на что-либо, то исключительно на интерес, который вы могли бы найти в том, чтобы ввести в вашу философию не только меня, но через мое посредство и целое молодое поколение, бедное настоящим, но богатое будущим, столь же жадное к просвещению, как и имеющее мало средств к удовлетворению своего научного пыла и великие судьбины которого не могут быть безразличны мудрецу, стремящемуся объять вселенскую судьбу всех вещей. Я очень желал бы, милостивый государь, не обмануться на этот раз в моем ожидании, как когда-то, но что бы ни случилось, я никогда не перестану удивляться вам и сохраню память о тех немногих часах, когда я наслаждался беседой с вами.

Благоволите принять, милостивый государь, уверения в моем глубоком уважении.

1833

А. И. ТУРГЕНЕВУ[1]

Вот, любезный друг, письмо к знаменитому Шеллингу, которое прошу вас доставить ему[2]. Известие, которое вы как-то сообщили мне о нем в письме к вашей кузине, внушило мне мысль написать ему. Письмо открыто, прочтите его, и вы увидите, о чем речь. Так как я пишу ему о вас, то я хотел, чтобы оно чрез вас и дошло к нему. Вы сделаете мне одолжение, если, посылая ему это письмо, сообщите ему, что я владею немецким языком, потому что мне хотелось бы, чтобы он отвечал мне (если он пожелает оказать мне эту честь) на том языке, на котором он столько раз воскрешал моего друга Платона и на котором знание стало благодаря ему поэзией и вместе геометрией, а теперь, может быть, уже и религией. Дай-то бог! Пора всему этому слиться воедино.

Вы пишете г-же Бравура[3], что не знаете, о чем мне писать. Да вот вам тема для начала, а потом видно будет. Но вы, мой друг, должны писать мне по-французски. Не в обиду вам сказать, я люблю больше ваши французские, нежели ваши русские, письма. В ваших французских письмах больше непринужденности, вы в них больше — вы сами. А вы только тогда и хороши, когда остаетесь совершенно самим собой. Ваши циркуляры на родном языке — это, мой друг, не что иное, как газетные статьи, правда, очень хорошие статьи, но именно за это я их не люблю, между тем как ваши французские письма не сбиваются ни на что, и потому кажутся мне великолепными. Если бы я писал женщине, я сказал бы, что они похожи на вас. Притом вы — европеец до мозга костей. В этом, как вам известно, я знаю толк. Поэтому французский язык —

ваш обязательный костюм. Вы растеряли все части вашей национальной одежды по большим дорогам цивилизованного мира. Итак, пишите по-французски и, пожалуйста, не стесняйте себя, так как, по милости новой, необыкновенно сговорчивой школы, отныне дозволено писать по-французски столь же непринужденно, как по-явански, где, по слухам, пишут безразлично сверху вниз или снизу вверх, справа налево или слева направо, не терпя от того никаких неудобств.

Только что появилась здесь (в газете) статья о нашем философе[4] — вздор беспримерный, как вы легко можете себе представить. Если он хочет, чтобы его понимали в этой стране, ему следует, я думаю, ответить на мое письмо. Как и все народы, мы, русские, подвигаемся теперь вперед бегом, на свой лад, если хотите, но мчимся несомненно. Пройдет немного времени, и, я уверен, великие идеи, раз настигнув нас, найдут у нас более удобную почву для своего осуществления и воплощения в людях, чем где-либо, потому что не встретят у нас ни закоренелых предрассудков, ни старых привычек, ни упорной рутины, которые противостали бы им. Поэтому для европейского мыслителя судьба его идей у нас теперь, как мне кажется, не может быть совсем безразличной. Впрочем, прочитав мое письмо, вы увидите, что я пишу ему не для того, чтобы снискать себе письмо великого человека, и что в моем поступке нет тщеславия,— что я просто хочу знать, что делается и до чего дошел человеческий ум в этой области.

Я хотел бы также, мой друг, немного побеседовать с вами, но для лучшего осведомления подожду, пока вы первый напишете мне. Кто знает? может быть, мы сумеем сообщить друг другу много добрых и серьезных вещей, которые не затеряются в пространстве бесследно. А пока я должен, по моему обыкновению, пожурить вас. Как! вы живете в Риме и не понимаете его, после того как мы столько говорили о нем! Поймите же раз навсегда, что это не обычный город, скопление камней и люда, а безмерная идея, громадный факт. Его надо рассматривать не с Капитолийской башни, не из фонаря св. Петра, а с той духовной высоты, на которую так легко подняться, попирая стопами его священную почву. Тогда Рим совершенно преобразится перед вами. Вы увидите тогда, как длинные тени его памятников ложатся на весь земной шар дивными поучениями, вы услышите, как из его безмолвной громады звучит мощный глас, вещающий неизреченные тайны. Вы поймете тогда, что Рим — это связь между древним и новым миром, так как безусловно необходимо, чтобы на земле существовала такая точка, куда каждый человек мог бы иногда обращаться с целью конкретно, физиологически соприкоснуться со всеми воспоминаниями человеческого рода, с чем-нибудь ощутительным, осязательным, в чем видимо воплощена вся идея веков,— и что эта точка — именно Рим. Тогда эта пророческая руина поведает вам все судьбы мира, и это будет для вас целая философия истории, целое мировоззрение, больше того — живое откровение. И тогда — как не преклониться пред этим обаятельным символом стольких веков, как не накинуть завесу на его обезображенный облик? Но папа, папа! Ну, что же? Разве и он — не просто идея, не чистая абстракция? Взгляните на этого старца, несомого в своем паланкине под балдахином, в своей тройной короне, теперь так же, как тысячу лет назад, точно ничего в мире не изменилось: поистине, где здесь человек? Не всемогущий ли это символ времени — не того, которое идет, а того, которое неподвижно, чрез которое все проходит, но которое само стоит невозмутимо и в котором и посредством которого все совершается? Скажите, неужели вам совсем не нужно, чтобы на земле существовал какой-нибудь непреходящий духовный памятник? Неужели, кроме гранитной пирамиды, вам не нужно никакого другого создания, которое было бы способно противостоять закону смерти?

Покойной ночи, мой друг. Остальное — до другого раза, если хотите. Пишите мне. До свидания.

Кстати: я вижу многих ваших друзей, всех ваших дам, Пашковых, Киндяковых и пр. Все вас любят и дружески приветствуют, как и я.

Москва, 20 апреля

Гр. А. Х. БЕНКЕНДОРФУ[5]

Граф.

Я только что получил от генерала Васильчикова письмо, в котором он сообщает мне о благорасположении ко мне вашего сиятельства[6]. Он пишет мне, граф, что вы желаете, чтобы я написал вам. Вы уже предлагали мне сделать это, когда я имел честь вас видеть последний раз. Если я до сих пор не воспользовался любезным предложением прибегнуть к вашему покровительству, то это потому, что, состоя некогда при генерале и считая себя связанным чувством благодарности за его постоянное дружеское ко мне отношение, я полагал, что должен рассматривать его как естественного моего покровителя. Надеюсь, граф, что вы оцените мое поведение при данных обстоятельствах и сохраните ваше милостивое расположение ко мне.

Я знаю, граф, что не имею никакого права на внимание правительства. Печальные обстоятельства, слишком долго удалявшие меня от службы, окончательно отбросили меня в число людей, не имеющих законных оснований предъявлять ему какие-либо ходатайства. Тем не менее я имею смелость надеяться, что, если его величество удостоит вспомнить обо мне, он, быть может, припомнит и то, что я не во всех отношениях недостоин того, чтобы он милостиво дал мне возможность доказать ему мою преданность и применить те силы, которые я мог бы отдать на службу ему. Я полагал сначала, что, за отсутствием навыка в гражданских делах, я могу ходатайствовать лишь о предоставлении мне дипломатической должности[7]; и ввиду этого я просил генерала Васильчикова сообщить стоящему во главе ведомства иностранных дел некоторые соображения, которые, как мне казалось, могли бы найти применение при настоящем положении Европы, а именно о необходимости пристально следить за движением умов в Германии. Да и в настоящую минуту я вижу, что это было бы той службой, на которой я мог бы лучше всего использовать плоды моих научных занятий и труда всей моей жизни. Но положение вещей в мире политическом усложняется со дня на день, и при этих условиях правительство может положиться в таком деле лишь на хорошо известных ему лиц. Теперь я стремлюсь лишь к счастью быть известным его величеству. Среди дивных дел этого славного царствования, когда столько наших надежд осуществилось, столько наших благопожеланий исполнилось, наиболее разительным является выбор людей, призванных к делам. И если всегда утверждали, что первым качеством монарха является умение найти людей, то, конечно, каждый из подданных его величества, раз он только стремится к чести быть им замеченным, может быть вполне уверен, что его усердие будет оценено по достоинству, что его пламенное желание служить ему не пропадет даром, что мудрость его государя сумеет разобраться в способностях, как бы ничтожны они ни были, раз он может ими воспользоваться для блага государства. Итак, я отдаю себя в полное и безусловное распоряжение его величества: я буду счастлив, если моей грядущей судьбой буду обязан исключительно моему императору, августейшему судье всех наших достоинств, законному ценителю тех услуг, которые каждый из нас может оказать отечеству!

Но вы, граф, согласившийся со столь благородной любезностью предстательствовать за меня перед лицом властителя, вы соблаговолите, смею надеяться, обратить его внимание и на невыгоды моего положения. В бозе почивший император, увольняя меня в отставку, не пожелал пожаловать мне чин полковника, следовавший мне, но которого я бесспорно не заслуживал ввиду моего смешного упорства уйти в отставку. Таким образом, я имею лишь чин капитана гвардии. Я должен сказать, однако, что, если плохое состояние моего здоровья и моих имущественных дел долгое время препятствовало мне поступить на службу его величества, я все же провел все это время не без того, чтоб постараться собрать кое-какие сведения и кое-какие знания, которые я мог бы при случае использовать для блага моей страны. Я в высшей степени нуждаюсь, граф, во всемогущем благорасположении императора. Без него, погребенный во мраке, на который осуждает меня мой чин, я едва ли могу рассчитывать на то, что взгляд его величества падет на меня.

Благоволите, граф, принять уверение в глубоком моем уважении.

Чаадаев

Москва. 1833. 1 июня

НИКОЛАЮ I

Государь.

Ваше величество благоволили согласиться на мое ходатайство о принятии меня вновь на службу. Вам угодно, чтобы я поступил в министерство финансов. Ваша воля, государь, закон для меня, и милость, с которой вы снизошли на мою просьбу, составляет мое счастье. Но когда я решился вновь посвятить себя службе вашего величества, я имел в виду не только мою выгоду, я стремился и к славе с пользой послужить вам. Ведомство, к которому вы меня предназначаете, государь, предполагает положительные сведения по предмету, который мне чужд. Одушевленный желанием исполнить вашу волю, я вижу, что прилежанием в сих предметах я в состоянии буду достигнуть когда-нибудь знакомства с ними в общих чертах. Но, государь, высокие взгляды, проводимые вами во всех отраслях управления, и великие законодательные меры, предпринятые вами, делают из вашего царствования славную эпоху, когда рядовые способности и знания у служителей государства уже не могут соответствовать тому широкому размаху, который придан правлению. Я, государь, мог бы явить на этом поприще лишь непригодность человека, все научные занятия которого в прошлом связаны были с предметами, чуждыми этой области.

Государь, я не смею проникать вашей царственной мысли, мне неведомы ваши намерения относительно меня. Но я знаю, и весь мир, как и я, знает, что все действия вашего правительства запечатлены великой мыслью, и эта мысль исходит от вас. Я обращаюсь поэтому к вам в сознании, что говорю с государем, столь же высоко стоящим, как человек, среди людей, сколь он высоко поставлен, как монарх, среди монархов.

Я много размышлял над положением образования в России и думаю, государь, что, заняв должность по народному просвещению, я мог бы действовать соответственно предначертаниям вашего правительства. Я думаю, что в этой области можно много сделать, и именно в том духе, в котором, как мне представляется, направлена мысль вашего величества. Я полагаю, что на учебное дело в России может быть установлен совершенно особый взгляд, что возможно дать ему национальную основу, в корне расходящуюся с той, на которой оно зиждется в остальной Европе, ибо Россия развивалась во всех отношениях иначе, и ей выпало на долю особое предназначение в этом мире. Мне кажется, что нам необходимо обособиться в наших взглядах на науку не менее, чем в наших политических воззрениях, и русский народ, великий и мощный, должен, думается мне, во всем не подчиняться воздействию других народов, но с своей стороны воздействовать на них. Если бы эти мысли оказались согласными со взглядами вашего величества, я был бы несказанно счастлив содействовать осуществлению их в нашей стране. Но прежде всего, я глубоко убежден, что какой-либо прогресс возможен для нас лишь при условии совершенного подчинения чувств и взглядов подданных чувствам и взглядам монарха.

Государь, я счел долгом честного человека доложить вам о моей непригодности в той области, которую вы мне предназначили, и о том, что я мог бы дать в другой области. Но какова бы ни была ваша верховная воля по отношению ко мне, я буду счастлив подчиниться ей. Вы, государь, судья в вопросе о том, какое применение следует дать для общего блага способностям того или другого из ваших подданных. Я умоляю лишь ваше величество соблаговолить милостиво оценить те поводы, которые вызывают мое поведение в настоящем случае.

Государь,
имею честь быть
вашего величества
верноподданный
Чаадаев

Июль 15

А. Х. БЕНКЕНДОРФУ[9]

Милостивый государь
граф Александр Христофорович.

Я имел честь получить письмо вашего сиятельства. Государь император желает, чтоб я служил по министерству финансов. Я осмелился отвечать на это самому государю. Прошу покорнейше ваше сиятельство письмо мое вручить его величеству.

Я пишу к государю по-французски. Полагаясь на милостивое ваше ко мне расположение, прошу вас сказать государю, что, писавши к царю русскому не по-русски, сам тому стыдился. Но я желал выразить государю чувство, полное убеждения, и не сумел бы его выразить на языке, на котором прежде не писывал. Это новое тому доказательство, что я в письме своем говорю его величеству о несовершенстве нашего образования. Я сам живой и жалкий пример этого несовершенства.

Вашему сиятельству доложу я еще, что если вступлю в службу, то в сей раз пишу по-французски в последний. По сие время писал я на том языке, на котором мне всего было легче писать. Когда стану делать дело, то бог поможет, найду и слово русское: но первого опыта не посмел сделать, писав к государю.

С глубочайшим почтением честь имею быть вашего сиятельства, милостивого государя, покорный ваш слуга Петр Чаадаев.

Москва,
июля 15. 1833

А. Х. БЕНКЕНДОРФУ

Милостивый государь
граф Александр Христофорович.

Приношу живейшую мою благодарность вашему сиятельству за участие, которое вы изволите принимать в моей судьбе. Получив письмо ваше, я был тронут, найдя в нем, что вы для собственной моей пользы не вручили государю всеподданнейшего письма моего. Возвращая это самое письмо вашему сиятельству, я отнюдь не имею дерзости ожидать, чтоб оно сделалось известным его величеству, но прошу вас только прочесть его. Надеюсь, что вы увидите, что я не имел безумия включить в оное рассуждения о делах государственных и что в особенности нет в нем ничего похожего на преступные действия французов, которыми более кого-либо гнушаюсь. Мнение государево для меня неоцененно, и я чрезмерно счастлив, что благосклонностью вашею сохранен от невыгодного его величества обо мне понятия, но и мнение ваше для меня драгоценно, потому и решился я представить это письмо на ваше суждение.

Осмелюсь только сказать в оправдание свое насчет того выражения, которое показалось вам предосудительным, что мне кажется, что состояние образованности народной не есть вещь государственная и что можно судить об образованности своего отечества, не отваживаясь мешаться в дела государственные, потому что всякий по собственному опыту знать может, какие способы и средства в его отечестве для учения употребляются, а глядя вокруг себя, оценить степень просвещения в оном. К тому же, говоря о несовершенстве нашего образования, я не помышлял хулить наши учебные учреждения и действия правительственные, а разумел только образ ученья нашего, коего недостатков ношу в себе горестное сознание. Прошу ваше сиятельство покорнейше простить мне это скромное прекословие, которое себе позволил единственно из желания оправдать себя пред вами.

Впрочем, какое бы мнение ваше сиятельство по сему обо мне не возымели, в моих понятиях, долг святой каждого гражданина, покорность безусловная властям провидением поставленным, а вы, облеченные доверием самодержца, представляете в глазах моих власть его. Всякому вашему решению смиренно повиноваться буду.

Имею честь быть с глубочайшим почтением и преданностью вашего сиятельства покорный слуга

Петр Чаадаев

16 августа 1833. Москва

А. Х. БЕНКЕНДОРФУ

Милостивый государь
граф Александр Христофорович.

Не имея никакого права ожидать ответа на письмо, которое писал к вашему сиятельству прошлого августа месяца, во время отсутствия вашего за границею, теперь осмеливаюсь писать к вам единственно для того, чтоб, если вы по сему случаю как-либо не изволили получить письма моего, известить вас, что я не оставил поступка своего без оправдания. Я знаю, что сего оправдания недостаточно, потому что в таких делах не имею возможности представиться вам в другом виде, в каком раз представился. Но, находясь по сему случаю также и пред Высоким лицом государя, не мог я не употребить, хотя и без надежды, все средства, дабы заслужить вновь милостивого воззрения его величества.

Уверяю вас, ваше сиятельство, что никто лучше меня самого не может оценить моего безрассудства и что горесть моя, лишив себя счастья служить государю, неописуема.

С глубочайшим почтением имею честь быть, милостивый государь, вашего сиятельства покорнейший слуга Петр Чаадаев.

1835

А. И. ТУРГЕНЕВУ

Ваше письмо, дорогой друг, доставило мне большое удовольствие. Оно преисполнено того горячего участия к делам, представляющим общий интерес, которое с каждым днем все реже встречается среди нас: скоро об этом и помину не будет. Но я должен вам сказать, что оно и огорчило меня. Рукопись, о которой вы говорите[1], никуда не годится; вот почему я и хотел взять ее у вас обратно при вашем отъезде. Поэтому я и не намерен ответствовать за ее содержание. Вы получите другой экземпляр того же; бросьте этот в огонь, и пусть от него и следов не останется. Вы поймете поэтому, что я не имею ничего возразить против благожелательных исправлений графини Ржевусской. Уверьте ее, пожалуйста, если встретите ее, что я весьма тронут ее симпатиями, и, в качестве философа женщин[2], очень высоко их ставлю. Как знать? Быть может, когда-нибудь мне доведется лично высказать ей это. Если я выберусь когда-нибудь из моей страны, то она может быть уверена, что мне ничего не будет стоить сделать крюк миль в двести и даже более, чтобы засвидетельствовать ей мое почтение. Но в ожидании того, что мне удастся посетить эту умную женщину, представьте себе, что все умные женщины уезжают отсюда. Орлова уезжает; Бравура уезжает; Елагина уезжает; княгиня Мещерская уехала. Эта, по крайней мере, вернется; что касается остальных, то они отправляются к вам в Италию: вы легко можете себе представить, что я не пожелал им счастливого пути, ибо, видит бог, у нас и без того довольно...

Имеете ли вы известия о том, что у нас появилось в свет на этих днях? Во-первых, мы имеем том рассказов Павлова[3]. Постарайтесь добыть его и прочтите первый рассказ[4]: это стоит почитать. Или я очень ошибаюсь, или это произведение представляет событие. Затем у нас есть драма. Тоже событие, но в другом смысле. Пьеса озаглавлена Скопин-Шуйский[5]; автор — Кукольник, нечто в роде Виктора Гюго в маленьком формате и, понятно, без его устремлений. Вам известно, что этот Скопин-Шуйский одно из замечательнейших явлений нашей истории, единственное, быть может, по своему размеру на всем протяжении наших летописей. Это цивилизованный герой, герой на западный лад. Между тем в драме не он является первенствующим лицом, а Ляпунов. Этот последний — дикарь, варвар, своей варварской грузностью совершенно подавляющий Шуйского, и он — является великим человеком данного поэтического произведения. Ему, следовательно, аплодисменты, ему фанатизм публики. Вам понятно, куда клонит эта прекрасная концепция. Там есть места, исполненные дикой энергии и направленные против всего, идущего с Запада, против всякого рода цивилизации, а партер этому неистово хлопает! Вот, мой друг, до чего мы дошли.

Еще любопытную вещь найдете вы в Библиотеке. Крик бешеного безумца против немецкой философии. Обратите на это свое внимание; никогда еще литературное бесстыдство, никогда еще цинизм духа не заходили так далеко; и что всего забавнее: эта статья помещена бок о бок с прелестнейшим письмом Жуковского, пропитанным немецким духом[6].

В настоящую минуту у нас происходит какой-то странный процесс в умах. Вырабатывается какая-то национальность, которая, не имея возможности обосноваться ни на чем, так как для сего решительно отсутствует какой-либо материал, будет, понятно, если только удастся соорудить что-нибудь подобное, совершенно искусственным созданием. Таким образом, поэзия, история, искусство, все это рухнет в бездну лжи и обмана, и это в тот век, когда, в других местах, огромный анализ расправляется с последними остатками иллюзий в областях понимания. В настоящее время невозможно предвидеть, куда это нас приведет; быть может, в глубине всего этого скрывается некоторое добро, которое и проявится в назначенный для сего час; возможно, что это тоже своего рода анализ, который приведет нас в конце концов к сознанию того, что мы должны искать обоснования для нашего будущего в высокой и глубокой оценке нашего настоящего положения перед лицом века, а не в некотором прошлом, которое является не чем иным, как небытием. Как бы то ни было, в ожидании того, что предначертания провидения станут явными, это направление умов представляется мне истинным бедствием. Скажите, разве это не жалость видеть, как мы в то время, как все народы братаются и все местные и географические отличия стираются, обращаемся таким образом вновь на себя и возвращаемся к квасному патриотизму? Вы знаете, что я держусь того взгляда, что Россия призвана к необъятному умственному делу: ее задача дать в свое время разрешение всем вопросам, возбуждающим споры в Европе. Поставленная вне того стремительного движения, которое уносит там умы, имея возможность спокойно и с полным беспристрастием взирать на то, что волнует там души и возбуждает страсти, она, на мой взгляд, получила в удел задачу дать в свое время разгадку человеческой загадки. Но если это направление умов продолжится, мне придется проститься с моими прекрасными надеждами: можете судить, чувствую ли я себя ввиду этого счастливым. Мне, который любил в своей стране лишь ее будущее, что прикажете мне тогда делать с ней? Этой точке зрения, свободной от всяких предрассудков, от всяких эгоизмов, замедляющих еще в старом обществе конечное развитие разума, точке зрения, к которой принуждает нас самая природа вещей; этому могучему порыву, который должен был перенести нас одним скачком туда, куда другие народы могли прийти лишь путем неслыханных усилий и, пройдя через страшные бедствия, этой широкой мысли, которая у других могла быть лишь результатом духовной работы, поглотившей целые века и поколения, предпочитают узкую идею, отвергнутую в настоящее время всеми нациями и повсюду исчезающую. Ну что ж, пусть будет так; я больше в это вмешиваться не стану. Я громко высказал мою мысль, остальное будет делом бога. Будьте здоровы, мой друг. *Да приидет царствие твое.*

Доставьте мне удовольствие: соберите кой-какие сведения о некоем Филарете Шаль, превосходные статьи которого попадаются мне в Revue de Paris[7]. Затем, что такое аббат Лакордер? Свечина может вам наверное сообщить кой-что о нем. Кн. Мещерская вернулась и поручила мне сказать вам, что она говорила о ваших Обливанцах, и что эти маленькие преследования происходят без ведома высших властей, и что преследователи уже получили выговор по этому поводу.

1 мая

А. И. ТУРГЕНЕВУ

Вот, дорогой друг, рукопись, которую я обещал прислать вам. Это лишь новый экземпляр того, что у вас есть; но он может на этот раз, думается мне, без стыда появиться перед публикой цивилизованного мира. Поспешите, пожалуйста, уведомить меня о получении. Вы понимаете, что я не вполне уверен в его благополучном прибытии. Впрочем, заботу о нем взял на себя Мейндорф. Мейндорф много рассказывал мне о какой-то France littéraire[8], где он во что бы то ни стало хочет напечатать меня. В добрый час. Но что такое France littéraire? Сиркуры[9] не больно ее хвалят. Это, говорят, партийное предприятие. Не забудьте сообщить мне, получили ли вы длинное письмо в ответ на ваше письмо из Вены, где я писал вам о всякой всячине, главным образом о некоторых наших литературных произведениях. На этот раз я вам не сообщу ничего. Итак, будьте здоровы. Если правда, что вы все еще в Париже, в этом центре мрачного света, то не забудьте, когда будете писать мне, послать мне несколько лучей этого мрака, ну хотя бы что-нибудь Мишле, Лерминье, проповедь Лакордера и т. д. и т. п. Передайте, пожалуйста, пожатие руки из самых нежных вашему брату. Да приидет царство твое.

А. И. ТУРГЕНЕВУ

Благодарю вас, мой друг, за ваши крайне интересные сообщения. Это — настоящее обозрение в форме письма. Ваше письмо из Лондона в особенности живо меня заинтересовало. Значит, правда, что существует только одна мысль от края до края вселенной; значит, действительно, есть вселенский дух, парящий над миром, тот Welt Geist[10], о котором говорил мне Шеллинг и перед которым он так величественно склонялся; можно, значит, подать руку другому на огромном расстоянии; для мысли не существует пространства, и эта бесконечная цепь единомысленных людей, преследующих одну и ту же цель всеми силами своей души и своего разума, идет, следовательно, в ногу и объемлет своим кольцом всю вселенную. Продолжайте давать мне чувствовать движение мира: ваши труды, я надеюсь, не пропадут даром. Есть, впрочем, вещи, которые ускользают от вас. Вы ничего мне не сказали, например, о последнем сочинении Гейне[11]. Правда, что большая часть глав этой странной книги появилась уже раньше в различных журналах; но не может быть, чтобы соединение их в одно целое не вызвало волнения в философском мире. Знаете, как я назвал Гейне? Фиески в философии. Вы знаете, что он проводит параллель между Кантом и Робеспьером, Фихте и Наполеоном, Шеллингом и Карлом X. Я, следовательно, только продолжил параллель и вполне естественно пришел к ужасающему сочетанию этих двух сатанинских существ, представляющих, как тот, так и другой, цареубийц, каждый на свой лад. Смею думать, что этот новый Фиески немногим лучше старого; но во всяком случае его книга есть покушение, во всем подобное бульварному, с тою только разницею, что короли Гейне законнее короля Фиески; ибо это, во-первых, сам господь бог, а затем все помазанные науки и философии. В остальном тот же анархический принцип, то же следствие вашей прославленной революции; наконец, как тот, так и другой бесспорно вышли из парижской грязи.

Я не знаю, каково в настоящее время ваше мнение об этом вулканическом извержении всей накопленной Францией грязи, выбросившем в свет плачевную золотую посредственность; что до меня, то я с каждым днем нахожу новые основания негодовать на него. Поверьте мне, оно отодвинуло мир на полстолетия назад, спутало окончательно все социальные идеи, и бог знает, когда они еще распутаются! Это суждение есть суждение ума беспристрастного в той степени, в какой это только возможно, ибо это ум русский, доведенный до пределов свойственной ему безличности. Вы знаете, что, по моим воззрениям, русский ум есть ум безличный по преимуществу. Дело в том, что оценить как следует европейские события можно лишь с того расстояния, на котором мы от них находимся. Мы стоим, по отношению к Европе, на исторической точке зрения, или, если угодно, мы — публика, а там актеры, нам и принадлежит право судить пьесу.

Эта великая пьеса, которая разыгрывается народами Европы и на представлении которой мы присутствуем в качестве холодных и беспристрастных зрителей, напоминает маленькую пьесу Загоскина, которая в скором времени будет поставлена здесь, на которую также будет взирать беспристрастная и холодная публика и заглавие которой *Недовольные*[12]. Недовольные! Понимаете вы всю тонкую иронию этого заглавия? Чего я, с своей стороны, не могу понять, это — где автор разыскал действующих лиц своей пьесы. У нас, слава богу, только и видишь, что совершенно довольных и счастливых людей. Глуповатое благополучие, блаженное самодовольство — вот наиболее выдающаяся черта эпохи у нас; и что особенно замечательно, это то, что как раз в то время, когда все эти слепые и страстные национальные самоутверждения, враждебные друг другу, унаследованные христианскими народами от времен язычества, сглаживаются и все цивилизованные нации начинают отрекаться от презрительного самодовольства в своих взаимных отношениях, нам взбрело в голову стать в позу бессмысленного созерцания наших воображаемых совершенств. Говорят, что О...[13] и я выведены в новой пьесе. Странная мысль сделать недовольного из О..., из этого светского человека, во всех отношениях счастливого, счастливого до фанатичности. А я, что я сделал, что я сказал такого, что могло бы послужить основанием к обвинению меня в оппозиции? Я только одно непрестанно говорю, только и делаю, что повторяю, что все стремится к одной цели и что эта цель есть царство божие. Уж не попала ли невзначай молитва господня под запрет? Правда, я иногда прибавляю, что земные власти никогда не мешали миру идти вперед, ибо ум есть некий флюид несжимаемый, как и электричество; что нам нет дела до крутни Запада, ибо сами-то мы не Запад; что Россия, если только она уразумеет свое призвание, должна принять на себя инициативу проведения всех великодушных мыслей, ибо она не имеет привязанностей, страстей, идей и интересов Европы. Что же во всем этом еретического, скажите на милость? И почему бы я не имел права сказать и того, что Россия слишком могущественна, чтобы проводить национальную политику; что ее дело в мире есть политика рода человеческого; что император Александр прекрасно понял это, и что это составляет лучшую славу его; что провидение создало нас слишком великими, чтоб быть эгоистами; что оно поставило нас вне интересов национальностей и поручило нам интересы человечества; что все наши мысли в жизни, науке, искусстве должны отправляться от этого и к этому приходить; что в этом наше будущее, в этом наш прогресс; что мы представляем огромную непосредственность без тесной связи с прошлым мира, без какого-либо безусловного соотношения к его настоящему; что в этом наша действительная логическая данность; что, если мы не поймем и не признаем этих наших основ, весь наш последующий прогресс вовеки будет лишь аномалией, анахронизмом, бессмыслицей. Пеняйте на Загоскина за всю эту болтовню, но позвольте вам сказать еще и следующее. В нас есть, на мой взгляд, изумительная странность. Мы сваливаем всю вину на правительство. Правительство делает свое дело, только и всего; давайте делать свое, исправимся. Странное заблуждение считать безграничную свободу необходимым условием для развития умов. Взгляните на Восток! Разве это не классическая страна деспотизма? И что ж?

Как раз оттуда пришел миру всяческий свет. Взгляните на арабов! Имели ли они хоть какое-нибудь представление о счастье, даруемом конституционным режимом? И тем не менее мы им обязаны доброй частью наших познаний. Взгляните на средние века. Имели ли они хоть малейшее понятие о несказанной прелести золотой посредственности? И, однако, именно в средние века человеческий ум приобрел свою наивеличайшую энергию. Наконец, думаете ли вы, что цензура, упрятавшая Галилея в тюрьму, в чем-либо уступала цензуре Уварова и присных его? И тем не менее земля вертится себе после пинка, данного ей Галилеем! Следовательно, будьте гениальны, и увидите.

Я только что прочел в Iournal des Débats[14] превосходную статью Марка Жирардена по поводу нового издания св. Иоанна Златоуста. Если вы знакомы с Жир., то скажите ему, что московский философ[15], из ваших друзей, просит вас передать ему благодарность за нее. Нужно, чтобы там знали, что хорошее находит отголосок даже и в сих областях, где средняя температура пятнадцать дней кряду стоит на 30° Реомюра, как было у нас недавно, и что холод, замораживающий ртуть, не замораживает глубокой идеи. Быть может, также они поймут, что наш век не столь атеистичен, как о нем говорят, когда увидят, что религиозная идея немедленно встречает привет даже в столь отдаленной стране, как только она выражена выдающимся умом.

Жир. показывает, что весь прогресс физических наук за последнее время клонится к подтверждению системы, изложенной в библейской книге бытия, и основывается на новом трактате об электричестве Беккереля. Как раз в то время, как я сел писать вам, я кончал чтение этого трактата. Любопытно то, что сам автор не подозревает, что его книгу можно использовать в этом смысле, он даже опровергает те доводы, которые Кювье приводит в пользу космогонии Моисея. Я напал при чтении еще на одно странное обстоятельство. Как это случилось, что в великое дело электричества, в котором приняли участие люди всех цивилизованных наций, мы не внесли ничего. Кое-какие наблюдения над земным магнетизмом, сделанные чужестранцами, например Купфером, и это, пожалуй, все. Однажды попадается имя Симонова, из Казани, и то с тем, чтоб сказать ему, что его наблюдение ровно ничего не стоит. Приходится признаться, что в нашей умственной организации есть какой-то глубокий недостаток. Мы совершенно лишены, например, способности к логической последовательности, духа метода и постепенности. Спурцгейм в своей френологической классификации человеческих способностей дает этой группе название органа *причинности;* вот этот-то орган и остался без развития в нашем бедном мозгу; стоит только пощупать свой череп, чтоб убедиться в этом. Дело в том, что идея никогда не властвовала среди нас; мы никогда не были движимы великими верованиями, могучими убеждениями. Что представляют собой, в самом деле, мелочные события нашей религиозной истории по сравнению со вспышками христианской мысли на Западе? И не говорите, что мы молоды, что мы отстали от других народов, что мы нагоним их. Нет, мы столь же мало представляем собой XVI или XV век Европы, сколь и XIX ее век. Возьмите любую эпоху в истории западных народов, сравните ее с тем, что представляем мы в 1835 году по Р. Х., и вы увидите, что у нас другое начало цивилизации, чем у этих народов; вы увидите, что эти нации всегда жили жизнью одушевленной, разумной, плодотворной; что им с самого начала дана была некоторая идея и что погоня за этой идеей, ее развитие создали всю их историю; что, наконец, они всегда творили, выдумывали, изобретали. Скажите мне, где та идея, которую мы развиваем? Что мы открыли, выдумали, создали? Поэтому нам незачем бежать за другими; нам следует откровенно оценить себя, понять, что мы такое, выйти из лжи и утвердиться в истине. Тогда мы пойдем вперед, и пойдем скорее других, потому что пришли позднее их, потому что мы имеем весь их опыт и весь труд веков, предшествовавших нам. Люди Европы странно ошибаются на наш счет. Вот, к примеру, Жуффруа сообщает нам, что наше предназначение — цивилизовать Азию. Прекрасно; но спросите его, пожалуйста, где те народы Азии, которые были цивилизованы нами? Разве что мастодонты и остальное ископаемое население Сибири; насколько мне известно, это единственный род существ, выведенный нами из мрака, да и то благодаря Палласам и Фишерам. Они упорно уступают нам Восток; по какому-то инстинкту европейской национальности, они оттесняют нас на Восток, чтобы не встречать нас больше на Западе. Нам не следует попадаться на их невольную хитрость; постараемся сами открыть наше будущее и не будем спрашивать у других, что нам делать. Восток — удел господствующих над морями, это очевидно; мы значительно более удалены от него, чем англичане, и теперь уж не те времена, когда все перевороты на Востоке шли из Центральной Азии. Новый устав Индийской компании — вот отныне действительное цивилизующее начало Азии. Мы призваны, напротив, обучить Европу бесконечному множеству вещей, которых ей не понять без этого. Не смейтесь: вы знаете, что это мое глубокое убеждение. Придет день, когда мы станем умственным средоточием Европы, как мы уже сейчас являемся ее политическим средоточием, и наше грядущее могущество, основанное на разуме, превысит наше теперешнее могущество, опирающееся на материальную силу. Таков будет логический результат нашего долгого одиночества; все великое приходило из пустыни. Могучий голос, на этих днях раздавшийся в мире, в особенности послужит к ускорению исполнения судеб наших.

Пришедшая в остолбенение и ужас, Европа с гневом оттолкнула нас; роковая страница нашей истории, написанная рукой Петра Великого, разорвана; мы, слава богу, больше не принадлежим к Европе: итак, с этого дня наша вселенская миссия началась. Поэтому обратите внимание, что никогда еще ни одно действие правительства не было встречено более единодушными симпатиями нации, никогда не видано было более совершенного согласия между чувствами государя и чувствами народов! Ибо в данном случае само провидение говорило устами монарха: вот почему все инстинкты нации преклонились перед этим глаголом свыше.

Но, впрочем, будет философствовать; поговорим немного о себе. Я получил недавно вести о нашем славном Шеллинге через молодого Гагарина. Если все, что этот молодой человек передал мне от имени философа, не преувеличено, то я не могу не быть весьма тронутым этим приложением учения о *Тождестве* к моей незначительной персоне. По-видимому, жалкая статья *Библиотеки* не дошла до него[16]. Но вы ничего мне не пишете больше о Балланше.

А знаете, что я было построил целую философию на его симпатиях[17]. Признаюсь вам, впрочем, что я был крайне удивлен его суждению о моей статье; плохой экземпляр, бывший в его руках, не давал мне оснований рассчитывать на это. Как бы то ни было, в интересах философии вам не следовало бы давать порваться связям, установлению которых вы сами содействовали. Еще с кем бы мне очень хотелось установить сношения — это де Генуд. Есть что-то живое в этой душе священника: он не смотрит, сложа руки, на проходящих мимо людей, он стучится во все двери, он везде со своим Христом. Такова католическая философия. Начало католичества есть начало деятельное, начало социальное, прежде всего. Этот характер вы найдете в нем во все эпохи нового времени. Одно оно восприняло царство божие не только как идею, но еще и как факт, ибо одно оно владело теми священными традициями, тем учением избранных, которые во все времена поддерживали существование мира, причем этот последний даже и не подозревал об этом. *В мире был, и мир через него начал быть, и мир его не познал*[18]. Как видите, моя религия не совсем совпадает с религией богословов, и вы можете мне сказать, пожалуй, что это и не религия народов. Но я вам скажу, что это та религия, которая скрыта в умах, а не та, которая у всех на языке; что это религия вещей, а не религия форм; что это религия, какова она есть, а не какова она нам кажется; наконец, что это та предвосхищенная религия, к которой в настоящее время взывают все пламенные сердца и глубокие души, и которая, по словам великого историка будущего, станет в грядущем последней и окончательной формой поклонения и всей жизнью человечества; но которая, в ожидании этого, не сталкивается с народными верованиями, а, напротив, в своей любвеобильности приемлет их, хотя и идет дальше их. Если бы в те времена, когда я искал религии, я встретил бы в окружающей меня среде готовую, я наверное принял бы ее; но, не найдя таковой, я принужден был принять исповедание Фенелонов, Паскалей, Лейбницов и Бэконов. Вы, между прочим, были неправы, когда определили меня как истинного католика. Я, конечно, не стану отрекаться от своих верований; да, впрочем, мне было бы и не к лицу теперь, когда моя голова начинает покрываться сединой, извращать смысл целой жизни и всех убеждений моих; тем не менее, признаюсь, я не хотел бы, чтобы двери убежища захлопнулись передо мной, когда я постучусь в них в одно прекрасное утро. Пусть сие заключение моей речи не смущает вас; вы знаете, что я уже с давних пор готовлюсь к катастрофе, которая явится развязкой моей истории. Моя страна не упустит подтвердить мою систему, в этом я нимало не сомневаюсь.

Будьте здоровы, мой друг. Смею надеяться, что вы не будете больше упрекать меня в безмолвии и сами не измените вашим добрым привычкам. Сообщите мне, как поживает Свечина, вы не можете не понимать, сколь глубоко я интересуюсь всем, что касается этой дамы. Что касается ваших поручений, то они исполняются по мере их получения, если не всегда с успехом, то по крайней мере всегда с усердием. Впрочем, нужно было бы быть более сведущим в физиологии страстей, чем я, чтобы с успехом служить вам при всех обстоятельствах. Во всяком случае, я вас крепко люблю и делаю, что могу. *Да приидет царствие твое.*

Княгиня Мещерская приезжает на днях из деревни, итак, я буду иметь случай поговорить с ней о вас.

Вот уже месяц, как написано это письмо. Булгакова не было в Москве. По-видимому, он уже давно вернулся, но я узнал об этом только вчера. Отправлю его, как оно есть, дабы не брать на себя труда писать новое. За это время я получил брошюру Экштейна[19]. Передайте ему, пожалуйста, что я весьма тронут этой чисто философской любезностью и что я не замедлю написать ему. Вы не говорите мне ничего о человеке, который так долго был лучшим из друзей. Это нехорошо с вашей стороны.

1836

И. Д. ЯКУШКИНУ[1]

Москва. 2 мая

Дорогой друг. Вот книга[2], которую тебе посылает г-жа Левашова. Я подменил предназначенный тебе экземпляр другим, которым сам пользовался, с той целью, чтобы ты сосредоточил свое внимание на тех местах, которые привлекли и мое: они подчеркнуты моим карандашом. Мне было чрезвычайно отрадно узнать о твоих усидчивых занятиях, способных так сильно смягчить тяготы твоей жизни. Мне известно, что в ссылке ты не переставал накапливать знания. Великое благо судьбы, что она тебе позволила сохранить вкус к науке среди ужасов, обрушившихся на тебя по людскому суду. Не может быть, чтобы ты не ощущал за это глубокой благодарности по отношению к тому, от кого исходят всякие блага, убеждения. Со своей стороны я глубоко верю, что, в награду за стойкую и вместе с тем спокойную покорность в несении своего жребия и за неизменно сохраняемые под давлением страшного бедствия чувства кроткого благорасположения и совершенной любви, тебе уже дарованы новые откровения в постижении многих вещей. И поэтому, приглашая тебя тщательно вникнуть в некоторые из подчеркнутых в этой книге отрывков, я, наверное, лишь продолжаю дело, уже начатое богом. В конце концов общее представление о природе, вытекающее из последних завоеваний естественных наук, сводится к подтверждению всей космогонической и бытийной (génésiaque, т. е. согласной с первой библейской книгой — Бытия.— *Прим. переводчика*) системы еврейских преданий: это вытекает из всякого нового открытия, из всякого шага вперед человеческого разума, и особенно любопытно то, что Беккерель, опровергая Кювье, который уже представил основательные доводы в защиту этой системы, со своей стороны приводит новые, еще более убедительные.

Как видишь, письмо это должно было служить введением к предстоящему тебе чтению, но мог ли я тебе писать и не затронуть при этом многое другое, не окинуть горестным взором былое, все проникнутое дружбой, не воскресить в памяти дни, протекавшие в сладостном общении на самом краю бездны?

Ах, друг мой, как это попустил господь совершиться тому, что ты сделал? Как мог он тебе позволить до такой степени поставить на карту свою судьбу, судьбу великого народа, судьбу твоих друзей, и это тебе, тебе, чей ум схватывал тысячу таких предметов, которые едва приоткрываются для других ценою кропотливого изучения? Ни к кому другому я бы не осмелился обратиться с такой речью, но тебя я слишком хорошо знаю и не боюсь, что тебя больно заденет глубокое убеждение, каково бы оно ни было.

Я много размышлял о России с тех пор, как роковое потрясение так разбросало нас в пространстве, и я теперь ни в чем не убежден так твердо, как в том, что народу нашему не хватает прежде всего — глубины. Мы прожили века так, или почти так, как и другие, но мы никогда не размышляли, никогда не были движимы какой-либо идеей; и вот почему вся будущность страны в один прекрасный день была разыграна в кости несколькими молодыми людьми, между трубкой и стаканом вина. Когда восемнадцать веков тому назад истина воплотилась и явилась людям, они убили ее; и это величайшее преступление стало спасением мира; но если бы истина появилась вот сейчас, среди нас, никто не обратил бы на нее внимание, и это преступление ужаснее первого, потому что оно ни к чему бы не послужило.

Как бы я был счастлив, если бы в тот день, когда ты сможешь мне написать, а день этот, говорят, близок, первые твои слова, направленные ко мне, подтвердили, что ты теперь осознал свою страшную ошибку и что в своем уединении ты пришел к заключению, что заблуждение может быть искуплено перед высшей правдой не иначе, как путем его исповедания, подобно тому, как ошибка в счете может быть исправлена лишь после ее признания.

Прощай, друг мой. Я горжусь тем, что смог сказать тебе эти вещи с уверенностью, что душа твоя этим не оскорбится и что твое высокое понимание сумеет разглядеть в сказанном внушившее его чувство.

Я тебе ничего не сказал о моем брате потому, что он в

Нижнем, и потому, что я редко получаю от него вести. Натали Шаховская и ее сестра[3] часто говорят со мною о тебе. Твои дети на днях приходили повидаться со мной. Я их обнял с чувством и счастья, и грусти.

Петр Чаадаев.

А. С. ПУШКИНУ

<Первая половина мая>[4]

Я ждал тебя, любезный друг, вчера, по слову Нащокина, а нынче жду по сердцу. Я пробуду до восьми часов дома, а потом поеду к тебе. В два часа хожу гулять и прихожу в 4. *Твой Чаадаев.*

А. И. ТУРГЕНЕВУ

Москва. 25 мая

Вот, дорогой друг, письмо к барону Экштейну. Не знаю, где оно застанет вас, ибо вы мне пишете об отъезде, но не говорите мне, в какие страны света вы направляете свои шаги. Я промедлил с письмом к барону ввиду того, что гг. *Наблюдатели*[5] предполагали использовать его брошюру для своего журнала. Они ничего не сделали в этом смысле, а я тем временем откладывал писание со дня на день, чтобы иметь возможность сказать ему что-нибудь по этому поводу. Говорят, что мы находимся по соседству с Индией: не правда ли, что мы проявляем отменное любопытство по отношению к индийским делам!

Скажите все это Экштейну, если эти письма прибудут в Париж до вашего отъезда. Вы пишете мне о целом ряде вещей, которые вы выслали Вяземскому, и которые он должен был передать мне по прочтении. Я еще ничего из этого не получал. Ни «Молитвы господней», ни Лакордера. Кстати, надеюсь, что он в Риме примет меры, чтобы стать папой: я гарантирую ему благодать св. духа. Святой дух был всегда духом века, вот что следует понять хорошенько. Что в настоящее время нужно церкви, так это Гильдебранда, который столь же был бы проникнут духом своего времени, сколь тот был проникнут духом своего. Почему бы вашему Лакордеру не быть призванным к сему человеком? Глубокие вещи зарыты в демократическом элементе папства. Кто знает, быть может, грядущему конклаву суждено возродить церковь?

У нас здесь Пушкин. Он очень занят своим Петром Великим. Его книга придется как раз кстати, когда будет разрушено все дело Петра Великого: она явится надгробным словом ему. Вы знаете, что он издает также журнал под названием *Современник*. Современник чего? XVI столетия, да и то нет? Странная у нас страсть приравнивать себя к остальному свету. Что у нас общего с Европой? Паровая машина, и только. У *Токвилля* есть глубокая мысль, которую он украл у меня, а именно что *точка отправления народов определяет их судьбы*. У нас этого не хотят понять: а между тем в этом вся наша история. Поэтому более чем когда-либо: *Да приидет царствие твое*. Княгиня Мещерская не менее меня жаждет получить хоть несколько строк Лакордера, что не мешает ей посылать вам дружеский привет. Будьте здоровы, мой друг.

КН<ЯГИНЕ> С. МЕЩЕРСКОЙ

15 октября 1836

Вот, княгиня, брошюра, которая для вас будет интересна, я в том уверен,— это моя статья, переведенная и напечатанная по-русски[6]. Публичность схватила меня за ворот в то самое время, как я наименее того ожидал. Сначала вы найдете этот случай странным, без сомнения, но, подумавши, перемените мнение. В чем же, после всего, чудо, что идея, которой от рода скоро будет две тысячи лет, идея, преподаваемая, чтимая, проповедуемая тысячью высокими умами, тысячью святыми, наконец, пробила себе свет у нас? Не гораздо ли бы было страннее, если бы она никогда того не сделала? Если правда, что христианство в том виде, как оно соорудилось на Западе, было принципом, под влиянием которого там все развернулось и созрело, то должно быть, что страна, не собравшая всех плодов этой религии, хотя и подчинившаяся ее закону, до некоторой степени ее не признала, в чем-нибудь ошиблась насчет ее настоящего духа, отвергла некоторые из ее существенных истин. Последующего вывода никак, следовательно, нельзя было отделить от первоначального принципа, и то, что было причиной воспроизведения принципа, вынудило также и обнаружение последствия.

Говорят, что шум идет большой; я этому нисколько не удивляюсь. Однако же мне известно, что моя статья заслужила некоторую благосклонность в известном слое общества. Конечно, не с тем она была писана, чтобы понравиться блаженному народонаселению наших гостиных, предавшихся достославному быту виста и реверси. Вы меня слишком хорошо знаете и, конечно, не сомневаетесь, что весь этот гвалт занимает меня весьма мало. Вам известно, что я никогда не думал о публике, что я даже никогда не мог постигнуть, как можно писать для такой публики, как наша: все равно обращаться к рыбам морским, к птицам небесным. Как бы то ни было, если то, что я сказал, правда, оно останется; если нет, незачем ему оставаться.

Есть, княгиня, люди и вам знакомые, которые находят, что в интересе общественном полезно бы было воспретить автору пребывание в столице. Что вы об этом думаете? Не значит ли это слишком мало придавать значения интересу общественному и слишком много автору? По счастию, наше правительство всегда благоразумнее (plus avisé) публики; стало быть, я в доброй надежде, что не шумливые крики сволочи (cohue) укажут ему его поведение. Но если бы по какому случаю желание этих добрых людей исполнилось, я к вам приду, княгиня, просить убежища, и таким образом узнаю то, что серьезные религиозные убеждения, самые разнородные, всегда симпатизируют друг с другом.

А. И. ТУРГЕНЕВУ

Не знаю, известно ли вам уже, мой друг, о домашнем обыске, которым меня почтили[7]. Забрали все мои бумаги. Мне остались только мои мысли: бедные мысли, которые привели меня к этой прекрасной развязке. Впрочем, я могу лишь одобрить похвальное любопытство властей, пожелавших ознакомиться с моими писаниями: от всего сердца желаю, чтобы это им пошло на пользу. Но не в этом дело. Во-первых: лишенный возможности продолжать мою работу, я скучаю, в первый раз в жизни. Самое удобное время для того, чтобы читать и учиться. Верните мне поэтому *Штрауса*[8], если возможно, и опровержения, которые вы мне обещали. Если у вас есть еще что-нибудь, какое-либо пространное сочинение, то не скупитесь и пришлите мне и его. Я не оставлю всего, а сделаю выбор. Не можете ли вы мне дать, например, книгу де Местра о Бэконе? Надеюсь, что не злоупотреблю вашей снисходительностью, если попрошу вас об этом. Затем второе. Не думаете ли вы, что будут удивлены, не найдя ваших писем в моих бумагах[9]? Обдумайте поэтому, не будет ли в ваших интересах переслать их Бенкендорфу. Наконец, принуждены ли вы все еще сидеть дома? Если вы не в состоянии выходить, то я зайду к вам нынче вечером; а то, если можете, зайдите вы ко мне сегодня же утром. *Да приидет царствие твое.*

А. И. ТУРГЕНЕВУ

Мой добрый друг, я был очень огорчен, когда узнал, что вы дважды заходили ко мне и каждый раз не заставали меня. Но вам следовало бы подождать меня немножко в моем большом кресле; тут ли малость подремать или там — не все ли равно? Как видите, я иногда позволяю себе прогуляться вечерком; я думаю, что безопасность государства от этого не пострадает. Впрочем, можно быть безумцем, и все же гулять по вечерам. Вы ничего не велели сказать мне о том, придете ли вы завтра, в среду, обедать ко мне, мне необходимо знать это сегодня, а также, придет ли Орлов или нет. Будьте здоровы, друг мой, и дайте, пожалуйста, ответ.

А. И. ТУРГЕНЕВУ

Вот две из ваших книг. До меня дошел слух, что в публике толкуют, будто я пытался напечатать прославленный отрывок в *Наблюдателе*. Это явная ложь; редакторы журнала могут подтвердить это. Им отлично известно, что я не намеревался ничего печатать в их журнале, кроме двух писем, прочитанных на вечере у Свербеевой. Первое письмо было сообщено им исключительно для того, чтобы им было понятно дальнейшее. Говорят также, что я уже делал попытки напечатать оригинал у Семена. Опять-таки ложь. Рукопись, переданная Семену, состояла из двух писем об истории, в которых не было ничего, касающегося России. Она была процензурована с большим благожелательством духовными цензорами от Троицы, и у меня есть их постановление по этому поводу. Расскажите это, пожалуйста, вашим знакомым. Вам понятно моральное значение всего этого. У меня нет демократических замашек, и я никогда не искал благорасположения толпы; но мне очень дорого мнение людей, почтивших меня своей дружбой.

ГРАФУ С. Г. СТРОГОНОВУ

8 ноября 1836

Не знаю, известна ли вам, граф, прилагаемая книга[10]? Соблаговолите ее открыть на загнутой странице, вы в ней найдете главу, которая может послужить пояснением к статье, возбудившей против меня общественный крик. Мне показалось, что я хорошо сделаю, указавши вашему вниманию эти страницы, писанные под мою диктовку, в которых мои мысли о будущности моего отечества изложены в выражениях довольно определенных, хотя неполных, и которые не были нескромным образом вынуты из моего портфеля. Для меня очень важно в интересе моей репутации хорошего гражданина, чтобы знали, что преследуемая статья не заключает в себе моего profession de foi, а только выражение горького чувства, давно истощенного. Я далек от того, чтобы отрекаться от всех мыслей, изложенных в означенном сочинении; в нем есть такие, которые я готов подписать кровью. Когда я в нем говорил, например, что *«народы Запада, отыскивая истину, нашли благополучие и свободу»*, я только парафразировал изречение спасителя: *«ищите царствия небесного, и все остальное приложится вам»*, и вы понимаете, что это не одна из тех мыслей, которые бросаешь сегодня на бумагу, чтобы завтра стереть, но верно также и то, что в нем много таких вещей, которых я бы, конечно, не сказал теперь. Так, например, я дал слишком большую долю католицизму и думаю ныне, что он не всегда был верен своей миссии; я не довольно оценил стоимость элементов, которых у нас недоставало, и думаю теперь, что они намного содействовали сооружению нового общества; я не говорил о выгодах нашего изолированного положения, на которые я теперь смотрю, как на самую глубокую черту нашей социальной физиономии и как на основание нашего дальнейшего успеха; я не показал, что всеми, сколько есть прекрасных страниц в нашей истории, мы обязаны христианству,— факт, который в настоящее время послужил бы мне к опоре моей системы. Одним словом, если правда, что в настоящее время, в спокойствии моего духа, я исповедую некоторые из мнений, изложенных тому назад шесть лет под впечатлением тягостного чувства (sentiment douloureux); достоверно также, что много мыслей слишком абсолютных, много мнений слишком резких (мною тогда исповедуемых) ныне принадлежат мне только в таком смысле, как всякий поступок, нами совершенный, всякое слово, нами произнесенное, конечно, принадлежит нам до нашего последнего дня, потому что мы отдадим в них отчет верховному судие, что̀, однако же, вовсе не предполагает, чтобы мы были в них ответственны перед людьми, Поэтому-то я и решился, как вам о том и говорил, сам возражать на свою статью, то есть рассматривать тот же вопрос с моей теперешней точки зрения[11]. Я слышал, что мне это ставят в вину. Но давно ли запрещено видоизменять свои мнения после такого длинного промежутка времени? Давно ли не дозволено уму человека идти вперед, когда ум человечества стремится бегом? Давно ли приказано существу мыслящему на веки веков остаться пригвожденным к одной мысли, подобно бессмысленному факиру? Не вы, конечно, сделаете мне этот упрек, вы, которого я нашел столько благосклонно расположенным к успеху доброго просвещения. Впрочем, какое мнение о всем этом вы себе ни составите, я мог обратиться только к вам: что я мог сказать тем, которые наложили на меня сумасшествие?

А. И. ТУРГЕНЕВУ

Я только что узнал, дорогой друг, что вы скоро возвращаетесь. Это мне подало мысль попросить вас привезти мне несколько книг, которых здесь найти нельзя. Прежде всего, историю Гогенштауфенов Раумера и сочинения Гегеля. Я думаю, что ни то, ни другое произведение не запрещено. Вы возьмете их, конечно, у Грефа, и вам не придется за них платить, так как у него открыт для меня кредит, к тому же у него, как мне кажется, еще лежит на комиссии одно из моих сочинений. Затем, не найдете ли вы английский религиозный кипсек и исследование по философии индусов Колеброка, перевод Тольтье. Наконец, привезите мне побольше французских и немецких каталогов. После этого мне остается только пожелать вам всего лучшего, но раз перо у меня в руках, то я еще добавлю несколько слов.

Передайте, пожалуйста, Мейендорфу, что я глубоко огорчен тем, что с ним случилось, как бы ничтожно ни было это происшествие[12]. Я надеюсь, что сумеют, наконец, дать должную оценку тому злосчастному обороту мысли, который сорвался совершенно бессознательно с его пера, и что в нем увидят лишь преувеличенный комплимент, которым принято награждать любого автора любой рукописи. Нет человека, который более чем Мейендорф расходился бы со мной во взглядах. Во всей этой истории, которая приняла такой серьезный оборот, нет и следа серьезных убеждений, кроме убеждений самого автора, да и то убеждений более философского характера, уже отчасти проржавевших и готовых уступить место более современным, более национальным. Во всяком случае, из всех печальных последствий моей наивной уступчивости более всего огорчают меня беспокойства, причиняемые другим. Меня часто называли безумцем, и я никогда не отрекался от этого звания и на этот раз говорю — аминь,— как я всегда это делаю, когда мне на голову падает кирпич, так как всякий кирпич падает с неба. И вот я снова в своей Фиваиде, снова челнок мой пристал к подножию креста, и так до конца дней моих; скажу еще раз: «буди, буди».

Пусть я безумец, но надеюсь, что Пушкин примет мое искреннее приветствие с тем очаровательным созданием, его побочным ребенком, которое на днях дало мне минуту отдыха от гнетущего меня уныния[13]. Скажите ему, пожалуйста, что особенно очаровало меня в нем его полная простота, утонченность вкуса, столь редкие в настоящее время, столь трудно достижимые в наш век, век фатовства и пылких увлечений, рядящийся в пестрые тряпки и валяющийся в мерзости нечистот, подлинная блудница, в бальном платье и с ногами в грязи. Иван Иванович[14] находит, что старый немецкий генерал был бы удачнее в качестве исторического лица, ведь эпоха-то глубоко историческая; я, пожалуй, с ним согласен, но это мелочь. Скажите еще Пушкину, что я погружен в историю Петра Великого, читаю Голикова и счастлив теми открытиями, которые я делаю в этой неведомой стране. Было вполне естественно для меня укрыться у великого человека, который кинул нас на Запад, и просить его защиты; но, признаюсь, я не ожидал найти его ни таким гигантом, ни столь расположенным ко мне.

Ну, будьте здоровы. Меня заливают сплетни: это ваша область; придите же и скажите этому морю: «стой, не далее!» Ваше повеление, конечно, будет исполнено, и я с тем бо́льшим удовольствием вас обниму.

Безумный[15].

NB. Нельзя ли найти в Петербурге портрет Беррье? Сегодня утром я прочитал его речь в парламенте, и седая голова моя склонилась перед этим грозным словом.

1837

Л. М. ЦЫНСКОМУ[1]

Милостивый государь, Лев Михайлович.

Несколько слов, написанных мною вчера у вашего превосходительства об моих сношениях с госпожою Пановой, мне кажется, недостаточны для объяснения этого обстоятельства, и потому позвольте мне объяснить вам оное еще раз. Я познакомился с госпожою Пановой в 1827 году в подмосковной, где она и муж ее были мне соседями. Там я с нею видался часто, потому что в бездействе находил в этих свиданиях развлечение. На другой год, переселившись в Москву, куда и они переехали, продолжал с нею видеться. В это время господин Панов занял у меня 1000 руб., и около того же времени от жены его получил я письмо, на которое отвечал тем, которое напечатано в «Телескопе», но к ней его не послал, потому что́ писал его довольно долго, а потом знакомство наше прекратилось. Между тем срок по векселю прошел, и я не получил ни капитала, ни процентов. Спустя, кажется, еще год подал я вексель ко взысканию и получил от госпожи Пановой другое письмо, довольно грубое, в котором она меня упрекала в моем поступке. В 1834 году передал я вексель купцу Лахтину за 800 руб. Все это время я не видался с ними и даже не знал, где они находятся. Прошлого года госпожа Панова вдруг известила меня, что она здесь, и с легкомыслием объявила мне, что вексель будучи выплачен, она желает возобновить со мной знакомство, на что я отвечал, что готов ее видеть. Тогда она приехала ко мне с мужем и тут впервые узнала о существовании письма, к ней написанного и давно всем известного. Мы в это время еще раза два виделись; потом она уехала в Нижний, и более я ее не видал. Надобно еще знать, что прочие, так называемые мои философические, письма, написаны как будто к той же женщине, но что г. Панова об них никогда даже не слыхала.

Что касается до того, что эта несчастная женщина теперь в сумасшествии говорит, например, что она республиканка, что она молилась за поляков, и прочий вздор, то я уверен, что если спросить ее, говорил ли я с ней когда-либо про что-нибудь подобное, то она, несмотря на свое жалкое положение, несмотря на то, что почитает себя бессмертною и в припадках бьет людей, конечно скажет, что нет. Сверх того, и муж ее то же может подтвердить.

Все это пишу к вашему превосходительству потому, что в городе много говорят об моих сношениях с нею, прибавляя разные нелепости, и потому, что я, лишенный всякой ограды, не имею возможности защитить себя ни от клеветы, ни от злонамерения. Впрочем, я убежден, что мудрое правительство не обратит никакого внимания на слова безумной женщины, тем более что имеет в руках мои бумаги, из которых можно ясно видеть, сколь мало я разделяю мнения ныне бредствующих умствователей.

Честь имею быть,
милостивый государь,
с истинным почтением
вашего превосходительства
покорнейший слуга *Петр Чаадаев.*

1837, января 7

М. Я. ЧААДАЕВУ[2]

Благодарю тебя, любезный брат, за твое доброе участие в моем приключении. Я никогда не сомневался в твоей дружбе, но в этом случае мне особенно приятно было найти ее новое доказательство. Ты желаешь знать подробности этого странного происшествия, для того чтоб мне быть полезным; наперед тебе сказываю, делать тут нечего, ни тебе и никому другому, но вот ведь как оно произошло. Издателю «Телескопа» попался как-то в руки перевод одного моего письма, шесть лет тому назад написанного и давно уже всем известного; он отдал его в цензуру; цензора не знаю как уговорил пропустить; потом отдал в печать и тогда только уведомил меня, что печатает. Я сначала не хотел тому верить, но, получив отпечатанный лист и видя в самой чрезвычайности этого случая как бы намек провидения, дал свое согласие. Статья вышла без имени, но тот же час была мне приписана или, лучше сказать, узнана, и тот же час начался крик. Чрез две недели спустя издание журнала прекращено, журналист и цензор призваны в Петербург к ответу; у меня по высочайшему повелению взяты бумаги, а сам я объявлен сумасшедшим. Поражение мое произошло 28-го октября, следовательно, вот уже три месяца, как я сошел с ума. Ныне издатель сослан в Вологду, цензор отставлен от должности, а я продолжаю быть сумасшедшим. Теперь, думаю, ясно тебе видно, что все произошло законным порядком и что просить не о чем и некого.

Говорят, что правительство, поступив таким образом, думало поступить снисходительно; этому очень верю, ибо нет в том сомнения, что оно могло поступить несравненно хуже. Говорят также, что публика крайне была оскорблена некоторыми выражениями моего письма, и это очень может статься; странно, однако ж, что сочинение, в продолжение многих лет читанное и перечитанное в подлиннике, где, разумеется, каждая мысль выражена несравненно сильнее, никогда никого не оскорбляло, в слабом же переводе всех поразило! Это, я думаю, должно отчасти приписать действию печати: известно, что печатное легче разбирать писаного.

Вот, впрочем, настоящий вид вещи. Письмо написано было не для публики, с которою я никогда не желал иметь дела, и это видно из каждой строки оного; вышло оно в свет по странному случаю, в котором участие автора ничтожно; журналист, очевидно, воспользовался неопытностью автора в делах книгопечатания, желая, как он сам сказывал, «оживить свой дремлющий журнал или похоронить его с честию»; наконец, дело все принадлежит издателю, а не сочинителю, которому, конечно, не могло прийти в голову явиться перед публикою в дурном переводе, в то время как он давным-давно пользовался на другом языке, и даже не в одном своем отечестве, именем хорошего писателя. Итак, правительство преследует не поступок автора, а его мнения. Тут естественно приходит на мысль то обстоятельство, что эти мнения, выраженные автором за шесть лет тому назад, может быть, ему вовсе теперь не принадлежат и что его образ мыслей, может быть, совершенно противоречит прежним его мнениям, но об этом, по-видимому, правительство не имело времени подумать и даже второпях не спросило автора, признает ли он себя автором статьи или нет. Правда, что при всем том на авторе лежит ответственность за согласие, легкомысленно им данное, то есть за одни эти слова: «пожалуй, печатайте»; но спрашивается: могут ли одни эти слова составить «corpus delicti»[3], и если могут, то соразмерно ли наказание с преступлением? На это, думаю, отвечать довольно трудно.

Что касается до моего положения, то оно теперь состоит в том, что я должен довольствоваться одною прогулкою в день и видеть у себя ежедневно господ медиков, ex officio[4] меня навещающих. Один из них, пьяный частный штаб-лекарь, долго ругался надо мною самым наглым образом, но теперь прекратил свои посещения, вероятно по предписанию начальства. Приятели мои посещают меня довольно часто, и некоторые из них поступают с редким благородством; но всего утешительнее для меня дружба моих милых хозяев[5]. Бумаг по сих пор не возвращают, и это всего мне чувствительнее, потому что в них находятся труды всей моей жизни, все, что составляло цель ее. Развязки покамест не предвижу, да и признаться, не разумею, какая тут может быть развязка? Сказать человеку, «ты с ума сошел», немудрено, но как сказать ему «ты теперь в полном разуме»? Окончательно скажу тебе, мой друг, что многое потерял я невозвратно, что многие связи рушились, что многие труды останутся неоконченными и, наконец, что земная твердость бытия моего поколеблена навеки.

С. Л. ПУШКИНУ

Очень благодарю вас, дорогой Пушкин, за вашу память обо мне. Позвольте мне оставить у себя до завтра письмо Жуковского[6]. Мне хочется показать его Орлову, одному из самых горячих поклонников нашего славного покойного. Мне только что вернули мои бумаги, среди которых я нашел письмо Александра, пробудившее вновь все мои сожаления. Это письмо — единственное, сохранившееся из всех многочисленных писем, которые он писал мне в разные эпохи своей жизни, и я счастлив, что нашел его. Итак, до завтра с письмом Жуковского.

Искренно преданный вам
Чаадаев.

И. Д. ЯКУШКИНУ

19 октября 1837

Тому год назад, мой друг, что я писал к тебе[7]; это было в то самое время, как мы узнали, что вы скоро будете перемещены и что вперед можно будет с вами переписываться. Я тебя скромно поздравлял с этим видоизменением в твоем положении и просил тебя дать нам о себе известий. По несчастию, это письмо затерялось два раза самым странным образом: в первый раз по милости ревнивой любви твоей свекрови[8], страстно берегущей монополию твоей дружбы, во второй — вследствие случившегося со мной в это время приключения, которое я тебе поскорее перескажу, чтобы с этим сразу покончить и очистить совесть. Дело в том, что с некоторого времени я начал писать о различных религиозных предметах. В продолжение долгого уединения, наложенного мною на себя по возвращении из-за границы, то, что́ я писал, оставалось неизвестным; но как только я покинул мою Фиваиду и снова появился в свете, все мое маранье сделалось известным и скоро приобрело тот род благосклонного внимания, который так легко отдается всякому неизданному сочинению. Мои писанья стали читать; их переписывали; они сделались известны вне России, и я получил несколько лестных отзывов от некоторых литературных знаменитостей. Некоторые отрывки из них были переведены на русский язык; появилась даже серьезная книга, вся исполненная моими мыслями, которые мне откровенно и приписывали[9]. Но вот, в один прекрасный день, один московский журналист, журнал которого печально перебивался, усмотрев, не знаю где, одну из моих самых горячих страниц, получил, не знаю как, позволение цензора и поместил ее в свой журнал. Поднялся общий шум; издание журнала прекращено, редактор сначала потребован в Петербург, потом сослан в Вологду; цензор отставлен от должности, мои бумаги захвачены, и наконец я сам, своей особой, объявлен сумасшедшим. . . . . . .и по особенной милости, как говорят. Итак, вот я сумасшедшим скоро уже год, и впредь до нового распоряжения. Такова, мой друг, моя унылая и смешная история. Ты понимаешь теперь, отчего мое письмо до тебя не дошло. Дело в том, что оно приняло совершенно другую дорогу и что я его больше не видал[10]. Я, впрочем, льщу себя надеждой, что оно не совсем осталось без плода для тех, кому оно попало законной добычей, потому что, если я не ошибаюсь, в нем заключались вещи, годные для их личного вразумления. Поговорим теперь о другом.

Тебе, без сомнения, известно, что твоя двоюродная сестра[11], от времени до времени, показывает мне твои письма; твоя свекровь, когда на меня не дуется, также сообщает мне те, которые ты к ней пишешь: стало быть, я довольно знаю о всем, что̀ тебя касается. Я знаю, с каким благородным мужеством ты сносишь тяжесть своей судьбы; я знаю, что ты предаешься серьезному изучению, и удивляюсь многочисленным и твердым знаниям, приобретенным тобою в ссылке. Не могу тебе выразить, сколько я всем этим счастлив и сколько я горжусь, что так хорошо тебя угадывал. Есть старое изречение, мой друг, несколько, впрочем, отзывающееся язычеством, а именно что нет прекраснее зрелища, как зрелище мудреца в борьбе с противным роком; но меня еще более увлекает исполненный ясности взгляд, который ты устремляешь на мир из своего безотрадного одиночества. Вот чего высокомерная древность не умела открыть — и что̀ верный ум естественным образом находит в наше время. Однако же хоть я и не знаю, какие теперь твои религиозные чувствования, но, признаюсь тебе, не могу поверить, чтобы к этому душевному спокойствию ты пришел путем того оледеняющего деизма, который исповедовали умы твоей категории тогда, когда мы расстались. Изучения, которым ты с тех пор отдавался, должны были тебя привести к серьезным размышлениям над самыми важными вопросами нравственного порядка, и невозможно, чтобы ты окончательно остался при том малодушном сомнении, дальше которого деизм никогда шагнуть не может. К тому же естественные науки в настоящее время далеко не враждебны религиозным верованиям; поэтому я ласкаю себя надеждой, что ясность твоего понимания скоро даст тебе увидеть те истины, к которым они тяготеют. Я даже должен тебе сказать, что в том затерянном письме, о котором я тебе сейчас говорил, я уже себе позволил, по случаю книги Беккереля, которая должна была сопровождать это письмо, мимоходом заметить тебе, что все недавние открытия в науке, и открытия по части электричества в особенности, служат к поддержке христианских преданий, подтверждают космогоническую систему Библии. Когда-нибудь мы опять воротимся к этим предметам, но до того я бы хотел знать, известны ли тебе сочинения Кювье, потому что ничто не может нам служить лучшею точкою отправления в наших философских рассуждениях, как его геологические труды. В первый раз, как будешь ко мне писать, скажи мне об этом.

Прошу у тебя извинения, мой друг, в том, что это первое мое письмо все наполнено моими обычными помыслами (préoccupations), но ты понимаешь, что в теперешнее время мне труднее, чем когда-либо, освободиться от влияния идей, составляющих весь интерес моей жизни, единственную опору моего опрокинутого существования. Я далек, однако же, от мысли навязывать тебе свои мнения; мне известен склад твоего ума, и я очень хорошо знаю, что ни годы, ни размышление, ни опыт жизни, по которой прошло неизмеримое бедствие и неизмеримое поучение, не в состоянии существенно видоизменить ум, подобный твоему; но я знаю также, что время, в которое мы живем, слишком проникнуто тем возрождающим током (fluide régénérateur), который произвел уже столь удивительные результаты во всех сферах человеческого знания, чтобы твой ум, как бы он ни был географически удален от всяких очагов умственного движения, мог остаться совершенно чуждым его влиянию. Ты, как только мог, следовал за ходом современных идей: пробегаемая тобою орбита, несмотря на всю ее эксцентричность, все-таки определяется законом всемирного тяготения всех предметов к одному центру и освещается тем же самым солнцем, которое сияет на все человечество; стало быть, ты не мог много отстать от остального мира. Но как бы то ни было, конечно, в одном ты будешь одинакового со мною мнения, а именно что мы не можем сделать ничего лучшего, как держаться, сколько то возможно, в области науки; в настоящее время мне ничего больше и не надо. Прощай же, мой друг.

А. И. ТУРГЕНЕВУ[12]

С истинным удовольствием прочел я, мой друг, твое сочинение. Мне чрезвычайно приятно было видеть, с какою легкостию ты обнял этот трудный предмет, присвоил себе все новейшие открытия науки и приложил их к нему. Отрывок твой, по моему мнению, отличается новостию взгляда, верностию в главных чертах и занимательным изложением; но я не могу не сделать некоторых замечаний на последние строки, где ты касаешься вещей, для меня весьма важных, и излагаешь такие мнения, которых мне никак нельзя оставить без возражения. Впрочем, я доволен и этими строками, потому что и в них вижу то новое благое направление всеобщего духа, за которым так люблю следовать и которое мне столь часто удавалось предупреждать. Итак, приступим к делу.

Ты, по старому обычаю, отличаешь учение церковное от науки. Я думаю, что их отнюдь различать не должно. Есть, конечно, наука духа и наука ума, но и та и другая принадлежат познанию нашему, и та и другая в нем заключаются. Различны способ приобретения и внешняя форма, сущность вещи одна. Разделение твое относится к тому времени, когда еще не было известно, что разум наш не все сам изобретает и что, для того только, чтоб двинуться с места, ему необходимо надобно иметь в себе нечто, им самим не созданное, а именно орудия движения, или, лучше сказать, силу движения. Благодаря новейшей философии, в этом, кажется, ни один мыслящий человек более не сомневается: жаль, что не всякий это помнит. Вообще, это ветхое разделение, которое противоставляет науку религии, вовсе не философское, и позволь мне также сказать, несколько пахнет XVIII столетием, которое, как тебе самому известно, весьма любило провозглашать неприступность для ума нашего истин веры, и таким образом, под притворным уважением к учениям церкви, скрывало вражду свою к ней. Отрывок твой написан совершенно в ином духе, но по тому самому противоречие между мыслию и языком тем разительнее. Впрочем, надо и то сказать, с кем у нас не случается мыслить современными мыслями, а говорить словами прошлого времени и наоборот? и это очень естественно: как нам поспеть всеми концами вкруг нашего огромного, несвязного бытия за развитием бытия тесно сомкнутого, давно устроенного народов Запада, потомков древности? — Невозможно.

События допотопные, рассказанные в книге Бытия, как тебе угодно, совершенно принадлежат истории, разумеется мыслящей, которая, однако ж, есть одна настоящая история. Без них шествие ума человеческого неизъяснимо; без них всякий подвиг искупления не имеет смысла, а, собственно, так называемая философия истории вовсе невозможна. Сверх того, без падения человека нет ни психологии, ни даже логики; все тьма и бессмыслица. Как понять, например, происхождение ума человеческого и, следовательно, его закон, если не предположить, что человек вышел из рук творца своего не в том виде, в каком он себя теперь познает? К тому же должно заметить, что пред чистым разумом нет повествования, достовернее нам рассказанного в первых главах Священного писания, потому что нет ни одного столь проникнутого той истиной непременной, которая превыше всякой другой истины, а особенно всякой просто исторической. Конечно, это рассказ, и рассказ весьма простодушный, но вместе с тем и высочайшее умозрение, и потому поверяется не критикою обыкновенною, а законами разума. Наконец, если сказание библейское о первых днях мира есть не что иное для христианина, как песнопение вдохновенного свидетеля мироздания, то для исследователя древности оно есть древнейшее предание рода человеческого, глубоко постигнутое и стройно рассказанное. Как же может оно принадлежать одному духовному учению, а не истории вообще? И выбросить его из первобытных летописей мира — не значит ли то же, что выбросить первое действие из какой-нибудь эпопеи? Да и как можно в начальном учении, где каждый пропуск невозвратен, где каждое слово имеет отголосок по всей жизни учащегося, не говорить на своем месте, то есть в истории сотворения, о первой, так сказать, встрече человека с богом, то есть о сотворении его умственного естества? Как можно приступить к истории рода человеческого, не сказав, откуда взялся род человеческий? Как можно начать науку со второй или с третьей главы этой науки?

Молодой ум, который желаешь приготовить к изучению истории, должно так направить, чтобы все последующие его понятия, к этой сфере относящиеся, могли необходимым образом проистекать из первоначальных понятий, а для этого, мне кажется, надобно непременно говорить обо всем там и тогда, где следует; иначе ни под каким видом не будет логического развития. Вспомни, в какое время ум человеческий приобрел те власти, те орудия, которыми нынче так мощно владеет. Не тогда ли, когда все основное учение было учение духовное, когда вся наука созидалась на теологии, когда Аристотель был почти отец церкви, а св. Ансельм Кентерберийский — знаменитейший философ своего времени? Конечно, нам нельзя, каждому у себя дома, все это переначать; но мы можем воспользоваться этими великими поучениями, но мы не должны добровольно лишать себя богатого наследия, доставшегося нам от веков протекших и от народов чуждых. Кто-то сказал, что *нам, русским, недостает некоторой последовательности в уме и что мы не владеем силлогизмом Запада*[13]. Нельзя признать безусловно это резкое суждение о нашей умственности, произнесенное умом огорченным, но и нельзя также его совсем отвергнуть. Никакого нет в том сомнения, что ум наш так составлен, что понятия у нас не истекают необходимым образом одно из другого, а возникают поодиночке, внезапно и почти не оставляя по себе следа. Мы угадываем, а не изучаем; мы с чрезвычайною ловкостию присваиваем себе всякое чужое изобретение, а сами не изобретаем; мы постепенности не знаем ни в чем; мы схватываем вдруг, но зато и многое из рук выпускаем. Одним словом, мы живем не продолжительным размышлением, а мгновенною мыслию. Но отчего это происходит? Оттого, что мы не последовательно вперед подвигались; оттого, что мы на пути нашего беглого развития иное пропускали, другое узнавали не в свое время и, таким образом, очутились, сами не зная как, на том месте, на котором теперь находимся. Если же мы желаем не шутя вступить на поприще беспредельного совершенствования человечества, то мы должны непременно стараться все будущие наши понятия приобретать со всевозможною логическою строгостию и обращать всего более внимания на методу учения нашего. Тогда, может быть, перестанем мы хватать одни вершки, как то у нас по сих пор водилось; тогда раскроются понемногу все силы гибких и зорких умов наших; тогда родятся у нас и глубокомыслие, и стройная дума: тогда мы научимся постигать вещи во всей их полноте и наконец сравняемся, не только по наружности, но и на самом деле, с народами, которые шли иными стезями и правильнее нас развивались, а может статься, и быстро перегоним их, потому что мы имеем пред ними великие преимущества, бескорыстные сердца, простодушные верования, потому что мы не удручены, подобно им, тяжелым прошлым, не омрачены закоснелыми предрассудками и пользуемся плодами всех их изобретений, напряжений и трудов.

Ты говоришь еще, что должно в молчании благоговеть пред премудростию божиею. Не могу не сказать тебе, мой друг, что и это также не что иное, как обветшалый оборот прошлого столетия. Благоговеть пред премудростию божиею конечно должно, но зачем в молчании? Нет, должно чтить ее не с безгласным, а с полным разумением, то есть с глубокою мыслию в душе и с живым словом на устах. Премудрость божия никогда не имела в виду соделывать из нас бессловесных животных и лишать нас того преимущества, которое отличает нас от прочих тварей. Откровение не для того излилось в мир, чтобы погрузить его в таинственную мглу, а для того, чтоб озарить его светом вечным. Оно само есть *сло-*

во; слово же вызывает слово, а не безмолвие. Скажи, где написано, что властитель миров требует себе слепого или немого поклонения? Нет, он отвергает ту глупую веру, которая превращает существо разумное в бессмысленную тварь; он требует веры, преисполненной зрения, гласа и жизни. *Се же есть живот вечный,* говорит апостол, *да знают тебе единого бога*[14]. Если же вера есть не что иное, как познание божества, то сам посуди, не сущее ли богохулие именем веры проповедовать бессмыслие?

В заключение скажу, никак не должно забывать, что разум наш не из одного того составлен, что он сам открыл или выдумал, но изо всего того, что он знает. Какое до того дело, откуда и каким образом это знание в него проникло? Иное он приобрел несознательно, а теперь постигает с полным сознанием; другое усвоил себе вековыми усилиями и трудами, а ныне пользуется им механически; но и то и другое принадлежит ему неотъемлемо, и то и другое взошло навсегда в его состав. Одним словом, *разум,* или, лучше сказать, *дух,* один на небеси и на земли; невидимые излияния мира горьнего на дольний, с первой минуты сотворения того и другого, никогда не прекращаясь, всегда сохраняли между ними вечное тождество; когда же совершилось полное откровение или воплощение божественной истины, тогда совершилось также и сочетание обоих миров в одно неразделимое целое, которое в сущности своей никогда более раздроблено быть не может, ни умозрением надменной мечтательности, ни строптивым своеволием ума, преисполненного своею личностию, ни произвольным отречением развращенного сердца. Всемирный дух, обновленный новою высшею мыслию, ее более отвергнуть не в силах, ею дышит, ею живет, ею руководствуется и, вопреки всех восстаний разнородных титанов, деистов, пантеистов, рационалистов и прч., торжественно продолжает путь свой и влечет за собою род человеческий к его высокой цели.

Вот, мой друг, что я хотел тебе сказать; но еще раз повторяю, с особенным удовольствием прочел я твой занимательный отрывок и от всей души желаю, чтоб ты продолжал свой труд.

Безумный.

1837, октября 30

М. Ф. ОРЛОВУ[15]

Да, друг мой, сохраним нашу прославленную дружбу, и пусть мир себе катится к своим неисповедимым судьбинам.

Нас обоих треплет буря, будем же рука об руку и твердо стоять среди прибоя. Мы не склоним нашего обнаженного чела перед шквалами, свистящими вокруг нас. Но главным образом не будем более надеяться ни на что, решительно ни на что для нас самих. Ничто так не истощает, ничто так не способствует малодушию, как безумная надежда. Надежда, бесспорно, добродетель, и она одно из величайших обретений нашей святой религии, но она может быть подчас и чистейшей глупостью. Какая необъятная глупость, в самом деле, надеяться, когда погружен в стоячее болото, где с каждым движением тонешь все глубже и глубже. А потому из трех богословских добродетелей будем прилежать к двум первым, любви и вере, и станем молить бога простить нам, что мы отвыкли от третьей. Но все же будем надеяться о братьях наших, о наших детях, о священной родине нашей, столь великой, столь могущественной, столь спокойной! Что до нас, то если земля нам неблагоприятна, то что мешает нам взять приступом небо? Разве небо не удел тех, которые берут его силою? Правда, что по этому вопросу мы с вами расходимся во взглядах. Вы по несчастью верите в смерть; для вас небо неизвестно где, где-то там за гробом; вы из тех, которые еще верят, что жизнь не есть нечто целое, что она разбита на две части и что между этими частями — бездна. Вы забываете, что вот уже скоро восемнадцать с половиной веков, как эта бездна заполнена; одним словом, вы полагаете, что между вами и небом лопата могильщика. Печальная философия, не желающая понять, что вечность не что иное, как жизнь праведника, жизнь, образец которой завещал нам сын человеческий; что она может, что она должна начинаться еще в этом мире, и что она действительно начнется с того дня, когда мы взаправду пожелаем, чтоб она началась; философия, воображающая, что мир, окружающий нас, таков в своем реальном бытии и что его следует принять, и не видящая, что это нами созданный мир и что его следует уничтожить, которая только что не верит, как дети, что небо — это протянутая над нашими головами синь и что туда не влезешь! Печальная философия, печальное наследие веков, когда земля не была еще ни освящена жертвою, ни примирена с небом! Когда же, о боже мой! дождусь я того, чтоб все мои друзья отвергли наконец все это неведение языческой скверны? Когда же они узнают все, что есть только один способ быть христианином, а именно быть им вполне? Некогда я мечтал, что мне дано распространить среди них кое-какие святые истины, и я говорил с ними, и подчас они слушали меня. Но в один прекрасный день нагрянул ураган*, подул; и поднялся тогда прах пустыни, забил уши и заглушил мой голос. Да будет воля твоя, о мой боже, суды твои всегда праведны, и надежды наши всегда тщетны. А все же это был прекрасный сон, и сон доброго гражданина. Почему мне не сказать этого? Я долгое время, признаться, стремился к отрадному удовлетворению увидать вокруг себя ряд целомудренных и строгих умов, ряд великодушных и глубоких душ, чтобы вместе с ними призывать милость неба на человечество и на родину. Я думал, что моя страна, юная, девственная, не испытавшая жестоких волнений, оставивших повсюду в других местах глубокие следы в умах и поныне столь часто отвращающих умы от добрых и законных путей, чтоб бросить их на пути дурные и преступные, предназначена первая провозгласить простые и великие истины, которые рано или поздно весь мир должен будет принять; что России выпала величественная задача осуществить раньше всех других стран все обетования христианства, ибо христианство осталось в ней незатронутым людскими страстями и земными интересами, ибо в ней оно, подобно своему божественному основателю, лишь молилось и смирялось, а потому мне представлялось вероятным, что ему здесь дарована будет милость последних и чудеснейших вдохновений. Химеры, мой друг, химеры все это! Да совершится будущее, каково бы оно ни было, сложим руки, и будь что будет, или, склонившись перед святыми иконами, как наши благочестивые и доблестные предки, эти герои покорности, станем ждать в молчании и мире душевном, чтобы оно разразилось над нами, какое бы то ни было, доброе или злое.

1838

А. И. ТУРГЕНЕВУ

Ты спрашиваешь у нашей милой К. А.[1], зачем я не пишу, а я у тебя спрашиваю, зачем ты не пишешь? Впрочем, я готов писать, тем более что есть о чем, а именно о той книге, которую ты мне изволил прислать с этой непристойной припиской (*тому, кому ведать надлежит*[2]). По моему мнению, в ней нет и того достоинства, которое во всех прежних сочинениях автора находилось, достоинства слога. И немудрено:

---

* (Одно слово вырвано).

мысль совершенно ложная хорошо выражена быть не может. Я всегда был того мнения, что точка, с которой этот человек сначала отправился, была ложь, теперь и подавно в этом уверен. Как можно искать разума в толпе? Где видано, чтоб толпа была разумна? (что народ может иметь общего с разумом?[3]) сказал я когда-то какому-то немцу. Приехал бы к нам ваш г. Ламене[4] и послушал бы, что у нас толпа толкует; посмотрел бы я, как бы он тут приладил свой (глас народа, глас божий?[5]). К тому же это вовсе не христианское исповедание. Каждому известно, что христианство, во-первых, предполагает жительство истины не на земли, а на небеси; во-вторых, что когда она является на земли, то возникает не из толпы, а из среды избранных или призванных. Для меня вовсе непостижимо, как ум столь высокий, одаренный дарами столь необычайными мог дать себе это странное направление, и притом видя, что̀ вокруг него творится, дыша воздухом, породившим воплощенную революцию и нелепую (золотую середину[6]). Ему есть один только пример в истории христианства, Саванарола; но какая разница! Как тот глубоко постигал свое послание, как точно отвечал потребности своего времени? Политическое христианство отжило свой век; оно в наше время не имеет смысла; оно тогда было нужно, когда созидалось новейшее общество, когда вырабатывался новый закон общественной жизни. И вот почему западное христианство, мне кажется, совершенно выполнило цель, предназначенную христианству вообще, а особенно на Западе, где находились все начала, потребные для составления нового гражданского мира. Но теперь дело совсем иное. Великий подвиг совершен; общество сооружено; оно получило свой устав; орудия беспредельного совершенствования вручены человечеству; человек вступил в свое совершеннолетие. Ни эпизоды безналичия, ни эпизоды угнетения не в силах более остановить человеческий род на пути своем. Таким образом, бразды мироправления должны были естественно выпасть из рук римского первосвященника; христианство политическое должно было уступить место христианству чисто духовному; и там, где столь долго царили все власти земные, во всех возможных видах, остались только символ единства мысли, великое поучение и памятники прошлых времен. Одним словом, христианство нынче не должно иное что быть, как та высшая идея времени, которая заключает в себе идеи всех прошедших и будущих времен, и, следовательно, должно действовать на гражданственность только посредственно, властию мысли, а не вещества. Более, нежели когда, должно оно жить в области *духа* и оттуда озарять мир и там искать себе окончательного выражения. Никогда толпа не была менее способна, как в наше время на то содействие, которое от нее ожидает и требует Ламене. Нет в том сомнения, что и нынче много дела делается и говорится на свете, но возможно ли отыскать глас божий в этом разногласном говоре мыслящего и не мыслящего народа, в этом порыве одной толпы к одному вещественному, другой — к одному несбыточному? справедливо и то, что вечный разум повременно выражается в делах человеческих и что можно отчасти за ним следовать в истории народов, но не должно же принимать за его выражение возглас каждого сброда людей, который, мгновенно поколебавши воздух, ни малейшего по себе не оставляет следа. Одному своему приятелю вот что писал я об этой книге: («Во всем этом нет и тени христианства. Вместо того, чтобы просить у неба новых откровений, в которых могла бы нуждаться церковь для своего возрождения, этот ересиарх обращается к народам, вопрошает народы, у народов ищет истины! К счастию для него, а также и для народов, сии последние и не подозревают о существовании некоего падшего ангела, бродящего среди мрака, им самим вокруг себя созданного, и вопиющего к нам из глубины этого мрака: «Народы, вставайте! вставайте во имя отца, и сына, и святого духа!» Да, его мрачный вопль перепугал всех серьезных христиан и надолго отодвинул наступление окончательных выводов христианства; через него дух зла вновь попытался растерзать священное единство, драгоценнейший дар, данный религией человечеству; наконец, он сам разрушил то, что некогда сам же создал. Итак, предоставим этого человека его заблуждениям, его совести и милосердию божию, и пусть, если это возможно, поднятый им соблазн не ляжет на него слишком тяжким бременем!«)[7]

Сейчас прочел я Вяземского «Пожар»[8]. (Я не представлял его себе ни таким отменным французом, ни таким отменным русским[9].) Зачем он прежде не вздумал писать по-бусурмански? Не во гнев ему будь сказано, он гораздо лучше пишет по-французски, нежели как по-русски. Вот действие хороших образцов, которых, по несчастию, у нас еще не имеется. Для того, чтоб писать хорошо на нашем языке, надо быть необыкновенным человеком, надо быть Пушкину или Карамзину*. Я знаю, что нынче не многие захотят признать Карамзина за необыкновенного человека; фанатизм так называемой народности, слово, по моему мнению, без грамматического зна-

* Я говорю о прозе, поэт везде необыкновенный человек.

чения у народа, который пользуется всем избытком своего громадного бытия в том виде, в котором оно составлено необходимостию, этот фанатизм, говорю я, многих заставляет нынче забывать, при каких условиях развивается ум человеческий и чего стоит у нас человеку, родившемуся с великими способностями, сотворить себя хорошим писателем. (Действенность красноречия в одобрении слушателей[10]), говорит Цицерон, и это относится до всякого художественного произведения. Что касается в особенности до Карамзина, то скажу тебе, что с каждым днем более и более научаюсь чтить его память. Какая была возвышенность в этой душе, какая теплота в этом сердце! Как здраво, как толково любил он свое отечество! Как простодушно любовался он его огромностию и как хорошо разумел, что весь смысл России заключается в этой огромности! А между тем как и всему чужому знал цену и отдавал должную справедливость! Где это нынче найдешь? А как писатель, что за стройной, звучной период, какое верное эстетическое чувство! Живописность его пера необычайна: в истории же России это главное дело; мысль разрушила бы нашу историю, кистью одною можно ее создать. Нынче говорят, что нам до слога? пиши как хочешь, только пиши дело. Дело, дело! да где его взять и кому его слушать? Я знаю, что не так развивался ум у других народов, там мысль подавала руку воображению и оба шли вместе, там долго думали на готовом языке, но другие нам не пример, у нас свой путь.

(Чтобы вернуться к В.[11]), никто, по моему мнению, не в состоянии лучше его познакомить Европу с Россией. Его оборот ума именно тот самый, который нынче нравится европейской публике. Подумаешь, что он взрос на улице St. Honoré, а не у Калымажного двора.

1839

КН<ЯГИНЕ> С. МЕЩЕРСКОЙ

27 мая 1839

Вы не поняли меня, княгиня, и это немало удивляет. Чтобы понять опровержение какого-либо сочинения, говорите вы, нужно быть знакомым с опровергаемым сочинением: совершенно справедливо. Поэтому я хочу в немногих словах познакомить вас с вопросом и изложить вам суть моей мысли. Но прежде всего я должен предупредить вас, что я считаю невозможным принять учение об одинаковой важности всего, находящегося в Писании. Работа здравой экзегезы научила меня различать в святой книге то, что является прямым воздействием св. духа, и то, что есть дело рук человеческих; поэтому боговдохновенность, покоящаяся на этом дивном произведении, не может сделать в моих глазах одинаково святым и ненарушимым каждое слово, каждый слог, каждую букву, к которым люди прибегли, чтобы передать мысль, которую дух святой вложил в сердца их. Чтобы стать понятным для человеческого разума, божественное слово должно было пользоваться человеческим языком, а следовательно, и подчиниться несовершенствам этой речи. Подобно тому, как сын божий, став сыном человеческим, принял все условия плоти, дух божий, проявляясь в духе человеческом, также должен был принять все условия человеческой речи; но подобно тому, как спаситель не в каждом из актов своей жизни торжествует над плотью, но во всей своей жизни в ее целом, св. дух также торжествует над человеческой речью не в каждой строчке Писания, но в его целом. Говорить, что все в Библии, с начала до конца,— вдохновение, истина, учение — значит, на мой взгляд, в одно и то же время не понимать ни природы воздействия духа божия на дух человеческий, ни божественного начала христианства, которое в силу самой его божественности не всегда может быть с успехом замкнуто в букву с вносимыми ею неизбежно видоизменениями. Нет, этого, конечно, я и не думал говорить. Не дай бог, чтобы я когда-нибудь вернулся к этим глубоким заблуждениям, причинившим столько зла человечеству![1] Кто же не знает, что именно этому чрезмерному благоговению перед библейским текстом мы обязаны всеми раздорами в христианском обществе? что, опираясь на текст, каждая секта, каждая ересь провозглашала себя единственной истинной церковью бога? что, благодаря тексту, придан был римскому первосвященнику титул видимого главы христианства, викария И. Х., и что с текстом же в руках оспаривали и доныне оспаривают его право на этот верховный сан?

И позвольте мне сказать вам, княгиня, что, на мой взгляд, путь через тексты далеко не самый прямой; мне думается, напротив, что это путь наиболее извилистый и наиболее длинный: свидетельством тому могут служить опять-таки вечные споры законников и богословов, которые вертятся всегда, как вам отлично известно, на букве Писания. Наиболее прямой путь, по мне, это путь хорошо дисциплинированного разума, руководимого ясной верою и свободного от всякого корыстного чувства. Текст удобен в том отношении, что он закрывает рот и принуждает склониться перед ним; посему он и был во все времена убежищем религиозной гордыни. А как хотите вы, чтоб гордость шла прямым путем? Это невозможно. Что касается до меня, то я, благодаренье небу, не богослов, не законник, а просто христианский философ, и только в качестве такового я взялся за перо, чтобы оспаривать мнения человека[2], которого я люблю и уважаю, человека знающего, человека умного, но не философа, и полагающего, как многие другие, что вера и разум не имеют ничего между собою общего: вот та ошибка, которую я старался опровергнуть, вот весь предмет моего письма.

Наш друг утверждает, во-первых, что, при обучении истории, библейская космогония, то есть откровенная история создания мира, должна быть опущена, ибо, по его мнению, эта история относится к области веры, а не науки. Я постарался поэтому доказать, что история человеческого рода не имеет смысла, если не возводить ее к первым дням мира и к сотворению человека; что все неизбежно обратится в хаос и мрак в этой области человеческого познания, если мы не бросим на нее яркий свет глубоких истин и дивных символов, находящихся в книге Бытия. Переходя затем к сущности предмета, я сказал, что в задачи божественного основателя христианства никогда не входило навязывать миру немую и близорукую веру, как, по-видимому, предполагает автор; что, раз христианство есть слово и свет по преимуществу, оно естественно вызывает слово и распространяет возможно больший свет на все объекты интеллектуального воззрения человека; что оно не только не противоречит данным науки, но, напротив, подтверждает их своим высоким авторитетом, между тем как наука, в свою очередь, ежедневно подтверждает своими открытиями христианские истины; что христианство снабдило человеческий ум новыми и многочисленными орудиями, дав ему повод к безмерному упражнению в те времена, когда наиболее прославленные святые были в то же время и величайшими философами своего века; что, наконец, доказано, что наиболее плодотворными эпохами в истории человеческого духа были те, когда наука и религия шли рука об руку. Поэтому в страницах, прочтенных вами, я имел в особенности в виду прискорбную тенденцию увековечивать раскол между религией и наукой, установленный XVIII веком и о котором ни отцы церкви, ни учителя средневековья, эти гиганты религиозной мысли, не имели даже представления, тенденцию, в которой, к сожалению, доселе упорствуют многие выдающиеся и строго религиозные умы, несмотря на обратное направление нашего века в его целом, стремящегося, напротив, изо всех сил вернуться к приемам доброго времени твердых верований и слить в один поток света эти два великих маяка человеческой мысли.

Естественно, что я не могу повторить всего, что я сказал, но необходимо добавить еще несколько слов к этому изложению в кратких чертах того, что уже было мною раньше высказано. Да, Библия есть драгоценнейшее сокровище человечества; она — источник всякой моральной истины; она пролила на мир потоки света, она утвердила человеческий разум и обосновала общество; Библии род человеческий главным образом обязан теми благами, которыми он пользуется, и ей будет он, по всей вероятности, обязан и концом тех бед, которые еще тяготят над ним; но воздержимся от того, чтоб ставить писаное слово на высоту, которой оно не имеет, остережемся, как бы нам не впасть в поклонение, в идолопоклонство букве, в особенности же остережемся представления, что все христианство замкнуто в священной книге. Нет, тысячу раз нет. Никогда божественное слово не могло быть заточено между двумя досками какой-либо книги; весь мир не столь обширен, чтобы <не>объять его; оно живет в беспредельных областях духа, оно содержится в неизреченном таинстве евхаристии, на непреходящем памятнике креста оно начертало свои мощные глаголы.

Как видите, княгиня, эти строки содержат полное исповедание веры. Благодарю вас за то, что вы дали мне случай исповедать оную, и в особенности в обращении к вам. Мои религиозные взгляды, подвергаемые нелепейшим толкованиям в наших гостиных, нуждались в формулировке, хоть сколько-нибудь точной и определенной, и, раз это сделано, они не могли бы найти лучшего судью, чем вы, вся жизнь которой посвящена была осуществлению искренней и просвещенной религии.

В. А. ЖУКОВСКОМУ[3]

Полагаю, любезный Василий Андреевич, что вы не забыли своего обещания прислать мне хотя список с письма Пушкина, написанного ко мне в то время, как вышла моя глупая статья, и ко мне не дошедшего[4]. М. М. Сонцев был близкий человек покойному[5]; потому и воспользовался я его отъездом в Петербург, чтоб вам об этом напомнить. Все, что относится до дружбы нашей с Пушкиным, для меня драгоценно, и никто лучше вас этого не поймет, но, разумеется, невозможного я не желаю, и если письмо это еще не у вас в руках, то делать нечего. Прошу вас, однако ж, употребить все возможное старание мне его доставить. Не забудьте, что это последнее его ко мне слово.

Думаю, что у вас и голова и сердце полны впечатлениями вашего путешествия; и так вам не до разговоров со мною. Пришлите письмо, если возможно; если же нет, то скажите М. М., что прислать нельзя, и больше ничего. А затем прощайте, любезный Василий Андреевич.

Препокорный ваш *Петр Чаадаев.*

Москва, июня 5-го

1840

С. П. ШЕВЫРЕВУ[1]

Милостивый государь Степан Петрович.

На этих днях узнал я, что стихотворение г. Ростопчиной, о Москве[2], произвело в кругу здешних литераторов некоторый соблазн и что М. П. Погодин намерен был даже его отослать графине. Посылая вам его, я не предвидел, что унылое чувство поэта, внушенное ему безлюдностию родной стороны, оскорбит *москвитян*[3], и уверен был, что оно дышит любовью к родине, хотя и не тою самою, которая нынче в моде. Если я ошибся, то виноват я, а не графиня, не имевшая намерения печатать своих стихов в «Москвитянине». Итак, прошу вас, если это еще возможно, возвратить мне эти стихи. Кажется, таким образом всему делу будет конец. Впрочем, я уверен, что ни графиня, ни я не заслужили в этом случае вашей личной немилости, а этого с нас обоих довольно.

С истинным почтением имею честь быть

вам преданный *П. Чаадаев.*

Сентября 22.

1841

А. И. ТУРГЕНЕВУ[1]

Вот Батюшков, которого ты знаешь; стало быть, дело не о нем. Но есть в Париже русской, человек необыкновенного ума, по имени Сазонов, которого, к крайнему моему удивлению, не знаешь. Он находится в Париже по препоручению министра г. имуществ, след., официальной человек (и вы не рискуете, мой милый, несчастный либерал, компрометировать себя, оказывая ему услугу[2]). Найди его и постарайся ему пригодиться. За Галахова благодарен. Здесь все живы и здоровы; народность преуспевает; по улицам разъезжают тройки с позвонками, лапотный элемент в полном развитии; ежедневно делаем новые открытия, открываем славян повсюду; на днях вытолкаем из миру все неединокровное.— За сим прощай. Кланяйся брату, Экштейну, Голицыну, Гагарину, Сиркуру, Теплякову.

Свербеева в деревне, была здесь недавно; мила по-прежнему. В будущем месяце переселюсь в ее сторону на остаток дней.

КН<ЯГИНЕ> С. МЕЩЕРСКОЙ

Декабрь 1841

Бесспорно, княгиня, весьма интересно то, что сообщает нам в своей книге достопочтенный J. о новом направлении в английской церкви. Надо благословлять небо, внушающее различным христианским исповеданиям мысль о взаимном сближении. Учтивый тон речи, столь непохожий на тот, который раньше употреблялся при обсуждении подобных вопросов, умеренность в обвинениях, выставляемых против чужих верований, наконец, дух любви, характеризующий эту маленькую книжку, вполне заслуживают наших симпатий. Мне кажется, что можно возлагать большие надежды на это новое направление, которое принимают в наши дни религиозные взгляды в некоторых странах, но должен признаться вам, что я желал бы, чтоб прения возникли на другой почве. Я думаю, что лучший способ оценить какое-либо начало, получившее господство в мире, это взглянуть на плод, который оно принесло; сводить вопрос на чисто богословский вопрос — значит, по мне, слишком суживать его. Ваш английский священник нападает, например, с жаром на почитание св. девы и святых; но если даже и признать, к чему я, разумеется, вовсе не склонен, что это почитание, в том виде, как оно исповедуется нашими великими церквами-матерями, как бы запятнано суеверием, то не следует забывать при этом того благотворного влияния, которое оно оказало на мир. В споре между добрыми христианами недостаточно того, чтоб прав был ум, нужно, чтобы и сердце было право. Разве не это почитание сделало христианскую мораль исполнимой, пролив потоки любви богоматери на землю и дав человеческой слабости некоторое число образцов для подражания, прежде чем она могла обратиться к великому образцу, стоящему на вершине христианской лестницы? Разве не этому почитанию мы обязаны тем, что есть наиболее плодотворного в средневековье? Отнимите у этой поры дикого величия ее восторженное поклонение св. деве и ее глубокое благоговение к священному нимбу, и мир был бы и теперь еще, быть может, в том же состоянии, в каком он находился тогда. В эти века, когда владычествовала грубая сила, думаете ли вы, что простая мораль Евангелия и одни сверхчеловеческие добродетели спасителя были бы достаточны, чтобы смягчить нравы этих людей севера, железная природа которых только что ознакомилась со всей испорченностью римской цивилизации, выродившейся в бесконечные сатурналии? Разве не нужно было показать им добродетели по их мерке и научить их склонять головы и преклонять колена перед ними? Разве не нужно было говорить с ними языком, доступным для них, и обращаться более к их сердцу и к их воображению, чем к их уму? Вне сомненья, например, что христианское искусство, этот прекрасный цвет чистейшего религиозного чувства, было бы невозможно без почитания святых. А если это так, то ведь это искусство бесспорно принесло больше пользы обществу, чем принесут ему когда-либо целые тома холодных проповедей. Мало того, и что касается меня, то я уверен в этом, даже в настоящее время дивные храмы, которые рассыпала по всей Англии низвергнутая церковь, лучше возвещают Евангелие в своем молчании ее неблагодарному населению, кстати сказать мало ценящему это великолепное наследие, чем проповедники ныне господствующей церкви. Должен, впрочем, признаться вам, что мне трудно понять, как эта церковь, самое наименование которой *установленная церковь* — указывает на ее происхождение, как она может быть той самой церковью, которая была основана еще во времена апостольские и затем разрушена саксами. Но как бы то ни было, раз она отрицает свое недавнее происхождение и желает вести свое начало с той поры, когда была только одна церковь в мире, эта последняя церковь, доныне пребывающая, будет, конечно, весьма счастлива открыть ей свои объятия. Это отречение в некотором роде от нечистого источника, которым она некогда кичилась, есть бесспорно большой шаг вперед, и мы должны от всего сердца приветствовать ее на этом пути. Как могли бы, в самом деле, древние исповедания, в лоне которых христианство развернулось и определилось, исповедания, стяжавшие ему мир, не порадоваться при виде своих юных сестер, понявших наконец, что может быть лишь одна христианская церковь, и притом не некая метафизическая церковь, парящая в сферах идеи, но церковь, вполне видимо и вполне реально основанная И. Х. на этой земле, орошенной его кровью и освященной его пребыванием среди нас?

Я замечаю, княгиня, что я только еще приступаю к своему предмету, а уже успел заполнить две страницы; я не знаю, удовольствуетесь ли вы тем, что я сказал вам, но мне не хотелось бы заключать своего письма, не попытав в нескольких словах резюмировать мои чувства по этому интересному вопросу. Итак, я думаю, что призвание церкви в веках было дать миру христианскую цивилизацию, для чего ей необходимо было сложиться в мощи и силе; что, имея задачей показать людям, что есть лишь один способ познать бога и поклоняться ему, она естественно должна была испытывать потребность в сохранении собственного единства; что, если бы она укрылась в преувеличенном спиритуализме или в узком аскетизме, если бы она не вышла из святилища, она тем самым обрекла бы себя на бесплодие и никогда не была бы в состоянии завершить своего дела; наконец, что ее земные судьбы могут быть выполнены лишь в условиях человеческого разума, условиях, возлагавших на нее обязанность непрестанно приспособляться к духу времен, через которые ей пришлось проходить, а потому и не следует упрекать ее в том, что она пошла дорогой, предначертанной ей природой вещей, и следовательно единственной, по которой она могла идти. Еще одно слово: вы знаете, что некогда, в самый разгар феодальных неистовств, церковь воспретила какие бы то ни было враждебные действия в течение четырех дней недели, и что ее послушались: ну, так спрашиваю вас, думаете ли вы, что если б она сложилась иначе, чем это было на деле, она могла бы решиться провозгласить этот пресловутый *мир божий*, истинный кодекс милосердия и мира, который, по признанию даже протестантских писателей, более всего способствовал развитию у современных наций всяческих гуманных чувств? Конечно, нет. Мне кажется, что при общих и мирных прениях, которые, быть может, возникнут при данных обстоятельствах в религиозном мире, необходимо будет постоянно иметь в виду как услуги, оказанные человечеству древними верованиями, так и необходимость, в которую они были поставлены, выступать в качестве общественных сил и подчинять себе все остальные власти. И тогда, если новые верования, исполненные благодарности за оказанное ими благо, с любовью протянут им руку, можно будет надеяться, что сам дух святой благоволит просветить их и открыть им целый мир любви, где некогда наиболее расходившиеся мнения сольются и смешаются. Пусть эта счастливая минута скорее порадует сердца истинных христиан! А главное, чего можно весьма опасаться в наши дни, да не вздумает заносчивая философия[3], претендующая с помощью нескольких варварских формул примирить все непримиримое, выступить посредницей между глубокими и искренними убеждениями, природы которых она не может понять и значения которых она не может измерить, и тем свести всю эту святую работу религиозных умов к какому-нибудь неудачному компромиссу, к каким-нибудь философским пересудам, недостойным религии Христа.

1842

С. П. ШЕВЫРЕВУ[1]

Покорнейше благодарю вас, милостивый государь Степан Петрович, за сообщение вашей статьи, умной, благородной. Все друзья и ближние нашего доброго Орлова вам за нее скажут спасибо. Без вас он бы пропал без вести.— От всей души желаю, чтоб с Вами цензура обошлась милостиво.

Душевно вам преданный *П. Чаадаев.*

ШЕЛЛИНГУ

1842. Москва, 20 мая

Милостивый государь.

С тех пор, как вы сделали честь написать мне[2], произошло немало событий в философском мире, но из всех этих событий наиболее живой интерес вызвало во мне ваше выступление на новой сцене, куда призвал вас государь, друг гения[3]. Как только я узнал о вашем прибытии в Берлин, во мне проснулось стремление обратиться к вам с пожеланиями успеха вашим учениям в этом средоточии немецкой науки; различные обстоятельства, независимые от моей воли, помешали мне выполнить это: теперь мне остается только поздравить вас с вашим успехом. Я не настолько самонадеян, чтобы предположить, что мои приветствия могут вас бесконечно тронуть, и если бы мне не было ничего другого сказать вам, то я, может быть, воздержался бы от того, чтоб писать вам; но я не мог противостать желанию сообщить вам о том могущественном интересе, который связан для нас с вашим теперешним учением, а также о глубоких симпатиях, с которыми маленький кружок наших философствующих умов приветствовал ваше вступление в этот новый период вашего славного поприща.

Вам известно, вероятно, что спекулятивная философия[4] издавна проникла к нам; что большая часть наших юношей, в жажде новых знаний, поспешила приобщиться к этой готовой мудрости, разнообразные формулы которой являются для нетерпеливого неофита драгоценным преимуществом, избавляя его от трудностей размышления, и горделивые замашки которой так нравятся юношеским умам; но чего вы не знаете, вероятно,— это что мы переживаем в данную минуту нечто вроде умственного кризиса, имеющего оказать чрезвычайное влияние на будущее нашей цивилизации[5]; что мы сделались жертвой национальной реакции, страстной, фанатической, ученой, являющейся естественным следствием экзотических тенденций, под властью которых мы слишком долго жили, но которая, однако, в своей узкой исключительности, поставила себе задачей ни более ни менее как коренную перестройку идеи страны в том виде, как она дана теперь не вследствие какого-либо насильственного общественного переворота, что еще могло бы до известной степени оправдывать насильственное возвращение к прошлому, но просто в силу естественного хода вещей, непогрешимой логики столетий, а главное, в силу самого характера нации. Надо принять в соображение, что философия, низвергнуть с престола которую вы явились в Берлин, проникнув к нам, соединившись с ходовыми у нас идеями и вступив в союз с господствующим у нас в настоящее время духом, грозила окончательно извратить наше национальное чувство, то есть скрытое в глубине сердца каждого народа начало, составляющее его совесть, тот способ, которым он воспринимает себя и ведет себя на путях, предначертанных ему в общем распорядке мира. Необыкновенная эластичность этой философии, поддающейся всевозможным приложениям, вызвала к жизни у нас самые причудливые фантазии о нашем предназначении в мире, о наших грядущих судьбах; ее фаталистическая логика, почти уничтожающая свободу воли, восстановляя ее в то же время на свой лад, усматривающая везде неумолимую необходимость, обратясь к нашему прошлому, готова была свести всю нашу историю к ретроспективной утопии, к высокомерному апофеозу русского народа; ее система всеобщего примирения путем совершенно нового хронологического приема, занимательного образца наших философских способностей, вела нас к вере, что, упредив ход человечества, мы уже осуществили в нашей среде ее честолюбивые теории; наконец, она, быть может, лишила бы нас прекраснейшего наследия наших отцов, той целомудренности ума, той трезвости мысли, культ которой, сильно запечатленный созерцательностью и аскетизмом, проникал все их существо. Вы можете судить, сколь искренно приветствовали ваше появление в самом очаге этой философии, влияние которой могло стать для нас столь гибельным, все те из нас, которые действительно любят свою страну. И не думайте, чтобы я преувеличивал это влияние. Бывают минуты в жизни народов, когда всякое новое учение, каково бы оно ни было, всегда явится облеченным чрезвычайной властью в силу чрезвычайного движения умов, характеризующего эти эпохи. А следует признаться, что горячность, с которой у нас волнуются на поверхности общества в поисках какой-то потерянной национальности, невероятна. Роются во всех уголках родной истории; переделывают историю всех народов мира, навязывают им общее происхождение с привилегированной расой, расой славянской, смотря по большему или меньшему достоинству их; перерывают всю кору земного шара, чтобы найти титулы нового народа божия; и в то время, как эта непокорная национальность ускользает от всего этого бесплодного труда, фабрикуют новую, которую претендуют навязать стране, относящейся, впрочем, совершенно безучастно к лихорадочным восторгам этой науки, у которой еще молоко на губах не обсохло. Но горячки заразительны, и если бы учение о непосредственном проявлении абсолютного духа в человечестве вообще и в каждом из его членов в частности продолжало царить в вашей ученой метрополии, то мы вскоре увидали бы, в этом я уверен, весь наш литературный мир перешедшим к этой системе, подслужливым царедворцем человеческого разума, мило льстящим всем его притязаниям. Вы знаете, в вопросах философии мы еще ищем своего пути: поэтому весь вопрос в том, отдадимся ли мы порядку мыслей, поощряющему в высокой степени всякие личные пристрастия, или, верные дороге, которой мы следовали до сего дня, мы и впредь пойдем по путям того религиозного смирения, той скромности ума, которые во все времена были отличительной чертой нашего национального характера и в конечном счете плодотворным началом нашего своеобразного развития. Продолжайте же, милостивый государь, торжествовать над высокомерной философией, притязавшей вытеснить вашу.

Вы видите, судьбы великой нации зависят в некотором роде от вашей системы. И да будет дано нам увидать когда-нибудь созревшими в нашей среде все плоды истинной философии, и это благодаря вам!

Е. А. СВЕРБЕЕВОЙ[6]

10 июля ⟨1842 г[7].⟩

Письмо ваше, дорогая г-жа Свербеева, пришло весьма кстати, чтобы отвлечь меня от моих печальных забот. Приближаясь к моменту моего удаления в изгнание из города, где я провел 15 лет моей жизни над созданием себе существования, полного привязанностей и симпатий, которых не могли сокрушить ни преследования, ни неудачи, я вижу, что эта вынужденная эмиграция есть настоящая катастрофа[8]. Вы находите, что Рожествено[9] одиноко; что же сказали бы вы об очаровательном убежище, которому предстоит меня принять, если б вы имели о нем какое-либо представление? Вообразите себе — один кустарник и болота на версты кругом и, помимо всего прочего, отсутствие места в доме для целой половины моих книг! Так пишет мне добрая тетушка[10], несмотря на ее горячее желание видеть меня у себя. Расположенное в довольно веселой местности, с удобным домом, украшенное вашим соседством, Рожествено по сравнению является обетованною землею. Но не будем об этом говорить; это значило бы плохо ценить вашу дружбу, если заставлять ее выносить картину ожидающей меня жизни. Я, впрочем, по-прежнему решил приехать запастись счастием под вашими широтами, прежде чем отправиться в мои Синаняры[11]. Я узнал через cousine о визите, который сделала вам прекрасная графиня; если я с ней встречусь, я приглашу ее заехать к вам ко времени моей поездки. И тогда как-нибудь вечером, между двумя романсами, я распрощусь с вами; это смягчит мне горечь разлуки.

Перейдем к предметам, вызвавшим ваше любопытство. Статья Хомякова[12], говорят, произвела мало впечатления среди землевладельцев; я этому не удивляюсь: она очень мало содержит для практической жизни, но очень много для мысли. Поэтому, что до меня касается, я от нее в упоении. Несколько фраз из нее я перевел Мармье, присоединив к ним маленький комментарий для его личного употребления. К сожалению, интересный путешественник приехал повидаться со мною накануне своего отъезда, почему я и не мог, в тот краткий промежуток времени, который он провел у меня, дать ему оценить вещи во всем их значении. Вот одна из этих фраз, сопровождаемая ее комментарием. «Сельская община,— говорит автор,— нашла впоследствии главу в лице землевладельца». Совершенно правильно, но что из этого следует? Что община сначала не имела главы; что последняя установилась у нас законным путем; что это установление было благодеянием для страны, так как оно способствовало окончательному устроению этой удивительной общины, основы, по мнению автора, нашего общественного строя и зародыша всего нашего будущего процветания; наконец, что не следует прикасаться к рабству, если только не хочется разрушить общину и возвратить нас к золотому веку допотопной Руси. Текст гласит: «Мирская община получила впоследствии определенную главу в лице помещика». Вы видите, что моя передача вполне правильна: я ссылаюсь на самого автора. Другое положение Хомякова, доверенное скромному и осторожному размышлению Мармье. «Формы нашей жизни,— говорит он,— органическое произведение нашей почвы и народного характера, заключают в себе тайну нашего величия». Превосходно! Но тогда и крепостное право, одна из наиболее ярких форм нашей жизни, не является ли также необходимым продуктом природы страны? Не содержит ли оно в себе также тайну нашего величия? А потому, снова скажу, остерегайтесь дотрагиваться до него! Но достаточно о Хомякове и его статье. Г-жа Орлова поселилась на Всесвятском; она по-прежнему бодра, но очень грустна. Мысль покинуть ее, чтоб больше не видаться, сильнее всего меня удручает. Добрый Орлов, надеюсь, не будет за это в претензии на меня; в странах, в которых он теперь обретается[13], все, говорят, становится ясно; в таком случае он будет знать, как дорога мне его память и как я был бы счастлив доказать это его семье.— Тургенев[14] направляется в Москву; его патрон ожидается сюда через несколько дней; итак, вы не преминете вскоре увидеть нашего дорогого друга у своих ног.— Натали[15] получила два раза известия от своей сестры[16], этого беспокойного сердца, которое сейчас ищет впечатлений на красивых берегах Рейна. Да поможет ей небо! Вы, вероятно, знаете о случившемся с хорошенькой Дашей происшествии, очень естественном при ее наружности; вследствие этого Лиза путешествует без горничной, отчего она, по ее словам, чувствует себя превосходно; но не можете ли вы мне объяснить, как она ухитряется причесываться? Правда, у нее есть выход — вовсе не причесываться. Вот, кажется, все темы вашего любопытства удовлетворены.

Итак, прощайте, добрая и любезная кузина. Забыл вам сказать, что наш Голицын женится на княжне Долгорукой, дочери Ильи Долгорукого, свадьба будет здесь через несколько недель. Все это сообщил мне Иван Гагарин; он только что от меня ушел и поручил мне засвидетельствовать вам свое почтение. Еще раз — прощайте. Примите, прошу вас, выражение моей глубокой и искренней преданности.

Петр Чаадаев.

P. S. Я хотел послать это письмо на почту, но ваш супруг взялся его вам доставить.

С. П. ШЕВЫРЕВУ[17]

Басманная, 20 июля

Вы, конечно, не знаете, любезнейший Степан Петрович, что я болен и сижу дома; а то бы ваша добрая душа, конечно, вас привела ко мне. По-московски, мы почти соседи. Но кроме этого, то есть кроме утешения, которое мне доставит ваше посещение, я бы желал поговорить с вами о многом. Я оставляю Москву. Надобно ее оставить не с пустыми руками. Остальные, немногие предсмертные дни хотел бы провести в труде полезном, а для этого нужно или укрепиться в своих убеждениях, или уступить потоку времени и принять другие. Ваша теплая душа поймет, что с сомнениями тяжело умирать, какие бы они ни были.— Простите, почтеннейший Степан Петрович.— В ожидании вашего посещения прошу вас принять уверение в моей душевной преданности. *Петр Чаадаев.*

1843

А. И. ТУРГЕНЕВУ[1]

Госпожа С.[2] больна, поэтому отвечаю вам я: вы знаете, имею ли я на это право. И прежде всего я должен вам сказать, что она очень сожалеет, что вызвала ваше письмо. Но что вы хотите? Приходится иногда действовать не по первому побуждению, хотя бы впоследствии и пришлось в этом раскаяться. Предупреждаю вас — вы услышите слово человека обиженного, однако человека, симпатии которого не смогли заглушить ни ваши мелочные выходки, ни бешеные вспышки вашего гнева.

Вы говорите, что ваша душа больна! Дай бог, чтобы ваш ум был в лучшем состоянии. Вы бы тогда лучше судили и о вещах, и о людях. В этом все дело. Добрый, обходительный, без претензии на серьезность, неутомимый и подчас интересный собиратель всяческих новостей; милый хвастун, не отказывающийся от этого титула, а, наоборот, добродушно принимающий его; наконец, фрондер по проявлениям, а для виду и филантроп — таким мы вас знали и любили. Но вот в один прекрасный день ваш покровитель покидает двор[3]: последствия обрушиваются на вас; вы теряете одну официальную поддэржку, и вам нужна другая. Вместо того, чтобы искать эту поддержку в старых и достойных дружеских связях, в услугах, оказанных и принятых, в уважении ваших соотечественников, вы хотите найти ее в каких-то неизвестных делах славного прошлого, в ваших связях с несколькими снисходительными европейскими знаменитостями, в мнимой строгости ваших принципов, и прежде всего в той широкой филантропии, первые плоды которой принадлежат каторжникам, а шум — свету[4]. И вот вы — среди нас в своем новом костюме. К сожалению, костюм вам не по росту. Он был скроен для человека исключительно смелого и оригинального. А вы знаете — каков тот, кто его надел. Отсюда все недоразумения, происшедшие с вами во время вашего пребывания в Москве. Прежде всего вы нашли, что публика охладела по отношению к вам. Ничуть не бывало. Публика осталась та же — переменились вы. Публика, надо это вам сказать, всегда относилась к вам шутя; на этот раз вы захотели, чтобы вас приняли всерьез. Публика на это не пошла, вот и все. Тогда начались ваши дикие выходки, ваши взбалмошные ссоры, ваши ревнивые подозрения. Вы стали сварливы, грубы, надменны. Все ваши дурные страсти, дремавшие в течение полувека в тени блаженного довольства, внезапно проснулись, шумные, циничные, завистливые. Поневоле публика тогда слегка отшатнулась от вас; тем не менее, привыкнув относиться к вам снисходительно, она не лишила вас своего доброжелательства, с той лишь разницей, что ее симпатии сменились снисхождением. То, что я вам сейчас сказал, вы знаете не хуже меня, но вы, вероятно, не знаете того, что это известно другим и помимо вас, а вот это-то и важно вам знать!

Вы понимаете, что я не могу вывести известную вам милую даму на ту шутовскую арену, на которой мы благодаря вам состязаемся. Я не могу говорить с вами ни о том почти жестоком поддразнивании, которому вы ее подвергли, и это в такую минуту, когда она была погружена в глубочайшую скорбь[5], ни о ваших претензиях целиком завладеть ее дружбой, ни, наконец, о покорности, с которой она перенесла все излияния неслыханного эгоизма; но я могу и должен сказать вам о себе, и это вы, конечно, прекрасно понимаете. Как ни смешно, впрочем, что между нами возникает спор, я не могу даровать вам ту безнаказанность в отзывах обо мне, какую вы себе так свободно предоставляете. Итак, слушая вас, лучше сказать, глядя на вас, ибо вы ничего не произносите[6], можно подумать, что вы таите глубокую и обоснованную обиду против меня; я оговорился, обида — не то слово, ваше дурное настроение в отношении меня совершенно бескорыстно, вы одушевлены лишь самым целомудренным, самым благородным негодованием против изменчивости моих мнений, против моего заносчивого самолюбия. Ну, так что ж! Я это признаю, ибо я — не из тех, кто добровольно застывает на одной идее, кто подводит все — историю, философию, религию под свою теорию, я неоднократно менял свою точку зрения на многое, и уверяю вас, что буду менять ее всякий раз, когда увижу свою ошибку. Что касается второго вопроса — моего самолюбия, то — да, я горжусь тем, что сохранил всю независимость своего ума и характера в том трудном положении, которое было создано для меня, и я смею надеяться, что мое отечество оценит это; я горжусь тем, что вызванные мною ожесточенные споры не отдалили от меня никого из тех лиц, глубокими симпатиями которых я пользовался, наконец, я горжусь тем, что среди моих друзей числятся серьезные и искренние умы самых различных направлений. Еще слово. О, конечно, христианское смирение прекрасно, и, осуществляя его, человек испытывает невыразимое счастье; к сожалению, при некоторых данных условиях оно приобретает вид низости, и вы, который так искусно умеет принимать тот или иной вид, должны это знать не хуже меня. Вернемся к моим мнениям — это самый существенный вопрос.

Было время, когда я, как и многие другие, будучи недоволен нынешним положением вещей в стране, думал, что тот великий катаклизм, который мы именуем Петром Великим, отодвинул нас назад, вместо того чтобы подвигнуть вперед; что поэтому нам нужно возвратиться вспять и сызнова начать свой путь, дабы дойти до каких бы то ни было крупных результатов в интеллектуальной области. Ознакомившись с делом ближе, я изменил свою точку зрения. Теперь я уже не думаю, что Петр Великий произвел над своей страной насилие, что он в один прекрасный день похитил у нее национальное начало, заменив его началом западноевропейским, что, брошенные в пространство этой исполинской рукой, мы попали на ложный путь, как светило, затерявшееся в чужой солнечной системе, и что нам нужен в настоящую минуту какой-то новый толчок центростремительной силы, чтобы мы могли вернуться в нашу естественную среду. Конечно, один этот человек заключал в себе целый революционный переворот, и я далек от того, чтобы это отрицать, однако и этот переворот, как и все перевороты в мире, вытекал из данного порядка вещей. Петр Великий был лишь мощным выразителем своей страны и своей эпохи. Поневоле осведомленная о движении человечества, Россия давно признала превосходство над собой европейских стран, особенно в отношении военном; утомленная старой обрядностью, прискучив одиночеством, она только о том и мечтала, чтобы войти в великую семью христианских народов; идея человека уже проникла во все поры ее существа и боролась в ней не без успеха с заржавевшей идеей почвы. Словом, в ту минуту, когда вступил на престол великий человек, призванный преобразовать Россию, страна не имела ничего против этого преобразования: ему пришлось только приложить вес своей сильной воли, и чашка весов склонилась в пользу преобразования. Что касается средств, которыми он пользовался для осуществления своей программы, то он, естественно, нашел их в инстинктах, в быте и, так сказать, в самой философии народа, которого он являлся самым подлинным и в то же время самым чудесным выразителем. И народ не отказался от него: если он и протестовал, то делал это в глубоком безмолвии, и история никогда об этом ничего не узнала. Стрельцы, опьяненные анархией, вельможи, погрязающие в грабежах, потерявшие рассудок среди своего рабского уклада, несколько мятежных священников, тупые сектанты — все это не выражало национального чувства. Наконец — небольшая оппозиция, оказанная ему частью народа, отнюдь не имела отношения к его реформам, ибо она возникла со дня его восшествия на престол. Я слишком хороший русский, я слишком высокого мнения о своем народе, чтобы думать, что дело Петра увенчалось бы успехом, если бы он встретил серьезное сопротивление своей страны. Я хорошо знаю, что вам скажут некоторые последователи новой национальной школы — «потерянные дети» этого учения, которое является ловкой подделкой великой исторической школы Европы; они скажут, что Россия, поддавшись толчку, сообщенному ей Петром Великим, на момент отказалась от своей народности, но затем вновь обрела ее каким-то способом, неведомым остальному человечеству, но краткое размышление покажет нам, что это — лишь громкая фраза, неуместно заимствованная на той податливой растяжимой философии, которая в настоящее время разъедает Германию и которая считает, что объяснила все, если сформулировала какой-нибудь тезис на своем странном жаргоне. Правда в том, что Россия отдала в руки Петра Великого свои предрассудки, свою дикую спесь, некоторые остатки свободы, ни к чему ей не нужные, и ничего больше — по той простой причине, что никогда народ не может всецело отречься от самого себя, особенно ради странного удовольствия сделать с новой энергией прыжок в свое прошлое — странная эволюция, которую разум человека не может постичь, а его природа — осуществить. Но надо знать, что не впервые русский народ воспользовался этим правом отречения, которое, разумеется, имеет всякий народ и пользоваться которым не каждый народ любит. Так часто, как мы. Заметьте, что с моей стороны это — вовсе не упрек по адресу моего народа, конечно достаточно великого, достаточно сильного, достаточно могущественного, чтобы безнаказанно позволить себе время от времени роскошь смирения. Эта склонность к отречению — прежде всего плод известного склада ума, свойственного славянской расе, усиленного затем аскетическим характером наших верований,— есть факт необходимый или, как принято теперь у нас говорить, факт органический,— надо его принять, подобно тому как страна по очереди принимала различные формы иноземного или национального ига, тяготевшие над ней. Отрицать эту существенную черту национального характера — значит оказать плохую услугу той самой народности, которую мы теперь так настойчиво восстанавливаем. Вот некоторые из тех отречений, о которых мы говорим.

Наша история начинается прежде всего странным зрелищем призыва чуждой расы к управлению страной, призыва самими гражданами страны — факт единственный в летописи всего мира, по признанию самого Карамзина, и который был бы совершенно необъяснимым, если бы вся наша история не служила ему, так сказать, комментарием. Далее идет наше обращение в христианство. Вы знаете, как это произошло. *Если князь и его дружина, говорил народ, находят это учение хорошим и мудрым, наверное, это так и есть*, и бежал окунуться в воды Днепра. Наконец, наступает продолжительное владычество татар — это величайшей важности событие, которое ложный патриотизм лицемерно и упорно отказывается понять и которое содержит в себе такой страшный урок. Как известно, татары никогда не захватывали всей России, но ведь без захвата страны нет настоящего ее завоевания, т. е. завоевания, которое привело бы к необходимому подчинению. Можно подумать, что смутный инстинкт подсказал нашим предкам, что, уединяясь от остального мира, они согрешили перед господом и что бич татарского нашествия был за это справедливой карой: такова была покорность, с которой они приняли это страшное иго. Поэтому, как оно ни было ужасно, оно принесло нам больше пользы, чем вреда. Вместо того чтобы разрушать народность, оно только помогало ей развиться и созреть. Именно татарское иго приучило нас ко всем возможным формам повиновения, оно сделало возможным и знаменитые царствования Иоанна III и Иоанна IV, царствования, во время которых упрочилось наше могущество и завершилось наше политическое воспитание, во время которых с таким блеском проявились благочестивые добродетели наших предков; то же владычество облегчило задачу Петра Великого и имело, быть может, больше влияния, чем это принято думать, на образование характера этого исполина. Само царствование Иоанна IV можно рассматривать в известном смысле как длительное отречение, во время которого народ сложил у ног своего государя не только все свои права, но и свои верования, ибо мы видим, как немедленно после него народ признает наследником престола его сына — плод многоженства, не имевшего примера среди христианских народов, видим, как он проливает чистую кровь лучших своих сынов за этот воображаемый символ царской власти. Всем известно это странное и волнующее событие страшного царствования — настоящий договор, заключенный между народом и его государем, в силу которого народ со связанными руками и ногами отдавал себя во власть впавшего в безумие государя. Один этот факт говорит больше, чем все, что я мог бы прибавить. Но в нашей истории есть еще одно отречение, более важное, более чреватое последствиями, чем все отречения, о которых я говорил, и к которому не терпится перейти, потому что оно непосредственно связано с упреками, которые вы мне делаете. Вы догадываетесь, что я имею в виду установление крепостного права в наших деревнях.

Вот что мы читаем в журнале, хорошо известном своим национальным настроением. Статья говорит об императорском указе, вводящем новый порядок освобождения крестьян[7]. Установив на научных основах, что цельность общины является существенным элементом нашего общественного быта, автор прибавляет: *впоследствии мирская община получила определенную главу в лице землевладельца*. Эти замечательные слова, вырвавшиеся из-под блестящего и патриотического пера одного из корифеев национальной школы, заключают в себе, по нашему мнению, все прошедшее и все будущее землевладельческого населения; достаточно будет краткого их разбора, чтобы вы могли понять и оценить мою точку зрения на этот вопрос.

В факте огромной социальной важности, который окончательно сорганизовал в нашей стране низшие слои общества, прежде всего поражает то, что ничего подобного не только не видели в других христианских странах, но что, наоборот, историческое развитие в них шло путем, совершенно противоположным нашему. Начав с крепостной зависимости, крестьянин там пришел к свободе,— у нас же, начав со свободы, крестьянин пришел к крепостной зависимости; там рабство было уничтожено христианством — у нас рабство родилось на глазах христианского мира. Что касается самого пути установления крепостного состояния, то нет ничего общего между тем, как оно установилось в странах Западной Европы и у нас. Будучи результатом неприятельского нашествия или военных побед, оно в этих странах было в известном отношении узаконено древним правом завоевателя; везде, где вы находите господ и крепостных, вы найдете также либо власть одной расы над другой, либо обращение людей в рабство на поле сражения,— у нас же одна часть народа просто подчинилась другой, притом так, что порабощенной части никогда и в голову не пришло жаловаться на потерю своей свободы и никогда она не чувствовала себя сколько-нибудь оскорбленной, униженной, опозоренной этой переменой в своей судьбе. Вот различные фазы этой странной истории. Сначала простая административная мера, определяющая известное время в году для возобновления арендного договора между земельным собственником и крестьянином; затем — другая административная мера, привязывающая этого последнего к земле; после этого — третья мера, которая включает его в своего рода бесформенный кадастр земельной собственности; наконец — последняя, которая смешивает его с домашними крепостными или рабами в собственном смысле слова и таким образом навсегда порабощает его. Таков простой ход событий. Ясно, что такой ход, при котором вмешательство государя есть только вмешательство административной власти, был лишь необходимым последствием порядка вещей, зависящего от самой природы социальной среды, в коей он осуществлялся, или от нравственного склада народа, его терпевшего, или, наконец, от той и другой причин, вместе взятых. Мы действительно видим, что все эти меры вытекали из частной необходимости тех исторических эпох, которые их породили, мы находим и в то же время в самих учреждениях наших, носящих глубокий отпечаток национального характера, естественную тенденцию к этой неизбежной развязке нашей социальной драмы. Раскройте первые страницы нашей истории, размышляйте над ними не с честолюбивым, хвастливым патриотизмом наших дней, но со скромным благочестивым патриотизмом отцов наших, и вы увидите, что в формах, в разнообразно сочетающихся условиях нашего национального существования и с самых первых его лет все предвещает это неизбежное развитие общества. Вы увидите, что уже с самой колыбели оно несет в себе зародыш всего того, что возмущает ныне поверхностные умы, вылившиеся в формы, свойственные чуждому миру. Вы увидите, что уже с той поры все стремится, все жаждет подчиниться какой-нибудь личной власти, что все организуется, все устрояется в узких рамках домашнего быта, что, наконец, все стремится искать защиты под отеческой властью непосредственного начальника. Среди всего этого вы можете усмотреть и выборное начало, слабое, неопределенное, бессильное, проникающее иногда неведомо в самую семью, иногда ограничивающееся анархическими выходками злоупотребления безграничной власти, но никогда не совпадающее с положительной идеей какого-нибудь права, всюду и всегда подчиненное началу господствующему — всеподавляющему началу семейному. Это выборное начало, наконец, столь ничтожное, что наша история упоминает о нем как будто лишь для того, чтобы показать его бесплодность, когда оно не сочетается с чувством человеческого достоинства. Все это прекрасно понял ученый автор статьи.

По его мнению, краеугольный камень нашего социального здания — это сельская община: в ней сосредоточены все силы страны, в ней кроется вся тайна нашего величия, с его точки зрения — это не повторяющееся нигде в мире начало, нечто принадлежащее исключительно нашей народности, нечто интимное, глубокое, необычайно плодотворное, создавшее нашу историю, придающее единое направление всем достойнейшим событиям нашего национального существования, окутывающее его целиком; наконец — из недр общины раздался клич спасения в то время, когда наша прекрасная родина разрывалась на клочки своими собственными сынами и предавалась чужеземцам[8]. Между тем надо помнить, что было время, когда эта община была далеко не так прекрасно организована, как в эпоху более нам близкую. Автор, правда, признает влияние общинного начала с самых первых дней существования нашего общества, но это воздействие его, очевидно, не могло проявляться в форме, полезной для страны, в то время, когда население блуждало по ее необъятному простору то ли под влиянием ее географического строя, то ли вследствие пустот, образовавшихся после иноземного нашествия, или же, наконец, вследствие склонности к переселениям, свойственной русскому народу и которой мы в большей степени обязаны огромным протяжением нашей империи. Ученый автор сам, вероятно, попал бы в затруднительное положение, если бы ему пришлось точно объяснять нам, какова была подлинная структура его общины, равно как ее юридические черты среди этого немногочисленного населения, бродившего на пространстве между 65 и 45° (северной) широты; но каковы бы ни были эти черты и эти формы, несомненно то, что нужно было их изменить, что нужно было положить конец бродячей жизни крестьян. Таково было основание первой административной меры, клонившейся к установлению более стабильного порядка вещей. Этой мерой, как известно, мы обязаны Иоанну IV — этому государю, еще недавно так неверно понятому нашими историками, но память которого всегда была дорога русскому народу, государю, которого узкая прописная мораль наивно заклеймила, но широкая мораль наших дней совершенно оправдала, государю, чей кровавый топор в течение сорока лет не переставал рубить вокруг себя в интересах народа; поэтому было бы весьма неразумно видеть что-либо иное в этом акте, продиктованном искренним участием к земледельческому классу.

Вторая мера относится к царствованию его сына или, лучше сказать, к царствованию Годунова, избранника народа...[9]

А. И. ТУРГЕНЕВУ

1 ноября. Басманная

Не успел я написать вам письмо, наполненное глупостями, в ответ на те, с которыми вы обратились ко мне в вашем письме к Свербеевой, как она получила другое для передачи мужу, в котором было несколько слов по моему адресу. Вот я и сел впросак с моим глупым письмом[10]. Признаюсь, однако, что мне немножко жаль, что так случилось, ибо в моем письме были отменные вещи, и вы сами с удовольствием прочли бы их. Но у вас какой-то дар делать все некстати. Как бы то ни было, теперь уже говорить об этом не приходится, и мне в настоящее время остается только сообщить вам о том удовольствии, которое доставило мне это, правда немного запоздавшее, удовлетворение, но которое я принимаю от всего сердца и за которое я вам во всех отношениях благодарен. Я, впрочем, никогда не сомневался в вашем добром сердце, как ни извращено оно филантропией, а также в вашей дружбе и крепко надеялся, что в один прекрасный день вы вернетесь ко мне. Я убежден, что, написав эти трогательные строки, вы почувствовали, что все успехи самолюбия не стоят сладости доброго чувства. Кстати, я должен вам сказать, что ваш странный гнев нимало не изумил меня; я лучше кого-либо другого понимаю тягость такого существования, как выше, лучше кого-либо другого знаю, что все мы лишены действительного благосостояния души и что, следовательно, нам поневоле приходится заполнять нашу жизнь туманами тщеславия. К несчастью, эти туманы зачастую весьма пагубны и искажают в конце концов наш организм.

Я очень рад тому, что вы часто встречаетесь с моей кузиной[11]. Это одна из самых почтенных личностей, каких я только знаю. Советую вам, для чести страны, всячески постараться ввести ее в парижское общество. Отчего вы не пишете мне ничего о брошюре Лабенского?[12] Я только что прочел ее. Хотя и написанная стилем выходца или, вернее, иностранца, она имеет, по-моему, то несомненное достоинство, что отлично доказывает необходимость реформы Петра Великого в ту эпоху, когда он появился. Ничто великое или плодотворное в порядке общественном не появляется, если оно не вызвано настоятельной потребностью, и социальные реформы удаются лишь при том условии, если они отвечают этой потребности. Этим объясняется вся история Петра Великого. Если бы Петр Великий не явился, то кто знает, может быть, мы были бы теперь шведской провинцией, и что, скажите, поделывала бы тогда наша милейшая историческая школа.

Мы еще пребываем здесь в летней тишине, и я очень боюсь, что, когда зима вернет нам людей, она принесет нам жизни лишь ровно настолько, чтоб мы могли не почитать себя мертвыми. Если вы соберетесь написать мне, в чем я слегка сомневаюсь, то сообщите мне побольше об этой милой Лизе[13], которую мне не удалось заставить особенно полюбить меня, но которую я люблю более, чем в силах это выразить. Это между нами. Свербеева собирается вам писать. Вы понимаете, какая пустота образовалась в ее существовании, сотканном из привязанностей и симпатий, со смертью добрейшей графини З.[14]; она еще далеко не оправилась от своего горя, вы сумеете поэтому оценить это свидетельство ее дружбы к вам, ибо люди неохотно отрываются от истинного и глубокого горя. Итак, будьте здоровы. Не говорю вам до свидания, ибо в марте месяце окончательно покидаю Москву с тем, чтобы уже не возвращаться туда.— Передайте всяческие изъявления почтительности с моей стороны г-же Сиркур и кн. Елене, если только она в Париже. Нежно обнимите вашего брата от меня.

1844

А. С. ХОМЯКОВУ[1]

Позвольте, любезный Алексей Степанович, прежде, нежели как удастся мне изустно поблагодарить вас за вашего Феодора Ивановича, сотворить это письменно[2]. Всегда спешу выразить чувство, возбужденное во мне благим явлением. Разумеется, я не во всем с вами согласен. Не верю, напр., чтобы царствование Феодора столько же было счастливо без Годунова, сколько оно было при нем; не верю и тому, чтоб учреждение в России патриаршества было плодом какой-то умственной возмужалости наших предков, и думаю, что гораздо естественнее его приписать упадку или изнеможению церквей восточных под игом Агарян и честолюбию Годунова; но дело не в том, а в прекрасном нравственном направлении всей статьи. Таким образом позволено искажать историю, особенно если пишешь для детей. Спасибо вам за клеймо, положенное вами на преступное чело царя[3], развратителя своего народа, спасибо за то, что вы в бедствиях, постигших после него Россию, узнали его наследие. Я уверен, что на просторе вы бы нашли следы его нашествия и в дальнейшем от него расстоянии. В наше, народную спесью околдованное, время утешительно встретить строгое слово об этом славном витязе славного прошлого, произнесенное одним из умнейших представителей современного стремления. Разногласие ваше в этом случае с вашими поборниками подает мне самые сладкие надежды. Я уверен, что вы со временем убедитесь и в том, что точно так же, как кесари римские возможны были в одном языческом Риме, так и это чудовище возможно было в той стране, где оно явилось. Потом останется только показать прямое его исхождение из нашей народной жизни, из того семейного, общинного быта, который ставит нас выше всех народов в мире, и к возвращению которого мы всеми силами должны стремиться. В ожидании этого вывода,— не возврата,— благодарю вас еще раз за вашу статью, доставившую мне истинное наслаждение и затейливою мыслию, и изящным слогом, и духом христианским.

Е. А. СВЕРБЕЕВОЙ

Если вы, прекрасная кузина, еще не отправили вашего письма Тургеневу, вы можете ему передать, что мое письмо по поводу диссертации Самарина[4] закончено, но что у вас в руках пока только этот отрывок. Намедни, вернувшись к себе, я его закончил, правда, немного поспешно, но это, надеюсь, не сделает его менее замечательным (piquant). Заключительная часть представляет собою напыщенное похвальное слово в честь православия, как оно понимается нашими друзьями, вместе с изображением блестящего будущего, которое его ожидает, в таких выражениях, от которых, я уверен, не отказался бы сам Протасов, мой достойный и дорогой ученик[5]. Вы знаете, что Тургенев просил у меня также мое письмо к Шеллингу[6]. Вот оно. Не знаю, дошло ли оно до последнего: поэтому, если ему угодно, он может ему послать его. Г-жа Киреевская только что написала мне нежную записку. Андрей Голицын поехал к ней. Не можете ли вы мне сказать, где она живет? Прощайте, прекрасная кузина. Надеюсь, что вы хорошо себя чувствуете и воспользуетесь этой прекрасной погодой.

Я едва успел написать эти строки, как пришла ваша записка. Вот книга для Валуева. Я только что кончил читать статью о готической архитектуре, единственную, заслуживающую прочтения. Я рассчитываю, что вы в другой раз дадите мне ее прочесть. Я слишком скромен, чтобы приходить к вам сегодня вечером.

А. И. ТУРГЕНЕВУ[7]

В ответ на твое письмо опишу тебе важное событие, совершившееся у нас в литературном мире: уверен, что ничем столько тебе не удружу. Тебе известна диссертация С.[8] Мы, кажется, вместе с тобою ее слушали. На прошлой неделе он ее защищал всенародно. Народу было много, в том числе, разумеется, все друзья С. обоего пола. Не знаю, как тебе выразить то живое участие, то нетерпеливое ожидание, которые наполняли всех присутствующих до начатия диспута. Но вот молодой искатель взошел на кафедру; все взоры обратились на спокойное, почти торжественное его чело. Ты знаешь предмет рассуждения. Под покровом двух имен — Стефана Яворского и Феофана Прокоповича — дело идет о том, возможна ли проповедь в какой-либо иной церкви, кроме православной? По этому случаю, как тебе известно, он разрушает все западное христианство и на его обломках воздвигает свое собственное, преисполненное высоким чувством народности и в котором чудно примиряются все возможные отклонения от первоначального учения Христова. Но все рассуждение не было напечатано; он защищал только последнюю его часть, составляющую некоторым образом особенное сочинение о литературном достоинстве двух проповедников.

О самом сочинении говорить не стану; ты отчасти его знаешь, остальное сам прочтешь. Не имея возможности защищать все положения своего рассуждения, С. в коротких словах изложил его содержание и с редким мужеством высказал перед всеми свой взгляд на христианство, плод долговременного изучения святых отцов и истории церкви, проникнутый глубоким убеждением и поражающий особенно своею новостию. Никогда, в том я уверен, со времени существования на земле университетов, молодой человек, едва оставивший скамью университетскую, не разрешал так удачно таких великих вопросов, не произносил с такою властью, так самодержавно, так бескорыстно приговора над всем тем, что создало ту науку, ту образованность, которыми взлелеян, которыми дышит, которых языком он говорит. Я был тронут до слез этим прекрасным торжеством современного направления в нашем отечестве, в нашей боголюбивой, смиренной Москве. Ни малейшего замешательства, ни малейшего стеснения не ощутил наш молодой теолог, решая совершенно новым, неожиданным образом высочайшую задачу из области разума и духа. И вот он кончил и спокойно ожидает возражений, весь осененный какою-то высокою доверенностью в своей силе. Шепот удивления распространился по обширной зале; некоторые женские головы тихо преклонились перед необыкновенным человеком; друзья шептали: «чудно!»; рукоплесканья насилу воздержались. Сидевший подле меня один из сообщников этого торжества сказал мне: «voilà ce qui s'appelle une exposition claire»[9]. Так как я не из числа тех, для которых так ясно выразилась мысль оратора, то тебе ее и не передам, а стану продолжать описание самого представления.

Первый возражатель сначала стал опровергать теорию диспутанта о проповеди. Она, по моему мнению, довольно неосновательна, но возражатель, кажется, не угадал слабой ее стороны. Дело состоит в том, что, по этому учению ораторская речь, следовательно и проповедь, не суть художественные произведения; а я думаю, напротив того, что можно бы с бо́льшею истиною сказать, что всякое художественное произведение есть ораторская речь или проповедь, в том смысле, что оно необходимо в себе заключает *слово*, чрез которое оно действует на умы и на сердца людей, точно так же, как и проповедь или ораторская речь. Потому-то и сказал когда-то, что лучшие католические проповеди — готические храмы и что им суждено, может быть, возвратить в лоно церкви толпы людей, от нее отлучившихся. Потом перешел он к одному из важнейших положений рассуждения, а именно, *что проповедник есть посредник между церковью и частными лицами*. Каждый, кому сколько-нибудь известны главные черты, определяющие разъединенные христианские исповедания, легко угадает, откуда заимствовано это понятие о высоком значении проповедника. Оно принадлежит тому из них, которое в одной проповеди видит все дело христианства, и само собою разумеется, что возражатель, не имея возможности выразить вполне своей мысли, в невольном бессилии должен был умолкнуть после первых двух слов. Таким образом, к общему сожалению, диспутант не мог тут явить своей силы. Впрочем, должно заметить, что весь диспут, по несчастию, обращался около таких предметов, до которых убеждения, решительно противоположные положениям диспутанта, не могли дотронуться. Так, напр., когда возражатель обратился к странному его мнению о католической проповеди, то он принужден был ограничиться несколькими примерами духовного красноречия западной церкви и общими местами о достаточности одного христианского начала для вдохновения проповедника, между тем как ему должно было показать, что характер проповеди на Западе ничуть не определялся догматами церкви, а самою жизнию Запада, составленной из множества разнородных начал, с которыми проповедники должны были бороться, которым иногда должны были уступать, которые вызывали слово живое, непредвиденное, никакому общему закону не подчинявшееся; что находить в проповеди католической отсутствие живого *сочувствия с массою слушателей* до такой степени смешно, что не знаешь, что на это сказать; что новоизобретенное им различие между церквами католической и православной совершенно ложно; что церковь православная столько же, сколько и католическая, требовала и требует себе подчинения внешнего; что католическая отнюдь не довольствуется одною только наружною или юридическою покорностию, а лучше только прочих христианских исповеданий постигает своим здравым практическим смыслом человеческую природу и необходимую в ней связь наружного с внутренним, вещественного с духовным, формы с существом; что понятие об этой связи прямо выводится из того ученья евангельского, которое, так сказать, обоготворяет тело человеческое в теле Христовом, таинственно с ним совокупляемым, предсказывает возрождение тел наших и гласит устами Апостола: *или не весте что телеса ваша удове Христове, или не весте, яко телеса ваша храм живаго святаго духа суть* (I Кор. 6). Ко всему к этому должно было ему еще прибавить, что церковь западная развивалась не как *государство*, а как *царство*; что смешно ее в этом упрекать, потому что вся цель христианства в том и состоит, чтобы создать на земле одно царство, все прочие царства в себе заключающее; что непостижимо, каким образом *символизированная идея о единстве церкви в лице папы*, про которую, впрочем, католическая церковь ничего не ведает, может разлучить человечество с церковью; что если папа в самом деле не что иное, как символ единства, то очевидно, что самое единство в нем заключаться не может, а должно находиться вне его, то есть в человечестве; что, наконец, преобладание формы в католицизме есть не что иное, как жалкий бред протестантизма, не умевшего постигнуть своим отрицательным тупым понятием, что одним разумным, глубоким сочетанием формы с мыслию возможно было сохранить и мысль и форму христианства, посреди той великой борьбы всякого рода сил и понятий, на почве Европы собравшихся, которые составляют новейшую историю мыслящего человечества.

С. П. ШЕВЫРЕВУ[10]

Покорнейше благодарю вас, любезнейший Степан Петрович, за ваш подарок и за доброе слово, его сопровождающее[11]. Вы меня увидите на ваших лекциях прилежным и покорным слушателем. Будьте уверены, что если во всех мнениях ваших сочувствовать не могу, то в том, чтоб чрез изучение нашего прекрасного прошлого сотворить любезному отечеству нашему благо, совершенно с вами сочувствую.

Душевно вам преданный

Петр Чаадаев.

1845

ГР⟨АФУ⟩ СИРКУРУ[1]

Басманная, 15 января 1845

Только что получил тот нумер «Semeur»[2], где напечатан отрывок из проповеди нашего митрополита[3]. Журнал был адресован прямо владыке, у которого и находился до сих пор; вот почему я так долго не отвечал вам. Было бы, разумеется, лучше, если бы эти нескромные страницы попали сначала ко мне, и еще лучше, если бы проповедь была напечатана целиком и без странного комментария редакции[4]. К счастию, владыка не обратил на него большого внимания. Я только что виделся с ним; он принял меня как нельзя любезнее. Лестное предисловие, по-видимому, подкупило его. Вы отлично знаете, что во всех наших тюрьмах есть часовни и что в мире не существует церкви более снисходительной, чем православная. Она, может быть, даже слишком снисходительна. Религиозный принцип по самой своей природе склонен распаляться (s'exalter) в том, что составляет его сокровенную суть,— так сказать, доводить до гиперболы то, что в нем есть наиболее глубокого. Наша же церковь по существу — церковь аскетическая, как ваша по существу — социальная: отсюда равнодушие одной ко всему, что совершается вне ее, и живое участие другой ко всему на свете. Это — два полюса христианской сферы, вращающейся вокруг оси своей безусловной истины, своей действительной истины. На практике обе церкви часто обмениваются ролями, но принципы нельзя оценивать по отдельным явлениям. А насчет того, чтобы видеть в нашем святом владыке реформатора, то от этого нельзя не расхохотаться. Он сам от всего сердца смеется над этим. Журналист просто-напросто принял риторическую фигуру, примененную к тому же, на мой взгляд, очень уместно, за религиозную революцию. Не могу надивиться на то, что̀ делается с вашими наиболее серьезными мыслителями, как только они оказывают нам честь заговорить о нас. Точно мы живем на другой планете и они могут наблюдать нас лишь при помощи одного из тех телескопов, которые дают обратное изображение. Правда, тут есть и наша вина. Ошибки, в которые вы так часто впадаете на наш счет, объясняются отчасти тем, что пока мы принимали еще очень мало участия в общем умственном движении человечества. Но, я надеюсь, недалек тот день, когда мы займем ожидающее нас место в ряду народов — просветителей мира. Вы недавно сами видели нас и, конечно, не решитесь отрицать за нами прав на подобное место. Если же вы все-таки почему-нибудь еще не знаете в точности, каковы эти права, вам стоит лишь справиться об этом у молодой школы[5], красы России, чей вдохновенный жар и высокую важность вы сами имели случай оценить; и ручаюсь, что она представит вам внушительный список этих прав. Как видите, я несколько ославянился, как сказала бы m-me Сиркур. Что делать! Как спастись от этой заразы, тем более сильной, что она — совершенно новое патологическое явление в наших краях? В ту минуту, например, когда я пишу вам, у нас здесь читается курс истории русской литературы[6], возбуждающий все национальные страсти и поднимающий всю национальную пыль. Просто голова кругом идет. Ученый профессор поистине творит чудеса. Вы не можете себе представить, сколько дивных заключений он извлекает из ничтожного числа литературных памятников, рассеянных по необъятным степям нашей истории, сколько могучих сил он откапывает в нашем прошлом. Затем он сопоставляет с этим благородным прошлым жалкое прошлое католической Европы и стыдит ее с такой мощью и высокомерностью, что вы не поверите. Не думайте притом, чтобы это новое учение встречало среди нас лишь поверхностное сочувствие. Нет, успех оглушительный. Замечательно! сторонники и противники, все рукоплещут ему,— последние даже громче первых, очевидно прельщенные тем, что́ и им также представляется торжеством их нелепых идей. Не сомневаюсь, что нашему профессору в конце концов удастся доказать с полной очевидностью превосходство нашей цивилизации над вашей,— тезис, к которому сводится вся его программа. Во всяком случае, несомненно, что уже многим непокорным головам пришлось склониться пред мощью его кристально ясной, пламенной и картинной речи, вдохновляемой просвещенным патриотическим чувством, столь родственным патриотизму наших отцов, и в особенности несомненной благосклонностью высших сфер, которые неоднократно во всеуслышание выражали свой взгляд на эти любопытные вопросы. Говорят, что он собирается напечатать свой курс; сочту за счастие представить его ученой Европе на языке, общем всему цивилизованному миру. Изданная по-французски, эта книга несомненно произведет глубокое впечатление в ваших широтах и даже, может быть, обратит на путь истины изрядное число обитателей вашей дряхлой Европы, истомленной своей бесплодной рутиной и, наверное, не подозревающей, что бок о бок с нею существует целый неизвестный мир, который изобилует всеми не достающими ей элементами прогресса и содержит в себе решение всех занимающих ее и не разрешимых для нее проблем. Впрочем, ничего не может быть естественнее этого превосходства нашей цивилизации над западной. Что такое в конце концов ваше общество? Конгломерат множества разнородных элементов, хаотическая смесь всех цивилизаций мира, плод насилия, завоевания и захвата. Мы же, напротив,— не что́ иное, как простой, логический результат одного верховного принципа,— принципа религиозного, принципа любви. Единственный чуждый христианству элемент, вошедший в наш социальный уклад,— это славянский элемент, а вы знаете, как он гибок и податлив. Поэтому все вожди литературного движения, совершающегося теперь у нас,— как бы далеко ни расходились их мнения по другим вопросам,— единогласно признают, что мы — истинный, богом избранный народ новейшего времени. Эта точка зрения не лишена, если хотите, некоторого аромата мозаизма; но вы не будете отрицать ее необычайной глубины, если обратите внимание на великолепную роль, которую играла церковь в нашей истории, и на длинный ряд наших предков, увенчанных ею ореолом святости. Мало того, один из замечательнейших наших мыслителей[7], которого вы легко узнаете по этому признаку, недавно доказал с отличающей его силой логики, что в принципе христианство было возможно лишь в нашей социальной среде, что лишь в ней оно могло расцвести вполне, так как мы были единственным народом в мире, вполне приспособленным к тому, чтобы принять его в его чистейшей форме; откуда следует, как видите, что Иисус Христос, строго говоря, мог бы не рассылать своих апостолов по всей земле и что для исполнения распределенной между ними обязанности было совершенно достаточно одного апостола Андрея. Однако, само собою разумеется, что раз откровенное учение достигнет в этой предуготовленной ему обстановке своего полного развития, ничто не помешает ему продолжать свой путь для достижения своего мирового палингенезиса[8], и таким образом вы не совсем лишены надежды увидеть его когда-нибудь у себя. Конечно, было бы несколько затруднительно примирить эту теорию с принципом всемирности христианства, столь упорно исповедуемым в другой половине христианского мира; но именно этим коренным разногласием между обоими учениями и обуславливаются все наши преимущества перед вами. Таким образом, мы не осуждены, подобно вам, на вечную неподвижность и не окаменели в догмате, подобно вам: напротив, наше вероучение допускает необыкновенно удобные и разнообразные применения христианского начала, особенно по отношению к национальному принципу, и это есть неизмеримое преимущество, которое должно возбуждать в вас сильнейшую зависть. Еще наш милейший профессор недавно повествовал нам с высоты своей кафедры тоном глубочайшего убеждения и необыкновенно звучным голосом, что мы — избранный сосуд, предназначенный воспринять и сохранить евангельский догмат во всей его чистоте, дабы в урочное время передать его народам, устроенным менее совершенно, чем мы. Этот новый маршрут Евангелия — любопытное открытие нашей доморощенной мудрости — несомненно будет тотчас признан всеми христианскими общинами, как только он станет им известен; а тем временем пусть вас не слишком удивит, если как-нибудь на днях вы вдруг узнаете, что в ту эпоху, когда вы были погружены в средневековой мрак, мы гигантскими шагами шли по пути всяческого прогресса; что мы уже тогда обладали всеми благами современной цивилизации и большинством учреждений, которые у вас даже теперь можно найти лишь на степени утопий. Нет надобности говорить вам, какое пагубное обстоятельство остановило нас в нашем триумфальном шествии чрез пространство столетий: вы тысячу раз слышали об этом во время вашего пребывания в Москве[9]. Но я не могу оставить вас в неизвестности относительно моего личного взгляда на этот предмет. Да, вторжение западных идей — идей, отвергаемых всем нашим историческим прошлым, всеми нашими национальными инстинктами,— вот что парализовало наши силы, извратило все наши прекрасные наклонности, исказило все наши добродетели, наконец, низвело нас почти на ваш уровень. Итак, мы должны вернуться назад, должны воскресить то прошлое, которое вы так злобно похитили у нас, восстановить его в возможной полноте и засесть в нем навсегда. Вот работа, которою заняты теперь все наши лучшие умы, к которой и я присоединяюсь всей душой и успех которой есть предмет моих желаний, особенно потому, что вполне оценить тот своеобразный поворот, который мы совершаем теперь, можно будет, по моему убеждению, лишь в день его окончательного торжества.— Не знаю, как вы взглянете на то, что́ я рассказал вам здесь, и надеюсь, что вы не ошибетесь насчет моего взгляда на эти вещи; но несомненно, что, если вы спустя несколько лет навестите нас, вы будете иметь полную возможность налюбоваться плодами нашего попятного развития... Я уже собирался запечатать это письмо, как получил вашу статью из «Semeur». Надеюсь, что его высокопреосвященство отнесется к вашей критике по-христиански. Ваши замечания, по-моему, несколько суровы, хотя в существе правильны. Мы еще потолкуем о них, когда я буду писать вам о впечатлении, которое они произведут на нашего достопочтенного пастыря. Мне еще не удалось добыть тот нумер «Bibl. de Génève»[10], о котором вы пишете мне; но надеюсь на этих днях достать его и прочитать вашу статью. Не откажите напомнить обо мне m-me Сиркур и уверить ее в моей преданности. Льщу себя надеждою, что она сохранила не слишком дурное воспоминание о нашем славянском фанатизме вообще и моем в частности. И я — не большой охотник до исключительного и узкого национализма; признаюсь даже, что невысоко ценю эту географическую добродетель, которою так кичилась языческая древность и которая чужда Евангелию. Однако вот соображение, которое я позволю себе предложить снисходительному вниманию m-me Сиркур. Нет никакого сомнения, что Париж — в настоящее время главный очаг социального движения в мире, что его салоны — привилегированные центры изустной мысли нашего века; несомненно также, что в наши дни идеи и умы именно в Париже ищут и получают свои венцы, патенты и ореол. Но нельзя же отрицать и того, что и в других местах кое-где существуют небольшие очаги, неведомые миру центры, и в этих очагах, в этих центрах — кое-какие бедные идеи, кое-какие бедные умы, которые без большой самонадеянности могут рассчитывать на долю — если не глубокого интереса, то по крайней мере серьезного любопытства, в особенности со стороны тех, кого противный ветер иногда заносит на наши бесплодные берега и кто таким образом может сам оценить те усилия, которые мы употребляем для их распашки. Примите, милостивый государь, выражение моей глубочайшей преданности.

П. Чаадаев.

А. И. ТУРГЕНЕВУ[11]

Басманная. 15 февраля 1845

Вот письмо к Сиркуру[12]. Оно давным-давно написано, но как-то долго ждало попутного ветра. Из него узнаешь кое-что. О прочем с удовольствием бы к тебе написал, несмотря на проказы вашего превосходительства, но, право, нет ни времени, ни сил. Мы затопили у себя курную хату; сидим в дыму; зги божией не видать. Сам посуди, до вас ли нам теперь? Сиркуру, нечего делать, надо было написать. Митрополит тебе кланяется[13]. Он так же мил, свят и интересен, как и прежде. Ваши об нем бестолковые толки оставили его совершенно равнодушным и не нарушили ни на минуту его прекрасного спокойствия. О последней статье «Сеятеля» не успел еще написать Сиркуру ни слова; но вчера за обедом у К. В. Новосильцовой узнал, что владыка и за это не гневается.

И. В. КИРЕЕВСКОМУ[14]

⟨1845, май⟩[15]

Я очень желал вас нынче у себя видеть, любезный Иван Васильевич, чтобы с вами прочесть речи Пиля и Росселя; но так как вы, вероятно, ко мне не будете, то я посылаю к вам лист *дебатов* с этим западным комеражем. Не знаю, почему мне что-то очень хочется, чтобы вы это прочли. Может статься, вы *спокойно* заметите, что́ в этом *явлении европейской образованности* находится *одностороннего*, и передадите впечатление ваше *без ненависти и пристрастия*.

Е. А. СВЕРБЕЕВОЙ

⟨Декабрь 1845 г.⟩[16]

Вы совершенно правы, не желая пробуждать вновь тяжелое горе[17]. Я также избегаю говорить о нашем превосходном друге, и только общее сожаление иной раз приводит меня к этому. Не для того поэтому пишу я вам эти строки, чтобы говорить вам о нем, но чтобы сказать вам, что, если мы не будем возвращаться к этому грустному воспоминанию, наши обоюдные сожаления и наша общая утрата могли бы доставить нам, мне кажется, некоторые утешения, хотя бы безмолвные, и я уверен, что нежная душа оплакиваемого нами человека улыбнулась бы нам из своей небесной обители. Вот все, что я имею вам сказать, дорогая кузина. Прах друга, друга, любившего нас с таким полным отречением от всякой человеческой суетности, конечно, священен, и я счел бы себя очень несчастным, если бы я на минуту открыл в себе другое чувство, кроме моего горя, в особенности перед тою, которую он так долго окружал своим поклонением. Итак, я думаю, что мы можем видеться, не боясь усилить нашу печаль. Прощайте, дорогая кузина. Если нам следует подражать нашему другу, будем подражать ему также и в его великодушии.

1846

ГР⟨АФУ⟩ СИРКУРУ

Я только что писал вам, милостивый государь, а теперь берусь за перо, чтобы просить вас пристроить в печати статью нашего друга Хомякова, которая переведена мною и которую он хотел бы поместить в одном из ваших периодических изданий[1]. Рукопись доставит вам на днях г. Мельгунов, которого вы, кажется, знаете. Излишне говорить, как мне приятно снова беседовать с вами. Тема статьи — мнения иностранцев о России. Вы знаете, что я не разделяю взглядов автора; тем не менее я старался, как вы увидите, передать его мысль с величайшей тщательностью. Мне было бы, пожалуй, приятнее опровергать ее; но я полагал, что наилучший способ заставить нашу публику ценить произведения отечественной литературы — это делать их достоянием широких слоев европейского общества. Как ни склонны мы уже теперь доверять нашему собственному суждению, все-таки среди нас еще преобладает старая привычка руководиться мнением вашей публики. Вы так хорошо знаете нашу внутреннюю жизнь, вы посвящены в наши семейные тайны; итак, моя мысль будет вам совершенно ясна. Я думаю, что прогресс еще невозможен у нас без апелляции к суду Европы. Не то чтобы в нашем собственном существе не крылись задатки всяческого развития, но несомненно, что почин в нашем движении все еще принадлежит иноземным идеям и — прибавлю — принадлежал им искони: странное динамическое явление, быть может не имеющее примера в истории народов. Вы понимаете, что я говорю не только о близких к нам временах, но обо всем нашем движении на пространстве веков. И прежде всего, вся наша умственность есть, очевидно, плод религиозного начала. А это начало не принадлежит ни одному народу в частности: оно, стало быть, постороннее нам так же, как и всем остальным народам мира. Но оно всюду подвергалось влиянию национальных или местных условий, тогда как у нас христианская идея осталась такою же, какою она была привезена к нам из Византии, то есть как она некогда была формулирована силою вещей,— важное обстоятельство, которым наша церковь справедливо гордится, но которое тем не менее характеризует своеобразную природу нашей народности. Под действием этой единой идеи развилось наше общество. К той минуте, когда явился со своим преобразованием Петр Великий, это развитие достигло своего апогея. Но то не было собственно социальное развитие: то был интимный факт, дело личной совести и семейного уклада, то есть нечто такое, что неминуемо должно было исчезнуть по мере политического роста страны. Естественно, что весь этот домашний строй, примененный к государству, распался тотчас, как только могучая рука кинула нас на поприще всемирного прогресса. Я знаю: нас хотят уверить теперь, что Петр Великий встретил в своем народе упорное сопротивление, которое он сломил будто бы потоками крови. К несчастию, история не отметила этой величественной борьбы народа с его государем. Но ведь ничто не мешало стране после смерти Петра вернуться к своим старым нравам и старым учреждениям. Кто мог запретить народному чувству проявиться со всей присущей ему энергией в те два царствования, которые следовали за царствованием преобразователя? Конечно, ни Меншикову, правившему Россией при Екатерине I, ни молодому Петру II, руководимому Долгорукими и поселившемуся в древней столице России, очаге и средоточии всех наших народных предрассудков, никогда не пришло бы в голову воспротивиться национальной реакции, если бы народ вздумал предпринять таковую. За ужасным бироновским эпизодом последовало царствование Елизаветы, ознаменовавшееся, как известно, чисто национальным направлением, мягкостью и славой. Излишне говорить о царствовании Екатерины II, носившем столь национальный характер, что, может быть, еще никогда ни один народ не отождествлялся до такой степени со своим правительством, как русский народ в эти годы побед и благоденствия. Итак, очевидно, что мы с охотой приняли реформу Петра Великого; слабое сопротивление, встреченное им в небольшой части русского народа, было лишь вспышкою личного недовольства против него со стороны одной партии, а вовсе не серьезным противодействием проводимой им идее. Эта податливость чужим внушениям, эта готовность подчиняться идеям, навязанным извне, все равно — чужеземцами или нашими собственными господами, является, следовательно, существенной чертой нашего нрава, врожденной или приобретенной — это безразлично. Этого не надо ни стыдиться, ни отрицать: надо стараться уяснить себе это наше свойство, и не путем какой-нибудь этнографической теории из числа тех, которые сейчас так в моде, а просто путем непредубежденного и искреннего уразумения нашей истории. Мне хочется передать вам вполне мою мысль об этом предмете. Постараюсь быть краток.

Мы представляем собою, как я только что заметил, продукт религиозного начала; это несомненно, но это не все. Не надо забывать, что это начало бывает действительно плодотворно лишь тогда, когда оно вполне независимо от светской власти, когда место, откуда оно осуществляет свое действие на народ, находится в области, недосягаемой для властей земных. Так было в древнем Египте, на всем Востоке, особенно в Индии, и, наконец, в Западной Европе. У нас, к несчастью, дело обстояло иначе. При всем глубоком почтении, с которым наши государи относились к духовенству и христианским догматам, духовная власть далеко не пользовалась в нашем обществе всею полнотою своих естественных прав. Чтобы понять это явление, необходимо подняться мысленно к той эпохе, когда только складывался строй нашей церкви, то есть к Константину Великому. Всякий знает, что принятие христианства этим монархом как государственной религии было колоссальным политическим фактом, но, как мне кажется, вообще недостаточно ясно представляют себе влияние, которое оно оказало на самую религию. Нет никакого сомнения, что печать, наложенная этой революцией на церковь, оказалась бы для нее скорее пагубной, чем благотворной, если бы, по счастью, Константину не вздумалось перенести резиденцию правительства в новый Рим, что избавило старый от докучного присутствия государя. В эту эпоху Римская империя представляла собою уже не республиканскую монархию первых цезарей, а восточный деспотизм, созданный Диоклетианом и упроченный Константином. Поэтому императоры скоро сосредоточили в своих руках высшую власть духовную, так же как и светскую. Они смотрели на себя как на вселенских епископов, поставили свой трон в алтаре, председательствовали на церковных соборах, называли себя апостольскими и, наконец, как сообщает нам историк Сократ, присвоили себе полновластие в религиозных делах и невозбранно распоряжались на самых больших соборах. По словам св. Афанасия, Констанций говорил собравшимся вокруг него епископам: «то, чего я хочу, должно считаться законом церкви», и вы, конечно, знаете, что на Константинопольском соборе Феодосий Великий был приветствован титулом первосвященника. Таков был путь, которым шла императорская власть в первом веке христианской церкви. А в это самое время и ввиду этих вторжений светской власти в духовную сферу западная церковь, благодаря своей отдаленности от императорской резиденции, организуется вполне независимо, ее епископы простирают свою власть даже на светский быт, и римский патриарх, опираясь на престиж, какой сообщал ему этот высокий сан, кровь мучеников, которою пропитана почва вечного города, преемственная связь со старшим из апостолов, память о другом великом апостоле и, в особенности, присущая христианскому миру потребность в средоточии и символе единства, мало-помалу достигает той мощи, которая потом вступит в единоборство с империей и одолеет ее. Я знаю, среди ваших мыслителей эту победу одобряли только немногие, но мы, беспристрастные свидетели в этом деле, можем оценить ее лучше вашего; мы, неуклонно следующие по стопам Византии, слишком хорошо знаем, что представляет собою духовная власть, отданная на произвол земных владык. Я только что упомянул Феодосия Великого. Этот самый Феодосий, которого в Константинополе провозглашали первосвященником,— вы знаете, как сурово обошелся с ним св. Амвросий в Милане; и надо прибавить, что последний, запретив императору вход в церковь, не удовольствовался этим, но велел также вынести из храма императорский престол. Это, на мой взгляд, как нельзя лучше обрисовывает характер той и другой церкви: здесь мы видим духовенство, одушевленное глубоким чувством независимости, стремящееся поставить духовную власть выше силы, там — церковь самое покорную материальной власти и домогающуюся стать как бы христианским халифатом.

Таково наследие, которое мы получили от Византии вместе с полнотою догмы и ее первоначальной чистотой. Эта чистота, без сомнения,— неоценимое благо, и она должна утешать нас во всех недостатках нашего духовного строя; но у нас идет речь сейчас только о нашем социальном развитии, и вы согласитесь, что западный религиозный строй гораздо более благоприятствовал такого рода развитию, нежели тот, который выпал на нашу долю. Надо все время помнить одно: что в нашем обществе не существовало никакого другого нравственного начала, кроме религиозной идеи, так что ей одной обязан наш народ своим историческим воспитанием и ей должно быть приписано все, что у нас есть,— доброе, как и злое. Итак, возвращаясь к нашему предмету, мы видим воочию, что эта наша готовность подчиняться разнородным предначертаниям извне есть неизбежное последствие религиозного строя, лишенного свободы, где нравственная мысль сохранила лишь видимость своего достоинства, где ее чтут лишь под условием, чтобы она держалась смирно, где она пользуется авторитетом лишь в той мере, в какой его уделяет ей политическая власть, где, наконец, ее беспрестанно стесняют в деятельности ее служителей, в ее движениях и духе. Не знаю, согласитесь ли вы со мною, но мне кажется, что этим способом очень легко можно объяснить всю нашу историю. Народ простодушный и добрый, чьи первые шаги на социальном поприще были отмечены тем знаменитым отречением в пользу чужого народа, о котором так наивно повествуют наши летописцы,— этот народ, говорю я, принял высокие евангельские учения в их первоначальной форме, то есть раньше, чем в силу развития христианского общества они приобрели социальный характер, задаток которого был присущ им с самого начала, но который и должен был, и мог обнаружиться лишь в урочное время. Ясно, что нравственная идея христианства должна была оказать на этот народ только самое непосредственное свое действие, то есть до чрезвычайности усилить в нем аскетический элемент, оставляя втуне все остальные начала, заключенные в ней,— начала развития, прогресса и будущности. Христианская догма, как плод высшего разума, не подлежит ни развитию, ни совершенствованию, но она допускает бесчисленные применения в зависимости от условий национальной жизни. Известно, какие громадные явления, какие неизмеримые последствия породила жизнь западных народов, оплодотворенная христианством. Но это было возможно лишь потому, что эта жизнь, сама исполненная всевозможных плодоносных элементов, не была скована узким спиритуализмом, что она находила покровительство, сочувствие и свободу там, где у нас жизнь встречала лишь монастырскую суровость и рабское повиновение интересам государя. Неудивительно, что мы шли от отречения к отречению. Вся наша социальная эволюция — сплошной ряд таких фактов. Вы слишком хорошо знаете нашу историю, чтобы мне надо было перечислять их; довольно указать вам на колоссальный факт постепенного закрепощения нашего крестьянства, представляющий собою не что иное, как строго логическое следствие нашей истории. Рабство всюду имело один источник: завоевание. У нас не было ничего подобного. В один прекрасный день одна часть народа очутилась в рабстве у другой просто в силу вещей, вследствие настоятельной потребности страны, вследствие непреложного хода общественного развития, без злоупотреблений с одной стороны и без протеста — с другой. Заметьте, что это вопиющее дело завершилось как раз в эпоху наибольшего могущества церкви, в тот памятный период патриаршества, когда глава церкви одну минуту делил престол с государем. Можно ли ожидать, чтобы при таком беспримерном в истории социальном развитии, где с самого начала все направлено к порабощению личности и мысли, народный ум сумел свергнуть иго вашей культуры, вашего просвещения и авторитета? Это немыслимо. Час нашего освобождения, стало быть, еще далек. Вся работа новой школы будет бесплодна до тех пор, пока наша ретроспективная точка зрения не изменится совершенно. Конечно, наука могущественна в наши дни; судьбы обществ в значительной степени зависят от нее,— но она действительно может влиять на народ лишь в том случае, когда она в области социальных идей оперирует так же беспристрастно и безлично, как она это делает в сфере чистого мышления. Только тогда ее формулы и теории способны действительно стать выражением законов социальной жизни и влиять на нее, как в естественных науках они постоянно выражают законы природы и дают средства влиять на нее. Я уверен, придет время, когда мы сумеем так понять наше прошлое, чтобы извлекать из него плодотворные выводы для нашего будущего, а пока нам следует довольствоваться простой оценкой фактов, не силясь определить их роль и место в деле созидания наших будущих судеб. Мы будем истинно свободны от влияния чужеземных идей лишь с того дня, когда вполне уразумеем пройденный нами путь, когда из наших уст помимо нашей воли вырвется признание во всех наших заблуждениях, во всех ошибках нашего прошлого, когда из наших недр исторгнется крик раскаяния и скорби, отзвук которого наполнит мир. Тогда мы естественно займем свое место среди народов, которым предназначено действовать в человечестве не только в качестве таранов или дубин, но и в качестве идей. И не думайте, что нам еще очень долго ждать этой минуты. В недрах этой самой новой школы, которая силится воскресить прошлое, уже не один светлый ум и не одна честная душа вынуждены были признать тот или другой грех наших отцов. Мужественное изучение нашей истории неизбежно приведет нас к неожиданным открытиям, которые прольют новый свет на нашу протекшую жизнь; мы научимся, наконец, знать не то, что у нас было, а то, чего нам не хватало, не что надо вернуть из былого, а что из него следует уничтожить. Ничто не может быть благодатнее того направления, которое приняла теперь наша умственная жизнь. Благодаря ему огромное число фактов воскрешено из забвения, интереснейшие эпохи нашей истории воссозданы вполне, и в ту минуту, когда я пишу вам, готовится к выходу в свет крупный труд подобного рода. С другой стороны, воззрение, противоположное национальной школе, также принуждено заняться серьезными изысканиями в исторической области, и, исходя из совершенно иной точки зрения, оно приходит к результатам не менее непредвиденным. Нельзя отрицать: бесстрашие, с которым оба воззрения исследуют свой предмет, делает честь нашему времени и подает добрые надежды на будущее, когда наш язык и ум будут свободнее, когда они уже не будут, как всегда до сих пор, скованы путами лицемерного молчания. Столь часто повторяемое теперь сравнение нашей исторической жизни с исторической жизнью других народов показывает нам на каждом шагу, как резко мы отличаемся от них. Позже мы узнаем, можно ли народу так обособиться от остального мира и должен ли он считаться частью исторического человечества, раз он может предъявить последнему только несколько страниц географии. Если мне удалось выяснить те две идеи, которые делят между собою теперь наше мыслящее общество[2], я доволен, и вы можете видеть, что я продолжаю по-прежнему откровенно выражать мою мысль о моей родной стране. В эпоху, когда смерть и возрождение народов занимают столько умов, нельзя, мне кажется, лучше уяснить своей стране ее собственную национальность, как изобразив ее пред всем миром, пред глазами иностранцев и соотечественников, такою, какою она представляется нам самим. Тогда всякий может поправить нас, если мы ошиблись.

Я обещал вам быть кратким. Не знаю, сдержал ли я слово, но знаю наверное, что, если бы я захотел руководиться тем чувством удовольствия, которое я испытываю, беседуя с вами о ваших делах, вам пришлось бы осиливать бесконечное письмо.

Ю. Ф. САМАРИНУ[3]

Басманная. 15 ноября 1846

Благодарю вас, любезный друг, за ваше письмо. Я ведь говорил вам, что у вас сердце ни в чем не уступает уму. Многим покажется чрезмерной такая похвала, но я уверен, что этого не найдут ни ваши лучшие друзья, ни люди, умеющие ценить свойства возвышенного ума. Дело в том, что люди вашего пошиба бывают почти всегда очень добрыми людьми. Человек гораздо цельнее, нежели думают. Поэтому я составил себе свое мнение о вас уже с первых дней нашего знакомства, и мне казалось очень странным, что ваши друзья постоянно твердили мне только о вашем уме. К тому же есть столько вещей, доступных только взору, идущему от сердца, неуловимых иначе, как органами души, что нет возможности оценить вполне объем нашего ума, не принимая во внимание всю нашу личность. Я рад случаю сказать вам свое мнение о вас, и мне отрадно думать, что, может быть, я способствовал развитию наиболее ценных свойств вашей природы. Примите, мой друг, это наследство человека, влияние которого на его ближних бывало порой не бесплодно. Если моей усталой жизни суждено скоро кончиться, ничто не усладит моих последних дней больше, чем память о привязанности, которой мне отвечали на мою любовь к ним несколько молодых, горячих сердец. Вы из их числа. Мне донельзя жаль, что вы застали меня в одну из моих худших минут[4], и я от всего сердца желаю, чтобы это неприятное впечатление не оставило следа на вашей счастливой жизни. Моя жизнь сложилась так причудливо, что, едва выйдя из детства, я оказался в противоречии с тем, что меня окружало; это, конечно, не могло не отразиться на моем организме, и в моем теперешнем возрасте мне ничего другого не остается, как принять это неизбежное следствие моего земного поприща. К счастию, жизнь не кончается в день смерти, а возобновляется за ним. Как бы ни был этот день далек или близок, я надеюсь, что до него вы сохраните мне то расположение, которое вы мне теперь выказали. Если мы и не всегда были одного мнения о некоторых вещах, мы, может быть, со временем увидим, что разница в наших взглядах была не так глубока, как мы думали. Я любил мою страну по-своему, вот и все, и прослыть за ненавистника России было мне тяжелее, нежели я могу вам выразить. Довольно жертв. Теперь, когда моя задача выполнена, когда я сказал почти все, что имел сказать, ничто не мешает мне более отдаться тому врожденному чувству любви к родине, которое я слишком долго сдерживал в своей груди. Дело в том, что я, как и многие мои предшественники, бо̀льшие меня, думал, что Россия, стоя лицом к лицу с громадной цивилизацией, не могла иметь другого дела, как стараться усвоить себе эту цивилизацию всеми возможными способами; что в том исключительном положении, в которое мы были поставлены, для нас было немыслимо продолжать шаг за шагом нашу прежнюю историю, так как мы были уже во власти этой новой, всемирной истории, которая мчит нас к любой развязке. Быть может, это была ошибка, но, согласитесь, ошибка очень естественная. Как бы то ни было, новые работы, новые изыскания познакомили нас со множеством вещей, остававшихся до сих пор неизвестными, и теперь уже совершенно ясно, что мы слишком мало походим на остальной мир, чтобы с успехом подвигаться по одной с ним дороге[5]. Поэтому, если мы действительно сбились с своего естественного пути, нам прежде всего предстоит найти его,— это несомненно. Но раз этот путь будет найден, что тогда делать? Это укажет нам время. А пока будем все без исключения работать единодушно и добросовестно в поисках его, каждый по своему разумению. Для этого никому из нас нет необходимости отрекаться от своих убеждений. Одобряем ли мы или не одобряем тот путь, по которому мы недавно двигались, нам все равно придется вернуться в известной мере к нему, так как очевидно, что наше уклонение с него нам решительно не удалось. Да и есть ли возможность неподвижно держаться своих мнений среди той ужасающей скачки с препятствиями, в которую вовлечены все идеи, все науки и которая мчит нас в неведомый нам новый мир! Все народы подают теперь друг другу руку: пусть то же сделают и все мнения. Таков, по-моему, лучший способ удержаться в правде реальной и живой, всегда согласованной с данной минутой. Эпоха железных дорог не должна ли быть эпохой всевозможных сближений? Я говорю это серьезно, а не для игры слов.— Я позабыл вам сказать, что ваши друзья дуются на вас за то, что вы написали мне на презренном наречии Запада; итак, пишите мне на туземном языке, если хотите доставить им удовольствие. Говорят, что вы продолжаете с успехом обращать; если это правда, надо будет признать в этом явление большой важности. До свидания, любезный друг. Отовсюду вам всяческий привет, не считая моего, очень искреннего и очень нежного.

Петр Чаадаев.

1847

КН<ЯЗЮ> П. А. ВЯЗЕМСКОМУ[1]

Спасибо, любезный князь, за ваше милое письмо. Дело К. постараемся сами устроить; а вас все-таки благодарим за ваше участие[2]. С вашим суждением о нашем житье-бытье я не совершенно согласен, хотя, впрочем, вы во многом и правы. Что мы умны, в том никакого нет сомнения, но чтоб в уме нашем вовсе не было проку — с этим никак не могу согласиться. Неужто надо непременно делать дела́, чтобы делать дело? Конечно, можно делать и то и другое; но из этого не следует, чтобы мысль и не выразившаяся еще в жизни, не могла быть вещь очень дельная. Настанет время, она явится и там. Разве люди живут в одних только департаментах да канцеляриях? Вы скажете, что мысли наши не только не проявляются в жизни, но и не высказываются на бумаге. Что ж делать? Знать, грамотка нам не далась. Но зато, если б послушали наши толки! Нет такого современного или несовременного вопроса, которого бы мы не решили, и все это в честь и во славу святой Руси. Поверьте, в наших толках очень много толку. Мир всплеснет руками, когда все это явится на свет дневной. Но поговорим лучше о деле, и вам и нам общем.

У вас, слышно, радуются книгою Гоголя[3]; а у нас, напротив того, очень ею недовольны. Это, я думаю, происходит оттого, что мы более вашего были пристрастны к автору. Он нас немножко обманул, вот почему мы на него сердимся. Что касается до меня, то мне кажется, что всего любопытнее в этом случае не сам Гоголь, а то, что̀ его таким сотворило, каким он теперь пред нами явился. Как вы хотите, чтоб в наше надменное время, напыщенное народною спесью, писатель даровитый, закуренный ладаном с ног до головы, не зазнался, чтоб голова у него не закружилась? Это просто невозможно. Мы нынче так довольны всем своим родным, домашним, так радуемся своим прошедшим, так потешаемся своим настоящим, так величаемся своим будущим, что чувство всеобщего самодовольства невольно переносится и к собственным нашим лицам. Коли народ русский лучше всех народов в мире, то, само собою разумеется, что и каждый даровитый русский человек лучше всех даровитых людей прочих народов. У народов, у которых народное чувство искони в обычае, где оно, так сказать, поневоле вышло из событий исторических, где оно в крови, где оно вещь пошлая, там оно, по этому самому, принадлежит толпе и ум высокий никакого действия иметь уже не может; у нас же сла́бость эта вдруг развернулась, наперекор всей нашей жизни, всех наших вековых понятий и привычек, так что всех застала врасплох, и умных и глупых: мудрено ли, что и люди, одаренные дарами необыкновенными, от нее дуреют! Сто́ит только посмотреть около себя, сейчас увидишь, как это народное чванство, нам доселе чуждое, вдруг изуродовало все лучшие умы наши, в каком самодовольном упоении они утопают, с тех пор, как совершили свой мнимый подвиг, как открыли свой новый мир ума и духа! Видно, не глубоко врезаны в душах наших заветы старины разумной; давно ли, повинуясь своенравной воле великого человека, нарушили мы их перед лицом всего мира, и вот вновь нарушаем, повинуясь, какому-то народному чувству, бог весть откуда к нам занесенному!

Недостатки книги Гоголя принадлежат не ему, а тем, которые превозносят его до безумия, которые преклоняются пред ним, как пред высшим проявлением самобытного русского ума, которые ожидают от него какого-то преображения русского слова, которые налагают на него чуть не всемирное значение, которые, наконец, навязали на него тот гордый, не сродный ему патриотизм, которым сами заражены, и таким образом задали ему задачу неразрешимую, задачу невозможного примирения добра со злом: достоинства же ее принадлежат ему самому. Смирение, насколько его есть в его книге, плод нового направления автора; гордость, в нем проявившаяся, привита ему его друзьями. Это он сам говорит, в письме к к. Львову, написанном по случаю этой книги[4]. Разумеется, он родился не вовсе без гордости, но все-таки главная беда произошла от его поклонников. Я говорю в особенности о его московских поклонниках. Но знаете ли, откуда взялось у нас на Москве это безусловное поклонение даровитому писателю? Оно произошло оттого, что нам понадобился писатель, которого бы мы могли поставить наряду со всеми великанами духа человеческого, с Гомером, Дантом, Шекспиром, и выше всех иных писателей настоящего времени и прошлого. Это странно, но это сущая правда. Этих поклонников я знаю коротко, я их люблю и уважаю, они люди умные, хорошие; но им надо во что бы то ни стало возвысить нашу скромную, богомольную Русь, над всеми народами в мире, им непременно захотелось себя и всех других уверить, что мы призваны быть какими-то наставниками народов. Вот и нашелся, на первый случай, такой крошечный наставник, вот они и стали ему про это твердить на разные голоса, и вслух и на ухо; а он, как простодушный, доверчивый поэт, им и поверил. К счастию его и к счастию русского слова, в нем таился, как я выше сказал, зародыш той самой гордости, которую в нем силились развить их хваления. Хвалениями их он пресыщался; но к самим этим людям он не питал ни малейшего уважения. Это можете видеть из этой его книги и выражается в его разговоре на каждом слове. От этого родилось в нем какое-то тревожное чувство к самому себе, усиленное сначала болезненным его состоянием, а потом новым направлением, им принятым, быть может, как убежищем от преследующей его грусти, от тяжкого, неисполнимого урока, ему заданного современными причудами. Нет сомнения, что если б эти причуды не сбили его с толку, если б он продолжал идти своим путем, то достиг бы чудной высоты; но теперь, бог знает, куда заведут его друзья, как вынесет он бремя их гордых ожиданий, неразумных внушений и неумеренных похвал!

У нас в Москве, между прочим, вообразили себе, что новым своим направлением обязан он так называемому Западу, стране, где он теперь пребывает, иезуитам. На этой счастливой мысли остановился наш замысловатый приятель в «Московских ведомостях», и, вероятно, разовьет ее в следующем письме с обычным своим остроумием[5]. Но иезуитство, как его разумеют эти господа, существует в сердце человеческом с тех пор, как существует род человеческий; за ним нечего ходить в чужбину; его найдем и около себя, и даже в тех самых людях, которые в нем укоряют бедного Гоголя. Оно состоит в том, чтобы пользоваться всеми возможными средствами для достижения своей цели; а это видано везде.— Для этого не только не нужно быть иезуитом, но и не надо верить в бога; стоит только убедиться, что нам нужно прослыть или добрым христианином, или честным человеком, или чем-нибудь в этом роде. В Гоголе ничего нет подобного. Он слишком спесив, слишком бескорыстен, слишком откровенен, откровенен иногда даже до цинизма, одним словом, он слишком неловок, чтобы быть иезуитом. Некоторые из его порицателей особенно отличаются своею ловкостию, искусством промышлять всем, что ни попадет им под руки, и в этом отношении они совершенные иезуиты. Он больше ничего, как даровитый писатель, которого чрез меру возвеличили, который попал на новый путь и не знает, как с ним сладить. Но все-таки он тот же самый человек, каким мы его и прежде знали, и все-таки он, и в том болезненном состоянии души и тела, в котором находится, стократ выше всех своих порицателей — и когда захочет, то сокрушит их одним словом и размечет, как былие непотребное.

Эти строки были написаны до получения вашей книжечки[6]; с тех пор был я болен и не мог писать. Благодарю за присылку.— Не стану переначинать письма; а скажу вам в двух словах, как сумею, свое мнение о вашей статье. Вам, вероятно, известно, что на нее здесь очень гневаются. Разумеется, в этом гневе я не участвую. Я уверен, что если вы не выставили всех недостатков книги, то это потому, что вам до них не было дела, что они и без того достаточно были выказаны другими. Вам, кажется, всего более хотелось показать ее важность в нравственном отношении и необходимость оборота, происшедшего в мыслях автора, и это, по моему мнению, вы исполнили прекрасно. Что теперь ни скажут о вашей статье, она останется в памяти читающих и мыслящих людей как самое честное слово, произнесенное об этой книге. Все, что ни было о ней сказано другими, преисполнено какою-то странною злобою против автора. Ему как будто не могут простить, что, веселивши нас столько времени своею умною шуткою, ему раз вздумалось поговорить с нами не смеясь, что с ним случилось то, что ежедневно случается в кругу обыкновенной жизни с людьми менее известными, и что он осмелился нам про это рассказать по вековечному обычаю писателей, питающих сознание своего значения. Позабывают, что писатель, и писатель столь известный, не частный человек, что скрыть ему свои новые, задушевные чувства было невозможно и не должно; что он, не одним словом своим, но и всей своей душою, принадлежит тому народу, которому посвятил дар, свыше ему данный; позабывают, что при некоторых страницах слабых, а иных и даже грешных, в книге его находятся страницы красоты изумительной, полные правды беспредельной, страницы такие, что, читая их, радуешься и гордишься, что говоришь на том языке, на котором такие вещи говорятся. Вы одни относитесь с любовию о книге и авторе: спасибо вам! День ото дня источник любви у нас более и более иссякает, по крайней мере в мире печатном: итак, спасибо вам еще раз! На меня находит невыразимая грусть, когда вижу всю эту злобу, возникшую на любимого писателя, доставившего нам столько слезных радостей, за то только, что перестал нас тешить и, с чувством скорби и убеждения, исповедуется пред нами и старается, по силам, сказать нам доброе и поучительное слово. Все, что мне бы хотелось сказать вам на этот счет, вы отчасти уже сказали сами несравненно лучше, чем бы мне удалось тоже выразить, особенно на языке, которым так бессильно владею; но одно, о чем намекал уже в первых своих строках, кажется, упустили из виду, а именно высокомерный тон этих писем. Я уже сказал, какому влиянию его приписываю; но нельзя же, однако, и самого Гоголя в нем совершенно оправдать, особенно при том духовном стремлении, которое в книге его обнаруживается. Это вещь, по моему мнению, очень важная. Мы искони были люди смирные и умы смиренные; так воспитала нас церковь наша. Горе нам, если изменим ее мудрому ученью! Ему обязаны мы всеми лучшими народными свойствами своими, своим величием, всем тем, что отличает нас от прочих народов и творит судьбы наши. К сожалению, новое направление избраннейших умов наших именно к тому клонится, и нельзя не признаться, что и наш милый Гоголь, тот самый, который так резко нам высказал нашу грешную сторону, этому влиянию подчинился. Пути наши не те, по которым странствуют прочие народы; в свое время мы, конечно, достигнем всего благого, из чего бьется род человеческий; а может быть, руководимые святою верою нашею, и первые узрим цель, человечеству богом предназначенную; но по сию пору мы еще столь мало содействовали к общему делу человеческому, смысл значения нашего в мире еще так глубоко таится в сокровениях провидения, что безумно бы было нам величаться пред старшими братьями нашими. Они не лучше нас; но они опытнее нас. Ваша деловая петербургская жизнь

Чаадаев П. Я.

Вид Москвы

Кабинет Чаадаева

Чаадаев в салоне З. Н. Волконской

Обложка журнала «Телескоп», в котором было опубликовано первое философическое письмо

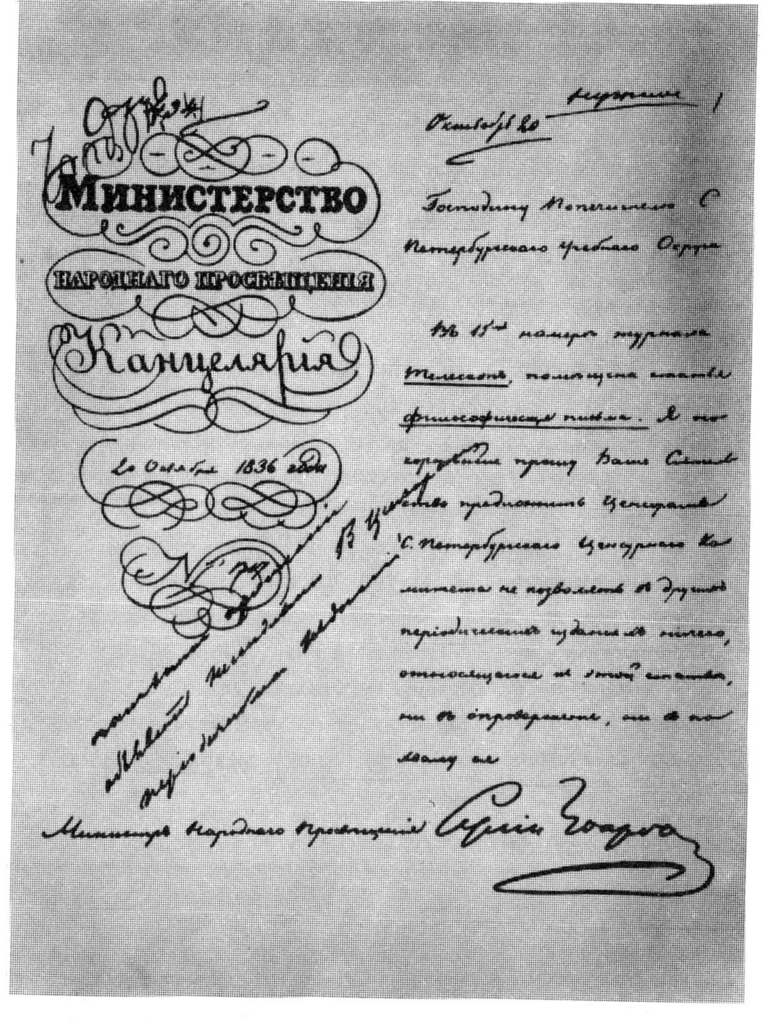
МИНИСТЕРСТВО
НАРОДНАГО ПРОСВѢЩЕНІЯ
Канцелярія

Предписание С. С. Уварова о запрещении печатных отзывов на публикацию первого философического письма

ФИЛОСОФИЧЕСКІЯ ПИСЬМА

КЪ ГЖѢ ***

ПИСЬМО ТРЕТЬЕ.

Absorpta est mors ad victoriam.

Бесѣда наша о религіи нечувствительно перешла въ философическое разсужденіе, а оно привело насъ снова къ религіи. Теперь обратимся опять къ философическому воззрѣнію, котораго мы не истощили, потому-что философское разсматриваніе религіи увеличиваетъ самую философію. Ктомужъ какъ ни сильна вѣра, не худо дать разсудку возможность опираться на свои собственныя силы. Есть души, для которыхъ вѣрованіе необходимо должно сливаться съ убѣжденіемъ. Мнѣ кажется, вы принадлежите именно къ этому разряду. Вы

Первая страница верстки третьего философического письма

П. Я. Чаадаев в тоге.
Рис. Э. Дмитриева-Мамонова

П. Я. Чаадаев

А. С. Пушкин

Н. В. Гоголь

П. Я. Чаадаев

П. А. Вяземский

А. И. Тургенев

В. А. Жуковский

С. П. Шевырев

К. С. Аксаков

А. С. Хомяков

Ф. Н. Глинка

Ф. Ф. Вигель

Н. И. Надеждин

А. И. Герцен

Могила Чаадаева в Донском монастыре

заглушает вас; вам не все слышно, что гласится на земле русской. Прислушайтесь к глаголам нашим; они поведают вам дивные вещи. В первой половине статьи вашей вы сказали несколько умных слов о нашей новоизобретенной народности; но ни слова не упомянули о том, как мы невольно стремимся к искажению народного характера нашего. Помыслите об этом. Не поверите, до какой степени люди в краю нашем изменились с тех пор, как облеклись этой народною гордынею, неведомой боголюбивым отцам нашим. Вот что меня всего более поразило в книге Гоголя и чего вы, кажется, не заметили. Во всем прочем с вами заодно. Поклонитесь Тютчеву, княгине сердечный мой поклон; сыну вашему une bonne poignée de main[7].

Бассманная. 29 апреля 1847 г.

Ф. И. ТЮТЧЕВУ[8]

Басманная, 10 мая

Я в восхищении, дорогой*** (Тютчев)[9], что вы удовлетворены моим портретом[10]. Он должен был быть литографирован в Москве, но так как здесь не нашлось хорошего литографа, то он был послан в Петербург, и я полагал, что вы столь же охотно примете оригинал, как приняли бы и копию. Если бы вы согласились принять на себя труд справиться, какой литограф наиболее славится в Петербурге и какова его цена, и сообщить мне об этом в двух словах, я был бы вам бесконечно обязан. Как вы знаете, не раз ко мне обращались с просьбой дать мое несчастное изображение: поэтому поневоле приходится постараться пойти навстречу этой настойчивой приязни. Я собирался писать об этом Вяземскому в момент получения вашего письма: как раз намереваюсь писать ему с тем, чтобы похвалить его статью о Гоголе[11]; я нахожу ее отличной в противность мнению почти всей нашей литературной братии, озлобление которой против этого несчастного гениального человека не поддается описанию. Один только Хомяков остался ему или, лучше сказать, самому себе верен.

Так как вас несомненно интересуют наши домашние дела, то вам не безразлично будет узнать, что последний сейчас ввязался в очень серьезную полемику с Грановским по поводу Бургиньонов и Франков[12]. Как вы видите, мы не теряем своего времени по-пустому, и вопросы текущего дня занимают нас не менее, чем остальной мир. Правда, нам не хватает времени слишком много возиться со всеми нелепостями, происходящими в Европе, такими, как, например, прусские дела и другие им подобные, но у нас его больше, чем надо, чтобы достойно готовиться, в качестве нового народа божия, к великой предназначенной нам миссии, руководить умственным и общественным движением человеческого рода. Многозначительному спору, о котором я вам сообщаю, придает еще большую значительность то, что с этим связано нравственное положение друга нашего Хомякова, среди представителей одной с ним масти, а вы знаете, каково это положение[13]. Впрочем, что бы с ним при этом ни случилось, он, по моему мнению, всегда сохранит ту долю уважения, которой заслуживает, потому что, по счастью, в людях всегда имеется нечто более важное, чем их знание.

Что сказать мне про себя и про свое жалкое здоровье? Мы постоянно раскачиваемся между благом, которое я не почитаю благом, и злом, которое, говорят, вовсе не есть зло. Я прозябаю, таким образом, в обманчивости духа и плоти. Все это, как вы легко поймете, делает меня отнюдь не забавным для других, за исключением редкой дружбы, забредшей в глушь и столь же упорной, как ваша, но приходится поневоле мириться с тягостью обманного существования, которое сам по себе создал. Ваша дружба, несмотря на разделяющие нас пространства, составляет одно из самых моих отрадных утешений, а ныне, ввиду обещанного нам близкого вашего прибытия в наши широты, я прибавлю еще, что оно поддерживает во мне самую пленительную надежду. Приезжайте же, вы на деле убедитесь, какое важное значение могут иметь подлинные симпатии одного разумного существа для другого такого же, или по крайней мере таким когда-то почитавшегося.

Но только торопитесь, потому что, чем больше я об этом думаю, тем сильнее убеждаюсь, что пора мне сгинуть со света тем или другим путем, через бегство или могилу. Что ни день, я вижу, как возникают вокруг меня какие-то новые притязания, которые выдают себя за новые силы, старые обманы, которые принимаются за старые истины, шутовские идеи всякого рода, которые признаются серьезными делами; и все это принимает осанку авторитета, власти, высшего судилища, выносит вам приговоры осуждения или оправдания, лишает вас слова или разрешает говорить. Чувствуешь себя как бы в исправительной полиции в каждый час своей жизни. Что прикажете делать в этом новом мире, где ничто мне не улыбается, ничто не протягивает мне руку и не помогает жить? В конце концов, я все же предпочитаю погибнуть от скуки, порожденной унынием одиночества, чем от руки тех людей, которых я так любил, которых я и теперь еще люблю, которым я служил по мере своих сил и готов был бы еще послужить.

Прощайте, дорогой друг. Верьте, прошу вас, моему чувству глубокой привязанности, с нетерпением жаждущей отрадного общения с вами.

Петр Чаадаев.

М. П. ПОГОДИНУ[14]

Милостивый государь Михаил Петрович.

Благодарю вас за лестное приглашение участвовать в издании «Москвитянина». Не почитаю себя вправе отказаться, но должен вам напомнить, что имя мое, хотя и мало известное в литературном мире, считалось по сие время принадлежащим мнениям, не совершенно согласным с мнениями «Москвитянина». Если принятием меня в ваши сотрудники вы желаете обнаружить стремление менее исключительное, то мне приятно будет по силам сопутствовать вашему журналу. Я полагаю, что, приглашая меня, вы имели это в виду и что объявление ваше будет написано в этом смысле. Примирения с противоположными мнениями, в наше спесивое время, ожидать нельзя, но менее исключительности вообще и более простора в мыслях, я думаю, можно пожелать. Мысль или сила, которая должна произвесть сочетание всех разногласных понятий о жизни народной и ее законах, может быть, уже таится в современном духе и, может статься, как и прежде бывало, возникает из той страны, откуда ее вовсе не ожидают; но до той поры, пока не настанет час ее появления, всякое честное мнение, каждый чистый и светлый ум должны молить об этом сочетании и вызывать его всеми силами. *Умеренность, терпимость и любовь* ко всему доброму, умному, хорошему, в каком бы цвете оно ни явилось, вот мое исповедание: оно, вероятно, будет и исповеданием возобновленного «Москвитянина».

Что касается до воспоминаний о Пушкине, то не знаю, успею ли с ними сладить вовремя. Очень знаешь, что̀ об нем сказать, но как быть с тем, чего нельзя сказать? Здоровье мое плохо, но за доброю волею дело не станет.

М. П. ПОГОДИНУ

Получив вашу записку поздно, не мог воротить своего письма, которое не у меня. Если угодно, то буду к вам завтра и постараюсь достать письмо.

Примите уверение в моем глубоком почтении.

Пишу не из дому, потому простите за неряхость этих строчек.

М. П. ПОГОДИНУ

Извините, если я вам еще раз пишу про то же. Но что делать? Весьма почтенная дама требует от меня этого листка. Что мне сделать? Не отлагайте, прошу вас; пришлите его завтра по городовой почте и примите между тем уверенность в моей совершенной преданности.

Вам покорный Петр Чаадаев.

М. П. ПОГОДИНУ

Вчера, в Петровском[16], сказывал мне А. Н. Бахметьев, что получил от вас книжку вашего сочинения, очень любопытную, и что вы намерены и мне ее дать. Я с удовольствием бы сам к вам за ней заехал, но на днях не буду в вашей стороне, а любопытство мое нетерпеливо. Если вы мне ее пришлете в воскресенье — то это очень будет кстати, а я вас за это приеду сам благодарить на той неделе и в удобный час для узрения ваших драгоценностей[17].

Вам истинно преданный
Петр Чаадаев.

Пятница

М. П. ПОГОДИНУ

Всякое утро собираюсь к вам, почтеннейший Михайло Петрович, для обозрения вашего музеума. На днях прочитав в «Москвитянине» новые ваши приобретения, это желание еще сильнее ощущаю. Но видно, с утром не слажу. Итак, позвольте приехать к вам вечером, часу в 8-ом. Если это дело возможно, то известите меня, не могу ли быть к вам, напр., во вторник. Очень обяжете, если доставите мне случай увидать ваши драгоценности и вместе с тем побеседовать с вами. От души вам преданный.

Петр Чаадаев.

Суб⟨бота⟩.

1848

С. П. ШЕВЫРЕВУ[1]

Вчера, бывши в Сокольниках, искал вашего дома, возвращаясь от Дюклу в темноте, но не нашел. Я имел с собою для вас *меморию* Тютчева[2], которую теперь вам посылаю. Желал бы очень дать ее прочесть Погодину, но не знаю, как бы это устроить; она мне нужна в понедельник. Прочитав, увидите, что вещь очень любопытная. Жаль, что нет здесь Хомякова: послушал бы его об ней толков. Если сами ко мне не пожалуете в понедельник, то пришлите тетрадку.

Вам душою и мыслию преданный
Чаадаев.

Ф. И. ТЮТЧЕВУ

Я только что прочитал, дорогой*** (Тютчев)[3], вашу интересную записку[4] о текущих событиях: прежде всего позвольте мне высказать то удовольствие, которое я испытал при ее чтении; затем я, быть может, смогу еще кое-что к этому прибавить. Как вы очень правильно заметили, борьба, в самом деле, идет лишь между революцией и Россией: лучше невозможно охарактеризовать современный вопрос. Но, признаюсь вам, меня повергает в изумление не то, что умы Европы под давлением неисчислимых потребностей и необузданных инстинктов не постигают этой столь простой вещи, а то, что вот мы, уверенные обладатели святой идеи, нам врученной, не можем в ней разобраться. А между тем ведь мы уже порядочно времени этой идеей владеем. Так почему же мы до сих пор не осознали нашего назначения в мире? Уж не заключается ли причина этого в том самом духе самоотречения, который вы справедливо отмечаете, как отличительную черту нашего национального характера? Я склоняюсь именно к этому мнению, и это и есть то, что, на мой взгляд, особенно важно по-настоящему осмыслить.

Нельзя достаточно настаивать на том, что социальная драма, при которой мы в настоящее время присутствуем, есть прямое продолжение религиозной драмы XVI века, этого гордого протеста человеческого разума против авторитета предания и против духовного принципа,— разума, стремящегося владычествовать над обществом. И вот вскоре обнаружилось, что этот протест, казавшийся самым зрелым умам эпохи столь законным и который действительно был таковым, но от которого тем не менее зависело все будущее народов Европы, сперва внес анархию в религиозные идеи, а затем обрушился на самые основы общества, отвергнув божественный источник верховной власти. Мы были свидетелями великого события, не принимая в нем участия: мы имели возможность оценить его со спокойствием беспристрастного разума; мы могли, мы должны были воспользоваться поучением, которое в нем заключалось; мы ничего этого не сделали.

Катастрофа произошла у нашего порога и ничему нас не научила, и немедленно вслед за тем мы сами отправились к их очагам в поисках за рожденными ею идеями и за созданными ею ценностями. И заметьте, что тот день, когда мы предприняли это паломничество в святые места иноземной цивилизации в лице изумительного человека[5], который представлял тогда сердце и душу народа подобно тому, как человек, являющийся сейчас носителем его звания, их ныне представляет, день этот наступил непосредственно после того, в который завершилось полное развитие нашей религиозной идеи, ибо это произошло на другой день после учреждения патриаршества.

По милости небес мы принесли с собой лишь кое-какую внешность этой негодной цивилизации, одни только ничтожные произведения этой пагубной науки: самая цивилизация, наука в целом остались нам чужды. Но все же мы достаточно познакомились со странами Европы, чтобы иметь возможность судить о глубоком различии между природой их общества и природой того, в котором мы живем. Размышляя об этом различии, мы должны были естественно возыметь высокое представление (une haute opinion) о наших собственных учреждениях, еще глубже к ним привязаться, убедиться в их превосходстве, равно как и в могуществе тех начал, на которых покоится наш социальный строй; мы должны были отыскать в наших традициях, в наших нравах, в наших верованиях, в выражении нашей внутренней жизни, в выражении нашей жизни общественной, даже и в наших предрассудках, словом, во всем, что составляет наше национальное бытие, все необходимые условия превосходного развития, все источники бесконечного усовершенствования, все зародыши необъятного будущего; этого не произошло. Совсем напротив, с того часа, как мы оказались в соприкосновении с иноземными идеями, мы поспешили отказаться от наших старинных туземных идей, мы сразу изменили нашим старинным обычаям, мы забыли наши почтенные традиции, мы преспокойно претерпели ниспровержение одного за другим наших вековечных учреждений: мы почти целиком отреклись от всего нашего прошлого, мы сохранили одни только наши религиозные верования. Правда, эти верования, составляющие самое сокровенное нашего социального бытия, были достаточны, дабы оградить нас от нашествия самых негодных принципов иноземной цивилизации, против дыхания самых зловредных ее истечений, но они были бессильны развить в нас сознание той роли, которую мы были призваны выполнить среди народов земли.

И вот, подчинившись игу этой цивилизации, мы все же сохранили доблести наших отцов, их дух покорности, их привязанность к государю, их *пристрастие к самоотвержению и самоотречению,* но в то же время идея, *заложенная в нашей душе рукой провидения*, в ней не созревала. Совершенно не сознавая этой *великой идеи*, мы изо дня в день все более поддавались новым влияниям, и, когда наступил новый катаклизм, вторично потрясший мир, мы им не воспользовались, мы еще раз не сумели обнаружить преимущества социального существования, которым мы имели счастие обладать, и теми преимуществами, которые провидение нам даровало во внимание к чистоте наших верований, к глубокой вере, преисполнявшей наши сердца. *Удивительное дело*: чем больше развертывавшиеся перед нашими глазами события, так сказать, разъясняли социальную задачу мира и раскрывали перед нами *высокие предназначения*, для нас уготованные, тем менее мы их понимали. Очевидно, все эти революции, при которых мы присутствовали в течение полустолетия, не только не уяснили нам состояния стран, в которых они происходили, равно как и состояния нашей собственной страны, а лишь еще затемнили наше сознание. И если в настоящее время некоторое пробуждение национального начала, некоторый возврат к старым традициям, которые составляли счастье наших отцов и были источником их доблестей, обнаруживаются среди нас более или менее явственно, приходится сознаться, что это явление лишь назревает и что оно в настоящее время носит лишь характер исторического изыскания, литературного течения, совершенно неведомого стране.

1849

А. С. ХОМЯКОВУ[1]

Басманная, 26 сентября

Посылаю вам, dear sir[2], тетрадь, полученную мною от неизвестного лица для отослания к вам. Вам, думаю, не трудно будет угадать приветное перо, так удачно высказавшее ваши собственные сочувствия. Не знаю, почему сочинитель избрал меня проводником своих задушевных излияний, но благодарю его за то, что считает меня вашим добрым приятелем. Разумеется, приписка и письмо одного мастера. Из этой приписки вижу, что он предполагает меня разделяющим его мысли, и в этом он не ошибся. Не менее его гнушаюсь тем, что делается *в так называемой Европе*; не менее его убежден, что *будущее* принадлежит молодецкому племени, которого он заслуженный, достойный представитель, которого отличительная черта *благородство без хвастовства в победе*, черта, столь явно выразившаяся в настоящую минуту. В одном только не могу с ним согласиться, а именно что *нам не нужно заниматься Европой, что нам должно оставить о ней попечение*. Я полагаю, напротив того, что попечение наше о ней теперь необходимо, что нам очень нужно ей теперь заняться. Так, вероятно, думал и тот, который увенчал нас новой, славной победой. Не знаю, как сочинитель письма не заметил, что если б мы не занимались Европой, то нас бы не было в Венгрии, то мятеж не был бы укрощен, то Венгрия не была бы у ног русского царя, великодушный Бан находился бы теперь в очень неприятном положении, общая наша приятельница была бы в глубоком горе, и, наконец, мы не имели б случая обнаружить своего в торжестве смирения[3]. В том совершенно согласен с вашим почтенным сочувственником, что Европа нам завидует и уверен, что если б лучше нас знала, если б видела, как благоденствуем у себя дома, то еще пуще стала бы завидовать, но из этого не следует, чтоб нам должно было оставить о ней попечение. Вражда ее не должна нас лишать нашего высокого призвания спасти порядок, возвратить народам покой, научить их повиноваться властям так, как мы сами им повинуемся, одним словом, внести в мир, преданный безначалию, наше спасительное *начало*. Я уверен, что в этом случае вы совершенно разделяете мое мнение и не захотите, чтоб Россия отказалась от своего назначения, указанного ей и царем небесным, и царем земным: я даже думаю, что в настоящее время вы бы не стали звать одну *милость господню на Западной край*, а пожелали б нашим союзным братиям еще и иных благ.

Не знаю почему, заключая, чувствую непреодолимую потребность выписать следующие строки из последнего слова нашего митрополита:

«Возвышение путей наших в очах наших есть уклонение от пути божия, хотя бы мы на нем и находились»[4].

Сердечно вам преданный и пр.

1850

КН⟨ЯЗЮ⟩ В. Ф. ОДОЕВСКОМУ

Басманная, 5 января

Вот, дорогой князь, письмо к вашему другу Вигелю, которое я попрошу вас приказать переслать ему как можно скорее. Эта милейшая особа написала мне[1], не сообщив своего адреса, которого здесь никто не знает. Чтобы вы могли хорошенько понять, о чем идет дело между сказанным Вигелем и мною, необходимо было бы послать вам его письмо, чего я в настоящую минуту сделать не могу; но в двух словах — дело вот в чем. Какой-то глупый шутник вздумал послать ему на именины мой литографированный портрет, сопроводив его русскими стихами, авторство которых он приписывает мне[2]. Таков мотив его письма, в слащавой и вместе с тем ядовитой путанице которого трудно разобраться. Равным образом невозможно ни понять смысл стихов, ни догадаться, кто их автор. Как бы то ни было, вы видите, что необходимо возможно скорее предотвратить возможные последствия недоброжелательного предположения этого господина, ибо стихи могут вызвать прескверное впечатление, и это — во многих отношениях. Если вам не известен его адрес, то я думаю, что вам могут сообщить его в доме Блудова. Я злоупотребляю вашей дружбой, дорогой князь, но думаю, что вы дали мне на это право. За дружбу можно расплатиться только дружбой. Если эти строки доставят мне удовольствие прочесть ваши, то я буду благодарен неизвестному, подавшему к тому повод. Пишу вам по-французски, ибо не имею времени писать вам на родном наречии, менее послушном моему перу или менее поддающемся эпистолярному стилю, затрудняюсь сказать, что из двух. Что касается до вас, то вы имеете достаточно времени, чтобы написать мне на чистейшем русском языке: да, впрочем, если бы и не так, вы все равно на другом бы языке писать не стали.

Может быть, вы найдете какое-нибудь средство прочесть мое послание. В таком случае сообщите мне ваше мнение о нем; я был бы очень рад его знать.

Впрочем, вот что: я велю переписать письмо Вигеля, а также и мое, и вы найдете их оба в этом конверте.

Засвидетельствуйте мое глубокое почтение княгине, память о благосклонном участии которой я свято храню.

Я полагаю, что вы не сомневаетесь в моей неизменной и искренней преданности.

Петр Чаадаев.

Ф. Ф. ВИГЕЛЮ[3]

М. г. Филипп Филиппович.

Портрета своего я вам не посылал и стихов не пишу, но благодарен своему неизвестному приятелю, доставившему мне случай получить ваше милое письмо. Этот неизвестный приятель, сколько могу судить по словам вашим, выражает собственные мои чувства. Я всегда умел ценить прекрасные свойства души вашей, приятный ум ваш, многолюбивое ваше сердце. Теплую любовь к нашему славному отечеству я чтил всегда и во всех, но особенно в тех лицах, которых, как вас, общий голос называет достойными его сынами. Одним словом, я всегда думал, что вы составляете прекрасное исключение из числа тех самозванцев русского имени, которых притязание нас оскорбляет или смешит. Из этого можете заключить, что долг христианина, в отношении к вам, мне бы не трудно было исполнить. Сочинитель стихов, вероятно, это знал и передал вам мои мысли, не знаю, впрочем, с какой целью; но все-таки не могу присвоить себе, что вы пишете, тем более что о содержании стихов могу только догадываться из слов ваших. Что касается до желания одной почтенной дамы, о котором вы говорите, то с удовольствием бы его исполнил, если б знал ее имя.

В заключение не могу не выразить надежды, что русский склад этих строк, написанных родовым русским, вас не удивит и что вы пожелаете еще более сродниться с благородным русским племенем, чтобы и себе усвоить этот склад.

Прошу вас покорнейше принять уверение в глубоком моем почтении и совершенной моей преданности.

М. П. ПОГОДИНУ[4]

Письмо моего незабвенного друга получил и очень рад, что вам им угодил[5]. В мое с ним время умели писать по-французски и по-русски: не знаю как нынче? Много чего есть у меня, что могло бы вам пригодиться для *не-антикварских* ваших трудов, но как-то общение у нас не ладится. Подождем железных дорог; может быть, тогда как-нибудь встретимся. Кстати или не кстати: прошлый раз позабыл вас поблагодарить за разбор павловской диссертации[6].

Вам душевно преданный
П. Чаадаев.

Пятница.

1851

В. А. ЖУКОВСКОМУ[1]

Басманная, 27 мая

Многие, может быть, подобно мне, не благодарили еще вас, любезнейший Василий Андреевич, за доставление последних трудов ваших, но немногие, думаю, имеют на то такое оправдание, какое я имею. Вы, вероятно, помните, что оставили меня, тому, кажется, десять лет назад, в доме, который тогда уже разрушался от ветхости и, по словам вашим, держался не столбами, а одним только духом. С тех пор продолжает он спокойно разрушаться и стращать меня и моих посетителей своим косым видом. Вот одно из тех смешных страданий глупой моей жизни, а их много, которые поневоле отвлекают меня иногда от исполнения приятнейших обязанностей; но все-таки винюсь перед вами, с тем, однако ж, чтоб выслушали меня о другом деле, которое пусть служит и выражением моей запоздалой благодарности.

На днях показывал мне Булгаков письмецо ваше о наших проделках с Фанни Елслер[2]. Знаете ли, какое впечатление произвели на меня эти немногия строки? Они грустно напомнили мне о моих утратах; они напомнили мне, что уже никого нет более среди нас, который бы мог хоть посмеяться над нами с некоторым *авторитетом*, то есть с пользою. Иных не стало, другие за горами. Таким образом, пользуемся мы совершенною безнаказанностью, врем что ни попало, на словах и на бумаге, в приятельской беседе и пред публикою. Нельзя сказать, чтоб мы стали глупее прежнего, но нельзя, однако ж, сказать, чтоб мы стали и умнее. Само собою разумеется, что многое узнали, о чем прежде и слуха не было, но что в том прока, если все это новознание или поражено бесплодием, или выражается на каком-то неслыханном наречии, наводящем тоску на читателя. Цензура не учитель, от нее ничему не научимся, а вкусу и подавно. Пора бы вам к нам приехать: вот к чему идет речь моя. Обещаете быть в сентябре месяце, но надолго ли, that is the question[3]. Если приедете на нас только посмотреть да полюбоваться, то что в этом будет пользы! Нет, приезжайте с нами пожить да нас поучить. Зажились вы в чужой глуши; право, грех. Почем знать, может статься, бог и наградит вас за доброе дело и возвратит здоровье жене вашей на земле православной. Не поверите, как мы избаловались с тех пор, как живем без пестунов. Безначалие губит нас. Ни в печатном, ни в разговорном круге не осталось налицо никого из той кучки людей почетных, которые недавно еще начальствовали в обществе и им руководили; а если кто и уцелел, то дряхлеет где-нибудь в одиночестве ума и сердца. Все нынче толкуют у нас про направление: не направление нам надобно, а правление. Грамотка без учителей не водится. Самодельных властей у нас развелось много, но лиц с настоящим значением в просвещенном слое общества пока еще не завелось. Разумеется, когда и было у нас начальство, то, к которому и вы принадлежали, то не всегда его слушались: так всегда водилось; но все-таки присутствие людей, всеми чтимых не только за дела ума, но и за свойства душевные, было полезно и научало новичков скромности. Слово это исчезло из нашего новейшего ручного словаря. Приезжайте хоть за тем, чтобы помочь нам отыскать его. Странное дело! Никогда не видано было менее у нас смирения, как с той поры, как стали у нас многоглагольствовать про тот устав христианский, который более всех прочих уставов христианских учит смирению, который весь не что иное, как смирение. Вот пример этому. Один из ревностных служителей возвратного движения написал в прошлом году драму[4]. Хороша ли, дурна ли, до того дела нет; драма написана во славу того быта, которого будто бы сокрушила своенравная воля великого человека[5], созданного, впрочем, этим же самым бытом; это и довольно, по мнению наших приятелей, то есть сочувственников автора. Но вот ее дают на здешнем театре; и что ж! в день представления является в «Ведомостях» статья самого автора, который простодушно указывает на рукоделье свое как на образец настоящей русской драмы. Заметьте, что никого это не изумило, что никто даже и не обратил на это внимания, так оно всем показалось естественным. И немудрено; как вы хотите, чтоб безусловное поклонение одной какой-либо мысли не привело нас к поклонению тому разуму, которому одолжена она своим бытием, хотя бы этот разум и был наш собственный разум или разум наших приятелей. Voilà où nous en sommes[6]. Этот автор, впрочем, умный, милый и благородный человек; но надобно же заплатить дань своему времени. Ведь и у нас есть свое время, хотя и не такое беспутное, как ваше бусурманское время.

Не знаю, показывал ли Булгаков письмо ваше нашей графине[7]; кажется, он ей только выписал те строки, которые могли польстить ее авторскому самолюбию. Я взял было его у Булгакова, с тем, чтоб показать ей все письмо по старой своей привычке любить друзей своих, не только для себя, но и для них, но не знал ее дома. Должно, однако ж, признаться, что *акафист ее* старой плясунье[8] всех порядочных людей возмутил и здесь, и в Петербурге. Я назвал всю эту дурь le culte du jarret[9] и спрашивал Ростопчину, как это выражение перевесть по-русски, но она не сумела.

На прощанье вторично повторяю свое челобитье о возвращении вашем на родину. Худо детям жить без дядьки. Из этого и взял перо, от которого, как можете видеть, немного поотстал, а то бы не был так многословен. Прошу принять мою болтовню снисходительно и не по-учительски. Обнимаю вас от всей души и ото всего сердца. Здесь есть ваши бумаги, но не успел еще их видеть, хотя они находятся у Красных ворот. Прощайте. Всячески вам преданный *Петр Чаадаев.*

А. И. ГЕРЦЕНУ[10]

Москва, 26 июля 1851

Слышу, что вы обо мне помните и меня любите. Спасибо вам. Часто думаю также о вас, душевно и умственно сожалея, что события мира разлучили нас с вами, может быть, навсегда. Хорошо бы было, если б вам удалось сродниться с каким-нибудь из народов европейских и с языком его, так чтобы вы могли на нем высказать все, что у вас на сердце. Всего бы, мне кажется, лучше было усвоить вам себе язык французский. Кроме того, что это дело довольно легкое, при чтении хороших образцов, ни на каком ином языке современные предметы так складно не выговариваются. Тяжело, однако ж, будет вам расстаться с родным словом, на котором вы так жизненно выражались. Как бы то ни было, я уверен, что вы не станете жить сложа руки и зажав рот, а это главное дело. Стыдно бы было, чтоб в наше время русский человек стоял ниже Кошихина.

Благодарю вас за известные строки. Может быть, придется вам скоро сказать еще несколько слов об том же человеке, и вы, конечно, скажете, не общие места — а общие мысли. Этому человеку, кажется, суждено было быть примером не угнетения, против которого восстают люди,— а того, которое они сносят с каким-то трогательным умилением и которое, если не ошибаюсь, по этому самому гораздо пагубнее первого. (Не примите этого за общее место.)[11] Может быть, дурно выразился.

Мне, вероятно, недолго остается быть земным свидетелем дел человеческих; но, веруя искренно в мир загробный, уверен, что мне и оттуда можно будет любить вас так же, как теперь люблю, и смотреть на вас с тою же любовью, с которою теперь смотрю. Простите.

ГР⟨АФУ⟩ А. Ф. ОРЛОВУ[12]

Граф Алексей Федорович.

Слышу, что в книге Герцена[13] мне приписывают мнения, которые никогда не были и никогда не будут моими мнениями. Хотя из слов вашего сиятельства и вижу, что в этой наглой клевете не видите особенной важности, однако не могу не опасаться, чтобы она не оставила в уме вашем некоторого впечатления. Глубоко благодарен бы был вашему сиятельству, если б вам угодно было доставить мне возможность ее опровергнуть и представить вам письменно это опровержение, а может быть, и опровержение всей книги. Для этого, разумеется, нужна мне самая книга, которой не могу иметь иначе, как из рук ваших.

Каждый русский, каждый верноподданный царя, в котором весь мир видит богом призванного спасителя общественного порядка в Европе, должен гордиться быть орудием, хотя и ничтожным, его высокого священного призвания; как же остаться равнодушным, когда наглый беглец, гнусным образом искажая истину, приписывает нам собственные свои чувства и кидает на имя наше собственный свой позор?

Смею надеяться, ваше сиятельство, что благосклонно примете мою просьбу, и если не заблагорассудите ее исполнить, то сохраните мне ваше благорасположение.

Честь имею быть. . . .

1852

М. П. ПОГОДИНУ[1]

Сделайте одолжение, милостивый государь Михайло Петрович, скажите мне, где мне найти г. Кокорева? Прочитав в «Москвитянине» его *Саввушку*[2], я сейчас решился отыскать его, но по сю пору не мог попасть на его след, хотя многие и сказывали мне, что знают его. Видно, эти господа не принадлежат ни к тому кругу, где он живет, ни к тому, где его умеют ценить. Что касается до меня, то вижу в нем необыкновенно даровитого человека, которому нужно только стать повыше, чтоб видеть побольше. Я не люблю дагерротипных изображений ни в искусстве, ни в литературе, но здесь верность истинно художественная, что нужды, что фламанская. Нынче, знаю, иного требуют от писателя,

«Но мне, какое дело мне,
Я верен буду старине».

Тот, кто написал эти строки в заключение других, мною ему внушенных, конечно, и в этом случае разделил бы мое мнение[3].

В ожидании милостивого вашего уведомления прошу вас принять повторение моей давнишней преданности.

Петр Чаадаев.

Извините, что забыл поздравить вас с тем, что вам наконец удалось передать в вечное потомственное владение науки ваше драгоценное собрание.

1854

С. П. ШЕВЫРЕВУ[1]

Я на днях заходил к вам, почтеннейший Степан Петрович, чтоб поговорить с вами о *Бартеньевских статьях, помещенных в «Моск. ведомостях»*[2]. Вы, конечно, заметили, что, описывая молодость Пушкина и года, проведенные им в Лицее, автор статей ни слова не упоминает обо мне, хотя в то же время и вписывает несколько стихов из его ко мне послания и даже намекает на известное приключение в его жизни, в котором я имел участие, но приписывая это участие исключительно другому лицу. Признаюсь, это умышленное забвение отношений моих к Пушкину глубоко тронуло меня. Давно ли его не стало, и вот как правдолюбивое потомство, в угодность к своим взглядам, хранит предания о нем! Пушкин *гордился моею дружбою*; он говорит, что я *спас от гибели его и его чувства, что я воспламенял в нем любовь к высокому,* а г. Бартеньев находит, что до этого никому нет дела, полагая, вероятно, что обращенное потомство, вместо стихов Пушкина, будет читать его *Материялы*. Надеюсь, однако ж, что будущие биографы поэта заглянут и в его стихотворения.

Не пустое тщеславие побуждает меня говорить о себе, но уважение к памяти Пушкина, которого дружба принадлежит к лучшим годам жизни моей, к тому счастливому времени, когда каждый мыслящий человек питал в себе живое сочувствие ко всему доброму, какого бы цвета оно ни было, когда каждая разумная и бескорыстная мысль чтилась выше самого беспредельного поклонения прошедшему и будущему. Я уверен, что настанет время, когда и у нас всему и каждому воздастся должное, но нельзя же между тем видеть равнодушно, как современники бесчестно прячут правду от потомков. Никому, кажется, нельзя лучше вас, в этом случае, заступиться за истину и за минувшее поколение, которого теплоту и бескорыстие сохраняете в душе своей; но если думаете, что мне самому должно взяться за покинутое перо, то последую вашему совету (хотя и с риском дать Бартеньеву новый довод в пользу того, что не следует придавать особой важности дружескому расположению ко мне Пушкина)[3]. В среду постараюсь зайти к вам из клуба[4], за советом.

Искренно и душевно
преданный вам
Петр Чаадаев.

Написав эти строки, узнал, что Г. Б. оправдывает себя тем, что, говоря о лицейских годах друга моего, он не полагал нужным говорить о его отношениях со мною, предоставляя себе упомянуть обо мне в последующих статьях. Но неужто Г. Б. думает, что встреча Пушкина, в то время когда его могучие силы только что стали развиваться, с человеком, которого впоследствии он назвал лучшим своим другом, не имела никакого влияния на это развитие? Если не ошибаюсь, то первое условие биографа есть знание человеческого сердца.

ВЫПИСКА ИЗ ПИСЬМА НЕИЗВЕСТНОГО К НЕИЗВЕСТНОЙ. 1854[5]

Нет, тысячу раз нет — не так мы в молодости любили нашу родину. Мы хотели ее благоденствия, мы желали ей хороших учреждений и подчас осмеливались даже желать ей, если возможно, несколько больше свободы; мы знали, что она велика и могущественна и богата надеждами; но мы не считали ее ни самой могущественной, ни самой счастливой страною в мире. Нам и на мысль не приходило, чтобы Россия олицетворяла собою некий отвлеченный принцип, заключающий в себе конечное решение социального вопроса,— чтобы она сама по себе составляла какой-то особый мир, являющийся прямым и законным наследником славной восточной империи, равно как и всех ее прав и достоинств,— чтобы на ней лежала нарочитая миссия вобрать в себя все славянские народности и этим путем совершить обновление рода человеческого; в особенности же мы не думали, что Европа готова снова впасть в варварство и что мы призваны спасти цивилизацию посредством крупиц этой самой цивилизации, которые недавно вывели нас самих из нашего векового оцепенения. Мы относились к Европе вежливо, даже почтительно, так как мы знали, что она выучила нас многому, и между прочим — нашей собственной истории. Когда нам случалось нечаянно одерживать над нею верх, как это было с Петром Великим,— мы говорили: этой победой мы обязаны вам, господа. Результат был тот, что в один прекрасный день мы вступили в Париж, и нам оказали известный вам прием, забыв на минуту, что мы, в сущности,— не более как молодые выскочки и что мы еще не внесли никакой лепты в общую сокровищницу народов, будь то хотя бы какая-нибудь крохотная солнечная система, по примеру подвластных нам поляков, или какая-нибудь плохонькая алгебра, по примеру этих нехристей-арабов, с нелепой и варварской религией которых мы боремся теперь. К нам отнеслись хорошо, потому что мы держали себя как благовоспитанные люди, потому что мы были учтивы и скромны, как приличествует новичкам, не имеющим других прав на общее уважение, кроме стройного стана. Вы повели все это поиному,— и пусть; но дайте мне любить мое отечество по образцу Петра Великого, Екатерины и Александра. Я верю, недалеко то время, когда, может быть, признáют, что этот патриотизм не хуже всякого другого.

Заметьте, что всякое правительство, безотносительно к его частным тенденциям, инстинктивно ощущает свою природу, как сила одушевленная и сознательная, предназначенная жить и действовать; так, например, оно чувствует или не чувствует за собою поддержку своих подданных. И вот, русское правительство чувствовало себя на этот раз в полнейшем согласии с общим желанием страны; этим в большой мере объясняется роковая опрометчивость его политики в настоящем кризисе[6]. Кто не знает, что мнимо национальная реакция дошла у наших новых учителей до степени настоящей мономании? Теперь уже дело шло не о благоденствии страны, как раньше, не о цивилизации, не о прогрессе в каком-либо отношении; довольно было быть русским; одно это звание вмещало в себе все возможные блага, не исключая и спасения души. В глубине нашей богатой натуры они открыли всевозможные чудесные свойства, неведомые остальному миру; они отвергали все серьезные и плодотворные идеи, которые сообщила нам Европа; они хотели водворить на русской почве совершенно новый моральный строй, который отбрасывал нас на какой-то фантастический христианский Восток, придуманный единственно для нашего употребления, нимало не догадываясь, что, обособляясь от европейских народов морально, мы тем самым обособляемся от них и политически, что, раз будет порвана наша братская связь с великой семьей европейской, ни один из этих народов не протянет нам руки в час опасности. Наконец, храбрейшие из адептов новой национальной школы не задумались приветствовать войну, в которую мы вовлечены, видя в ней осуществление своих ретроспективных утопий, начало нашего возвращения к хранительному строю, отвергнутому нашими предками в лице Петра Великого. Правительство было слишком невежественно и легкомысленно, чтобы оценить, или даже только понять, эти ученые галлюцинации. Оно не поощряло их, я знаю; иногда даже оно наудачу давало грубый пинок ногою наиболее зарвавшимся или наименее осторожным из их блаженного сонма; тем не менее оно было убеждено, что, как только оно бросит перчатку нечестивому и дряхлому Западу, к нему устремятся симпатии всех новых патриотов, принимающих свои неоконченные изыскания, свои бессвязные стремления и смутные надежды за истинную национальную политику, равно как и покорный энтузиазм толпы, которая всегда готова подхватить любую патриотическую химеру, если только она выражена на том банальном жаргоне, какой обыкновенно употребляется в таких случаях. Результат был тот, что в один прекрасный день авангард Европы очутился в Крыму[7].

IV

СТАТЬИ И ЗАМЕТКИ

О ЗОДЧЕСТВЕ[1]

Вы находите, по вашим словам, какую-то особенную связь между духом египетской архитектуры и духом архитектуры немецкой, которую обыкновенно называют готической, и вы спрашиваете меня, откуда эта связь, то есть что может быть общего между пирамидою фараона и стрельчатым сводом, между каирским обелиском и шпилем западноевропейского храма? Действительно, как ни удалены друг от друга эти два фазиса искусства промежутком более чем в тридцать веков, между ними есть разительное сходство, и я не удивляюсь, что вам пришло на мысль это любопытное сближение, так как оно до известной степени неизбежно вытекает из той точки зрения, с которой мы с вами условились рассматривать историю человечества. И прежде всего, в отношении пластической природы этих двух стилей, их внешней формы, обратите внимание на эту геометрическую фигуру — треугольник,— которая вмещает в себе и так хорошо очерчивает и тот, и другой. Заметьте, далее, общий опять-таки обоим характер бесполезности или, вернее, простой монументальности. Именно в нем, по-моему,— их глубочайшая идея, то, что в основе составляет их общий дух. Но вот что особенно любопытно. Сопоставьте вертикальную линию, характеризующую эти два стиля, с горизонтальной, лежащей в основе эллинского зодчества,— и вы тем самым вполне определили все разнообразные архитектурные стили всех времен и всех стран. И эта огромная антитеза сразу укажет вам глубочайшую черту всякой эпохи и всякой страны, где только она обнаруживается. В греческом стиле, как и во всех более или менее приближающихся к нему, вы откроете чувство оседлости, домовитости, привязанности к земле и ее утехам, в египетском и готическом — монументальность, мысль, порыв к небу и его блаженству; греческий стиль со всеми производными от него оказывается выражением материальных потребностей человека, вторые два — выражением его нравственных нужд; другими словами, пирамидальная архитектура является чем-то священным, небесным, горизонтальная же — человеческим и земным. Скажите, не воплощается ли здесь вся история человеческой мысли, сначала устремленной к небу в своем природном целомудрии, потом, в период своего растления, пресмыкавшейся в прахе и, наконец, снова кинутой к небу всесильной десницей спасителя мира!

Надо заметить, что архитектура, еще ныне зримая на берегах Нила,— без сомнения, старейшая в мире. Есть, правда, древность еще более отдаленная, но не для искусства. Так, циклопические постройки, и в том числе индийские, наиболее обширные в этом роде, представляют собою лишь первые проблески идеи искусства, а не произведения искусства в собственном смысле слова. Поэтому с полным правом можно утверждать, что египетские памятники содержат в себе первообразы архитектонической красоты и первые элементы искусства вообще. Таким образом, египетское искусство и готическое искусство действительно стоят на обоих концах пути, пройденного человечеством, и в этом тождестве его начальной идеи с тою, которая определяет его конечные судьбы, нельзя не видеть дивный круг, объемлющий все протекшие, а может быть, и все грядущие времена.

Но среди разнообразных форм, в которые попеременно облекалось искусство, есть одна, заслуживающая, с нашей точки зрения, особенного внимания, именно готическая башня, высокое создание строгого и вдумчивого северного христианства, как бы целиком воплотившее в себе основную мысль христианства. Достаточно будет немногих слов, чтобы уяснить вам ее значение в области искусства. Вы знаете, как прозрачная атмосфера полуденных стран, их чистое небо и даже их бесцветная растительность способствует рельефности очертаний греческих и римских памятников. Прибавьте сюда этот рой прелестных воспоминаний, которые витают и группируются вокруг них и окружают их таким ореолом и столькими иллюзиями,— и вы получите все элементы, составляющие их поэзию. Но готическая башня, не имеющая другой истории, кроме темного предания, которое старая бабушка рассказывает внучкам у камелька, столь одинокая и печальная, ничего не заимствующая от окружающего,— откуда ее поэзия? Вокруг нее — только лачуги да облака, ничего больше. Все ее очарование, значит, в ней самой. Это, мнится,— сильная и прекрасная мысль, одиноко рвущаяся к небесам, не обыденная земная идея, а чудесное откровение, без причины и задатков на земле, увлекающее вас из этого мира и переносящее в лучший мир.

Наконец, вот черта, которая окончательно выразит нашу мысль. Колоссы Нила, так же как и западные храмы, кажутся нам сначала простыми украшениями. Невольно спрашиваешь себя: к чему они? Но, присмотревшись ближе, вы заметите, что совершенно так же обстоит дело и с красотами природы. В самом деле: вид звездного небосвода, бурного океана, цепи гор, покрытых вечными льдами, африканская пальма, качающаяся в пустыне, английский дуб, отражающийся в озере,— все наиболее величественные картины природы, как и изящнейшие ее произведения, точно так же сначала не будят в уме никакой мысли о пользе, вызывают в первую минуту лишь совершенно бескорыстные мысли; между тем в них есть полезность, но на первый взгляд она не видна и только позднее открывается размышлению. Так и обелиск, не дающий даже достаточно тени, чтобы на минуту укрыть вас от зноя почти тропического солнца, не служит ни к чему, но заставляет вас поднять взор к небу; так великий храм христианского мира, когда в час сумерек вы блуждаете под его огромными сводами и глубокие тени уже наполнили весь корабль, а стекла купола еще горят последними лучами заходящего солнца, более удивляет вас, чем чарует своими нечеловеческими размерами; но эти размеры показывают вам, что человеческому созданию было дано однажды для прославления бога возвыситься до величия самой природы*. Наконец, когда тихим летним вечером, идя вдоль долины Рейна, вы приближаетесь к одному из этих старинных средневековых городов, смиренно простершихся у подножия своего колоссального собора, и диск луны в тумане реет над верхушкой гиганта,— зачем этот гигант перед вами? Но, может быть, он навеет на вас какое-нибудь благочестивое и глубокое мечтание; может быть, вы с новым жаром падете ниц перед богом этой могучей поэзии; может быть, наконец, светозарный луч, исходящий от вершины памятника, пронижет окружающий вас мрак и, осветив внезапно путь, вами пройденный, изгладит темный след былых ошибок и заблуждений! Вот почему стоит перед вами этот гигант.

А после этого идите в Пестум и отдайте себе отчет во впе-

---

* Мы с умыслом причислили собор св. Петра в Риме к готическим храмам, ибо, на наш взгляд, они хотя и составлены из разных элементов, но порождены одним и тем же началом и носят в себе его печать.

чатлении, которое он произведет на вас. Вот что с вами случится: вся изнеженность, все соблазны языческого мира, приняв самые обольстительные свои формы, внезапно встанут толпой вокруг вас и опутают вас своей фантастической сетью; все воспоминания о ваших безумнейших утехах, о самых пламенных ваших порывах проснутся в ваших чувствах, и тогда, забыв ваши искреннейшие верования и задушевнейшие убеждения, вы помимо собственной воли будете всеми фибрами вашего земного существа обожать те нечистые силы, которым так долго в опьянении своего тела и души поклонялся человек. Ибо и прекраснейший из греческих храмов не говорит нам о небе; приятное чувство, которое внушают нам его прекрасные пропорции, имеют целью лишь заставить нас полнее вкушать земные наслаждения; храмы древних представляли собою, в сущности, не что иное, как прекрасные жилища, которые они строили для своих героев, ставших богами, тогда как наши церкви являются настоящими религиозными памятниками. И потому лично я испытал, признаюсь, в тысячу раз больше счастия у подножия Страсбургского собора, нежели пред Пантеоном или даже внутри Колизея, этого внушительного свидетеля двух величайших слав человечества: владычества Рима и рождения христианства. Госпожа Сталь сказала как-то, говоря о музыке, что она одна отличается прекрасной бесполезностью и что именно поэтому она так глубоко волнует нас. Вот наша мысль, выраженная на языке гения; мы только проследили в другой области тот же принцип. В общем, несомненно, что красота и добро исходят из одного источника и подчиняются одному и тому же закону, что они являются таковыми лишь в силу своей бескорыстности, что, наконец, история искусства — не что иное, как символическая история человечества.

ОТРЫВОК ИЗ ИСТОРИЧЕСКОГО РАССУЖДЕНИЯ О РОССИИ[2]

В прошлом году напечатана в «Москвитянине» статья г. Хомякова «О сельских условиях»[3]. Статья эта написана для тех помещиков, которые пожелают вступить с своими крестьянами в сделку, упрочить их будущность, а вместе с тем и обеспечить свое достояние.

Мы уверены, что в этом отношении в ней заключается очень много поучительного. Но это до нас не касается. Мы на сей земле не имеем ни клочка земли, ни одной души, которую бы нужно было оградить от злоупотреблений помещичьей власти и вручить отеческому попечению земских властей; мы почитаем себя совершенными невеждами в деле сельского хозяйства, но мы принимаем живое участие в умственном движении нашего отечества, но мы любим изучать его историю; вот почему статья эта имеет для нас особенную важность, вот почему мы хотим о ней сказать несколько слов.

Что всего более нас в ней поразило — это глубокое познание отечественной древности, свежий взгляд на старый наш быт. На второй странице находим следующие замечательные слова: «русский быт, органически возникший из потребностей местных и из характера народного, заключает в себе тайну русского величия». И точно так. Чем более размышляешь о географическом развитии нашей России, тем более в том убеждаешься, что с первых дней ее существования уже таилось в душе ее что-то такое, которое обещало ей это огромное, это беспримерное развитие, какой-то здравый смысл, какой-то ум в понятиях гражданских чудно отмечает наших предков. Первые лета жизни народов всегда бывают ознаменованы необузданным своеволием, которое потом постепенно укрощается возрастающей гражданственностью, но вместе с тем и проникает в сердце народа, делается в ином виде стихией его жизни и, несмотря на усилия созревающего народного рассудка, от времени до времени вновь проявляется и колеблет общество. У нас ничего нет подобного. Первое событие, положившее, кажется, вечную печать свою на лице народа, есть призвание варягов. Глубоко постигнув уже в младенчестве своем неудобство безначалия, народ русский посылает за князем за море, к чужому племени и с редким смирением поручает ему сказать: «Земля наша велика и обильна, а наряда в ней нет, да пойдете у нас княжити и володети». Смело можно сказать, что нет народа, которого бы летопись открывалась таким дивным подвигом самоотвержения и ума. С самого начала бытия своего народ русский вручает судьбы свои соседственному мудрейшему племени, родоначальнику того славного царственного рода, под сенью которого ему суждено было достигнуть своего великого значения. Тут нет насилия со стороны нового государя, нет срама народу, который добровольно, обдуманно отрекается от своего первобытного управления и повергается к стопам державного избранника. С той поры народ и род княжеский — составляют одну семью, и ни разу во все продолжение этой продолжительной семейной повести вы не увидите ни малейшего раздора между государем и народом: вечное детское повиновение, вечное родительское попечение правителей о быте общем. В одном только углу необъятной русской земли видим крамольный город[4], горестно обезображивающий наши летописи. Но благодаря богу этот город, рано заразившийся духом Запада и какой-то ересью иноплеменных, не дожил до нас; ужасная кара из рук наших славных Иоаннов постигла сего недостойного члена покорной семьи и на месте том в поучение потомству стоит теперь унылый посад, где нет и памяти про старые буйные годы.

Странное дело! Составители нашей истории не обратили почти никакого внимания ни на важность события, которым начинается наша гражданская жизнь, ни на простодушный многозначущий рассказ, нам его сохранивший. Знаменитый наш историограф[5], признав, как и мы, что «начало российской истории представляет едва ли не беспримерный в летописи случай», прибавляет к этому только то, что «мы не должны этого стыдиться». Народу могучему, народу великому, обладающему пятой частью земного шара, смешно было бы стыдиться своего начала, каково бы оно ни было; но, изучая летописи своей протекшей жизни, он должен, как и всякий другой, стремиться к ясному и верному постижению своего естества, а не к удовлетворению своего суетного тщеславия. Первый шаг народа на пути, ему предлежащем, почти всегда решает его участь. Народ, который начинает свое поприще добровольным, благородным отказом, отречением от своей беспредельной воли, всегда будет готов на великие пожертвования, не будет сам творить судеб, но будет им покоряться великодушно; не будет сам созидать своих гражданских уставов, а будет их принимать из рук своих мудрых самодержцев; в годины напасти будет велик своим многотерпением, в дни торжества знаменит своей кротостью; одним словом, он воздвигнет свое величие на безусловной своей покорности к провидению и к своим царям. Посмотрим, так ли было у нас.

Другое великое событие нашей юности есть введение в отечестве нашем святой православной веры. Везде, куда вначале ни проникал свет божественной истины, везде встречал он сильное сопротивление умов, закоренелых в суевериях языческих, везде видим при распространении христианства или кровавый бой между прошлыми верованиями и новыми в виде сил земных, или упорный спор одних умов и торжество слова божия. Но ни того, ни другого не увидите при вступлении веры Христовой на землю русскую. Вот каким образом рассказывает преподобный летописец обращение наших предков: «Володимер посла по всему граду, глаголя, аще кто не обрящется заутра на реде, противник мне да будет. Се же слышавше, люди с радостью идяху, и радующееся глаголяху: аще се не добро было, не бы сего князь и бояре прияли». Итак, без борьбы и без благовести водворилась у нас вера Христова, достаточно было одной державной воли, чтобы все сердца склонить к этим новым понятиям. Но зато как стройно, как разумно созрело у нас святое семя. Во время, когда по всему Западу носилась проповедь церкви честолюбивой, когда там умы вооружались друг против друга за свои страстные убеждения и народы шумно подвизались на неверных, тогда мы, в тихом созерцании, питались одною святою молитвою; не спорили о сущности учения Христова, не помышляли оружием обращать во мраке бродящих народов, на отлученных братиев глядели с любовью и в скромном сознании своей немощи принимали своих верховных пастырей из рук царей просвещенной Византии. Должно признаться, что в истории ума человеческого нет поучительнее той картины, которую представляют эти первые годы нашей духовной жизни, особенно если вспомнить, при каких именно условиях к нам проникло христианство. Размышляя об этом предмете, вот как выражается один из знаменитейших наших святителей: «Не удостоилась Россия, чтобы в ней насаждена была вера Христова божественными руками апостолов и утвердилась в ней так, как в древних странах мира: сие было бы основание святое и семя учения евангельского непорочное и плодоносное; и хотя сия вера православная и по существу своему евангельскому учению сообразная, но через течение многих лет и разных раздоров уже настолько была близка к той простоте и чистоте, каковою была благословлена первенствующая церковь апостольская». И что ж, несмотря на все это, ни в каком краю мира не принесла вера Христова таких удивительных плодов, как в России, никогда не являлась она столь могущею, столь благодатною, как в то время, когда просияла над нашим отечеством! Всякому известно, что христианство, распространяясь на земле, везде ступало или на высокое образование, или по крайней мере на еще не изглаженные его следы; у нас же оно нашло одно необъятное пространство, еще вовсе в себе тогда не заключавшее той необъятной мысли, которая, по словам великого поэта, теперь в нем таится, и в этой-то пустоте сотворило оно нашу великую, нашу святую Русь! Чудно, непостижимо. Целый народ, одним христианством созданный. Невольно спросите себя, чем заслужили мы такое чрезвычайное преимущество над всеми прочими народами мира? И видим далее, что мы точно его заслужили, что не было народа, которого бы сложение столь способствовало развитию некоторых доблестей христианских, сколько наше, и что по этому самому мы, вероятно, были избраны провидением на то, чтобы явить свету пример народа чисто христианского[6].

И вот настала для нашего отечества година испытания. В глубокой дали раз послышалось страшное имя татар; и разлились их полчища по нашим беспредельным равнинам, и развеяли все наши начинания на пути всемирной образованности. Сколько нам известно о состоянии России до того дня, как разразилась над ней эта грозная туча, особенно с тех пор, как ученые изыскания наших молодых археологов озарили совершенно неожиданным светом этот темный период нашей истории, Россия уже тогда достигла высокой степени просвещения, несмотря на свои удельные раздоры и на беспрестанную борьбу с соседственными дикими племенами. И немудрено. Из цветущей Византии осенило нас святое православие; а там еще в то время не отжила свой век мудрость эллинская, не отцвели художества; там, сквозь затейливые мудрования греческого ума, еще пробивался в гражданском законе высокий смысл римской; там нередко любомудрие украшалось венцом царским, а на престоле первосвятительском сияли мужи необычайной учености; туда уже в то время проникла роскошная жизнь Востока и обвилась около жизни христианской; наконец, власть государственная, долженствовавшая впоследствии столь величественно развиться в нашей благополучной стране, уже образовалась там почти в святыню и, таким образом, уготовила разъединение Востока христианского с Западом христианским, где, напротив того, чин духовный стал превыше всех иных чинов и поработил себе все земное. Одним словом, со светом святого православия проник к нам и свет премудрого Востока. Вот отчасти почему так быстро созрела наша юная образованность. Но еще другая была тому причина, не замеченная нашими историками-философами.

В то время, когда народ русский вступил на поприще истории, разъединение христианского мира еще не было вполне совершено. Запад, в которого жизнь взошло такое множество разнородных стихий, боролся, но не всегда успешно, с стихиями, противными новому святому началу, и воспринимал в себя с ним дружные. Он веровал глубоко, но вместе с тем и рассуждал; он давал волю сомнению как средству, как методе и потому иногда заблуждался, но в то же время и приобретал чрезвычайные силы мышления; одним словом, он неимоверными усилиями и подвигами ума и духа вырабатывал все, что нашел у себя, и изощрял орудия разумения человеческого. Известно, что задача того времени состояла в том, чтобы пересоздать мир на христианских началах. Для этого, конечно, нужно было многое сокрушить, но должно было также и многое сохранить. История народов сызнова не перечинается, ум человеческий не в силах совершенно отрешиться от своих естественных начал и отправиться с точки совершенно новой; изо всех же понятий, которых христианство застало на земле, понятие о всемирном государстве Римском было самое всеобщее; таким образом, на всемирном престоле кесарей воссел всемирный пастырь, всемирная религия наследовала всемирной державе. Судьбы рода человеческого таинственно уготовлялись до пришествия спасителева. Рим, включивший в себя все человеческое понятие, уже вышел тогда из пределов своей языческой народности, стал постигать и созидать человечество; и как бы в предведении того великого события, которое должно было совокупить все народы в один народ христианский и все царствия в одно царствие божие, назвал себя миром; церковь же Христова, в этом мире возникшая, его сознала так, как он сам себя сознавал, и на его земных основаниях соорудила свои земные основания. Должно полагать, что это первобытное ее сооружение не было противно евангельскому учению. В области чистой правды внешнее нераздельно с внутренним, так как в самом Христе, высочайшем ее знамении, человеческое нераздельно с божественным; а смешно и подумать, чтобы божие дело, с самого зачатия своего, уже отклонилось от правды. Главная, преобладающая мысль этого первоначального состава церкви заключалась в глубоком понятии, неведомом человечеству, о единстве небесного закона и о необходимости этого единства; а эта мысль, подчинившая себе все наружные виды религии в одном полушарии возрожденного света, упорно там сохраняемая, и к нам проникла в то время, как мы в него вступили. Беспрестанные, дружеские и родственные сношения со всеми почти государствами Европы питали в нас чувство общего гражданства христианского и, вероятно, приносили к нам множество светлых понятий. Получив из нового Рима семена христианского учения и продолжая из рук его принимать первосвятителей, мы, кажется, чуждались его престольного соперничества с старым Римом, с которым пребывали в братском общении почти до самого того времени, как монгольская вьюга отторгла нас от Запада и создала нам особую жизнь в наших полуночных улусах.

Но это бедственное во многих отношениях отторжение в других отношениях было нам полезно. Тут-то, в нашем невольном одиночестве, совершилось наше воспитание, созрели все те высокие свойства народные, которых семена до того времени невидимо таились в русском сердце. С непостижимым, с истинно христианским смирением приняли мы это тяжкое, невиданное на земле иго...[8]

ВОСКРЕСНАЯ БЕСЕДА СЕЛЬСКОГО СВЯЩЕННИКА, ПЕРМСКОЙ ГУБЕРНИИ, СЕЛА НОВЫХ РУДНИКОВ[9]

> Глаголю вам, будобее велбуду сквозь иглины уши пройти, нежели богату в царствие божие внити.
>
> [*Матф<ей>*20[10], 24]

Дома ваши, братья, каждодневно наполняются златом, извлекаемым из недр земли нашей, обильной многоценными дарами, но сердца ваши не преисполнены еще корыстью безмерною; вы трудитесь ради земных благ своих, но не забываете и неимущих своих братьев, лишенных этих благ. Почем знать, однако ж, сохраните ли вы любовь свою к ближним и на будущие времена и тогда, когда в услаждениях роскоши уже утратятся, может быть, сердечные чувства ваши, воспитанные среди собственных лишений? Итак, да услышите ныне истину, которая может быть завтра уже недоступна будет сердцам вашим.

Кому из вас неизвестны слова спасителевы, избранные нами поучением на нынешний день: «Глаголю вам, будобее велбуду сквозь иглины уши пройти, нежели богату в царствие божие внити»; но какой смысл приписываете вы этим словам? Почти никакого. Однако смысл этот, кажется, довольно ясен. Если не ошибаемся, то верблюду вовсе нельзя пройти в уши иглы: следовательно, и богатому вовсе нельзя войти в царствие божие. Скажут, для совершенного уразумения какого-нибудь отдельного поучения евангельского недостаточно вникнуть в смысл одного этого поучения, надобно также сообразить с ним и прочие евангельские наставления, до того же предмета относящиеся. Пусть так. Посмотрим же, что заключается в последующих словах Христовых, на которые, между прочим, обыкновенно ссылаются некоторые заступники стяжателей благ земных и которые не что иное, как продолжение того же самого поучения. На вопрос учеников: «Если так, то кто же спасен будет?» — сын божий ответствует: «Что невозможно человеку, то возможно богу».

Неужто слова эти смягчают суд, произнесенный им над богатым? Нам кажется, напротив того, что они его усиливают. Не явствует ли из них, что богатому нельзя иначе обрести царствия небесного, как тогда только, когда сам бог ему туда отворит врата, то есть сотворит для него чудо всемогущею волею своею, изменит естественный порядок вещей, изгладит порочность богатства, одним словом, сделает возможным невозможное?

Но каким образом совершено будет это чудо беспредельною благостию божиею, чем может богач заслужить его? Прочтите, что перед тем говорит Иисус богатому юноше, который спрашивал его, что надлежит сделать, чтобы обрести спасение, и вы увидите, что для этого недостаточно богачу исполнить все божественные предписания, для каждого иного достаточные, что ему, сверх того, надобно еще раздать все имущество бедным и последовать за Христом, то есть перестать быть богатым. Вы видите, все та же мысль, все тот же строгий приговор над неумеренным стяжанием даров земных, лишь иначе выраженные.

Ученье евангельское нам кажется в этом случае очень просто. Пороки наши и даже преступления изглаживаются пред судом божиим раскаянием или исправлением; в богатстве же раскаяться нельзя, исправиться нельзя; как же избавиться от его пагубного влияния? — Отказаться от него, иного нет средства. Вы богаты и хотите обрести царствие небесное: испросите помощь божию на подвиг великий, отрешитесь от богатств своих, докажите совершенное презрение свое к тем земным благам, которых излишество если и не заключает в себе собственно греха, то всегда и необходимо бывает источником его; без того не видать вам царствия божия; золото ваше есть непреодолимая преграда, вас с ним разлучающая. Одним разрушением этой преграды можете его достигнуть. Но, разумеется, не бросить же деньги в воду, лучше раздать их неимущим, да молят они бога, чтобы предал забвению жизнь вашу, проведенную в избытках изобилия и в услаждениях роскоши, и помнил бы одну теперешнюю жертву вашу, покорность безусловную его святой воле и любовь к ближнему. Тогда, и тогда только, отверзнутся пред вами врата небесные, замкнутые для тех, которые приходят к ним с руками, неомытыми от злата, добытого и прожитого на земле без пользы для ближнего. Повторим же теперь слова Христовы уже с полным и искренним уразумением их смысла: «Глаголю вам, будобее велбуду сквозь иглины уши пройти, нежели богату в царствие божие внити».

Но, убедившись в истинном значении этих слов, не должны мы забывать и того, что если всевышний разум и неумолимо предписывает нашему разуму свой закон, то всевышняя любовь может укротить его ради немощи естества нашего. Да не усомнимся же никогда в смысле этого закона, сколь бы строг он ни был, но вместе с тем и станем питать надежду на благость божию, к молитвам нашим всегда снисходящую, коли она требуется, и многопрощающую милость его к немощам, нас обременяющим! Аминь. *Петр Басманской.*

«L'Univers». 15 ЯНВАРЯ 1854[11].

Русские постоянно ставят нам на вид наше невежество по отношению ко всему, что касается их страны. Ну что же: мы охотно готовы признать, что знаем их обширную империю отнюдь не лучше, чем Бирманскую, хотя первая и лежит бок о бок с нами; если хотите, мы даже согласимся, что нет на свете народа, который был нам известен менее, нежели русский; но вопрос о том, как по-настоящему познается народ, все равно, занимает ли он еще место на мировой сцене или уже сошел с нее. Не путем ли изучения народа в его памятниках, в его писателях, не путем ли вопросов, к нему же обращенных, об особенностях, составляющих его природу и отличающих его от других народов мира? А между тем где же эти памятники русского народа, где писатели его, кто вскроет перед нами отличительную черту народа, раскинувшегося между Востоком и Западом и, как утверждают, угрожающего своими честолюбивыми поползновениями и тому и другому? Неужели русские воображают, будто достаточно огромного протяжения страны, чтобы она стала интересною отраслью человеческого знания, чтобы в нас родилось желание узнать язык, законы и быт племен, ее населяющих? Это чистейшее самообольщение народной гордости, и наука отметит его лишь как пример заблуждений народов, предназначенных быть поучением для последующих поколений.

Что же такое для нас Россия? Это не что иное, как факт, один голый факт, стремящийся развернуться на карте земного шара в размерах, с каждым днем все более исполинских, и необходимо, следовательно, ограничить этот чрезмерный рост и пресечь натиск на старый цивилизованный мир, который есть наследник, блюститель и хранитель всех предшествующих цивилизаций, в том числе и той, в которой Россия некогда почерпнула первые познания, свой пышный и бесплодный обряд, обряд, в котором она продолжает замыкаться.

Что же тут подлежит изучению? Это лишь страничка географии, которую необходимо знать, чтобы определить, как нам расценивать данную силу, может быть более воображаемую, чем действительную. Притом разве не общеизвестно, что Россия обязана значительной частью своего могущества европейской цивилизации, а использовала она ее так усердно именно потому, что не обладала иной. А между тем европейская цивилизация — ее формы, приемы воздействия и результаты — нам прекрасно известны... Что же нам там еще изучать? Все знают также и то, что если бы Россия лишилась просвещения Запада, то стала бы добычей того или другого из своих воинственных соседей, более передовых в военном искусстве. Вот если бы она дошла до своего настоящего состояния усилиями внутреннего своего развития, если бы она почерпнула свою политическую значительность из своей собственной сущности; да, тогда было бы совсем другое дело, всякий в отдельности и весь цивилизованный мир в целом, без сомнения, пожелал бы познать ее плодоносную и могучую природу, ее составные элементы, тот отпечаток, который она наложила на свои многочисленные племена, те последовательные изменения, через которые она заставила их пройти. Но ведь на самом деле не было ничего подобного. Как известно, в один прекрасный день Россия сама ниспровергла все то, что составляло ее отличительное лицо, признав, очевидно, недостаточность своей национальной сущности, и облеклась затем в формы современной цивилизации. И только с этого-то дня она и стала могущественной, а Европа обратила на нее взоры с беспокойством,— не как на предмет для изучения или размышления, а просто-напросто как на политические явление, которое приходится наблюдать, чтобы не быть им поглощенным.

Я, конечно, хорошо знаю, что есть немало русских — имеются таковые и в самом Париже,— которые утверждают, будто Россия претерпела реформу Петра Великого вопреки своей воле, но эти неловкие патриоты, приписывая энергии одного человека, будь он и величайший из смертных, такой переворот, который, по их собственному признанию, преобразил их страну с головы до пят, ведь они этим вовсе не оправдывают своего народа, а, напротив, жестоко его оскорбляют. И вовсе не так смотрит большинство русских, не увлекающихся ретроспективными утопиями новой национальной русской школы. Какого, в самом деле, надо быть мнения о народе, который бы сперва лишился по капризной фантазии одного из своих государей всех плодов своей истории, затем, когда само провидение, казалось, позаботилось облегчить ему возврат к священным преданиям предков, даровав ему последовательно четыре царствования женщин[12] — и каких женщин! О боже, настоящего отребья их пола! — и, что еще гораздо важнее, целое столетие преторианских переворотов[13],— продолжал бы бесстрастно перемалываться жерновами, между которыми он очутился якобы помимо собственной воли! А ведь именно таково суждение о своем народе этих истинно русских новой школы, столь ревнующей о славе России. По счастию, для чести человеческого рода дело происходило вовсе не так. Петр Великий приложил свою руку к такому перевороту, начало которого мы вскрываем на первых страницах русской истории. Он преобразовал то, что существовало лишь по имени, уничтожал он только то, что все равно неспособно было удержаться, создал он только то, что само собою шло к своему созданию, совершил он только то, что до него уже пытались совершить его предшественники. Таков, по нашему мнению, единственный разумный способ понять его знаменитую реформу и тот прием, который она встретила в народе. Но если вспомнить, что вся история этого народа составляет сплошь один ряд последовательных отречений в пользу своих правителей, что он начал свое историческое поприще отдачей себя во власть кучки скандинавов-авантюристов, которых он сам и призвал[14], что он вслед за сим отправился в поисках за своей религией к чужим народам; что он позже заимствовал у диких завоевателей своей страны их самые постыдные обычаи и, наконец, что он беспрестанно подвергался разным чужеземным влияниям,— если вспомнить все это, то великий акт подчинения, который приобщил его к нашей цивилизации и ввел в круг нашей политической системы, представится еще более естественным, и тогда не останется более места удивлению, что исконные обладатели этой цивилизации и этой политической системы так мало занимаются изучением социальной сущности русского народа.

Но настало время, когда незнакомство с Россией становится угрозой для нашей безопасности. Нам надо, в конце концов, понять коренную причину, побуждающую эту огромную империю выходить за пределы своих границ и заставляющую ее болезненно напирать на остальной мир. Мы слишком долго приписывали это честолюбивой политике, глубоко продуманной системе, а между тем — как мы это увидим из дальнейшего — мы имеем тут дело с естественным последствием нескольких причин совсем иного рода. Как бы то ни было,— есть ли это явление порядка политического, нравственного или географического,— мы во всяком случае не можем более отказываться от его углубленного изучения и от попытки показать самой России,— если только это возможно,— что она приближается к гибели всякий раз, когда ставит себя в прямое противоречие со старыми цивилизованными расами, могущество которых покоится в тысячу раз более на продолжительном и настойчивом умственном труде, чем на их материальных силах, и что именно этой их духовной работе Россия и обязана всем, включительно до того чувства собственной национальности, которое она сейчас обращает против нас и которым она с гордостью щеголяет. При этом не надо думать, что разобраться в положении вещей так уж трудно. Прожив среди русских несколько лет, легко убедиться, что просвещенный и беспристрастный иностранец при условиях, созданных выросшим из русской же среды правительством, несмотря на скудость данных, предоставленных изысканиям, на деле не только обладает большими средствами для оценки их общественного быта, нежели сами русские, но что он в состоянии, без слишком большого самомнения, взять на себя задачу разъяснить и им те пути, на которых они очутились.

С первого взгляда обнаруживаются в истории России два элемента: элемент географический, нами уже отмеченный, и элемент религиозный. К ним надо присоединить еще третий — закрепощение сельского населения. Мы по преимуществу займемся последним, потому что, на наш взгляд, он является следствием двух первых и их вполне отображает. Но теперь же отметим, что до преобразования Петра Великого русские не знали другого наставника, кроме церкви, и, следовательно, одной ей до самой петровской реформы великий народ и обязан всем своим нравственным развитием, каково бы оно по существу ни было.

Всякий знает, что в России существует крепостное право, но далеко не всем знакома его настоящая социальная природа, его значение и удельный вес в общественном укладе страны. Было бы при этом большим заблуждением представлять себе, будто его воздействие ограничивается тем несчастным слоем населения, который подпадает под его тягостное давление, на самом деле, чтобы отдать себе отчет в его наиболее пагубных последствиях, следует по преимуществу изучать влияние крепостного права на те классы, которым оно на первый взгляд выгодно. Благодаря своим явно выраженным аскетическим верованиям, благодаря прирожденному темпераменту, мало заботящемуся о внешних преходящих благах, наконец, благодаря огромным расстояниям, которые часто отдаляют его от владельца, русский крепостной — приходится это признать — не так уж жалок, как это могло бы представляться. Притом его теперешнее положение естественно вытекает из предшествующего. К рабству привело его не внешнее насилие, а логический ход вещей, вытекающий из его внутренней жизни, из его религиозных убеждений, из всей его природы. Если вам нужны доказательства, взгляните только на свободного человека в России — и вы не усмотрите никакой заметной разницы между ним и рабом. Я бы даже сказал, что в преклоняющейся перед судьбою наружности последнего есть нечто более достойное, более устойчивое, чем в колеблющихся, опасливых взглядах первого. Дело в том, что по своему происхождению и по своим отличительным чертам русское рабство представляет собой единственный пример в истории: в современном состоянии человеческого общества она не знает ничего подобного. Если бы в России рабство было таким же учреждением, каким оно было у народов древнего мира или каково оно сейчас в Североамериканских Соединенных Штатах, оно бы несло за собой только те последствия, которые естественно вытекают из этого отвратительного института: бедствие для раба, испорченность для рабовладельца; последствия рабства в России неизмеримо шире. Мы же заметили, что, будучи рабом во всей силе этого понятия, русский крепостной вместе с тем не носит отпечатка рабства на своей личности, он не выделяется из других классов общества ни по своим нравам, ни в общественном мнении, ни по племенным отличиям; в доме своего господина он разделяет повседневные занятия свободного человека, в деревнях — он живет вперемежку с крестьянами свободных общин; повсюду он смешивается со свободными подданными без всякого видимого знака отличия. И вот в этом-то странном смешении самых противоположных черт человеческой природы и заключается, по нашему мнению, источник всеобщего развращения русского народа, вот поэтому-то все в России и носит на себе печать рабства — нравы, стремления, образование и вплоть до самой свободы — поскольку о ней может идти речь в этой стране. Не следует забывать, что по сравнению с Россией все в Европе преисполнено духом свободы: государи, правительства и народы. Как же после этого ожидать, чтобы эта Европа прониклась искренним сочувствием к России? Ведь здесь естественная борьба света с тьмой! А в переживаемое нами время возбуждение народов против России возрастает еще и потому, что

Россия, не довольствуясь тем, что она как государство входит в состав европейской системы, посягает еще в этой семье цивилизованных народов на звание народа с высшей против других цивилизацией, ссылаясь на сохранение спокойствия во время пережитого недавно Европой потрясения. И заметьте, эти претензии предъявляет уже не одно только правительство, а вся страна целиком. Вместо послушных и подчиненных учеников, какими мы еще не так давно пребывали, мы вдруг стали сами учителями тех, кого вчера еще признавали своими учителями. Вот в чем восточный вопрос, сведенный к своему наиболее простому выражению. Представился случай — и Европа ухватилась за него, чтобы поставить нас на свое место, вот и все.

Говоря о России, постоянно воображают, будто говорят о таком же государстве, как и другие; на самом деле это совсем не так. Россия — целый особый мир, покорный воле, произволению, фантазии одного человека,— именуется ли он Петром или Иваном, не в том дело: во всех случаях одинаково это — олицетворение произвола. В противоположность всем законам человеческого общежития Россия шествует только в направлении своего собственного порабощения и порабощения всех соседних народов. И поэтому было бы полезно не только в интересах других народов, а в ее собственных интересах — заставить ее перейти на новые пути.

V

НОВЫЕ АРХИВНЫЕ МАТЕРИАЛЫ НЕСКОЛЬКО СЛОВ О ПОЛЬСКОМ ВОПРОСЕ[1]

Вслед за подавлением польского восстания главные виновники его нашли убежище во Франции. Пользуясь малой осведомленностью этой страны в отношении истории и современного состояния Польши, они без труда смогли изобразить свое безумное предприятие заслуживающим не только прощения, но еще и похвалы.

Удивительное дело! Там так мало знакомы даже с географическим положением Польши, что один из выдающихся членов палаты депутатов в одно из заседаний предложил самым серьезным образом послать в защиту восставших поляков флот в порт Поланген, и это предложение было принято почтенными слушателями без смеха. Речи, произнесенные недавно в Национальном собрании в пользу поляков, свидетельствуют о столь же великом невежестве и в самом польском вопросе, как таковом. Ввиду этого скажем в немногих словах, как представляется этот вопрос беспристрастному и хорошо осведомленному уму.

1. Когда новое государство, образованное многочисленными славянами, подчиненными Руссам (aux Russes) или варягам, и ставшее впоследствии обширной русской империей, было утверждено в царствование Ярослава, оно включало в себя все пространство между Финским заливом на севере и Черным морем на юге, Волгой на востоке и левым берегом Немана на западе. Пограничная линия, отделявшая тогда русских от их соседей-поляков, пролегала по равнинам, тянущимся вдоль левого берега Немана, в местности, где мы находим города Августово (написано так: Agustowo.— *Д. Ш.*), Седлец, Люблин, Ярослав, и тянулась по течению реки Санн до подножия Карпатских гор. Это та самая линия, которая и в наши дни на деле

размежевывает обе народности — русскую и польскую. Население к востоку от этой линии говорит на русском наречии и принадлежит к греческой церкви, население на запад от нее говорит по-польски и принадлежит к римскому исповеданию.

2. Поляки составляют лишь одну ветвь великой славянской семьи. Они и в старину составляли и теперь еще составляют население немногочисленное. Знаменитая польская республика в пору наивысшего своего могущества была государством, состоящим из нескольких народностей, из них русские в областях, носивших название: Белоруссии, Малороссии, составляли главную часть. Это русское население, присоединенное к республике, соединилось с поляками лишь под условием пользоваться всеми национальными правами и свободой, права эти были за ними упрочены знаменитыми pacta conventa[2]. Эти права и привилегии с течением времени были грубо отброшены Польшей и постоянно попирались среди самых возмутительных религиозных преследований.

Вследствие этих-то жестоких страданий русские области отделились от республики и соединились с семьей славянских народов, которая приняла имя Всероссийской Империи (по-французски: l'Empire de toutes les Russes). Это отделение, начавшееся с 1651 года и законченное в конце XVIII в., было неизбежным последствием ошибок притеснительного правительства, нетерпимости русского духовенства и вполне естественной тяги этой части русского народа свергнуть иго иноземцев и вернуться в лоно собственной народности.

3. После отпадения русских племен настоящая Польша, или, как ее тогда называли, Polska coronna, предоставленная своим силам и лишенная возможности составить независимое государство, досталась в добычу Австрии и Пруссии. Император Наполеон вновь соединил ее и создал из нее Варшавское Великое Княжество, которое затем приняло деятельное участие в войне против России 1812 года. После того, как русская армия овладела княжеством в 1813 г., император Александр большую часть его присоединил к своим владениям под именем Царства Польского. Однако же и после присоединения к России силой оружия с краем этим вовсе не обращались как с завоеванным. На всем пространстве нашей обширной империи русские и поляки пользуются одинаковыми правами. Поляк вступил через это соединение в среду того обширного союза славянских народов, который составляет империю, и этим самым стал пользоваться многими преимуществами, которые естественно вытекают из принадлежности к сильному государству.

4. Западным областям старой Польши, присоединенным затем к немецким государствам, пришлось испытать иностранное воздействие в такой степени, что польское население оказалось там в меньшинстве и с каждым днем все больше растворяется в толще германского племени; так дело обстоит в Силезии, в Померании и в части великого княжества Познанского.

5. В областях, присоединенных к Российской империи (не входящих в состав Царства Польского) и называвшихся раньше Литвой, Белоруссией и Малороссией, поляки составляют приблизительно тридцатую (цифра написана не совсем ясно, м. б., и пятидесятую.— *Д. Ш.*) часть всего населения. Остальные почти сплошь русские. Эти последние хранят еще свежую память о насилиях, выпавших на долю их отцов при польском владычестве, и питают к своим господам, пережитку прежнего строя, такую ненависть, что спасением своим они отчасти обязаны русскому правительству. Среди областей, составляющих часть Австрийской империи, восточная часть Галиции, некогда носившая название Червонная Русь и придерживающаяся греческого церковного обряда, почти целиком сохраняет свою народность, и поляки там далеко не пользуются сочувствием коренного населения: остальная часть, где господствует римский церковный обряд, почти совсем онемечена.

6. В случае соединения прежних польских земель в одно такое целое, где поляки оказались бы в большинстве, составилось бы таким образом государство с населением никак не более 6—7 миллионов и в нем оказались бы вкрапленными в большом числе немцы и евреи.

Восстановление независимой Польши, с таким составом населения, окруженной большими и сильными державами, если бы это и оказалось в данный момент осуществимым, не давало бы поэтому никакого ручательства в длительном существовании. Мысль присоединения к этому царству областей, бывших когда-то польскими, с населением ныне почти онемеченным и вошедшим уже в состав немецкого союза, была бы и несправедливой и неосуществимой.

Расчленять Россию, отрывая от нее силою оружия западные губернии, оставшиеся русскими по своему национальному чувству, было бы безумием. Сохранение их, впрочем, составляет для России жизненный вопрос. В случае, если бы попытались осуществить этот план, она в тот же час поднялась бы всей массой, и мы стали бы свидетелями проявления всех сил ее национального духа. И по всей вероятности губернии эти сами всеми силами воспротивились бы этому, как в силу передаваемых по наследству воспоминаний о перенесенном ими продолжительном угнетении, так и вследствие многих смежных интересов, связывающих их с империей.

7. Против отторжения нынешнего Царства (польского) с целью превращения его в ядро новой независимой Польши, даже и при содействии этому со стороны нескольких европейских государств, стал бы возражать не один просвещенный поляк, в убеждении, что благополучие народов может найти свое полное выражение лишь в составе больших политических тел и что, в частности, народ польский, славянский по племени, должен разделить судьбы братского народа, который способен внести в жизнь обоих народов так много силы и благоденствия.

8. Надо, наконец, вспомнить, что первоначально Российская империя была лишь объединением нескольких славянских племен, которые приняли свое имя от пришедших Руссов (Russes), как нам это сообщает Несторова летопись, и что ныне еще это все тот же политический союз, обнимающий две трети всего славянского племени, обладающий независимым существованием и на самом деле представляющий славянское начало во всей его неприкосновенности. В соединении с этим большим целым поляки не только не отрекутся от своей национальности, но таким образом они ее еще более укрепят, тогда как в разъединении они неизбежно попадут под влияние немцев, поглощающее воздействие которых значительная часть западных славян уже на самих себе испытала.

ЗАПИСКА ГРАФУ БЕНКЕНДОРФУ[3]

Его величество удостоил бросить взгляд на журнал, которого я был издателем. Он заметил некоторые мысли, которые он счел предосудительными, и нашел все направление журнала таковым, что властям не следовало бы терпеть его издания. Он повелел запретить его; на мою долю выпало самое большое несчастье, какое может выпасть в монархии верноподданному и доброму гражданину, а именно — быть опозоренным в глазах своего государя. Вы позволили мне, генерал, обратиться к вам с апологией моих мыслей; пользуюсь этой милостью с глубокой покорностью решению, последовавшему свыше, и с упованием на справедливость и мудрость моего державного судьи, надеясь на то, что он снизойдет до ознакомления с моей защитой. Я полагаю, генерал, что самое лучшее, что я могу сделать для того, чтобы доказать, насколько мои действительные взгляды, решаюсь это утверждать, отличны от того смысла, который император придал словам, которыми я пользовался для выражения их, это представить вам в целом мои взгляды по предмету, которого я только коснулся в моем журнале.

Было время, когда молодое поколение, к которому я принадлежу, мечтало о реформах в стране, о системах управления, подобных тем, какие мы находим в странах Европы, о порядке вещей, в точности воспроизводящем порядок, установившийся в этих странах; одним словом, о конституциях и всем, связанном с ними[4]. Младший среди других, я поддался этому течению, держался тех же чувств, желал тех же преимуществ для России; я счастлив, что только разделял эти мысли, не пытаясь, как они, осуществить их преступными путями, и не запятнал себя, как они, ужасным бунтом, наложившим неизгладимое пятно на национальное достоинство. Я должен был начать с этого признания вам, генерал, дабы заслужить ваше доверие; я не побоялся сказать вам, что я некогда думал; последующее изложение моих взглядов в данную минуту покажет вам, что я мог с полным спокойствием принести мою исповедь.

Толчок, данный народному духу Петром Великим, и образ действия всех последующих государей ввели у нас европейскую цивилизацию. Естественно, что все мысли, бывшие в обращении в странах Европы, проникли к нам, и мы вообразили себе в конце концов, что политические учреждения этих стран могут служить нам образцами, как некогда их наука послужила нашему обучению; никто не подозревал, что эти учреждения, возникнув из совершенно чуждого нам общественного строя, не могут иметь ничего общего с потребностями нашей страны, и раз все наше образование было почерпнуто у европейских писателей, а следовательно, и все, что мы в ходе нашего изучения узнавали по вопросам законодательства и политики, проистекало из того же источника, мы естественно привыкли смотреть на наиболее совершенные правительства Европы, как на содержащие правила и начала всякого управления вообще. Наши государи не только не противились этому направлению мыслей, но даже поощряли его. Правительство, так же как и народ, не ведало, насколько наше историческое развитие было отличным от такового же Европы и насколько, следовательно, политические теории, которые у них в ходу, противоположны требованиям великой нации, создавшей себя самостоятельно, нации, которая не может удовольствоваться ролью спутника в системе социального мира, ибо это значило бы утратить все начала силы и жизненности, которые являются основой бытия народов. Смею уверить, генерал, что в настоящее время у нас нет ни одного мыслящего человека, который не был бы убежден, что эта роль менее всего подходит к нам. Что до меня, то вот моя мысль в целом. Каково бы ни было действительное достоинство различных законодательств Европы, раз все социальные формы являются там необходимыми следствиями из великого множества предшествовавших фактов, оставшихся нам чуждыми, они никоим образом не могут быть для нас пригодными. Кроме того, мы в нашей цивилизации значительно отстали от Европы, и в наших собственных учреждениях есть еще бесконечное число особенностей, явно не допускающих какое-либо подражание учреждениям Европы, а посему нам следует помышлять лишь о том, чтобы из нашего собственного запаса извлечь те блага, которыми нам в будущем предстоит пользоваться. Прежде всего нам следует приложить все старания к тому, чтобы приобрести серьезное и основательное классическое образование; образование, позаимствованное не из внешних сторон той цивилизации, которую мы находим в настоящее время в Европе, а скорее от той, которая ей предшествовала и которая произвела все, что есть истинно хорошего в теперешней цивилизации. Вот чего бы я желал на первом месте для моей страны. Затем я желал бы освобождения наших крепостных, потому что думаю, что это есть необходимое условие всякого дальнейшего прогресса у нас, и в особенности прогресса морального. Я думаю, что все изменения, которые правительство предположило бы внести в наши законы, не принесли бы никакого плода, пока мы будем пребывать под влиянием тех впечатлений, которые оставляет в наших умах зрелище рабства, окружающего нас с нашего детства, и что только его постепенная отмена может сделать нас способными воспользоваться остальными реформами, которые наши государи, в своей мудрости, сочтут уместными ввести со временем. Я думаю, что исполнение законов, какова бы ни была мудрость сих последних, никогда не приведет к осуществлению намерений законодателя, раз оно будет поручено людям, которые впитывают с молоком своих кормилиц всяческую неправду, и до тех пор, пока наша администрация будет пополняться лицами, с колыбели освоившимися со всеми родами несправедливости. Наконец, я желал бы для моей страны, чтобы в ней проснулось религиозное чувство, чтобы религия вышла из того состояния летаргии, в которое она погружена в настоящее время. Я думаю, что то просвещение, которому мы завидуем у других народов, является не чем иным, как плодом влияния, которое имели там религиозные идеи; что это они придали мысли ту энергию и ту плодотворность, которые подняли ее на ту высоту, которой она достигла, и что даже и в настоящее время они-то и высвободят Европу из той пагубной бури, которая колеблет ее. Я не могу представить себе другой цивилизации, как цивилизация христианская: это, кажется мне, можно было бы усмотреть из той статьи, которая навлекла на меня, к несчастью моему, монаршее неодобрение. И я с несказанной печалью вижу, что религия у нас лишена всякой действенности. Я возношу, в тайне сердца моего, пламенные мольбы о том, чтобы она ожила в нашей среде. И если бы я думал, что голос безвестного подданного имеет право подняться к подножию трона и что я, осужденный на молчание в сей именно час священной властью, могу, не проявляя чрезмерной дерзости, вознести к нему эти мольбы мои,— я умолял бы нашего августейшего государя со всем рвением глубокого убеждения: приклонить взоры свои на печальное состояние религии в нашей стране и попытаться пламенем, горящим в его сердце, возжечь огонь, угасший в сердцах его подданных.

Посудите теперь сами, генерал, возможно ли, чтобы, говоря о цивилизации и разуме, я подразумевал свободу и конституцию? Возможно ли, чтобы я, твердо убежденный в том, что мы можем восполнить наши недостатки лишь при спокойном сосредоточении наших мыслей на глубоко обдуманном умственном труде, и уверенный в том, что лишь под сенью попечительной о нас власти, способной оградить нас от волнений, столь жестоко потрясающих в наши дни Европу[5], мы можем рассчитывать нагнать время, потерянное для наших моральных успехов, чтобы я возымел намерение скрыть под покровом спокойной философской мысли буйную мысль демагогов? Мой журнал предполагал быть чисто литературным произведением. Я пользовался языком, обычным при таком содержании. Для писателя, который впервые выступает на литературном поприще, первая забота естественно должна быть о том, чтоб его прочли; а кто бы стал читать меня, генерал, если бы я заговорил на языке, смысл которого был бы лишь мне одному понятен? Если уж сознаться в тщеславном намерении так или иначе подействовать на умы моих соотечественников, то скажу, что я желал привить им вкус к философской литературе и подвинуть их таким образом на изучение основ, пройденных уже остальными народами Европы и к которым мы еще не приступали. Не с Европой политической, а с Европой мыслящей хотел я поставить нас в более тесную связь; и это опять-таки, полагаю я, можно было усмотреть из первого выпуска моего журнала.

Если бы мне было дозволено продолжать, я постарался бы разъяснить моим читателям, что для нас не может быть другой политики, кроме науки; что без некоторых предварительных знаний самые мудрые и самые благожелательные правительства окажутся неприменимыми, и наилучшие намерения государя будут парализованы, как только приступят к их выполнению. Я постарался бы затем уяснить им, что для нас важнее всего отдать себе хорошенько отчет в нашем общественном положении, дабы уразуметь, какое положение мы занимаем по отношению к Европе, ибо только таким путем мы можем узнать, что нам подобает заимствовать у Европы и что должно нам остаться чуждым. Вот, генерал, какое направление предполагалось придать моему журналу. К несчастью, император не признал чистоты моих намерений, и я бы молча снес наложенное на меня наказание, если бы вы не предложили мне сказать несколько слов в свою защиту. Раз мне это дозволено, я считаю долгом высказать все, внушаемое мне скорбным сознанием, что его величество считает мой ум дурно направленным.

Итак, во времена, когда склонность к беспорядку столь плачевным проявляет свои печальные последствия у народов, обогнавших нас, но обязанных своим прогрессом исключительно тем эпохам, когда разум зрел в мире и безопасности, как мог бы у нас человек, любящий свою страну, ревнующий о ее благосостоянии, не пожелать, чтобы порядок и спокойствие сохранились в ней? Как мог бы он в настоящее время, если только он хоть сколько-нибудь основательно изучил историю своего народа и обдумал разницу положений, занимаемых нациями в общем распорядке, не усмотреть, что общественные потребности у нас не совпадают с таковыми же в других местах? Затем, в наши дни было бы странным ослеплением не признавать, что нет страны, где бы государи столько сделали для успеха просвещения и для блага народов, как в России; и что всей нашей цивилизацией, всем, что мы есть, мы обязаны нашим монархам; что везде правительства следовали импульсу, который им давали народы и поныне следуют оному, между тем как у нас правительство всегда шло впереди нации, и всякое движение вперед было его делом. Поэтому в сердце каждого русского прежде всего должно жить чувство доверия и благодарности к своим государям; и это-то сознание благодеяний, ими оказанных нам, и должно руководить нами в нашей общественной жизни. Видя, как они выполнили свое высокое призвание, мы должны положиться на них по отношению к будущему нашей страны и, в ожидании, молча работать над собою; но в особенности мы должны приложить наши старания к тому, чтобы создать себе общественную нравственность, которой у нас еще не имеется. Если нам удастся утвердить ее на религиозном базисе, как это первоначально было сделано во всех странах христианского мира, и перестроить всю нашу цивилизацию на этих новых основах, мы в таком случае окажемся на истинных путях, по коим человечество шествует к выполнению своих судеб. Ясно, что все это должно произойти исключительно в интеллектуальной сфере и что политика тут ни при чем. И какое нам дело до того, что происходит в настоящее время на поверхности европейского общества? Что у нас может быть общего с этой новой Европой, столь жестоко терзаемой потугами некоего рождения, в смысле которого она сама не может отдать себе отчета? Мы должны, как я уже говорил, искать уроков себе в старой Европе, где совершены были столь великие дела, в коих мы не принимали участие, где возникло столько великих мыслей, не дошедших до нас. Журнальная статья, в которой я старался охарактеризовать философское направление века, должна была служить лишь предисловием к развитию вышеизложенных мыслей. Император, озабоченный более высокими предметами, мог, конечно, обратить на эту статью лишь беглое внимание, и покорный и разумный подданный сумеет по достоинству оценить ту удаленность и высоту, на какую поставлен монарх для блага народов, и добросовестно подчиниться этому обстоятельству. Но смею думать, генерал, что, если бы его величество соблаговолил отдать больше времени на ее прочтение, он не нашел бы в ней ничего, что могло бы оправдать то строгое суждение, которое он произнес о ней, и увидал бы в ней лишь необходимые рассуждения, которые должны были приготовить читателя к дальнейшим более обстоятельным соображениям. Излагая историю философского разума за последнее время, я пытался показать, что ум человека, отклоненный от своих законных путей нелепой и безбожной философией восемнадцатого века, вернулся наконец к более мудрой мысли; что в настоящее время религия вступила вновь в свои права в области философии и что наука стала столь же трезвой и умеренной, сколь некогда она была смелой и страстной. Признаюсь, я не мог себе представить, что эти мысли, равно как и те, которые я еще носил в голове, имея в виду высказать их в дальнейшем, могли не понравиться власти; я полагал, например, что они во всем сходятся с мыслью самого правительства и что они могут лишь способствовать тому благодетельному воздействию, которое оно само хотело оказать на умы. Должен признать даже, что я думал, что их распространение не останется без плода, в особенности для той части нашей читающей публики, которая все еще идет на поводу у прошлого века. Я не мог также представить себе, чтобы в моих взглядах можно было усмотреть связь с современными политическими течениями. Я не ставил своей задачей обсуждение политических вопросов, и потому мне незачем было говорить о последних событиях в Европе; в противном случае мне было бы легко доказать, что народы потому именно и влекутся далее в том дурном направлении, которое было им предуказано прошлым веком, что они не сознают еще этого возвращения науки к понятиям более правильным, и что эти понятия еще не спустились с высот отвлеченного мышления в низы, где живут массы. Я уже имел случай охарактеризовать революционное начало, как начало разрушения и крови, и высказать мимоходом мои политические взгляды, когда отметил грубый способ понимания французской революцией слов — свобода, разум и человечество. Этого, казалось, было достаточно, чтоб оградить меня от нареканий, которым я подвергаюсь. Но как бы то ни было, теперь, когда я изложил вам, генерал, все мои взгляды, — и думаю, я сделал это с полнейшей искренностью, добросовестностью и чистосердечием, — могу ли я рассчитывать, что не буду больше числиться в разряде людей легкомысленных и склонных к смутам, которые полагают, что для народов нет другого способа движения вперед, кроме насильственных переворотов, и не умеют отделять судеб народа нового и призванного к необозримому будущему от судьбы старых обществ, лишь с трудом дотягивающих последние дни своего многолетнего поприща? Могу ли я надеяться, что строгое решение, которым я заклеймен как писатель, образ речи которого не может быть терпим, будет когда-нибудь отменено, и мне дозволено будет продолжить тот скромный путь, где я далек был от мысли идти вразрез со взглядами правительства, а думал, напротив, послужить ему в меру слабых способностей? Я не смею сомневаться в справедливости моего государя; я не могу поверить, что, если он нашел в способе выражения моих мнений что-либо неприличное, заслуживающее наказания, он и ныне может оставить тяготеть на мне всю удручающую тяжесть своего неблаговоления. Я думаю, напротив, что обнаружил бы неспособность оценить по достоинству великодушие его величества и благожелательное покровительство, которое он оказывает литературе, если бы и ныне отказывал себе в надежде на то, что мне будет дано позволение вновь взяться за перо. А вас, генерал, прошу принять уверение в глубокой и искренней моей признательности за то, что вы благоволили с такой отменной добротою протянуть мне руку.

ПИСЬМО П. Я. ЧААДАЕВА К САМОМУ СЕБЕ ОТ ИМЕНИ М. Ф. ОРЛОВА[6]

Мне надо вам сказать кое-что, дорогой друг, об эффекте, произведенном в публике вашим письмом, и у меня есть основание сообщить вам об этом на бумаге. Я, как вы помните, часто говорил, что ваши мнения не найдут сочувствия в стране. Не считаю заслугой свои предвидения, но вы согласитесь, что опыт их подтвердил. Мой национальный инстинкт не обманул меня. Мне можно было бы еще похвастаться другим преимуществом. Я совсем не идеалист, как вам известно, и в делах мира сего отдаю большую дань материальному началу[7]. И именно поэтому могу лучше вас оценить расположение умов по важному вопросу, брошенному вами в нашу среду. Абстракция, в которой вы живете, спрятала от вас истинный облик вещей. Я вас знаю слишком хорошо и уверен, что движение, вызванное вашим сочинением, совсем вас не устраивает. И хотя инициатива в его напечатании принадлежала не вам[8], не шума вы ждали от публикации. Думаете ли вы, что достигли цели, слегка расшевелив умы и на мгновение направив их к таким материям?

Вот что я хотел вас спросить письменно, а не устно, дабы вы могли поделиться со мной всеми вашими мыслями на свежую голову. И прошу со всей силой своей дружбы, в интересах самих ваших идей взяться безотлагательно за перо. И поверьте, что, не разделяя ваших мнений на многие вещи, я тем не менее испытываю глубокий интерес к ходу идеи, высказанной с такой энергией.

ПИСЬМО ИЗ АРДАТОВА В ПАРИЖ[9]

Уже давно слышали мы в своей глуши о новом близком возрождении единственного московского журнала. Сохранив наши прежние связи со многими московскими литераторами, нам знакомыми еще в то время, когда не обнаруживалось прекрасное стремление, которым они нынче отличаются, мы всегда старались не терять из вида их следов и на теперешнем их поприще. Таким образом узнали мы довольно скоро о новой участи «Москвитянина». Новый сотрудник*, принявший на себя все бремя будущей редакции, нам был добрый приятель, когда он еще на другом пути, вовсе противоположном нынешнему своему направлению, испытывал свои молодые силы при общем сочувствии всего тогдашнего грамотного круга. Мы сохранили к

* Иван Васильевич Киреевский.

нему с тех пор самые теплые чувства любви и уважения, и потому весело нам было слышать о его возвращении к литературной деятельности. Мы уже собрались было написать к нему по этому случаю поздравительное послание с изъявлением искреннего нашего желания, чтобы его предприятие увенчалось успехом, как вдруг объявление о издании «Москвитянина» на следующий год попалось нам в руки. Не знаю, как тебе выразить действие, произведенное на меня этими печатными строками. С одной стороны, живейшее удовольствие, сердечное умиление при виде всех благих предположений новой редакции, всей пламенной ее любви к древнему нашему быту, к древним нашим нравам, к древней нашей общественности, одним словом, ко всему тому, что, по выражению одного их наших новых учителей*, *«заключает в себе тайну русского величия»*; с другой стороны, удивление, грусть при виде какой-то скрытой злобы против всего нерусского, как будто нашу добрую терпимую милосердную Россию нельзя любить, не ненавидев всего прочего создания. Я тем более был поражен этим явлением, что сочинителя объявления любил именно за те свойства души и сердца, которых тут более не находил. Как произошла в нем эта перемена, каким образом его прекрасная душа, не способная доселе что-либо ненавидеть, могла теперь исполниться столь сильною враждою ко всему человечеству, что, по условиям приличия, ни желание успеха, ни долговременное в ней пребывание высокого нравственного чувства, не могли укротить ее? Вот что сказал я себе, прочитав в первый раз объявление, но прочитав его в другой раз, новое недоумение возникло в уме моем. Старый мой приятель владел, бывало, хорошо языком; его немногие труды отличались строгою последовательностью, стройностью, светлостью мысли. Куда это все девалось? Насилу разберешь, что он хочет сказать. «Благоговение», говорит он, «перед истинами православного христианства». Что это за православное христианство? По сие время слыхали мы только о церкви православной, хотя, впрочем, в строгом смысле и это не что иное, как плеоназм, ибо церковь не православная не есть церковь, но плеоназм, по крайней мере, необходимый, для того чтобы различать церковь, почитающую себя православною, от тех церквей, которых таковыми не почитает; но какая, скажите, была нужда присваивать это прилагательное самому христианству? Разве может быть христианство не православное, т. е. ложное, а все-таки христианство? Разве в области вечного духа непременной правды есть место для какой-нибудь полуправды? Странно, как могли ро-

---

* Алексей Степанович Хомяков.

диться в той именно духовной сфере, которая по праву называет себя единственно истинной, эта несознательность мысли, эта невнятность христианского понятия, это необдуманное сочетание слов, допускающие как будто возможность христианства и не истинного, однако не теряющего чрез то права называться христианством. «Любовь», продолжает он, «к древней нашей жизни, сердечное сочувствие к настоящей». Следовательно, настоящая жизнь России не заслуживает его любви, довольно с нее его участия, следовательно, жизнь народа может быть прервана без чрезвычайного какого-нибудь потрясения; следовательно, народ может в одно доброе утро отказаться от своей прежней жизни и начать жить на новый лад; следовательно, довольно одной какой-нибудь сильной воли, чтобы оттолкнуть все прошедшее народа и сотворить ему какое-то искусственное настоящее; и наконец, что это за жалкий народ, меняющий таким образом свое бытие ни за что, ни про что. В том нет никакого сомнения, что жизнь не только одного народа, но большей части рода человеческого может измениться через какой-нибудь переворот духовный или политический, то есть чрез какое-нибудь новое понятие о тех великих предметах, которые составляют нравственное существование человека, или чрез насильственное разрушение общественного состава. Но ничего подобного с нами не случилось. Мы веруем в то же самое, во что веровали наши предки, суеверуем в то же самое, во что они суеверовали; та же самая самодержавная власть, из начал народных возникшая, ведет нас на пути предназначенном. Мы тот же самый добрый покорный крестьянский народ, какой и прежде были. Семена, брошенные провидением в нашу почву, вышли из земли, выросли в большие дерева, покрылись листом, потом благоуханным цветом и наконец принесли плоды. В этом естественном произрастании нашем не было никаких сокрушительных случаев. Мы шли необходимым путем к необходимой цели; мы росли, выросли и созрели. Многое исчезло из обрядов нашего народного быта, но оно исчезло потому, что не могло существовать. Не произвол какой-либо разрушил гнилые члены нашего общественного здания; их разрушила собственная гнилость. Для этого не нужно было никакого насильственного действия, достаточно было одного естественного закона. Само собою разумеется, что в назначенное время нашлись воля и власть, которые раскидали все это тление, но эти воля и власть произросли на нашей земле, под нашим православным небом они вышли из корня русской жизни точно так же, как и те прекрасные свойства народа русского, которые и прежде всегда покоряли его той же воле, той же власти. Может быть, в истории всемирной нет примера такого строгого логического развития. Всему тому, что мы видим вокруг себя, добру, и злу, без большого труда можно найти начало в наших летописях: всему тому, что, по словам наших новых учителей, нас так высоко ставит перед прочими народами мира, всем тем бесчисленным преимуществам, которыми мы, по их мнению, пользуемся перед этими народами в деле общественном, в области духа, корень и причины очевидны. Стоит только бросить взгляд на родовое наше сложение, вникнуть в наши верования и в их чудное родство с этим сложением, чтобы весь дивный подвиг нашего исторического прохождения озарился самым ярким светом. Благодаря трудам современной учености никто более не сомневается в огромном развитии нашей общественной жизни во времена допетровы. Всякому теперь известно, что народ русский, по примеру всех прочих отраслей своего великого племени, всегда участвовал в земской управе своей страны. На первой странице нашего бытописания видим разительный тому пример. Не только обряд народного совещания, на котором решено было принять веру Христову, но и самый приговор народный сохранены летописцем: «Володимер», говорит он, «посла по всему граду глагол, аще кто не обрящатся заутра на реце противник мне да будет. Сие же слышавше людие с радостию содяху и радующеся глаголяху: аще се не добро было, не бы сего князь и бояре прияли». Итак, очевидно, что народной воле одолжены мы введением христианства в наше отечество. В продолжение всей нашей истории, на всяком шагу нашего шествия, повторяется то же самое явление; всегда народная воля таким образом выражалась; всегда таким жил и действовал ум и смысл народный.

1851[10]

Очень ошибутся, я полагаю, те, которые подумают, что необыкновенные события, только что произошедшие во Франции, совершились в пользу принципа порядка. Ими воспользуется одна только демократия конституированная, организованная в постоянный факт. Я не говорю, чтобы демократия была по необходимости несовместима с порядком, но думаю, что в настоящее время торжествует вовсе не принцип порядка, а одна демократия: потом увидим. Радуются тому или нет официальные монархисты, это их дело: что же до нас, верных подданных законного государя, государя серьезного, преемника породы, возведенной на престол единодушным и искренним желанием страны, мы можем только глубоко оплакивать этот брутальный успех силы над правом. Герой этой драмы, наполовину шутовской, наполовину зловещей, в наших глазах никогда ничем другим не будет, как авантюристом искусным и счастливым, и только. Власть, провозглашенная вооруженной силой, украденная у дурацкого пожелания страны в последнем расстройстве, не в состоянии заключать в себе никогда ничего консервативного, никакой гарантии спокойствия для будущего. Ничего нет общего между этой властью и законными властями, династическими или другими, основанными на преданиях народов и на публичной нравственности. Если бы ей как-нибудь случайно и удалось сделать какую пользу, привлечь некоторое спокойствие на взволнованное море общества, то и это может статься не иначе как в ущерб истинному благосостоянию, действительному процветанию страны. Диктатура, хорошая или дурная, необходимая или бесполезная, никогда ничем другим не будет, как временным состоянием, достойным сожаления, продолжения которого невозможно желать, не противореча самым простым понятиям нравственности.

Наполеон из общего правила составлял исключение: великий человек, факт изолированный в современной всемирной истории, его величие извиняло его преступление. Его племянник, напротив того, не иное что, как искатель приключений, дерзкий и наглый, случайно брошенный во главу великой нации, который пользуется анархией, настоящей и предполагаемой, в которой он ее нашел для того, чтобы на нее наложить анархию преторианскую, тем более ненавистную, что свой источник она имеет уже не в невежественных массах, а в избранном слое общества, и притом такую анархию, которая очень легко может обойти весь свет, как прежняя, говорят, того чуть-чуть не сделала. Все люди мерки Людвига Наполеона,— а свет ими кишит,— поставленные в одинаковые обстоятельства, отныне захотят повторить его приключение. Говорят, будто кабинеты, называющие себя консервативными, его одобряют. Тем для этих кабинетов хуже, если они имеют неловкость рукоплескать этому акробатству, сопровождаемому плачем и скрежетом зубов. Можно находить забавным, коли хочешь, видя Францию превращенною в олимпийский цирк, но не следует забывать, что при такого рода зрелищах не присутствуют, не платя за вход. Все захваты, впрочем, всегда чувствовали потребность заставить простить себе свое преступление, лаская национальное тщеславие: а какое средство его удовлетворить в нации воинственной иначе как за счет других наций? Так пускай же соседи это примут к известности.

Дело в том, что умы мудрые, истинные люди порядка, некогда могли еще рассчитывать в дурные дни на опору вооруженной силы: этот обман больше не существует. Отныне доказано, что эта сила, как и во дни римских кесарей, как и в более близкие эпохи, ничем другим будет, несмотря на успехи христианского просвещения, как послушным орудием в руках первой случившейся власти, у которой будет что ей предложить или ей обещать. Стало быть, в настоящий день совершилось падение армии в нравственном мнении цивилизованного мира на классической почве социальных экспериментов человеческого рода. Таков, по нашему мнению, самый важный результат военного подвига Людвига Наполеона. Пускай Кобден и К^0 себя с этим поздравляет, пускай они торжествуют падение армии, это прекрасно: но, признаюсь вам, я хорошенько не понимаю, что бы тут стали радоваться честные люди, которые не хотят на конгресс мира, а просто хотят мира на свете.

Отныне всякая честная власть, всякое правительство, не униженное злоупотреблением своего авторитета, отступит перед необходимостью употреблять в дело эту машину высокого давления, которую зовут армией. И тогда что же противопоставить страшному ходу идеи века, социализму, демагогии, или каким там ужасным именем вам будет угодно ее назвать? Что до меня, так я не знаю. Может быть, против нее с некоторой вероятностью на успех можно было бы воздвигнуть идею новую, идею более могущественную, более действенную и более истинную, нежели все те, которые в последние времена пробегали по миру, его опустошая. Но эту блаженную идею, кто ее отыщет? Не одна ли из тех бедных голов, которые затерялись в обломках старых бытов и борются, чтобы их восстановить, их преувеличивая, с новыми бытами? Думаете ли вы, что более или менее розиневатые любители порядка во что бы то ни стало на днях ее вытащат из старого хлама или из кучи заржавленного оружия своих готических арсеналов? На это не надейтесь. Если бы она сама появилась перед их удивленными взглядами, так и тогда они ее примут за статую командора, вернувшуюся из ада, и поверьте мне, более трусоватые, нежели дон Хуан, заботливо остерегутся позвать ее на свое феодальное пиршество.

Но, говорят еще, государственный переворот Людвига Наполеона спас Францию от рокового кризиса 1852 года. Сначала надобно было бы нам доказать, что этот кризис был так неотвратим, как говорят. По этому предмету г. Карлье, без сомненья, знает больше нашего, и если он утверждает, что катастрофа была неизбежна, так надобно ему верить на слово, но есть еще вещь никому не безызвестная, а именно, что облеченная правом целую Францию объявлять в осадном положении, исполнительная власть через то самое была снабжена всеми возможными средствами укротить дурные страсти, разгромить возмущение, умертвить социализм, не выступая из законности, не умерщвляя конституции. А тогда на что же государственный переворот? Но надобно было, говорят еще, чтобы президент сохранил власть, потому что один он был в состоянии произвести заклинание буре, а для этого было нужно восстановить всеобщую подачу голосов, которой национальное собрание не хотело. Прекрасно. Но вот и вернулись к чистой демократии и к Г. Прудону.

К СТАТЬЕ И. КИРЕЕВСКОГО В «МОСКОВСКОМ СБОРНИКЕ»[11]

Общее мнение не ограничивалось сравнением русского просвещения с просвещением европейским, но предполагало вообще, что существенное различие между одним просвещением и другим состоит не в характере, а в степени, хотя и очень хорошо разумело, что при начале своем образованность одного народа может различествовать от образованности другого и в характере. Итак, мыслящий человек знает, что просвещение может быть и бывает различное в источнике своем, но не постигает и никогда не постигнет, что, дойдя до полного своего развития, до конечных своих выводов, оно сохранит свой первоначальный вид, потому что □ гипотенузы всегда и везде равен □ □ катетов, хотя и говорят, что индусы пришли к этой теореме не тем путем, которым мы пришли. Впрочем, о Западной Европе никогда и речи не было; просвещение Европы называлось просто просвещением, потому что заключало в себе, посредственно или непосредственно, все прочие предшествовавшие просвещения, не исключая, как то каждому известно, и того, откуда заимствовали свое так называемое просвещение благополучные граждане нового небесного государства.

Если умы на Западе, в некотором отношении, пришли к обманутой надежде, то это более ничего не доказывает, как то, что они шли путем человеческим и к человеческой цели. Одним китайцам удалось обрести небеса на земле. Западное просвещение оказалось неудовлетворительным во многом, это правда, потому что оно не бред, а настоящее просвещение, которое именно в том и состоит, чтобы не удовлетворяться каждым своим приобретением и все идти вперед, но не во всем оказалось оно таковым. Напротив того, оно удовлетворило очень многим потребностям ума человеческого, а между прочим оказалось очень удовлетворительным в том изучении и разумном истолковании прошедшего, которые и нас навели на подобное изучение и на подобное истолкование своей старины и таким образом даровали нам, хотя и не весьма еще внятное, сознание своей собственной народности.

ЗАМЕЧАНИЯ ЧААДАЕВА НА ДВА МЕСТА ИЗ БРОШЮРЫ А. С. ХОМЯКОВА В ОТВЕТ ЛОРЕНСИ[12]

Страница 15. Тенденция, в которой нас обвиняют, есть тенденция к протестантизму.

Точнее было бы, конечно, приписать нам попросту сильно выраженное предрасположение к протестантскому культу, ибо тенденция обозначает постоянную работу мысли, а к сему у нас привычки не имеется. Что касается наших симпатий к этой религии, то лучшим доказательством тому служит, на мой взгляд, самый факт опубликования этих интересных страниц под эгидою одного из наиболее уважаемых в среде кальвинистов имен. Итак, очевидно, что тут только спор о словах, и ничего более.

Страница 16. Кальвинизм, могущественный в Богемии, Венгрии, Польше, Литве, остановился, встретившись к лицу не с расой, но с верованием.

Хорошо, кабы это было так! Мы обладали бы в таком случае серьезными верованиями, которые, открывая нам доступ в небеса, в то же время одарили бы нас, быть может, кое-какими земными благами, прямыми или косвенными плодами христианства, которые мы в настоящее время с завистью подмечаем у других христианских народов. К несчастью, дело происходило совсем иначе. Нет, не перед верованием остановилась ересь, упрочившаяся на границах величайшей из православных стран, а перед восточным деспотизмом, опиравшимся на восточный культ, целиком замкнутый в своих бесплодных обрядностях и уже по одному этому бессильный открыться религии, враждебной всякому внешнему великолепию. Сам будучи идеей, протестантизм остановился на этот раз вполне естественно там, где кончалось царство идеи, где начиналось царство грубого факта и обряда; вот и все. Нет, не перед верованием он отступил и тогда, когда подошел к вратам покоренной и угнетенной Греции: он отступил перед ненавистью, которую эта несчастная страна питала к Западу, ненавистью, быть может, и вполне заслуженною, но так или иначе достаточною для того, чтобы она изгнала с своей обездоленной почвы всякую религиозную идею, идущую из этой проклятой области, все равно, какую бы форму эта идея ни приняла. Прибавим к этому, что время реформы совпало с временем наибольшей мощи Оттоманов[13] при Солимане Великом, когда полумесяц победоносно обрушился на Белград и отнял остров Родос у его знаменитых рыцарей; что грекам было в это время не до того, чтоб заниматься религиозными новшествами; а ведь известно, что обыкновенно подобного рода идеи влияют особенно сильно на умы при первом своем появлении.

Что сказать об остальных областях, исповедовавших восточное вероучение? Нет никакой возможности разобраться в этой смеси полуварварских племен, подпадавших под власть то той, то другой державы, из коих одни оставались верными религии отцов своих, другие переходили в ислам, а некоторые искали спасения в лоне римской церкви, под влиянием, по-видимому, все того же страха перед соблазнами Лютера и Кальвина.

Наконец, спрашивается, каким образом ученый и остроумный критик мог не заметить, что протестантской ереси, представляющей прежде всего восстание против власти пап и против злоупотреблений римской церкви, очевидно, нечего было делать в странах восточного культа? Признаюсь вам, что сколько я ни перебираю все представлющиеся моему уму возможности, я нахожу только один ответ на этот вопрос, но высказать его откровенно было бы для меня слишком тяжело, ибо он явился бы осуждением всей этой доброй народности, которую преувеличенное чувство национальной исключительности силится — увы, с чрезмерным успехом! — отвратить от естественных и законных путей его.

Еще несколько слов. Да справедливо ли в конце концов, как утверждаете вы, что протестантизм замер у границ православного мира? Да кто же, скажите на милость, наши духоборцы[14], как не протестанты, и притом самого плохого сорта, того сорта, в котором, по вашему верному замечанию, остается одна только тень христианства? И разве вам неизвестно, что эта секта, вся пропитанная национализмом, являющимся, на ваш взгляд, отличительной чертой западных исповеданий, введена в Россию анабаптистами[15] или моравскими братьями[16], пришедшими из Германии? Правда, что бы вы ни говорили, заключается в том, что протестантизм неоднократно проникал в Россию под различными видами; что он встретился там с тем гнусным и нелепым преследованием, которое обращает наших собственных отщепенцев, людей в основе своей крайне безобидных, во врагов общественного порядка; что поневоле пришлось ему поворотить оглобли перед светской властью, прошедшей школу монголов и поддерживаемой религиозной властью, не менее ее ревнующей об использовании этого рокового наследия.

ЛЮДВИГУ ФИЛИППУ, КОРОЛЮ ФРАНЦУЗОВ[17]

Великие короли никогда не пренебрегали искусствами. Среди ваших многочисленных титулов народ любит выделять титул хранителя и реставратора французских памятников. И, как говорят, государь, вы сами гордитесь им. Каждый народ имеет свои памятники, а их совокупность у всех народов образует историческое или монументальное искусство, просвещенная защита которого вашим величеством сделала это чувство столь популярным в наши дни. Безвестный художник из далекой и малоизвестной в вашей прекрасной Франции страны, я осмеливаюсь предложить вашему величеству первые страницы произведения, в котором излагаю план воссоздания главных памятников древней архитектуры моей родины. Вы соблаговолите, думаю, взглянуть на эти страницы, ибо знаете, что искусство едино и что различные формы его проявления по-разному выражают одно чувство, подвигающее человека постигать и материализовать хранящуюся в его сердце идею красоты. Следовательно, эти формы взаимно объясняют и дополняют друг друга. Но ваше величество, возможно, не ведает, что склонность к национальному искусству имеет сейчас у нас совершенно особое значение и является следствием общей реакции в пользу национального принципа, от которого мы слишком удалились в последнее время. Исходя из сказанного, предлагаемые страницы, возможно, заинтересуют ваше величество и помогут ему оценить состояние нашей цивилизации, что обычно не делается в стране, доверившей вам свои судьбы.

Государь! Мудрое правление Франции обусловливает отчасти мирный дух нашего времени и способствует сближению народов. Может быть, ваше величество увидит в этом скромном выражении признательности из далекой страны результат влияния его высокой мудрости на нашу эпоху и новое доказательство глубокого уважения, оказываемого ему другими народами.

ЗАВЕЩАНИЕ ЧААДАЕВА[18]

В случае скоропостижной смерти моей прошу того или тех из родственников моих или приятелей, которым случится быть в то время, или вскоре после того, в доме моем, распорядиться следующим образом:

1. Предоставить людям моим Титу и Василисе за их службу и дружбу из имущества моего мебели, платье, белье, серебро и все прочее, за исключением книг, картин, бюстов и шка-

тулки, завещанных мною племяннику моему Михайле Ивановичу Жихареву, карманных часов моих, завещанных Софье Яковлевне Шульц[19], и кольца на руке моей, завещанного княжне Елизавете Дмитриевне Щербатовой.

2. Постараться похоронить меня или в Донском монастыре, близ могилы Авдотьи Сергеевны Норовой[20], или в Покровском, близ могилы Екатерины Гавриловны Левашевой. Если же и то и другое окажется невозможным, то в селе Говеинове, где похоронена тетушка моя, княжна Анна Михайловна Щербатова.

3. Уведомив брата моего о кончине моей, написать ему, что прошу у него прощения в огорчениях, невольно ему причиненных, и желаю, чтобы мальчик Егор, у меня служивший, отпущен был на волю, если того пожелает.

4. Бумаги мои, запечатав, отослать Михайле Ив. Жихареву.

5. Должникам моим сказать, что все долги мои без малейшего прекословия заплачены будут братом моим, так как он наследует после меня достаточным капиталом; об исполнении этого моего желания прошу особенно Михайла Ивановича Жихарева.

6. Всем друзьям и приятелям моим сказать, что прошу у них прощения во всем том, чем мог заслужить их неудовольствие.

Август 20. 1855. *Петр Чаадаев.*

Подобный этому лист находится у княгини Натальи Дмитриевны Шаховской, другой — у Антона Егоровича Венцеля.

ПИСЬМА БРАТУ М. Я. ЧААДАЕВУ[21]

1

С. Петербург, 9 февраля 1820

Правда ли, что ты совсем выздоровел? Стану дожидаться подтверждения от тетушки. Я полагаю, что ты уже в Москве; Нешгарт обещал по приезде своем сейчас тебя отпустить. Я не знаю, какой ты просил отпуск, формальный ли? Тогда надобно дожидаться высочайшего приказа, это, конечно, долго продлится; корпусной же командир может тебе приватно позволить жить в Москве, тем более что ты подал в отставку. Нынче едет граф Толстой, и я нынче же скажу Крестури, чтобы он там понукал проворнее тебя отпустить.

Я очень рад, что ты хочешь заняться нашими делами, но не понимаю, зачем ты мне не пишешь. Какими ты деньгами хочешь жить до трети?

Ты хочешь, чтобы я обстоятельно тебе сказал, зачем мне нужны деньги. Я слишком учтив, чтобы с тобой спорить и потому соглашаюсь, что ты туп, но есть мера на все и на тупость. Неужели ты не знал, что 15 000 мне мало? Неужели ты не видел, что я издерживал всегда более? Неужели ты не знал, что это происходит от того, что я живу в трактире? Неужели ты не знал, что я живу в трактире для того, что не в состоянии нарядиться на квартире? Итак, вот для чего мне нужны деньги. Если меня сделают шутом, то мне нужно будет, кроме тех 2 000, которые я должен князю, по крайней мере 8, чтобы монтироваться и поставить себя в состояние жить на квартире и потому не издерживать более как свой доход. Платить же я буду из шутовского жалованья. Если же меня не сделают, то деньги эти мне не нужны. Тогда я выйду в отставку и непременно уеду жить в Париж, сперва разделившись с тобою и все окончивши. Если бы меня выпустили в отставку теперь, то я бы сейчас это сделал; поехал бы к тебе, а на весну уехал бы морем.— Разумеешь ли ты теперь, зачем мне нужны деньги? Прочти еще раз, может быть, поймешь. Что же касается до тех, которые я тебя прошу теперь занять, то это сделает Степан, надеюсь, без тебя. Пойми одно это, что прежде нежели как я поселюсь совсем в Петербурге — и на квартире — мне доходов мало; это должно решиться в продолжение двух третей. Эти 10 000 я не прошу тебя ко мне посылать, а только приготовить и прислать мне их только тогда, когда меня сделают шутом; чтобы с того времени жить так, чтобы не проживать более доходов; а случиться это может и к Пасхе.

Ты меня заставил столько вздору написать, что мне теперь нет ни места, ни времени написать, что я тебе хотел; итак, до другого времени. Между тем прошу тебя, мой друг, писать ко мне. Из Москвы пиши мне, как ты там будешь жить и что твое здоровье?

Расписки я велю отобрать ото всех и тебе пришлю. Что касается до моей ненависти к правде, это ложь; ручайся, сколько хочешь и как хочешь.

Обнимаю тебя сто раз и уверяю тебя, что точно нет времени больше писать, потому что пишу во вторник, день, в который отходит почта в 11 часов, а теперь 9.

Твой Петр Чаадаев.

2

Петербург, 25 Марта 1820

Спешу сообщить вам, что вы уволены в отставку[22]; может быть, вы это уже знаете. Итак, вы свободны, весьма завидую вашей судьбе и воистину желаю только одного: возможно поскорее оказаться в том же положении. Если бы я подал прошение об увольнении в настоящую минуту, то это значило бы просить о милости; быть может, мне и оказали бы ее,— но как решиться на просьбу, когда не имеешь на то права? Возможно, однако, что я кончу этим. О моем деле решительно ничего не слыхать[23].

Рассказать вам что-нибудь о здешних новостях? Знайте, что здесь была дуэль, привлекшая всеобщее внимание[24]; это было чем-то вроде судебного поединка, по крайней мере по отношению к числу присутствовавших зрителей; я был в публике. Один из бойцов погиб, это был родной брат моего товарища Лачинова, Ланской. Он был убит наповал. Не нахожу слов передать то впечатление, которое на меня произвела эта смерть; это был молодой человек, красавец, единственный сын. Я не предполагал в себе такой чувствительности, но вы знаете, что бывают смешные стороны даже во всем том, что случается наиболее печального на свете. Чтобы не отступить от этого правила, мой товарищ Лачинов, брат покойного, вздумал убить себя и излил свое отчаяние в красивом письме к Васильчикову[25], написанном отменно красивым почерком, где он толкует о своем желании покинуть эту долину слез, погрузиться в вечность, и т. д. и т. д. Вся эта невыносимая галиматья и весь этот пафос убедили-таки моего дурака, и он прибежал вырвать роковой нож из его рук; в результате чего получилась весьма забавная сцена из мелодрамы. А на деле, этот, повергнутый в отчаяние, брат узнал о дуэли, когда все уже было кончено, что может вам дать понятие о степени его нежности к несчастному брату.

Я замечаю, впрочем, что с этой болтовней я забываю поговорить с вами о делах: поэтому обращусь теперь к другому несчастному, к вашему Ischavenss(?). Ему причитается не десять тысяч рублей, а только 600, которые он и немедленно получит, как только он побеспокоится прийти за ними или поручит комунибудь получить их за него, послав этому последнему на сей предмет доверенность. Время, когда эти деньги будут выдаваться, будет объявлено в газетах во всеобщее сведение; говорят, что это будет через месяц или два.

Еще большая новость — и эта последняя гремит по всему миру: революция в Испании закончилась, король принужден был подписать конституционный акт 1812 года. Целый народ восставший, революция, завершенная в 8 месяцев, и при этом ни одной капли пролитой крови, никакой резни, никакого разрушения, полное отсутствие насилий, одним словом, ничего, что могло бы запятнать столь прекрасное дело, что вы об этом скажете? Происшедшее послужит отменным доводом в пользу революций. Но во всем этом есть нечто, ближе нас касающееся[26],— сказать ли? доверить ли сие этому нескромному листку? Нет, я предпочитаю промолчать; ведь уже теперь толкуют, что я демагог! дураки! они не знают, что тот, кто презирает мир, не думает о его исправлении.

Еще новость, на этот раз последняя. В одном из городских садов нашли рысь, погибшую от холода. Это по вашей специальности. Как это животное могло пробежать по улицам незамеченным? Как оно могло перелезть через стену? Как оно не напало ни на кого, прежде чем умереть с голоду? вот вам пища на три дня.

Прощайте, мой добрый друг, мой милый, дорогой брат. Извиняюсь за свою болтливость, но не обещаю исправиться; я, может быть, и сейчас продолжал бы, если бы листок не отказывался принимать мою болтовню. Итак, прощайте. Сообщите мне, пожалуйста, то, что получится из ваших разговоров с нежеланным (?) другом. Вам, может быть, было бы любопытно узнать, как себя чувствует Семеновский vas (?) после злой шутки, которую с ним сыграли (Шварц)[27], но об этом другой раз.

3

С. Петербург, 7 июня 1820

Что ты говоришь! Давно ли я к тебе писал! Сам-то ты когда ко мне писал? А когда и напишешь, все пустое. Лучше бы ты мне сказал вместо своих вопросов, что ты сам поделываешь, какие такие у тебя дела? Я полагаю, что ты по-нашему задолжал в трактире и что дела твои состояли в том, что ты дожидался по-нашему же денег, как мессии; мессия, вероятно, уже пришел, и ты уже, конечно, в чистом поле. Что касается до зноя и до духоты, то они тебя всегда сопровождают и потому не могут быть тебе больно несносимыми. Ты все хлопочешь об моих деньгах; спасибо тебе, мой милый друг, но признаюсь тебе, что если бы ты был столько же рассудителен, сколько ты добр, то мне бы это было повыгоднее. Ты со своими счетами весьма походишь на одну персону, которой я не хочу назвать, и не хочешь рассудить, что когда человек не *снаряжен по своему месту,* сопряженному с разными обязанностями, а снаряжен по месту вольного казака или вояжера, то он этих обязанностей выполнять не может без чрезвычайных доходов, т. е. займов, что бюджетов с начала года я делать не могу, потому что я всякий год веду войну, и притом без арсеналов и без всяких запасов, а войны, как известно, в бюджетах не полагаются; что, следовательно, остается мне одна кредитная система. Эта система, конечно, губительна и погубит меня, равно как и Англию, потому и должен я, равно как и Англия, выйти из того положения, которое эту систему делает необходимою. Я на этот подвиг давно решился, не худо бы и Англии последовать моему примеру.

Ты не поверишь, что в то время, когда я тебе пишу эти строки, мне доходит до зарезу. Оброки пришли месяцем позже обыкновенного, мне должно было купить дрожки, и теперь мне должно отправляться в Красное Село, а между тем непомерные скачки взад и вперед. Я уверен, что никто на моем месте не сохранил бы в этом случае своей бодрости и еще менее ту веселость, с которой я тебе это пишу. Твоя неясность и заботливость меня столько трогают, что я не имею духа тебе про это говорить. Скажу тебе только, что твоя тупость и недостаток твой смысла соображений для меня непонятен! Впрочем, и прошу тебя об этом не думать, разумеется, что я от всего этого не погибну, а, вероятно, как-нибудь вывернусь. Веселись, мой милый, в деревне у тетушки; валяйся на мураве и приезжай ради бога сюда, в объятиях друг друга мы позабудем и мое горе и твою тупость.

4

Алексеевское, 19 июня 1821

Как только нас отделяют друг от друга несколько верст, твоя чувствительность снова берет верх; должен тебе признаться, я бы предпочитал, чтобы она оставалась всегда неизменной, но как бы то ни было, и это лучше, чем ничего, и я шлю тебе тысячу благодарностей за доходящую до мелочей заботливость обо всем, что до меня касается. Я прибыл сюда в полном здравии и благополучии и чувствую себя отлично. Само собою разумеется, тетушка была очень рада меня увидеть и еще более удивлена, не увидев тебя; если приходится приводить доводы в твое оправдание, ее нежное чувство сделает это лучше всяких моих рассуждений. Впрочем, она не хуже меня знает твою лень, а если она еще не знает, что ты любишь объяснять свою неподвижность самыми философическими основаниями, то мне все равно не удастся втолковать ей это предпочтение. Если бы я сказал, что ты приписываешь это своей глупости, она приняла бы это за насмешку. Что касается твоего долга, тетушка переписала вексель, заплатила проценты; это составило 210 (написано неразборчиво, может быть, 110.— *Д. Ш.*) рублей. Она тебе об этом сообщила, вероятно, ты не распечатал ее письма, как и прочих, и потому об этом не знаешь.

Хотя на некотором расстоянии ты и очень нежен, тем не менее ты продолжаешь свои выпады:

1. Я не только не усмотрел, будто здесь не найдется места твоей мечтательной персоне, а, напротив, нашел, что здесь можно бы поместить целый полк таких мечтателей, как ты, ведь весь дом переделан.

2. Никакого паспорта и ничего похожего на него я не увозил, его затерял мой камердинер, это, конечно, ухудшает положение, но вместе с тем снимает с меня обвинение в небрежности, которое ты так легкомысленно на меня наводишь.

3. И т. д. и т. д.

С удовольствием извещаю тебя еще и о том, что ты ошибся и в большей части того, что ты мне в сердцах совал прямо в нос. Прежде всего тетушка как нельзя более охотно согласилась взимать с меня известное возмещение расходов, а именно по 3 рубля в день; камердинер мой на содержании у Максима; и она совсем легко согласилась взимать и с тебя ту же плату; ты видишь, все, значит, устраивается как нельзя лучше, и я предвижу одну только возможность затруднений; тебе нельзя будет найти предлог для упражнения твоей желчи, впрочем, отчаиваться не следует: при доброй воле можно всего добиться.

Итак, вот: я здесь обосновываюсь. Не скажу, чтобы за мной здесь особенно ухаживали, но чувствую себя хорошо. Я езжу от времени до времени в Москву, там я достаю необходимое для моего животного существования. Через месяц или два приедешь ты и доставишь мне необходимое для моего существования нравственного, а именно: твои возражения заставляют меня размышлять, старания твои меня унизить возвышают меня и т. д. и т. д. Ты видишь, согласно этого порядка вещей, ты уже больше не совсем бесполезное существо, и все, вплоть до извращения твоего рассудка, использовано.

Я забыл тебе сказать, мой друг, что я не смог снова зарядить пистолеты, и по уважительной причине: не было пороха; но я все же воспользовался ими: ложась спать в Клину, я их расположил по обеим сторонам, но только никакой убийца не явился, а явился только дуралей из семьи Васильчиковых и всю ночь не давал мне уснуть.

Дела, задерживающие тебя в Петербурге, не таковские, чтобы с ними быстро справиться: было бы нелюбезно с твоей стороны оставить несчастный мир без системы, а еще нелюбезнее состряпать какую-нибудь на скорую руку; я поэтому не надеюсь свидеться с тобой в скором времени. Более того: если ты упорствуешь в своем замысле создать новый мир, то я рискую никогда в жизни с тобой не увидеться: я знаю твою медлительность, и тебе потребуется на это не семь дней, а семь лет. Поэтому приглашать тебя вернуться было бы бесполезно, если бы я упомянул о том удовольствии, которое бы ты нам этим доставил. Ты бы назвал это эгоизмом, при всех этих обстоятельствах всего лучше оставить тебя в покое и терпеливо ждать твоего приезда, я так и решил поступить. Итак, прощай, друг мой, да хранит тебя бог. Да и кто больше тебя заслужил его защиты, раз ты берешь на себя его дело!

Кажется, я ответил на все твои вопросы. Как мне понравилось имение тетушки? Очень, и особенно по сравнению с тем, как мне его описали. Поеду ли я в Москву? Ничего пока не знаю, но очень возможно, что я отправлюсь туда немножко проветрить свою праздность, когда прибудут мои вещи. Что мы делаем? Тетушка тебе пишет (следует несколько неразобранных слов.— *Д. Ш.*), мой канцлер доскажет тебе остальное.

5

19/31 июля. Корабль Китти,
в виду Копенгагена.

Капитан обещает выпустить нас на несколько часов на берег в Гельзингоре, пользуюсь этим случаем. Товарищ мой (за исключением трехсот бочек сала, нас только двое пассажиров) сидит со мною и также пишет в матушку Россию. Это тот самый англичанин, который жил против К. Д. М.[28] и известен под Девичьим под именем пакостного. Он меня надоумил писать, без того бы не стал — да и что писать с корабля?

Плывем мы страх как плохо, попутного ветра было только два дня, на третий набежал на нас шквал и поломал мачты; мы принуждены были зайти в залив Монтвик верст за 70 от Ревеля, и там чиниться — до самого Ревеля не могли добраться. Необыкновенный случай! Я стоял с пакостным на палубе, солнце сияло прекрасно, мы бежали по 6-ти узлов; вдруг на небе не знаю откуда взялась тучка; не успел он мне показать ее и промолвить: беда! — как один борт уже был под водою, паруса разлетелись, а мачты с треском повалились в море. Нас било не более двух часов; после наступила опять ясная погода,— корабль как будто ударило плетью.

Вот тебе, мой милый, морской рассказ; не прогневайся, чем Бог послал!— Хочешь ли знать, что делаю на корабле? Во-первых, любуюсь на море, не налюбуюсь! Так велико, так великолепно, что нельзя выразить, что чувствуешь; особенно в бурную ночь не нарадуешься! под тобою черная пучина шумит и плещет, а на тихом небе плывет луна и светит как будто над лугами и мирными долинами!— Во-вторых, читаю. Мне попалась в Петербурге необыкновенная книга, роман Anastaze[29];

это записки Грека, в конце прошлого столетия. Он шатается по всему Леванту[30]; вообрази себе восточного Жилблаза[31]; разумеется, что вместо ошибок преступления, вместо шалостей злодейства, вместо страстищек страсти пламенные; но за то и вместо добродушия простого доблести великие; вся эта картина освещена ярким восточным солнцем; верность в описаниях чрезвычайная, подробности любопытнейшие, одним словом, славнейшее произведение; книга в руках не держится. Постарайся себе достать ее; впрочем, товарищ мой, который через два месяца будет назад в Москву, может быть, ее привезет.

Я было позабыл спросить тебя, получил ли книгу о геморрое и письмо из Кронштадта? Так как письма мои имеют непохвальную привычку затериваться, то не худо, думаю, некоторые вещи повторить, а именно: корабль мой зовется Kitty (Китти), капитан Cole (Коль), он же великая скотина — морит меня с голоду; впрочем, диета, как ты сам ведаешь, не худое дело.

Меня провожал из Кронштадта Мат. Муравьев[32]; он сошел с корабля почти у самой брандвахты, то есть на самой границе; он мне говорил, что провожает меня за всех моих старых друзей. Спасибо ему, милому, за его дружбу, я ему крайне благодарен. Нельзя не сказать, всегда старый друг лучше новых двух; из моих петербургских приятелей никто не пришел со мною и проститься; они любят не меня, а иной любит мою голову, другой мой вид, третий душу, меня же, бедного, из них никто не любит.— Прости меня, мой друг, за всю эту болтовню, кажется, ты не жалуешь одного моего словесного болтанья, а письменное тебе, помнится, не противно.

Тетушке я из Кронштадта не писал, а просил тебя известить ее, что еду не в Любек, а прямо в Англию, и вместе послать ей мой адрес в Лондоне, Baring brothers.

Вот мои планы. В Лондоне пробуду сначала не более трех дней, чтобы успеть в Брайтоне покупаться в море с месяц; остальную часть осени стану ходить по Англии, а на зиму в Париж. Как не пожалеть, мой милый, что мы только что умеем друг друга любить, а общих забав и утех иметь не можем!

Чтобы меня застать в Англии, тебе должно писать сей час по получении сего письма. Пиши, прошу тебя; не скупись временем и трудом; помни, что не более как раз в три месяца можем иметь друг о друге известия. В письмах своих подробностей о себе как можно больше: что за жилы у тебя? что ешь, что пьешь, как гуляешь? Как ладишь с православными и с самим собою? Особенно же пиши о своем здоровье. В книге, которую тебе послал, увидишь, что весь режим состоит в одном: ничего горячительного не употреблять и не делать, след., и сильного движения; водка же и aqua-tophana, при нашем сложении, совершенно все равно. Что ни говори, ты сложен лучше моего, с половиною моей умеренности был бы здоров как бык; у себя в деревне можешь делать что хочешь и жить как угодно, дай бог, чтобы тебе хотелось дело и жилось бы порядочно! Хотелось бы мне, чтоб иногда ты вспоминал, что независимость не есть блаженство, а дно только средство к оному.

Прости, друг; кланяйся брату Якушкину, когда станешь писать к нему; жаль, что вы не вместе, письма мои могли бы вам быть обоим.

Поклон Ивану; моего Ивана[33] рвет частенько.

Заключая письмо, вспомнил твое пифагорейское уважение к числам: из Кронштадта выехал 6 числа июля, стар. штиля, за проезд с человеком заплатил 775 рубл.; на корабле нас 20 человек; в Лондоне (можем положить) буду 1-го августа ст. шт.

Я несколько раз думал, почему ты никогда не говорил мне про морское свое путешествие (невозможно, чтобы великие впечатления от природы на море не поразили тебя), после догадался, ты плыл с полком, это был поход, вы везли с собою все рассеяние товарищества — бури же не было — вы больше проводили времени за стаканом или, лучше сказать, за бутылкой, нежели как в созерцаниях и размышлениях — (а это другое дело).

(Еще раз прощай — будь здоров и люби меня.)

Я распечатал письмо, чтобы вам сказать, что я запечатываю его в Эльзинере; я вышел на берег с моим товарищем в десять часов вечера; местность чудная, берега моря очаровательны, к несчастью, слишком темно, чтобы гулять; надо вернуться на корабль завтра на рассвете — прощаюсь с вами только потому, что надо идти спать.)

6

Сентября 12/I 1823. Сомтинг

Я перед тобою виноват, мой милый друг, премного; с лишком три недели как я в Англии, а к тебе еще не писал. Может быть, ты прочел в газетах, какие бушевали бури в Балтике прошлого месяца, и беспокоился о моей участи, тетушка тоже; [признаюсь, что я недостоин смотреть на свет божий, даже на туманный свет Англии. Дай бог, чтобы письмо мое дошло к вам прежде газетных известий! Поверишь ли, мой друг? в минуты бури самые ужасные мысль о вашем горе, если погибну, всего более меня ужасала! — В извинение скажу тебе, что, с тех пор как в Англии, я все в сне; нас занесло южными ветрами черт знает куда, и вместо Лондона я вышел на берег близ Ярмута, в графстве Норфолькском, миль за 150 от столицы. Мы носились по морю 17 дней, около норвежских и английских берегов; великое наше счастье, что ветры застали нас по выходе из Категата — и что мы прежде того потеряли наши topsels* (как по-русски, не знаю; верхушки мачт); со старыми, гнилыми мачтами мы бы, наверно, погибли.— Впрочем, я почитаю великою милостию бога, что он мне дал прожить с лишком полмесяца с беспрестанною гибелью перед глазами!— [Вы позволите мне не рассказывать вам подробнее о нашем плавании; оставим это для домашнего очага].

Я пробыл в Лондоне четыре только дня; был в Вестминстере и взлезал на Павловский собор, как водится. Самою разительною вещью в Лондоне мне показалось (его необъятность), а самою прекрасною парки; надобно тебе знать, что все они рядом. St. James-Park, Green-Park, Hyde-Park и Kengsincton's-Gardens, что составляет несколько сот десятин зеленого пространства; это страх как хорошо. Впрочем, Лондон, как мне кажется, представляет то, что есть наименее любопытного в Англии, это — столица, как и многие другие, грязь, лавки, несколько красивых улиц, вот и все. Что касается страны, то это дело другое; остроумный Симон далеко не исчерпал вопроса; и уверяю вас, что здесь можно еще весьма многое сказать, чего не было сказано им. Что более всего поражает на первый взгляд, это, во-первых, что нет провинции, а исключительно только Лондон и его предместья; затем, что видишь такую массу народа, движущегося по стране, половина Англии в экипажах.

То обстоятельство, что я вышел на берег на значительном расстоянии от столицы, дало мне преимущество обозреть около двухсот миль английской земли. Я торопился в Брайтон; поэтому я пустился в путь тотчас, как только покончил дело с паспортом и взял немного денег. Приехав, я узнал, что морские купанья в самом разгаре. Пребывание в Брайтоне показалось мне прелестным вначале; мое очарование было таково, что, прогуливаясь вдоль моря на другой день после приезда, я не мог удержаться, чтобы не воскликнуть несколько раз, что же я сделал такого, чтоб заслужить столько наслаждения; а наслаждение было столь сильно, что я за него упрекал себя, когда вспоминал о вас, о тетушке и о Лизе[34], о ваших горестях и заботах. Чтобы сделать вам понятным это глупое восхищение, пришлось бы замучить вас описаньями и картинами, этому конца бы не было: пришлось бы ска-

* Об этой оказии кажется я тебе писал из Гельзингора.

зать вам, что это самый прелестный город на свете, место встречи светского общества, и т. д. и т. д.; вместо всего этого вы получите эту маленькую гравюрку. В одном из этих домов я жил; нечто вроде подвижных будок, которые вы видите на берегу моря,— в них едут к морю. Я купаюсь почти каждый день, и, между нами будь сказано, не замечаю от этого какой-либо особой пользы себе, но наслаждение это большое. Надо вам знать, что среди впечатлений, ощущений и размышлений, теснящихся в моем уме и в моей душе, ничто не может отвлечь меня от моей любви к морю.

В ту минуту, когда я пишу вам, я проживаю в деревенском доме, в коттедже, за несколько миль от Брайтона, на расстоянии двух ружейных выстрелов от морского берега. Я плачу три гинеи в неделю (что составляет на русские деньги 30 руб. серебром) за помещение и пансион для меня и моего лакея. Сознайтесь, что это немного,— в особенности, если принять в соображение, что мой дом весь обвит плющем и виноградной лозою, что он стоит среди гор, и что у меня в садике — кипарисы, лавры и розовый куст, поднимающийся до самой крыши и цветы которого раскачиваются в моем окне.

Теперь ты спросишь, доволен ли я? Божусь, не знаю, дай опомниться.— Признаюсь тебе, впрочем, что завираться по-прежнему в письмах как-то боюсь; меня пугает твой грозный вид; на всякое слово от души мне слышится: [напыщенность, тщеславие], притворство, [слабость!] Прости меня, мой милый друг, за эту выходку, и ради бога не принимай за выговор. Покойнику Руссо говорили то же люди не хуже тебя; он в ответ озарял светом гения своего и их и весь род человеческий,— этого я делать, признаться, не умею,— а любить умею. Если, читая эту галиматью, мой друг, ты улыбнешься, то я виноват, если же наморщишься, то я прав.

Когда-то я от тебя получу письмо? Банкиру своему велел я посылать ко мне письма в Брайтон, но еще не получал. Не затрудняет ли тебя адрес? очень просто: a Monsieur Baring a Londres, pour remettre a M. le capitaine Tschaadaieff. Второе письмо напиши таким же манером в Париж,— Ротшильду (Rotschild), о третьем говорить еще нечего. Если почувствую от морского купанья помощь, то пробуду здесь или в Брайтоне месяца полтора, а там поеду на зиму в Париж. Если же нет, то уеду прежде. Я живу здесь вблизи от острова Вейт, известного по живописным своим видам; погода прелестная, но дни коротки, потому не знаю, решусь ли съездить туда погулять.— Если тетушка будет спрашивать о моем адресе, то попроси ее доставлять к тебе свои письма для отсылки, неделя или две разницы ничего не значит, главное дело, чтобы доходили.— Якушкину скажи или отпиши, чтобы он не сердился на меня за то, что не пишу,— не поверишь, как скучно писать то же к двум или трем. Когда поселюсь на несколько времени в Париже, то отпишу ко всем.

Прости, мой милый друг. Про здоровье свое мне нечего тебе сказать; никакого изменения нет; иногда хорошо, иногда очень дурно; бурное наше плавание было истощило меня, но теперь я несколько поправился. Болезнь моя совершенно одна с твоею, только что нет таких сильных пальпитаций, как у тебя, потому что я не отравливаю себя водкою, как ты. Когда будешь писать ко мне о своем здоровье, пиши пообстоятельнее моего, потому что пароксизмы твои тяжелее, оттого, что ты отравливаешь себя водкою, и несравненно опаснее, оттого что ты себя отравливаешь водкою. Прости, мой милый.

(Есть P. S.)

P. S. Не знаю, написал ли я тебе все, что желаешь знать про меня и про мое странствие? есть разные подробности, которые тебя очень занимают, а меня нет. Может быть хочешь знать, не затрудняет ли меня слуга? не очень; по сих пор это не вводит меня в чрезвычайные издержки. Впрочем, есть тысяча средств прожить дешево в Англии, но надобно их узнать, а за науку заплатить. Тьма домов вроде нашей таверни, Boardind-houses, в которых чрезвычайно дешево жить. Сверх того, газеты наполнены объявлениями о семействах, предлагающих взять к себе на содержание одного или двух господ, gentelmen. По деревням, в прекраснейших местоположениях, в самых красивых домиках, увидишь бумажки на окне с надписью: Lodgings, также с содержанием. Таким образом я нашел свою дачку. Приехал погулять в городок названием Ворзинг, спросил gig поездить по окрестностям; мальчик подвез мне таратайку, сошел и подал бич, я хлестнул по лошади и поехал в горы. В конце каштановой аллеи увидал этот домик, и — взял его на неделю.— Одним словом, все, что я предвидел, справедливо.

Может быть, пожелаешь побольше описаний и рассказов, этому не было бы конца, мой друг. Разумеется, всякая вещь замечательна, но всего не напишешь, это бы был дневник путешествия. К тому же, с тех пор как живу на даче, в уединении, первые впечатления поизгладились, а собирать их теперь не хочется.— Разительная вещь! беспрестанное скаканье этого народа! В некоторых улицах Лондона не надивишься! Изо всякого трактира, ежечасно по нескольку десятков карет, всех возможных видов, отправляется во все части государства и в окрестности столицы — одна другой лучше и забавнее.— Еще раз, мой друг, прости — будь здоров и люби меня.

Сделай дружбу, поклонись Наталье Дмитриевне[35] — да про себя постарайся мне изъяснить (как вы представляете себе ваше существование в Хрипунове — и какого рода наслаждениями вы там пользуетесь?) — Адрес лучше писать: à Londres, Messieurs Baring freres et C. — это их коммерческая фирма — а потом pour M. le capit. Tschaad.

7

20 ноября. Лондон

Две недели тому назад написал я тетушке, что еду в Париж и что к тебе, мой друг, писать более не буду из Англии, вместо того простудился и остался здесь; потом, когда выздоровел, еще остался на несколько дней, чтобы видеть празднество Лорда-Мера, и теперь все еще здесь живу, сам не знаю зачем. Решительно еду через неделю. Я доволен, что видел Англию, хотя не могу сказать, чтобы хорошо разглядел сквозь туман. Об этом тумане, кто не видал, понятия иметь не может; в Лондоне иногда днем ездят с фонарями, а когда ночью случится, то народ бегает по улицам и аукается, как в лесу, едва виден свет огней, и много народа гибнет. Желал бы тебе рассказать много чего, но по разным причинам не могу, из коих первая, что не умею; сколько ни брался за перо, ни строки не могу написать. Отгадай, кто этому виноват? ты, мой друг; ты сам бессловесное животное и меня сделал бессловесным. Странно и смешно! мараю и поправляю, как будто пишу к любовнице! боюсь написать вздор, а дела написать не умею. Не смешно ли, например, что пишу к тебе о тумане, как будто в Англии ничего нет любопытнее тумана! Чтобы не написать тебе письмо пустое и неудовлетворительное, чтоб не завраться, все нужное скажу разом.— Я вскоре после того, как написал первое к тебе письмо, бросил свою деревушку и горы и перешел в соседний город Ворзинг; в деревне против моего чаяния здоровье мое порасстроилось; в городе нашел я доктора, который меня воскресил; рецепты его сохраняю, ими живу: полагаю, что и тебе пригодятся, болезнь наша совершенно одна. Из Ворзинга ездил я в Портсмут и на остров Вейт и по другим живописным местам. При всех этих прогулках, разумеется, тьма разных случаев и подробностей любопытных и забавных; рассказать тебе ничего не умею и лень; мое нервическое расположение [я говорю это краснея] всякую мысль превращает в ощущение [так что вместо выражения я всякий раз нахожу только смех, слезу или жест]. Я по большей части разъезжал по Англии один, без Ивана, и уверился таким образом, что без труда мог бы без него обойтиться; он мне дорого стоит[36], делать нечего!— Я пробыл с лишком месяц в Ворзинге и возвратился в Лондон почти здоровым. Полтора месяца как я в Лондоне; все видел, что мог, но не все, что желал. Отправляюсь в Париж и признаюсь, что не без сожаления оставляю Англию [этот уголок земли пришелся мне по вкусу]; но остаться здесь невозможно, надобно поселиться, без того и дорого, и скучно.— В Лондоне получил я два твоих письма, престарые! В одном пишешь, что совершенно доволен своим житьем в Хрипунове и что здоров, как никогда не бывал; за эту милую новость тебе, мой друг, спасибо, сто раз спасибо. Тетушка думала, что тебя замучат дела крестьянские; а брат Якушкин полагал, что ты там с ума сойдешь от скуки, или женишься, или по крайней мере повесишься; вместо того ты живешь там, как в раю. Я этому ничуть не дивлюсь; крестьянские дела не служба, долгой ящик при тебе [К тому же разве эти добрые люди так уж торопятся насладиться тем счастьем, которое вы им приготовляете? не думаю, чтобы это было так];— но пуще всего беспредельная, золотая независимость! люди и связи людские не необходимы для тебя, игрушки! в твои же лета как не прожить без игрушек? я и сам живу без них, давно.

В другом письме пишешь, что Лихачи негодуют, и предлагаешь свои услуги; с богом, мой друг! прими их под свое высокое покровительство; не понимаю, впрочем, почему они мне не жаловались; Степан не мог им помешать, он знал, что ты будешь в Хрипуново. Я посылаю тебе официальное письмо; если же полагаешь, что нужен настоящий документ, то пришли.— Оброка они платят 10.728 рублей, кроме хлебных сборов. Что касается до леса, то 1) вырученные за него деньги определены на уплату занятых мною в нынешнем году 2500 рублей из рекрутской суммы; за лес примерно положено было получить 1764 рубля, остальные же 736 рублей дополнить фурсовским билетом в сентябре месяце. 2) Нуждающимся велено выдать потребный лес и впредь давать без затруднения, и так кому нужен, тот пусть требует, отказу быть не может. Впрочем, делай, мой друг, что тебе угодно, на все имеешь мое согласие; я даже прошу тебя во всем поступать по собственному своему рассмотрению [Эти подробности были необходимы, чтобы выяснить дело].

8

Басманная, 25 января 1849

Я умоляю тебя, дорогой брат, в последний раз помочь мне. Мое положение стало таковым, что если ты не протянешь мне немедленно свою дружескую руку помощи, то я должен непременно погибнуть. Есть, безусловно, и моя вина в происходящем со мною, но, думаю, немалую роль сыграли и чрезвычайные обстоятельства, овладеть которыми я был не в силах. Я полагаю, что часть твоего имения теперь отделена и что ты, следовательно, мог бы занять из этой части половину или одну треть от причитающейся мне суммы. В случае заклада эта сумма могла бы послужить выделенной тобою мне ссудой, а тебе оставались бы еще средства для возмещения убытков от продажи Владимирской земли. Поскольку я не имею никакого документа от тебя, то предлагаемое мною ручательство кажется мне совершенно надежным. Но смею думать, что ты не сделаешь всего от тебя зависящего для спасения своего брата. С самого начала от тебя ежегодно поступало бы 7000 рублей из предоставленного мне фонда, если бы ты не делал вычеты из моей ренты для погашения займа в банке. Я не могу тебе говорить в этом письме о средствах, которые надеюсь найти для продолжения моего существования, если сумею выйти из теперешнего кризиса. Скажу только, что благодаря необъяснимому милосердию божию я неожиданно стал почти совсем здоров. А это позволяет мне сейчас предаться занятиям, полностью запрещенным в течение долгих лет, и, что еще более ценно, позволяет налагать на себя ограничения, ранее невозможные из-за моих болезней. Я решил, что человек, находящийся на краю пропасти, должен делать все для своего спасения. Обращаясь к тебе с этими строками, я, думаю, исполняю мой долг: ты, конечно, же исполнишь свой. Я прошу тебя не длить неопределенность относительно ожидаемой меня судьбы, ибо любое промедление может оказаться для меня фатальным. Пропасть увеличивается ежечасно, и ты не должен терять ни мгновения, если имеешь желание и средства для моего спасения. Состояние моего здоровья позволяет надеяться на счастье обнять тебя, если, благодаря тебе, я переживу угрожающую мне катастрофу. Я ничего не могу добавить к этим немногим словам. Скажу лишь, что буду ждать со всем смирением, на которое способен, твоего приговора.

Твой брат Петр.

9

Басманная, 20 апреля 1849

Получив твое письмо, любезный брат, долго не решался его распечатывать, угадывая отчасти его содержание; а теперь, взяв перо, не знаю, скоро ли справлюсь с ответом. Итак, когда получишь эти строки, то, вероятно, они уже ни к чему не будут годны. Этот исход делу я предвидел: иначе и быть не могло. Благодарю, однако ж, сердечно за твое письмо. Одно особенно меня в нем утешило: очевидно, что ты сохранил не только все умственные, но и все телесные свои силы; без того невозможно бы было совершить такого многотрудного и многоречивого подвига. Много ты истощил ума и юмора на то, чтоб доказать мне, что тебе желалось доказать: труд, кажется, бесполезный в тех обстоятельствах, в которых находимся, но все-таки постараюсь отвечать на все нужное как сумею, хотя далеко не пользуюсь тем счастливым расположением духа, каким ты пользуешься.

Очень похоже на то, что ты пишешь, читал мне в 1836 г. московский обер-полицмейстер[37], и сколько помню, то слог читанной им бумаги не уступал твоему слогу ни в уме, ни в остроумии. Маркиз Кюстин, в книге своей о России, хотя и с добрым намерением, пишет также подобное, и между прочим утверждает, что с некоторого времени я и сам себя считаю сумасшедшим[38]. Н. И. Греч, отвечая ему[39], уверяет, что полоумным я был и до того, и потом продолжает шутить очень забавно, в тоне твоего письма. Один добрый немец, по этому случаю, говорит: «ist's möglich dass man mit einem menschen wie mit einem tollen hunde sich betragen hätte»*, а Головин замечает[40], что не мудрено сойти с ума, когда человека каждый день обливают холодной водой, чего, впрочем, не было. Наконец, в то самое время, как пишу эти строки, ходит по городу письмо какого-то моего доброжелателя, предлагающего под именем приезжего врача меня вылечить от безумия[41]. Из всего этого можешь заключить, что мнение твое обо мне, так тщательно и затейливо высказанное, никак не могло меня удивить, и что ты в этом случае был предупрежден другими почтенными лицами. К тому же мне очень было известно, что дружба твоя, с ранних лет наших имевшая столь решительное участие в судьбе моей, всегда взирала на меня с каким-то особенным беспристрастием.

*** умер оттого, что не знал, как сладить с долгами. Это

---

* возможно ли, что с человеком обошлись как с бешеной собакой *(нем.)*.

в Москве всем известно; он даже и мне остался должным. В продолжение его болезни врачи не понимали, чем он болен, но после его смерти очень хорошо поняли. Семейство его осталось без ничего; сын живет теперь на счет дяди, жена помощию брата, а дочь получила приданое от чужих людей. Разумеется, всего этого можешь ты не знать, и, вероятно, действительно не знаешь; не менее того теория твоя письменного слога довольно затруднительна в приложении, налагая на пишущих или бесконечное многословие, или немое умолчание, предполагая между ними какое-то странное невиданное отношение, отуманивающее самые простые мысли и выражения. Не знаю, удастся ли мне достаточно ее изучить, чтобы по возможности с ней согласовать, когда случится писать к тебе в другой раз.

Если в письме моем написано «l'emprunt de la banque»*, то это описка: но «l'emprunt à la banque»** сказать нельзя, а должно «l'emprunt contracté à la banquë»***, потому что такого рода выпуски на французском языке не терпятся и оскорбляют слух и вкус. Так, например, нельзя сказать «l'emprunt à N...»****, а должно сказать «l'emprunt fait à N...»*****. Иным, может статься, покажется в настоящем случае описка очень понятною, а твое замечание гораздо менее понятным, тем более, что оно обнаруживает, если не ошибаюсь, некоторую неопытность в том языке, в котором преподаешь уроки, но все-таки за него благодарю, равно как и за все прочие твои поучения, из которых, однако ж, некоторых вовсе уразуметь не мог. Зато очень хорошо понял, что ты нынче щеголяешь французским языком и изящным изложением мысли, чего, помнится, в старые годы за тобою не водилось, и это, разумеется, меня порадовало, как новое доказательство тому, что ты встречаешь старость бодро и весело.

О действительности, о которой говорю, даст тебе понятие письмо Протасова[42], при сем прилагаемое. Из него увидишь, на какого рода спекуляции намерен пуститься. Если б письмо мое дошло к нему вовремя, то, вероятно, спекуляция моя была бы теперь в полном ходу, и тебе пришлось бы смеяться не над моим намерением, а над его исполнением. Но я и прежде того извещал о желании своем вступить в службу и о толках моих о том с покойным князем Щербатовым[43], которого неожиданное удаление положило внезапно этому делу конец. Из слов твоих

* заем банка *(фр.)*.

** заем в банке *(фр.)*.

*** заем, заключенный в банке *(фр.)*.

**** заем у N *(фр.)*.

***** заем, сделанный у N *(фр.)*.

должен заключить, что ты не обратил внимания на содержание моего письма или что я дурно выразился, что очень может быть. Впрочем, каждому, думаю, известно, что здоровый человек может много делать такого, чего больной делать не в состоянии. Ты, например, писал в 1836 г., что желал бы приехать в Москву, но по нездоровью не можешь исполнить своего желания, а мне именно нужно куда-нибудь уехать. Теперь в начале того самого письма, в котором спрашиваешь, про какую деятельность говорю, пишешь, что *«состояние твоего здоровья не дозволяет тебе заняться* чем бы нужно *было заняться немедля»*. Да какая же и есть истинная деятельность, кроме той, которая дозволяет делать что и когда угодно? Она-то и была мне воспрещена моими недугами в продолжение многих лет, о ней-то и толковал столько времени; невозможность ей предаться и привела меня отчасти в то положение, в котором нахожусь и из которого без нее нет средства выйти. К этому должно прибавить, что продолжительные хронические болезни оставляют в организме глубокие следы, исключающие надолго возможность и самой необходимой деятельности.

Почему здоровому можно издерживать менее, чем больному, это мне кажется так ясно, что не нужно бы про это и говорить, но нельзя, однако ж, и этого оставить вовсе без возражения. Не говоря про лечение, дело столь дорогое, что тысячи людей, как говорится, пролечиваются, кто ж не знает, что здоровый человек может, например, ходить пешком, а больной не может, что множество предметов в одежде, в диете, необходимых больному, здоровому вовсе не нужны, что здоровый человек менее скучает, что поэтому самому ему несравненно легче переносить всякого рода лишения, чем больному; что он спокойнее духом и что от этого ему меньше нужно развлечения и прочего. Болезни, конечно, бывают разного рода: есть, может статься, и такие, которые никаких издержек не требуют; но если не ошибаюсь, то таковых по сие время наука еще не открыла.

10

Басманная, 18 августа 1849

Извини меня, мой добрый брат, что замедлил тебе отвечать. Письмо твое застало меня в самом плохом состоянии тела и души, и потому несколько дней не мог решиться раскрыть его. Благодарю за твое участие и за твою дружбу. Письмо, в котором просил тебя исполнить некоторые посмертные распоряжения, написано было в сильнейший период холеры, когда себя чувствовал под постоянным ее действием и никак не мог, при моем образе жизни, ожидать спасения. Здоровье мое, и без того расстроенное, в это время еще пуще расстроилось. Благодарю, однако ж, бога за то, что это доставило мне утешение получить от тебя такое дружеское письмо, какого давно не получал. Оно меня несколько оживило, но теперь опять с трудом собираю мысли и пишу эти строки. Три месяца тому назад, чувствуя себя лучше, благодаря, вероятно, гомеопатии, хотел было вступить в службу и говорил про это Щербатову, с которым был в хороших отношениях. Но теперь Щербатова нет, а мне стало хуже, даже не знаю, каков со мной будет Закревский[44]. Страх будущего не дает мне покоя ни денно, ни нощно. Не могу от себя скрыть, что меня ожидает участь покойного друга моего Орлова, погибшего на глазах и почти на руках моих.

От тетушки самые грустные известия. Максим[45] умер, а она находится почти в совершенном безумии. По просьбе моей поручал вице-губернатору узнать исправнику, в каком находится положении управление ее имения со смерти Максима, и на днях привез мне его рапорт. Вот с него копия: из нее узнаешь все подробно. Что из этого всего будет, не знаю; между тем пошлю тетушке остальные свои деньги. Впрочем, одного только остается мне теперь желать, сохранения твоей дружбы, и надеюсь, что сохраню ее до конца. Невольно прийдет в голову, что древние были счастливее нас: они могли когда вздумается прекратить свои страдания, а мы, говорят, не можем.

О том, что должно сделать сейчас по моей смерти, стану просить хозяина своего Шульца, а тебя прошу прислать Петра для исполнения прочего. Смерть постигнет, вероятно, меня скоропостижно; итак, о болезни моей ты не услышишь. Еще прошу тебя бумаги мои на время предоставить М. И. Жихареву, которому они знакомы. Поклонись жене.

Тебя истинно и глубоко любящий брат твой

Петр.

11

5 января 1850

Благодарю, любезный брат, за ломбардный билет и за обещание приступить к закладу имения. Дай бог, чтоб ты успел это исполнить вовремя, но мало в том имею надежды. Теперь, вероятно, тебе уже известно, что до августа месяца казенные палаты окончательного утверждения ревизии не получат; следовательно, и закладов до того времени по девятой ревизии совершать нельзя будет. Поэтому, кажется, невозможно тебе будет исполнить своего обещания в надлежащее время. Прежде чем написать тебе, желал знать утвердительно положение дела: оттого замедлил отвечать, в чем прошу извинения. Не знаю, почему на повестке надписаны были Меленки. Тебе, вероятно, это известно, но я полагал, что не мешает тебя об этом уведомить.

Уже не раз писал тебе о своем сожалении, что вовлек тебя в эти хлопоты. При худом твоем и без того здоровии, они могли еще пуще его расстроить, а может быть, и продолжают ему вредить: повторяю еще раз мое о том сожаление. Есть положения в жизни, в которых одна-единственная мысль может вполне нас занимать: вот почему невольно возвращаюсь к старому.

Позволь несколько слов еще сказать о старом же, о моей болезни, то есть о главной причине всего со мной приключившегося в последнее время. Она, между прочим, состояла в нервических припадках, которых в первом ее периоде ты отчасти бывал свидетелем; но которые во втором доводили меня почти до безумия: страшное подтверждение слов Кюстина. Целые ночи проводил я, бегая по комнате окруженный своими людьми, и успокаивался тогда только, когда поутру мне ставили мушку на затылок. Иногда и целые дни проводил в подобных же припадках. К этому должно присовокупить необходимость восстановить свое прежнее положение в обществе, без чего жизнь в Москве, даже самая уединенная, сделалась бы нестерпимою, а это вынуждало большое напряжение сил, самым вредным образом действовавшее на мое патологическое состояние. Все это, не говоря про разрушение семейства Левашевых, про утрату всех людей, меня любивших, про квартиру, давно уже сделавщуюся почти необитаемою, и про многое другое, думаю несколько оправдывает то небрежение к моим делам, которое при обыкновенном моем неумении с ними ладить ввело тебя в хлопоты. Что касается до прочих событий этого грустного времени, то объяснение их найдется в моих бумагах, если успею их передать в верные руки и не постигнет меня скоропостижная смерть. Они, надеюсь, удовлетворят суд беспристрастный, а теперь мне не до того. Скажу только, что память твоя, мне кажется, иногда тебе изменяет насчет наших с тобою сношений, а свойственное каждому человеку пристрастие, когда дело идет о себе, утаивает, кажется, от тебя довольно важные обстоятельства. Все мною сказанное может показаться тебе излишним, но в настоящую минуту нашел я очень нужным тебе это сказать. Впрочем, чтение этих строк тебя не утомит. Ты в своем письме приглашал меня к терпению: надеюсь, что ты и сам сколько-нибудь им одарен.

Прошу тебя еще раз убедительнейше возвратить мне письмо Протасова и простить мне, что бесплодно на тебя его навязал. Оно мне необходимо нужно для того, чтоб служить вещественным возражением на те толкования, которые без того могли б сохраниться ко вреду моему в памяти людей мне неблаговолящих. После всего того, что я испытал в эти последние два года, смешно бы мне было ожидать какого-нибудь себе добра в будущем: возвращение здоровья возвратило было мне и надежды, столь жестоко и, позволь сказать, столь неуместно тобою осмеянные. Но теперь все пути к лучшему опять предо мною закрылись, жизнь сделалась почти невозможною; вместо участия слышу один хохот людей мне близких; но нельзя же мне не подумать о том, что останется с моей памятью в руках вражды или глупости. Эти безграмотные строки, надеюсь, тебя не оскорбят и не помешают тебе исполнить своего обещания, если действительно ты имел это намерение. Впрочем, всякий путь, ведущий к концу, каков бы он ни был, me sera le bien venu.

Благодаря бога я здоров; болезнь не омрачает более взора моего. С полным сознанием совершенной невозможности предупредить или ускорить развязку своего странного положения ожидаю ее почти с равнодушием.

Поздравляю тебя с новым годом.
Сердечно тебе преданный *брат твой Петр.*

12

9 марта 1851

Любезный брат, Валерий Левашев[46], отправляясь отсюда, взялся попросить председателя нижегородской гражданской палаты кн. Трубецкого, чтобы он поспешил выдать тебе свидетельство. Теперь пишет из Нижнего, что прошения твоего в палате не получено. Вот слова твои: «теперь скажу только, что как скоро можно будет получить свидетельство по произведенной в нынешнем году ревизии, то я без малейшей потери времени в гражданской палате свидетельство возьму и сделаю что обещал,— разве тяжкая болезнь или что-нибудь такое,— задержут».

Хотя я и писал тебе, что по девятой ревизии до августа месяца свидетельства получить нельзя будет, но теперь тебе, конечно, уже известно. что свидетельства получают и заклады совершаются по последней ревизии без всякого затруднения. Итак, с этой стороны препятствия встретить не мог. Прежде этих строк пишешь в том же письме, что по следующей почте уведомишь о других деньгах. Оканчивая, говоришь, чтобы я был спокоен.

Полагаю, что если бы ты был нездоров и писать не мог, то, конечно бы, велел меня о том уведомить. Что же должен заключить? Что ты опять отложил исполнение своего обещания или медлишь его исполнить по неизвестным мне причинам. И то и другое приводит меня в совершенное недоумение.

Слова твои были так уверительны, что, основываясь на них, мог обещать людям, которым должен, самую скорую уплату, тем более что действия опекунского совета здесь всем известны. Многим даже для большего удостоверения показывал твое письмо. Между тем из имевшихся у себя денег иным заплатил, но все еще плачу по пяти копеек с рубля в месяц, для того что по этому делу меня не тревожат. Всякий день выношу оскорбления всякого рода; со всяким днем силы более и более истощаются. Несмотря на восстановление здоровья, скоро, может быть, ничего того не в состоянии буду предпринять, что это неожиданное восстановление дозволило мне предпринять. Квартира моя и все в ней находящееся разрушаются, а переменить нечем. Зимою холод, а летом течь с потолка. Очень бы желал избавить тебя от этих неприятных подробностей, но говорю об них поневоле, зная, что выражения мои могут опять показаться тебе преувеличенными и навлечь на меня по-прежнему твои насмешки, чего теперь при упорно закрывшемся геморрое едва ли мог вынести без беды.

Не полагаю, чтобы ты был совершенно равнодушен к тому, что меня ожидает, что ожидает каждого в подобном случае, позор и отчаяние; итак, для собственного твоего спокойствия, кажется, лучше бы было не оставлять меня в недоумении насчет твоих намерений. Ты сам в том согласишься, что отлагать в таком случае исполнение обещания может иногда быть вреднее, чем вовсе не обещать. Теперь есть еще возможность мне помочь и даже сколько-нибудь исправить мои дела. Но когда все силы утратятся, а затруднения возрастут, тогда вряд ли будет возможно.

Может быть, найдешь некоторое противоречие в этих словах с прежними моими словами: немудрено; несмотря на совершенную нашу преданность воле божией, чувство самосохранения иногда вновь пробуждается, не преставая льстить нас надеждою избавления. Может статься, найдешь также, что дурно выразился: в моем положении и при известной моей безграмотности и то не мудрено. Впрочем, старался сказать одно необходимое.

Сердечно тебя любящий

брат твой Петр.

13

15 октября 1852

В письме моем тебе должно было бы видеть одно отчаяние, но ты нашел в нем иное, ты нашел там повод оставить меня в моей беде. Я написал тебе, что более ничего от тебя не требую и не ожидаю, и ты спешишь воспользоваться этими словами, чтобы все прежние свои обещания оставить без исполнения: так, по крайней мере, понял я твое письмо, в котором ни слова о них не упоминаешь. Бог тебе судья. В надежде продлить хотя на несколько дней еще сомнение об ожидающей меня участи, прошу тебя употребить полученное свидетельство, которое без того может утратить свою силу, и уплатить мне обещанную сумму. Чего я прошу у тебя? Чтобы заплатить часть своего долга, а остальную взял себе в замену Фурсова? Чем буду жить потом, не твое дело: жизнь моя и без того давно загадка. Теперь имеешь также в руках своих половину тетушкина наследства. Неужто всего этого недостанет на вознаграждение за фурсовскую твою часть? Неужто ты решился довести меня до совершенной безнадежной крайности? Присланных тобою денег насилу станет на уплату малых бессрочных долгов с процентами. Что сделал я тебе? Просил помочь в крайности не на твоем языке, а на своем. За это почитаешь себя вправе при всяком случае возобновлять затруднения и огорчения. А когда, наконец, невольно выразил оскорбленное свое чувство, то ты лишаешь меня всякой надежды. Стану ждать недели две, а потом перестану ждать. Прощай.

ПИСЬМА П. А. ВЯЗЕМСКОМУ[47]

1

[*1833*]

Дорогой князь, благодаря вашим стараниям, я получил письмо от Шеллинга[48]. Премного вам обязан. Госпожа Бравура[49] говорила, что вы ей показывали в письмах Тургенева[50] места, ко мне относящиеся. Поскольку, думаю, это касается Шеллинга, а я должен ему писать, то мне хотелось бы для верности знать конкретные вещи. Прошу вас, дорогой князь, сообщить мне о них, если возможно.

Вот и повод нам для общения. Надеюсь, что вы им не пренебрежете. Что до меня, то вы знаете, как я всегда стремился сблизиться с вами сердцем и умом. Но вы понимаете, что поначалу мне нечего особенно говорить. Прощайте же.

Еще одно слово. Знакомый мне молодой человек, по фамилии Лахтин, едет отсюда к вам в поисках места в министерстве юстиции. У него есть рекомендации, но я вас прошу тоже быть ему полезным. Его дело, как мне известно, не должно встретить затруднений ввиду незначительности его чина. Нужно было бы ввести его в добрый час к господину (неразб.). Если вы увидите (неразб.), передайте ему, пожалуйста, мою признательность.

Еще раз прощайте и любите меня, прошу вас. Мое сердечное почтение княгине. Будьте любезны попросить ее тоже любить меня хотя бы немного. Если госпожа Карамзина находится в Петербурге, напомните ей, пожалуйста, обо мне.

Глубоко преданный вам *Чаадаев*.

2

[*1835*]

Дорогой князь, господин Хлюстин едет в Петербург и желает с вами познакомиться. Это очень изысканный молодой человек, в чем, впрочем, вы сами вскоре убедитесь. Вы, вероятно, знаете, что он сын сестры нашего друга, американца, и брат госпожи Сиркур[52], как говорят, замечательной женщины, живущей сейчас у нас. Однако оставим нашего молодого человека; я не сомневаюсь, что он вам будет интересен. Воспользуемся случаем и поговорим о другом.

Вам известно, что я занят некоторыми исследованиями и трудами, которые веду в затворничестве. Вы видели отрывок из них — не самый значительный и не самый лучший. Целое представляет собою большую работу; и мне было бы досадно, если бы она оказалась безрезультатной. Я рассматриваю вещи со своей собственной точки зрения, которая, как мне кажется, может послужить освещению темных мест в философском мире, а также в социальном, поскольку в настоящее время, если не ошибаюсь, эти оба мира составляют единство.

Я достаточно легко опубликовал бы это сочинение за границей, но думаю, что для достижения необходимого результата определенные идеи должны исходить из нашей страны. Такое мнение составляет часть всей совокупности моих мыслей. По отношению к мировой цивилизации мы находимся в совершенно особом положении, еще не оцененном. Не имея никакой связи с происходящим в Европе, мы, следовательно, более бескорыстны, более сдержанны, более безличны, более беспристрастны по всем предметам спора, нежели европейские люди. Мы являемся, в некотором роде, законными судьями по всем высшим мировым вопросам. Я убежден, что нам предназначено разрешить самые великие проблемы мысли и общества, ибо мы свободны от пагубного давления предрассудков и авторитетов, очаровавших умы в Европе. И целиком в нашей власти оставаться настолько независимыми, насколько необходимо, настолько справедливыми, насколько возможно. Они это сделать уже не в силах. Там на них давит огромный груз воспоминаний, привычек, рутины и уничтожает их, чтобы они ни чувствовали при этом. Вы понимаете, что я должен сначала исчерпать все возможности публикации в своей стране, прежде чем предстать перед Европой и отказаться от национальных или социальных элементов, входящих в мои идеи.

У вас, говорят, больше свободы, нежели здесь, что и заставляет меня писать вам и спрашивать вашего дружеского совета. Кстати, я этому не удивляюсь. Высшие власти всегда менее подозрительны и узки, чем мелкие подчиненные исполнители. Это в природе вещей. У вас, впрочем, есть люди, понимающие добро, если не делающие его.

Книга будет называться философическими письмами, адресованными даме. Дабы понравиться цензуре, можно было бы исключить несколько писем, что для меня предпочтительнее вмешательства в текст. Если бы переведенное сочинение могло выйти в каком-нибудь периодическом сборнике, то появилась бы большая свобода действия. Можно было бы выбрать несколько писем, не соблюдая последовательности, или дать их в виде фрагментов. Когда у вас не будет более лучшего занятия, прошу сообщить мне, что вы об этом думаете. Впрочем, говорю вам об этом лишь потому, что вы небезразличны к такого рода вещам. Вы хорошо понимаете, что я не слишком рассчитываю на успех.

Что вы скажете о некоторых новинках, например о Тассе Кукольника[53] и другой его драме[54]? Что говорят о книге Орлова[55]? Передо мной лежит небольшой томик стихов Тепловой[56], доставивший мне большое удовольствие. Счастлив видеть, что женщины начинают что-то делать у нас. Они никогда ничего не значили в нашем развитии, а это-то и делает нас столь неотесанными.

Недавно я видел нашу прекрасную знакомую, прекрасную из прекрасных, передающую вам свое приветствие. Она прекрасна как никогда ранее! В тот день, когда ее встречаешь, не хочется ничего более видеть.

Прощайте, дорогой князь. Мое величайшее почтение княгине. Напомните обо мне, прошу вас, Жуковскому. Есть ли у него новости о странствующем жиде[57]? Странный человек! Он заполнял целые письма вещами, относящимися ко мне и предназначенными прямо для меня, и ни разу он не написал мне хотя бы строчки. Он походит на московских женщин, считающих меня чересчур серьезным для них. У нашего друга, действительно, есть что-то от женщины, но от умной женщины, так я, по крайней мере, думаю. Прощайте еще раз.

Всегда ваш

Чаадаев.

Москва. 9 марта.

3

Басманная, 15 ноября [*1846*]

Вот, дорогой князь, новый призыв к вашему любезному сочувствию. Надеюсь, что он увенчается большим успехом, нежели первый. На сей раз речь идет об одном молодом человеке, которому вы некогда оказывали протекцию и который снова ищет вашего покровительства. Это брат Кавелина, известного вам по Петербургу, теперь профессора московского университета. Вы ему обещали получить должность в канцелярии генерал-губернатора. Если бы вы могли сейчас возобновить это дело, то оказали бы любезность не только ему и мне, но и многим заинтересованным вашим знакомым. Среди них находится и госпожа Свербеева, по чьей рекомендации вы просили за него в прошлый раз. Ваш молодой человек в настоящее время служит чиновником в московской таможне. Вы представляете, что это такое: постарайтесь же найти ему нечто лучшее. Не хочу рассказывать вам о себе: прошу лишь передать дружеское приветствие В. Перовскому[58], приславшему мне очень славное письмо, ответить на которое у меня не было времени, и Тютчеву. Прошу вас сказать последнему, что портрет готов и для отправления в Петербург ждет лишь прибытия его брата[59]. Прощайте, дорогой князь. Не слишком презирайте нас, бедных москвичей, и хоть иногда отвечайте нам.

Я извиняюсь. Только что обмолвился, что не буду говорить о себе. Вы не посчитаете меня излишне болтливым, если я вас поздравлю с новым направлением вашего гения. Вы догадываетесь, что я имею в виду одно из ваших последних произведений. Я испытал истинное наслаждение от этого очаровательного стихотворения, полного интимной теплоты и искреннего благочестия. Прощайте же еще раз. Да хранит вас тот, кто вдохновил такие стихи.

Вы не сомневаетесь, думаю, в моей искренней дружбе и совершенной преданности.

Петр Чаадаев.

4

Басманная, 10 августа 1848

Вот, любезнейший князь, очень даровитый француз по имени Беро — он был когда-то офицером у египетского паши и давно уже находится в России, которую любит и несколько разумеет. (Неразб.) Он хорошо смыслит по-русски и переводит с русского очень удачно. Прошу вас подарить его вашим вниманием. На днях писал к вам. Письмо как-то долго не посылалось; а так как слышали, что пишу к вам о Гоголе, то оно здесь читалось. Прошу за это на меня не прогневаться. Скажите мне несколько слов о том, что я вам в нем говорю. Коли похвалите, то напишу к самому Гоголю, которому имею кое-чего сказать. Коли не похвалите, то не стану писать. Спешу, как видите, перед смертью наговориться досыта. Кстати, здесь многие ожидают литографии с моего портрета. Тютчев в Петербурге тоже. Не можете ли вы об этом похлопотать, т. е. написать мне, что с этим станет? Извините, что пишу вам об этом вздоре. Прощайте, любезнейший князь. Постарайтесь не позабываться, а я вас помню, люблю и уважаю.

Петр Чаадаев.

НЕУСТАНОВЛЕННОМУ ЛИЦУ

«Аминь, аминь, глаголю тебе, яко в сию нощь, прежде даже алектор[60] не возгласит трикраты, отвержеше меня».[61]

Вот же отгадка — *петух*. Наши переводчики Священного Писания, находя, видимо, что петух недостоин изображения в этом загадочном тексте, представили его в греческой терминологии, и только. Перечитывая стихи Вяземского, вы поймете намек, навеянный рифмой.

Если у вас есть под рукой номера Allgemeine Zeitung[62], то было бы весьма любезно с вашей стороны прислать мне их. Что же касается книги Вяземского, необходимо несколько дней, чтобы ее проглотить. Обратили ли вы внимание на эпиграф? Обходительность и ловкость Хомякова.

Приветствую вас

Чаадаев.

Вторник.

ПИСЬМА А. И. ТУРГЕНЕВУ[63]

1

[Вторая половина 30-х годов]

Сделайте мне удовольствие, дорогой друг,— пришлите мне автограф Экштейна[64]. Это весьма любопытный документ для нашего брата-писаки. Любопытно проследить, сколько нужно в обрез литературного таланта, чтобы получился человек действия в литературном мире; ибо этот немец провел своим несовершенным пером борозду, которую не стереть целой шайке академиков. Мне хочется это перечесть, и по прочтении я вам его верну.

Мы, кажется, должны были обедать завтра, в первый день нового года, у Марса и Беллоны; но я боюсь, что при моей наклонности к звону в ушах, я буду слышать весь год воинственные клики. Поэтому я отобедаю преспокойно дома. Будьте здоровы, мой друг, и желаю вам всего лучшего в наступающем году.— Вот еще что! Не вздумайте сунуть эту глупость в ваш мешок для тряпок по свойственной вам — в вашем прославленном качестве великого тряпичника на интеллектуальной мостовой— привычке. Не следует увековечивать глупые шутки.

2

Басманная, 1 октября [1841]

Поневоле пишу к тебе. Свербеевой здесь нет; она препоручила мне пересказать К. Ф. Муравьевой[65] ответ гувернантке, приятельнице королевы и А. Рекамье[66]. К. Ф. согласна ее взять к себе на условиях, тобою означенных, т. е. 3500 р. на полный год и 1000 р. на проезд. Только приказывает тебе сказать, подумал ли ты о том, как ей будет у нее жить. Я ей на это сказал, что тебе известен образ ее жизни, следовательно, нечего про это и говорить. К. Ф. с обыкновенным своим смирением думает, что такой великой госпоже у нее, может быть, не полюбится. Если же тебе будет угодно briser cette affaire bien vite*, то отпиши кому-нибудь поскорее, что ты и госпожа на все согласны, вслед за сим получишь деньги на проезд ее и отправляй ее сюда. Имя ее ты позабыл сказать; итак, она покамест будет la grande inconnue**. Наконец, ты сюда не будешь. К. М. Голицын тебе кланяется, К. Гагарину поклонись. Г. Сиркур поблагодари за ее милое поминовение. *Москвитяне*[67] весьма

* очень быстро покончить с этим делом *(фр.)*.
** великая незнакомка *(фр.)*.

растроганы твоими поучениями. Не тебе бы им (неразб.) на такие вещи. Они все люди добрые и честные. Шевырев особенно совершенно благородный человек; то же можно сказать о Погодине. Я ими обоими очень доволен (неразб.).

Чаадаев.

ПИСЬМА И. С. ГАГАРИНУ[68]

1

[*1840*]

Я вверяю Вашим национальным и иным симпатиям господина Галахова, вручителя этого письма. Уверен, что Вам будет приятно оказать ему содействие. В Париже он пробудет не долго, так что не злоупотребит оказанным ему покровительством. Познакомьте его, прошу Вас, с Тургеневым и заставьте милого хлопотуна несколько для него пошевелиться. Если госпожа Сиркур окажется в Париже ко времени его появления у Вас, не откажитесь ввести его в ее салон, напомнив при этом любезной графине и обо мне[69]. Наш путешественник через шесть месяцев будет назад в Москву: не находите ли Вы, что это хороший случай написать нам, минуя почтовые расходы?

Наше прошлогоднее общество еще не в полном составе: большинство дебатеров отбиваются еще от голода в соответствующих губерниях; значит, я могу Вам сообщить о нашем маленьком мирке только то, что его пока еще не существует. Однако же мы, тем не менее, идем понемножку своим путем-дорожкой. Так, наши доморощенные учения со дня на день все сгущаются и быстрыми шагами приближаются к конечным выводам, а многие вопросы разрешаются в жизни механически в ожидании обсуждений [70]. Правду сказать, разве сама жизнь не есть лучший довод среди нас, так мало освоившихся с логическим мышлением? Впрочем, настанет и пора рассуждений, они прибудут по зимнему пути*, но Ваше отсутствие, милейший князь, будет нам тогда очень чувствительно, особенно же мне, привыкшему с таким отрадным чувством следить взором и всей душой за Вашим молодым и живым увлечением.

Примите, дорогой князь, уверения в глубочайшей приязни со стороны совершенно преданного Вам *Чаадаева.*

1 октября. Басманная.

---

* Последние три слова — по-русски.

2

[*До 1842*]

Обдумав вопрос, я полагаю, что рассказ о княгине Анне следует принять, как достоверный[71]. Молчание наших летописей ничего не доказывает, ибо они умалчивают и о браках других дочерей Ярослава, вполне доказанных иными источниками. Можно предположить, что разделение двух церквей уже значительно обозначилось ко времени Нестора, и ему было неприятно отмечать факты, свидетельствовавшие в пользу первоначального единства двух исповеданий. Как бы то ни было, ясно, что наши религиозные сношения с Западом носили в ту эпоху весьма благожелательный характер; частые браки с европейскими принцами и принцессами, причем никогда и не подымался вопрос о перемене религии; просьба о поддержке, с которой обращался Изяслав к папе Григорию VII, и благорасположение к нему народа, не покидавшее его до дня его смерти; история Антония Римлянина, прибывшего в Новгород из Рима и основавшего здесь монастырь; в особенности письмо митрополита Иоанна к папе и целый ряд других фактов в достаточной мере подтверждают это.

Будьте здоровы, дорогой князь, я не попаду в ваши места сегодня вечером, я еду в Всесвятское; если вы хотите потолковать со мной немного до отъезда, то приходите обедать в Английский клуб; вы застанете меня там часов около пяти, и я запишу вас.

ПИСЬМА К. С. АКСАКОВУ[72]

[*1849*]

Вы обещались, любезнейший Константин Сергеевич, принесть мне вашу комедию[73] на нынешней неделе. В субботу не буду я дома; но пятница и воскресение к вашим услугам. Жаль, что в понедельник бывают у меня люди; в этот день увидел я впервые божий свет, тому 55 лет назад, и ваше чтение было бы мне подарком. Сердечно вам преданный

Петр Чаадаев.

2

Не знаете ли Вы, любезнейший Константин Сергеевич, что делается со стихами Г. Ростопчиной. На днях она будет сюда и мне должно будет их ей возвратить. Если они еще у вас, то пришлите мне их. Что делается и с вами самими? Когда мы с вами увидимся и потолкуем про Старую Конюшню (т. е. про Москву) и про великие ее судьбы?

От всего сердца вам преданный

Чаадаев.

3

Каковы Вы, любезнейший Константин Сергеевич? Вы собирались ко мне, но были, вероятно, нездоровы. Известите меня об состоянии Вашем. Мне есть и дело до Вас по части народной. И также по части своего здоровья, то есть узнать от Овера[74], может ли он быть ко мне.

Покорный Вам и от души преданный

Петр Чаадаев.

ПИСЬМА А. СИРКУРУ[75]

1

Басманная, 25 апреля 1846

Я вас благодарю, милостивый государь, за ваше письмо. Память о нашем покойном друге нам очень дорога, и ваша статья полностью отвечает тому почетному мнению, которое сложилось о нем не только у нас, но и в тех странах, где он так долго жил. Редакторы нашего журнала с удовольствием найдут место вашим прочувствованным страницам, так хорошо выражающим наши собственные чувства. Точное знание нашей страны и доброжелательный тон, отличающие вашу статью, редко встречаются среди иностранных писателей, делающих нам честь говорить о нас. Но не находите ли вы, что оплакиваемый нами человек значительно вырос, с тех пор как он покинул этот мир. Его совсем не оценили при жизни. Можно сказать, что одна часть его личности скрывала от нас другую. Его стали принимать всерьез лишь после (пропуск в тексте). Только сейчас, когда его заметное отсутствие заставляет нас так часто вспоминать о нем, мы начинаем отдавать ему дань запоздалой справедливости. Окруженные его любезной болтовней, его шумной суетой, мы не замечали серьезной основы, скрывающейся за всем этим. И, однако, жизнь, целиком отданная осуществлению тысячи великодушных симпатий, заслуживала, несомненно, более основательной оценки. Конечно, сейчас преувеличивают его достоинства, как раньше преувеличивали недостатки. Но он уже ступил кончиком ноги, если не всей ногой, в историю.

Все, что вы говорите о положении Франции, меня совсем не удивляет. Я не сторонник вашего теперешнего режима. Но, уверяю вас, пребывал в полном неведении относительно нового характера, который вы находите в вашем обществе. Что представляет собой тот незаконнорожденный империализм, о котором вы говорили? Не есть ли это амбициозный дух империалистической эпохи или, может быть, ее повинующийся дух — вот что я не смог бы разгадать. В остальном, как и вы, я думаю, что уничтожение всякого аристократического элемента оказалось для Франции подлинным бедствием и что страна, претендующая быть серьезной монархией, не смогла бы обойтись без этого элемента. Королевская власть, стоящая на вершине общественной пирамиды, без посредующих звеньев между собой и нацией, является логичной лишь в деспотизме: при конституционном порядке она бессмысленна. Необходимо, чтобы эта верховная власть умерялась низшей властью, иначе она будет раздражать взгляды большинства, смущать, без возможности их удовлетворить, все тщеславия и амбиции. Она станет разрешать все страсти и нетерпения народов и индивидов при отсутствии средств их успокоить. Роль аристократии при конституционном правлении заключается, как мне кажется, в том, чтобы отвратить взор низших классов от всегда для них немного слишком живого, слишком ослепительного блеска монархической власти. Есть что-то странно дерзкое и комическое в обнаженности королевской власти, оголившейся без аристократии. И это, по-моему, объясняет многие вещи, происходящие с нами, включая и посягательства, побуждающие человечество к бунту.

Вам всегда любопытно движение идей у нас. Что я смогу сказать о нем? Национальная реакция не прекращается. Если ей случается иногда чуть излишне увлекаться собственными идеями и принимать вид власти, то не надо чересчур сердиться на нее за это. Любой реакции свойственны увлечение собой, чрезмерно твердая вера в свою истину, впадение во всякую дерзость, особенно когда она не встречает на своем пути серьезной оппозиции. А вы знаете, что противоречие на этой почве почти невозможно в нашей стране. Туземная идея, то есть идея исключительно таковая, торжествует, потому что в ней есть нечто истинное и доброе, потому что она должна естественно торжествовать после длительного послушания иностранным идеям, из которых мы вышли. Несомненно наступит день, когда сочетание универсальных идей с местными положит конец таким триумфам. Пока же следует принимать их достижения, равно как и их злоупотребления. Приезжайте к нам, милостивый государь, вы оцените происходящее лучше, когда увидите его собственными глазами. Есть такие черты в нашем умственном движении, которые я не могу передать и которые его в совершенстве характеризуют. Не подумайте, будто я хотел говорить о политической тенденции, совсем нет. Но есть слова, переходящие из уст в уста и оттого подверженные смысловому изменению. Нет ничего более скромного, например, чем наши пожелания в пользу некоторого возврата к воображаемому прошлому. Однако рядом с этим воображаемым прошлым мы имеем реальное. И вполне очевидно, что определенные вещи из реального прошлого, если их сегодня воспроизвести, зазвучали бы весьма странно для многих ушей. Действие чисто литературное, но легко в нем обнаружить, как у нас, социальный характер, даже еще более выраженный. Конечно, это всего лишь навсего исследования, но исследования, осуществляемые среди общества и заполняющие часть его жизни, впрочем, весьма тусклой. В другой раз, вероятно, мы сможем побеседовать более привольно. Прошу не сомневаться, что наилучшее удовлетворение того умственного любопытства, которое мы у вас вызываем, всегда доставляет мне подлинное удовольствие. Примите уверение в моем необыкновенном почтении.

Петр Чаадаев.

2

Басманная, 15 января 1854

Скоро будет два года, многоуважаемый, с того момента, как вы мне прислали интереснейшее письмо. Это было в момент вашего знаменитого переворота. Все хотели его прочесть, так что оно в конце концов затерялось в руках особ, интересующихся вашим мнением об этом чрезвычайном происшествии. А пока что реакция шла своим порядком, мир входил в новую фазу, размышление поневоле оказалось прерванным ввиду общего поражения всех идей, всех принципов, которые еще недавно правили умами народов. Что сказать вам среди всего этого? Вы найдете, может быть, что мир еще далеко не вернулся в свое нормальное состояние, что настоящий момент не благоприятнее, чем предшествовавшая эпоха для рационального обмена мыслями; как бы то ни было, я, наконец, должен вам написать, хотя бы для того, чтобы не прослыть в ваших глазах неоплатным должником. Я, впрочем, хорошо помню сущность ваших идей и смог бы лихо связать прерванную нить нашей беседы; но я предпочитаю беседовать о другом, а не о вашей стране, положение которой остается для меня совершенно непонятным, начиная с того дня, когда шутовская пародия великой славы отняла у вас ваши свободы, под предлогом возвратить вам спокойствие. Дело пойдет все-таки немного о вас, поскольку мы очутимся лицом к лицу перед вопросами злободневными, ибо привилегией вашей страны является заставлять все народы земли принимать участие в ваших домашних делах.

И вот смотрите: вы знаете глубокое спокойствие, которым мы наслаждаемся, нашу традиционную преданность установившемуся у нас порядку; и что же? мы тем не менее почувствовали до известной степени толчок ваших недавних подвигов.

Наш патриотизм вырос. Всегда мы были как нельзя более удовлетворены режимом, навязанным нашей стране историей, географическими условиями, религиозными верованиями: мы сейчас удовлетворены в тысячу раз сильнее. Никогда еще наше подчинение этому хранительному режиму не обнаруживалось с таким полезнейшим доверием. Естественным следствием всего этого является то, что наши правители в настоящее время находят еще более простора, чем когда бы то ни было, в том, чтобы следовать принципам, которые ими всегда руководили. Этим они и пользуются с редкой проницательностью. Вы не можете себе представить, например, сколько мы видели в последнее время мудрых и сильных мероприятий, которые направлены к тому, чтобы предохранить нас от гибельного влияния ваших идей и ваших переворотов. Новые ограничения, поставленные литературной гласности цензурой, организованной иерархически, вплоть до самого источника власти, охраняют нас от роковой распущенности прессы — одной из главных причин ваших несчастий: гибельное распространение ложных учений — другой источник ваших бед — парализован новым уставом, который сводит цифру студентов, допущенных в высшие школы, к числу, строго необходимому для государственной службы, так же как и закрытие одного из этих самых обширных учреждений народного образования, которое, замечу в скобках, дало стране много выдающихся людей и, между прочим, столь популярного наставника августейшего наследника трона, симпатичного поэта, которого мы недавно потеряли. Кроме того, жадное любопытство наших молодых людей, стремящихся к познанию множества вещей, бесполезных для блага страны, сдерживается или самими программами школьной науки, или трудностью получить разрешение на выезд за границу. Меры, которые еще недавно были предназначены к тому, чтобы постепенно подготовить к освобождению наше земледельческое население, и которые питали среди этого населения опасное брожение, окончательно брошены. Наконец, — и это я считаю наиболее важным — все высшие административные посты в империи заняты сейчас людьми, наиболее способными помешать нам сбиться с правильного пути. В особенности новые назначения отличаются самым счастливым выбором. Министерство внутренних дел только что вверено человеку, который управлял интересной областью, колыбелью России, где в течение продолжительного времени он был генерал-губернатором, отличаясь удивительной энергией, заставляя дурные страсти обнаруживаться в открытую, чтобы затем подвергнуться общественному возмездию, подчиняя службе государству усердие господствующего дворянства, производя, наконец, с полным успехом слияние всех в великое национальное единство, что составляет наиболее заветное желание наших новых патриотов.

Министерство народного просвещения, вырванное из рук человека, который более, чем кто-либо, старался развить в наших молодых людях вкус к пустому и тщеславному знанию, отдано в руки глубоко благочестивого человека, врага всякого ложного знания, представляющего все самые надежные гарантии того, что отныне он поведет наше юношество по тому пути скромности и подчинения, от которого она слишком долго отклонялась. Из трех министерств, которым в нашей стране вверено высшее руководство духом общества, одно только министерство полиции, или то, что его защищает, не подверглось никакому изменению ни в лице его главы, ни в остальном его прекрасном персонале, но зато сфера его деятельности значительно расширена; оно получило новые прерогативы, которые, помимо наблюдения за фактами непосредственной области его ведения, вручают ему наблюдение над всеми органами умственной жизни и вверяют ему самую действенную власть для подавления всякого беспорядочного порыва мысли. Среди высших чиновников государства, недавно еще признанных к специальному доверию правительства, нужно еще отметить выдающегося человека, которому поручено представлять власть в нашем древнем городе. Вы знаете Москву не хуже любого из нас и сумеете оценить его важность, как памятника прошлого, выражение настоящего, знамя будущего; вы прекрасно поймете значение такого выбора. И в самом деле, в тот момент, когда вся демократия Европы только что была потрясена по сигналу из Парижа, где было найти человека наиболее подходящего к этому важному посту, чем этот выскочка-офицер, вышедший из рядов мелкого провинциального дворянства, находящегося в непосредственной близости с народом, разделяющего его инстинкты, предрассудки, симпатии, говорящий его языком, судящий о вещах с его точки зрения, взирающий, наконец, ревнивым оком на культурную знать столиц — единственный класс общества, куда могут найти доступ европейские идеи. Поэтому-то результат и оказался столь быстрым. Вы знаете, что старый либерализм предыдущего царствования — бессмысленная аномалия в стране, благоговейно преданной своим государям, язык которой выражает одним и тем же словом понятия «трон» и «алтарь», искоренен у нас, слава богу, уже давно; но, к несчастью, кое-что осталось в приемах и в языке людей, которые составляют то, что называют «хорошим обществом». И вот, в настоящих условиях даже это могло представлять некоторое неудобство в глазах дальновидного администратора. Итак, салоны нового генерал-губернатора, еще недавно место встреч избранного общества, вскоре лишились своих прежних завсегдатаев и наполнились новым обществом, столь же чуждым прежнему, сколько послушным благоразумным требованиям текущего дня. С этой поры там не стали знать другой свободы языка, как та, которую несет с собой нежная легкость нравов, лишенных всякой чопорной стыдливости, любезное наследство эпохи, знаменитой в современной истории Франции. Не могу передать вам все то благо, которое извлекают наши молодые люди из нового режима, который установился в доме градоначальника. В настоящее время под властью этих вкусов, слишком прилежных к ученью, бесплодная работа мысли питается всякого рода предматами воображения, и вот любезное гостеприимство семьи нашего генерал-губернатора предложило очаровательное лекарство против этого зла. Веселая фамильярность матери семейства, пленительные манеры дочери произвели настоящий переворот в пользу правого дела в привычках нашей молодежи.

ПИСЬМА С. Д. ПОЛТОРАЦКОМУ[76]

1

Басманная, 3 мая 1848

Премного благодарю, мой дорогой друг, за вашу дружбу и заботу. Не могу скрыть от вас, что мало доволен портретом. Но думаю, что ошибка заключена в присланном вами оттиске: таково мнение сведущих в искусстве людей, которое я полностью разделяю. Сверх того, литограф, как меня уверяют, является одним из самых известных в Париже, так что еще раз благодарю вас за ваши любезные труды[77]. Как, скажите мне, удалось вам преодолеть желание сказать мне хотя бы слово о современных событиях. Вот усилие, которое меня скорее восхищает, нежели вызывает мое одобрение. Несколько впечатлений, несколько набросков, сделанных по вашему обыкновению, доставили бы мне, признаюсь, огромное удовольствие. Не будет ли это, случайно, прогрессом? Если так, то я вас поздравляю от всего сердца. В теперешнее время каждому необходимо, чтобы ни делалось вокруг, продвигаться вперед по-своему. Иногда прогресс заключается в отступлении, чем я и занимаюсь сейчас. Я пячусь и чувствую себя превосходно: способ передвижения тем более приятный на некоторых широтах земного шара, что в таком путешествии чувствуешь себя уверенным среди разных людей. Да последует все человечество моему примеру — таково мое самое искреннее и самое серьезное желание[78].

Что я вам скажу о нашей блаженной, тысячу раз счастливой столице? Мы здесь слегка поражены азиатской холерой, видимо, чтобы утешиться отсутствием политической холеры, которой наслаждаются европейские народы. Мы не лишены также известного чувства, естественного следствия удивления от царящей в мире глупости. Обитатели другой планеты, новой планеты, извлеченной из небытия только сто пятьдесят лет назад коронованным Леверье, мы, несомненно, не имеем ничего связывающего с происходящим на старой планете, называемой Европой, но остаемся безразличными к тому, что бедное человечество впадает в варварство, самоуничтожается в анархии, потопляет себя в крови. Вот, однако, животрепещущая новость из наших земель: у нас новый генерал-губернатор. Угадаете ли вы знаменитую личность, которая станет управлять нами? Держу пари, что нет: это гр. Закревский, которым я очарован. Это человек, который нам нужен, человек нашего времени, чистокровный русский. Прошу только позволения оплакать немного Щербатовых, почтенных людей, творивших добро, как г. Журден[79] говорил прозой, не зная этого.

Пока же, мой друг, оплачем также и более серьезно нашу бедную, дорогую госпожу Муравьеву[80]. Вы не можете себе представить, как мне не хватает ее лица, горестного и милосердного. Странная вещь. Эта чистая и полезная женщина совсем не была любима, даже людьми, имевшими многие основания дорожить ею: мешали слабости ее добродетелей. Знаете ли вы, что более всего задевало в ней? Это ее правдивость. Действительно, нет ничего дерзостнее правды: будем же лгать, мой друг, это дорога на небо.

Возможно, вам будет любопытно узнать, что стало с ее внучкой Софьей, дитем изгнания. Она выходит замуж за сына вашего друга Бибикова и делает его обладателем миллиона. Как видите, можно не быть слишком несчастным, даже родившись в Botany-Bay. Что вам сказать еще? Я постоянно болен и не понимаю фантазии природы, упорствующей неизвестно почему продлить мое невозможное существование. Могу сказать также, что вас приветствуют со всех сторон и что я сгораю от нетерпения снова увидеть вас и обнять, хотя вы и приедете к нам со святым и справедливым ужасом от всех виденных вами гнусных, отвратительных, страшных явлений.

Если вы будете проезжать Берлин, навестите там Якушкина[81], составляющего забавную компанию вместе с маленькой женщиной, на которой он женился между двумя баррикадами. Поняли вы это? Он сын людей, которых я очень любил, и потому меня интересует. Навестите и моего старого друга Шеллинга и узнайте, прошу вас, что происходит с ним посреди всеобщего смещения вещей и людей. Как я предполагаю, его философская власть должна находиться в значительной опасности, когда столько властей опрокинуто или готово к этому. Я не говорю вам о Сиркурах, но вы мне о них, надеюсь, расскажете, когда вернетесь. Я не знаю, кстати, почему Сиркур, каким бы несчастным республиканцем он ни был, не пишет мне.

Напомните, мой друг, о моем существовании благорасположенным ко мне госпоже Полторацкой, а также известной вам молодой особе. Вряд ли следует, думаю, уверять вас в моих симпатиях.

Петр Чаадаев.

2

[Июнь 1849]

Оставьте мне, дорогой друг, тетрадку журнала с посланием Пушкина, которую я передам от вас Бухарину. А по вашем возвращении вы ее снова возьмёте. Вполне естественно, что обладатель моего портрета немного понимает, как относиться к моим бедным предшественникам. Впрочем, маленькая черточка тщеславия не недостойна ни друга Пушкина, ни вашего.

3

[Февраль 1850]

Не знаю, дорогой друг, есть ли у вас хорошая копия моего письма к Вяземскому[82]. В любом случае вручаю вам один из ее экземпляров на память обо мне. Вы можете показать его там наверху, как и переданное вам мною вчера сочинение, отнеся почин, так будет лучше, на мой счет. Вы видите, что я немного тороплюсь распрощаться с этим лучшим из миров. Кто знает, что случится после кончины с моими бумагами, если вы не захотите их приютить у себя, как вы приютили их автора в своем сердце. Я приглашен на вечер к аболиционисту Фернье, а обедаю у Шиповых, на другом конце города, так что не знаю, где смогу оказаться. Если я узнаю в течение дня, что вечер (неразб.), то постараюсь прийти и увидеть вас.

В ином случае до завтра.

4

17 мая [1850]

Ваше бегство, дорогой друг, опечалило меня. Я был болен в момент вашего отъезда, но вы не могли не подозревать об этом, ибо не видели меня в клубе после его открытия. Вы, надеюсь, не обижаетесь на меня за то, что не пришел пожать вам руку. Сделал бы это непременно, несмотря на недомогания, если бы был предупрежден о вашем отъезде.

Моя болезнь с каждым днем становится все более угрожающей. Тем не менее я написал брату, чтобы поторопить брата закончить поскорее наше дело. Пока же работаю по мере сил, изрядно ослабленных, действительно, вот уже несколько дней. Я изнурен всей этой борьбой и всеми этими усилиями, столь мало соответствующими моей бедной натуре. Но дело не во мне, речь идет о том, чтобы доказать вам мою дружбу, и, надеюсь, я выполнил задачу. К несчастью, наши натуры так разно скроены, что вам трудно оценить стоимость моих усилий в той работе землекопа, которую называют делами. К несчастью же, снисходительное сочувствие друзей принимало меня таковым, каков я есть. Они щадили мои слабости и немощи из-за кое-каких свойств сердца, которых я сам в себе нахожу, и никогда не требовали от меня, чтобы я поступал как другие. А это в конечном итоге заставило меня вообразить, будто я сносен в своем недостойном поведении. Ваша дружба, надеюсь, не будет более требовательна, нежели ушедшие привязанности, и вы не перестанете уважать меня менее, нежели всех остальных.

Прощайте, мой дорогой и очень дорогой друг. Поклонитесь от меня госпоже Полторацкой, а также милой путешественнице, если она еще не уехала.

5

[Июнь 1850]

Не надеясь застать вас, дорогой друг, обращаю к вам эти строки.

Спрашивая меня вчера вечером, не является ли наше соглашение фарсом, вы, полагаю, не хотели сказать, что я вас разыграл. Но если дело обстоит иначе, вы имеете на это право: привилегии дружбы не знают границ. Другой человек некогда обошелся со мной как с сумасшедшим[83], вы считаете меня плутом: это в порядке вещей; цари и богачи созданы, чтобы ругать бедных людей. Думаю, все-таки, что вы не намеревались меня оскорбить. Множество трогательных доказательств вашей дружбы позволяют мне рассматривать такие речи как невоздержанное слово, сорвавшееся с прямотой в замешательстве. Прошу вас только еще взвесить свое суждение об этом деле в течение нескольких дней. Надеюсь, вскоре, может быть, в продолжение недели, доказать вам самым материальным образом если не свое умение, то добрую волю. Пока же прошу принять под залог любезно одолженных вам денег мою библиотеку. После инспекции вы, думаю, убедитесь, что ее ценность превышает сумму моего долга. Но нужно, чтобы вы потрудились незамедлительно явиться и наложить печать на шкафы, ибо у меня нет каталога.

Вот благодарность за деньги, которые вы мне одолжили. Что же касается векселя, то пока мне нечем его оплатить. Та же причина помешает мне, возможно, увидеть вас сегодня вечером в клубе (вчера вечером мне предъявили мой долг).

Это признание прекрасно послужит вам, если я умру, поскольку мой брат совершенно порядочный человек, несмотря на медлительность, с какой он избавляет меня из причиняемых им невзгод.

6

Воскресение, 29 июля [1850]

Дорогой друг, вы, полагаю, не знаете о затруднении, которое причинили мне накануне, ибо, думаю, не пожелали бы обидеть тех, кому имели случай оказать услугу. Тем не менее вы заметили, что мне необходимо покинуть скромный уголок, где я обычно предаю отдыху свои усталые от дневных беспокойств и частых невзгод члены. Лица, присутствовавшие при этом разговоре, должны были удивиться тому, как обходятся со мною мои друзья. Многочисленные доказательства вашей дружбы не позволяют мне видеть оскорбление в словах, которые никогда и никто, кроме вас, не обращал в мой адрес. Но, признаюсь вам, благодаря любимым мною людям, я совсем не ожидал в конце своего жизненного поприща возобновления борьбы с этой бедной страной, которая не умеет ничего уважать, даже несчастье, но которая, так думалось по крайней мере, даровала мне какое-то уважение. И мне не остается на сей раз ничего иного, как склонить свою лысую голову перед новым бедствием и скрестить руки. Позвольте только сказать вам, что мое материальное существование печальным образом ухудшилось бы, если бы я был вынужден лишить себя своих старых привычек и минут покоя и забвения, столь мне необходимых.

В пятницу агентство должно предоставить мне требуемый документ, и останется лишь получить деньги в банке.

7

Басманная, 16 августа 1850

Вы знаете, мой превосходный друг, ближайший результат услуги, которую вы только что мне оказали. И если бы даже по какой-либо случайности вы не ведали о нем, из этих строк вы бы узнали об этом результате, прямые и косвенные следствия которого тем не менее вам неизвестны. Я слишком тороплюсь сейчас высказать вам свою признательность, чтобы говорить о других вещах: отложим до другого раза более пространный разговор. Если вы не вернетесь через две недели, то получите, вероятно, целый том, плод восстановленного морального и физического здоровья, чем я вам обязан. Вы найдете в нем предчувствие, если не программу будущего, которое стало возможным благодаря вашей дружбе. Мое сердце, дорогой друг, переполняют чувства любви, уважения и благодарности к вам, и оставшиеся дни моей жизни будут служить тому доказательством. Да удастся же мне сделать это столь полно, сколь настоятельна испытываемая мною потребность. Для меня нет лучшего доказательства божественного совершенства христианских учений, нежели их действие на противящихся им. Философия как таковая никогда бы не смогла достигнуть подобных результатов. Человек делается христианином вопреки себе и проявляет христианские добродетели, не подозревая об этом,— вот как спаситель приходит ко всем. Сократ и Марк Аврелий были шалунами[84], сравнимыми с порядочными людьми нашего времени, и выказывали лишь слабые потуги к добродетели.

Я жду начала сентября, чтобы знать, как можно обеспечить в конце концов мой завтрашний день. Именно в это время года я получаю обычно регулярное письмо моего брата, и мне кажется невероятным, чтобы он не заговорил сей раз об обсуждаемом деле. Пока же расскажите, прошу вас, о своих домашних делах, так близких — и вы не должны в этом сомневаться — моему сердцу. От всей души обнимаю вас.

Прошло уже восемь дней с тех пор, как написаны эти строки. Не спрашивайте, почему они отправлены лишь сейчас. Печальное следствие потрясенного существования. Только что получил ваше письмо, а свое вручаю почте. Ответ пошлю в ближайшее время.

Передайте мою глубокую и нежную признательность кому следует.

8

Басманная, 30 августа [1850]

Прошу прощения, дорогой друг, что сразу же не ответил на ваше очаровательное послание. Почтовый день пришелся на понедельник, и я не мог написать вам в этот день, поскольку утром у меня, как обычно, были люди. Счастливое событие, о котором вы сообщаете, наполнило меня тем большей радостью, что я не ожидал столь быстрой развязки. Удачливый человек, который станет супругом вашей милой дочери, завоевал, кажется, все ваши симпатии. Ваше сердце делает вас достаточно мудрым судьей, чтобы сомневаться в счастье, ожидающем мадемуазель Александрин. Она позволит мне передать ей мои приветствия и наилучшие пожелания. Прошу и госпожу Полторацкую принять мои поздравления. Надеюсь передать их устно этим дорогим людям, что станет для меня настоящим праздником. Счастье наших друзей составляет наше собственное, особенно если они похожи на вас и ваше благополучие не переходит границы строго необходимого. Вы очень заняты сейчас, дорогой друг, своей радостью, чтобы уделить внимание другим вещам: оставляю же вас вашему счастью. Впрочем, мне слишком холодно, чтобы продолжать писать. Вам известно, что уже несколько лет у меня не топят печи из опасения подржечь город: не знаю, что будет на этот раз. Возвращайтесь поскорее. Ваше присутствие согреет мне если не пальцы, то сердце. Обнимаю вас тысячу раз и прошу сделать то же самое с очаровательной невестой.

9

23 октября [1851]

Вот, дорогой друг, эта глупая брошюра, которую вы так спешите получить обратно. Простите, что я держал ее так долго. Вспомните, однако, что вы хранили некоторые письма Бенкендорфа несколько лет подряд и что я с превеликим трудом изъял у вас его любезные послания.

Вы увидите, что я поставил крестики на полях; это облегчит будущему читателю поиск самых дурацких вещей. Если вы соблаговолите перечитать отмеченные строки, вы найдете в них, несомненно, новые доказательства мнению, столь энергично сформулированному вами накануне. Впрочем, я ему подчиняюсь со всей вообразимой покорностью и полным почтением, которые заслуживает ваш авторитет.

Прилагаю Журнал критики.

10

Басманная, 5 августа [1852]

Ваши строки, дорогой друг, доставили мне большое удовольствие, хотя они были лишь простой библиографической анкетой. Письма друга — это всегда рукопожатие, если не нечто лучшее. Я спешу найти стихотворение, о котором идет речь. Более чем сомнительно, что оно принадлежит нашему преподобному прелату[85] (неизбежный стиль). Заметьте сразу, что его имя пишется с Ф, а не с Θ. Затем, почему, спрашиваю вас, ш должно следовать за другой начальной буквой, а не предшествовать ей? Невероятно также, чтобы он мог пользоваться ритмикой наших фаблио и разбойничьих песен для передачи библейского стиха знаменитого изгнанника. Следовательно, это одна из библиографических ошибок, неизвестно как проскальзывающих в историю литературы. Тем не менее я поручил очень комическому автору справиться о вопросе у его преосвященства. Посмотрим, какую мину он сделает при этом нескромном предположении. Постарайтесь добыть копию письма княгини Ливен о президенте, экземпляры которого, несомненно, ходят по Петербургу. Там вы узнаете среди прочего, что он рассчитывает в ближайшем будущем укрепить пошатнувшуюся власть в Англии. Будем надеяться, что головокружение от успехов не сделает сумасшедшим этого человека, как бедного Федотова. Пока не могу еще ничего сообщить о вашем деле. Подождем до сентября.

Обнимаю от всего сердца с надеждой видеть вас вскоре здесь.

Чаадаев.

11

Что я сказал? Что, по-моему, плохо поняли слова господа, *мое царствие не от мира сего;* что смысл, который им обычно приписывается, совсем не согласовывается с нашим обращением к богу в молитве господней, когда мы просим о *пришествии его царствия на землю, как на небо*[86]. Заметьте, что спор о светской власти пап был поднят не греческой церковью, но протестантами и еще современными протестантами, детьми философов восемнадцатого века и отцами сегодняшних рационалистов. Именно они вздумали первыми учить нас тому, что Иисус Христос услышал с неба слова, будто царствие божие невидимо, как и его церковь, будто бог восхотел царить лишь в сердцах людей, и другим подобным вещам. Отцы церковного собора во Флоренции ничего такого не говорили: они оспаривали у папы не светскую власть, а главенство, что все находили тогда вполне естественным, ибо полезным. Царствие божие, несомненно, не будет осуществлено по подобию земных царств, особенно некоторых из них; но и не как земные цари папы должны вносить свой вклад в его осуществление в этом мире; не как викарии Иисуса Христа, не как священники царят они в Риме — просто так проявляется воля истории в интересах общества, церкви и цивилизации. Те, кто считают верховную светскую власть несовместимой с характером священства, должны бы были взять на себя труд доказать нам это иным образом, нежели постоянно повторяя слова Иисуса Христа и не осознавая их смысла. Эта несовместимость, впрочем, раньше так слабо ощущалась, что папы, как каждому известно, не являлись единственными носителями верховной митры. И сегодня еще мы видим епископа другой церкви с верховной властью в Монтенегро, логове разбойников, что не оскорбляет самых пылких защитников несовместимости. Конечно, приведенный отдельный факт составляет исключение в этой церкви, которое тем не менее совершенно бесполезно для человечества. Верховная светская власть римских пап представляет собою не что иное, как исторический факт, внешнее облачение их духовного главенства, в чем наиболее выдающиеся и религиозные умы Запада и вообще весь Запад видели необходимость сохранения высшей власти и распространения ее влияния в мире. Следовательно, вы защищаете, а мы оспариваем точку зрения протестантов, а совсем не греческой церкви, совершенно безразличной к этому вопросу. Стало быть, раздражающий пункт заключается не в этом. Думать так — значило бы предполагать заднюю мысль там, где ее нет, и притязать видеть противоречие в словах самого спасителя, тогда как оно, напротив, обнаруживается с горечью в их ложной интерпретации. Вот что переносит спор на скользкую почву субъективности и делает его раздражительным. Это естественное следствие не развитого у нас навыка к серьезным дискуссиям, а частью и недостаточно учтивых манер в наших грустных беседах.

ПИСЬМА М. И. ЖИХАРЕВУ[87]

1

Басманная, 7 августа 1847

Я вас благодарю, мой добрый друг, за письмо. Ваш подарок доставил мне тем большее удовольствие, что я его менее всего ожидал. Вы меня несколько отучили от проявления ваших симпатий. Говорят, что путешествия формируют молодежь.

Я тем не менее предпочитаю думать, что путешествие лишь пробудило в вас чувство, на мгновение уснувшее в сладости домашнего очага. Посреди моего существования, опустошенного всякими невзгодами, это пришедшее из такого далека ласковое дуновение приятно меня освежило. Я не знаю, где застанут вас эти строки, но желал бы, чтобы они дошли к вам до того, как вы предадитесь своим каширским наслаждениям. В противном случае они подверглись бы большому риску не затронуть ваши чувства. Вы, возможно, не согласитесь с моим мнением относительно каширских наслаждений сейчас, уже вкусив их самыми разными способами и в различных местах, более или менее неведомых географии. Но я также считаю, что подлинные наслаждения, столь богатые всяческими благодеяниями для подобных вам молодых людей, можно найти у нас лишь в деревне, под родительской крышей, в лоне любезной терпимости, безграничной, как русский горизонт, которая все разрешает, все позволяет и ничего не осуждает.

Рисуемая вами радужная картина моего существования не является, думаю, особенно точной. Однако вы совершенно правы, полагая, что в мире есть существа несчастнее меня. Я знаю много таких, даже среди тех, кто не слывет несчастным, участи которых я не пожелал бы, несмотря на окружающие их видимые блага и подлинное великолепие. Тем не менее несколько дней пути разделяет нас, и вы не смогли бы более, как мне кажется, обвинять меня в малодушии. Катастрофа стремительно приближается. Я приношу самые чистосердечные обеты, дабы эта катастрофа, какой бы она ни была, не омрачила существование некоторых лиц, которым, вероятно, суждено пережить меня. На днях я получил вексель, который в теперешнем положении можно рассматривать как настоящее убийство. Таковы, мой друг, прекрасные дни, которые я влачу. Богу угодно, чтобы человек, пославший мне вексель, никогда не узнал значения этих строк и фатального результата, который они могли произвести. К счастью, человеческая природа устроена таким образом, что люди, делающие зло, почти всегда не подозревают об этом. Что же касается вас, мой друг, то еще недавно вы проливали столько бальзама на мою жизнь, нежность которого еще остается для меня сладостным утешением. И я желаю, чтобы пример этой жизни и ее неизбежного крушения в конце не остался бесплодным для вас даже тогда, когда память обо мне окрашивала бы вашу жизнь в некоторые меланхолические тона. Это лучшая часть моего наследства, и она принадлежит вам по праву за вашу дружбу, независимо, разумеется, от моей библиотеки, которая, как вы знаете, тоже вам причитается. Я недавно написал об этом моему брату, поручая ему исполнение моей последней воли. Сейчас, когда я вам пишу, передо мной лежит его трогательный ответ с обещанием исполнить все мои пожелания.

Вы меня просили, кажется, рассказать о холерных новостях. Еще несколько дней назад она нас ужасно опустошала. А теперь ежедневно заболевают лишь сорок человек и начинают закрывать временные госпитали. Эта несчастная холера не захотела забрать меня — да простит ее бог! Но понимаете ли вы, как ей удалось оставить меня в живых? Что до меня, то я ничего в этом не понимаю.

Напрасно вы ничего не пишете о своем брате и о разнообразных приятностях, ожидающих его в будущей карьере. Вы знаете, что я не могу не интересоваться живо людьми, которые держат меня в своей власти вблизи или издалека. Я рад к тому же, что вы упомянули моего тезку, как вы его называете, ибо можно было бы, думаю, склонить его внимание к Матвею.

Прощайте, дорогой друг, я вас обнимаю от всего сердца. Продолжайте хоть немного думать обо мне, если имеете досуг для таких занятий: это не причинит вам зла. Впрочем, питая доброе чувство, никогда не теряешь время.

Петр Чаадаев.

2

Басманная, 1 ноября 1853

Наконец, мой дорогой друг, недавно вы подали признаки жизни. Я говорю «недавно», поскольку вот уже месяц, как ваше письмо дошло до меня. Но вы знаете, что мера времени уже давно не существует для меня. В этом отношении я немного опередил наш бедный и так грубо осмеянный вами век, который тем не менее продолжает суетиться в узких пределах пространства и времени, несмотря на дерзкий пар, верную эмблему его скорости, справедливо задевающую ваше патриотическое сердце. Действительно, цивилизованный мир должен был внешне измениться немного с тех пор, как я имел честь видеть его в последний раз около тридцати лет назад. Однако столь же очевидно, что красочность Европы, берегов Рейна например, никогда в точности не походила на живописность Каширы и не знаю уж какой текущей там реки. Вам придется, мой друг, довольствоваться малым, что вы найдете в остальной Европе. Я не знаю даже, давала ли вам городская жизнь в лоне милых Хамовников более пищи для ваших сельских вкусов, нежели смогут предложить вам, если вы соблаговолите их посетить, наиболее скорбные вершины Альп, где, в конце концов, видны кое-какие следы цивилизации. Как бы там ни было, если, не беря в расчет прибавление здоровья, вы отправились в Европу лишь с целью поиска деревенских удовольствий, то тем самым, боюсь, недостаточно подумали над программой и оказались неумелым паломником. Осмельтесь же спросить у западной цивилизации, как говорят на Арбате, нечто иное, нежели степь с ее многочисленными и разнообразными прелестями. Кто знает, может быть, западная цивилизация откроет вам какую-то сторону, которая в чем-то восполнит ее отсутствие. Я хотел бы, чтобы демон живописности заставил вас проехаться до Англии. Там вы обнаружили бы, надеюсь, что опустошения цивилизации не похоронили окончательно очаровательный вид природы, что, по крайней мере, пар, газ и электричество еще не разрушили сверху донизу эту привилегированную страну пейзажа.

Дело было, кажется, в 1823 году. Я жил в коттедже Суссекса, увитом плющом и виноградником. Мой дом соприкасался одной своей стороной с классическим домом священника, с другой стороны я видел поле своего деревенского цивилизованного хозяина, который после дневных работ играл на флейте сонаты Плегеля и другие столь же занимательные музыкальные пьесы. Передо мной небольшой замок, служивший в свое время местом пребывания скандальной памяти королевы Шарлотты, впереди море, всегда сверкающее, несмотря на витающий над страной вечный туман. И все это мне казалось замечательно живописным, уверяю вас, не говоря уже о мадемуазель Алис, с которой я иногда гулял по полю в моем тильбюри[88].

ПИСЬМА А. А. ЗАКРЕВСКОМУ[89]

1

Милостивый государь, Арсений Андреевич.

Спешу отвечать на письмо вашего сиятельства следующим объяснением. Вступив в 1846 году, по приглашению некоторых членов, в московское художественное общество, я за первые два года внес следуемые по званию члена деньги; но потом, убедившись, что, кроме ничтожной вещественной прибыли, никакой иной пользы доставить ему не могу, особенно при совершенном, всем известном невежестве моем в деле художества, прекратил я свое приношение, не имея никакого понятия, подобно многим другим членам, о той статье устава, о которой ваше сиятельство упоминаете.

Ваше сиятельство, приняв в соображение вышесказанную причину моего удаления из общества, конечно, освободите меня от отяготительного взыскания, но я уверен, что и совет вполне оценит основательность этой причины и бесполезность мою в среде общества; тем более что если б он желал сохранить меня и прочих членов, находящихся в одном со мною положении, то, конечно бы, напомнил нам при первой недоимке о статье устава, требующей формального отказа для выхода из членов, или теперь бы, вместо того, чтобы утруждать начальство, удостоил нас прямым уведомлением, с тем верным чувством приличия, которое принадлежит просвещенным любителям изящного. Впрочем, всякому предписанию Вашему беспрекословно повиноваться буду.

Примите ваше сиятельство.

2

[*март — апрель 1856*]

Милостивый государь, граф Арсений Андреевич.

Не предвидев случая, когда удастся мне увидаться с вашим сиятельством, прибегаю письменно с нижайшею своею просьбою. Вашему сиятельству была доставлена от меня записка хозяина моего, Шульца, которого брат, запятнав себя преступным поступком, скрылся. Вам известна непричастность его в этом деле; но, несмотря на его невинность, следственно доказанную, ему воспрещен выезд из столицы. Разлученный с больною женою, он желал бы с нею свидеться. Одна милость вашего сиятельства может доставить возможность этого свидания. Если позволяю себе ходатайствовать пред Вами об этой милости, то это потому, что мне по давнему опыту известно великодушие души вашей, всегда готовой к снисхождению, когда правосудие тому не противится. Не могу не прибавить, что в продолжение долговременной болезни моей жена моего хозяина столько оказала мне помощи своим участием, что почитаю за долг употребить все старания для доставления ей утешения в ее скорбном положении.

В надежде на милостивое внимание Ваше к ходатайству моему прошу ваше сиятельство принять уверение в глубоком моем почтении,

искренно преданный Вам *Петр Чаадаев.*

ПИСЬМА ДАМАМ[90]

А. М. ЩЕРБАТОВОЙ

С.-Петербург, 2-го января 1821 года

На этот раз, дорогая тетушка, пишу вам, чтобы сообщить положительным образом, что я подал в отставку. Рассчитываю через месяц иметь возможность написать вам, что получил ее. Моя просьба (об отставке) произвела сильное впечатление на некоторых лиц. Сначала не хотели верить, что я серьезно домогаюсь этого, затем пришлось поверить, но до сих пор не могут понять, как я мог решиться на это в ту минуту, когда я должен был получить то, чего, казалось, я желал, чего так желает весь свет, и что получить молодому человеку в моем чине считается в высшей степени лестным[91]. И сейчас еще есть люди, которые думают, что во время моего путешествия в Троппау я обеспечил себе эту милость и что я подал в отставку лишь для того, чтоб набить себе цену. Через несколько недель они убедятся в своем заблуждении. Дело в том, что я действительно должен был получить флигель-адъютанта по возвращении императора, по крайней мере по словам Васильчикова. Я нашел более забавным презреть эту милость, чем получить ее. Меня забавляло выказывать мое презрение людям, которые всех презирают. Как видите, все это очень просто. В сущности я должен вам признаться, что я в восторге от того, что уклонился от их благодеяний, ибо надо вам сказать, что нет на свете ничего более глупо высокомерного, чем этот Васильчиков, и то, что я сделал, является настоящей шуткой, которую я с ним сыграл. Вы знаете, что во мне слишком много истинного честолюбия, чтобы тянуться за милостью и тем нелепым уважением, которое она доставляет. Если я и желал когда-либо чего-либо подобного, то лишь как желают красивой мебели или элегантного экипажа, одним словом, игрушки; ну что ж, одна игрушка стоит другой. Я предпочитаю позабавиться лицезрением досады высокомерной глупости.

Самое большое через два месяца я увижусь с вами. Брат и я оснуемся на некоторое время в Москве, я до тех пор, пока не представится возможность удалиться в Швейцарию, где я думаю обосноваться навсегда, а брат до переезда на житье в свое имение. Вы, вероятно, последуете за ним туда? Чего вам лучше? Будете жить спокойно и в полной независимости. Я буду навещать вас каждые три года, каждые два года, может быть, ежегодно, но моей страной будет Швейцария... Мне невозможно оставаться в России по многим основаниям...

М. БРАВУРЕ[92]

[*Октябрь — ноябрь 1836*]

Не знаю, сударыня, должен ли я благодарить вас или сердиться за столь мрачное и печальное письмо! Вместо улыбки на таком прекрасном лице, о котором оно напомнило мне, почти незаметная слеза! Петербургский свет слишком неблагодарен или весьма глуп, если не стремится сделать вас счастливой. Но, может быть, в Петербурге поступают так же, как и здесь, и одинаково теряют свое время! Вы умеете блистать даже сквозь облака. Признаюсь, что люблю вашу возвышенную меланхолию, этот ореол облаков вам замечательно идет. В безмятежности ваша грация померкла бы. Я вам как-то говорил, что, глядя на вас, забываешь вас. Но, как видите, думая о вас, находишься в таком плену воспоминаний о вашей красоте, что не можешь размышлять ни о чем другом. Надеюсь все-таки, что в дурном состоянии вашего духа содержится лишь нечто элегическое. Как мне стало известно, вы дали жизнь человеческому существу, что являлось для вас непозволительным ранее. Я заключаю тем самым, что вы счастливы, ибо распространяете счастье вокруг себя. Однако, если дело обстояло иначе, вы простите моей дружбе стремление отдалить огорчающую ее мысль и не подвергнете сомнению чувство глубокой симпатии ко всему, что касается вас.

Письмо, которое князь Голицын должен был передать вам, непонятно как запропастилось, и он об этом жестоко сожалеет. Фанатик вашей Италии, он, выражая вам свое почтение, мог отправить его в эту страну, грациозным образом которой вы являетесь.

Вы понимаете, что я не сержусь на вас за одну небольшую сплетню об одном маленьком московском салоне[93]. Меня занимает в ней лишь интерес, проявляемый вами ко мне. Остальное же я отношу к характеру красивой женщины, столь очаровательному в вас, что вам никогда не позволено от него отрекаться. Вам известно, что у нас здесь пребывает великая сплетница, прославленная сплетница, возбудившая европейские пересуды. Она вскоре выложит все это вам, а пока счастлива в кругу местных красавиц. Недавно я прочитал милые стихи, на которые вы вдохновили Вяземского. Он никогда не писал лучших — вот что значит настоящее вдохновение. Кстати о стихах. Вы наверняка услышите об одном прозаическом произведении вашего знакомого[94]. Напишите мне, прошу вас, словечко об этом. Вопли и возгласы одобрения так странно перемешались здесь, что я ничего не понимаю. Возможно, в ваших краях все происходит иначе. Но что бы вы ни сообщили, мне будет дано услышать дружеский голос.

С. С. МЕЩЕРСКОЙ[95]

Москва, 2 апреля [*1842*]

Простите ли вы мне, княгиня, столь длительное молчание? Я не смог бы в этом сомневаться — само ваше письмо служит для меня ручательством. Но следует объяснить, что мешает мне писать. Это нечто личное, что вы прекрасно поймете, обладая в одинаковой степени прозорливостью сердца и ума. Однажды, представьте, мне пришло в голову допрашивать себя, заслужил ли я благосклонность людей, предметом которой являлся в течение своей жизни? По некотором размышлении я решил, что нет. И знаете ли вы, что честный ум должен испытывать, обнаружив, что всю свою жизнь он лишь лгал миру? В таком состоянии духа застало меня ваше письмо. И какой, скажите, можно найти способ, чтобы ответить на очаровательное письмо, находясь под впечатлением столь безнадежной мысли? Целый месяц я находился буквально во власти кошмара. Наконец я освободился от него благодаря весьма простому способу, о котором с удовольствием бы рассказал, если бы не спешил поговорить о другом. Ваше письмо, княгиня, принесло мне, поверьте, мгновение подлинного счастья. Это драгоценный эпизод моей жизни, который вы соблаговолили наполнить вашим одновременно любезным и серьезным сочувствием. Если мне не суждено более видеть вас, он навсегда останется самым дорогим из моих воспоминаний. Но мне вовсе не хочется думать о таком печальном будущем. Я хочу жить надеждой, что вечера, о которых вы мне так трогательно рассказываете, смогут однажды повториться.

Вы спрашиваете, кто же заменил вас в привычном течении моей жизни? Никто, поверьте мне, не отважился на это. Как в моих чувствах, так и в распорядке дня ваше место остается незанятым. Вы, конечно, правы, говоря о прискорбном для меня отъезде***. Но вы знаете, что, дружа с ***, я обязан дружбой с ней, в то время как вашей дружбой я обязан только вам. Разрешите же мне немного подосадовать на вас за то, что вы не подумали об этой капитальной разнице. *** является, безусловно, выдающейся личностью, но у нее нет такой открытой и сердечной доброжелательности, которой вы одариваете своих друзей. Она, к сожалению, вкладывает в чувство слишком много ума: она чрезмерно расчетлива, а потому и недостаточно расчетлива. Сердце — вовсе не математик, и его вычисления всегда неверны. Оно лучше всего считает тогда, когда совсем не считает. Все это не мешает ей заслуженно пользоваться всеми воображаемыми привязанностями ее друзей. Однако необходимо, чтобы она довольствовалась разумной дружбой, ибо не способна на другую. Я же всегда буду питать по отношению к ней самые сердечные и глубокие чувства хотя бы в память замечательного человека, встреченного мною однажды на дороге жизни[96]. Так встречают теплый ветер в поле, после дуновения которого пронзительнее ощущаешь холод окружающей атмосферы. Вы, может быть, не знаете, что *** отправляется в Италию через Константинополь. *** намерен как можно долее держать ее вдали от Москвы. Самое мудрое решение, на мой взгляд. Необходимо еще длительное время для того, чтобы пребывание в Москве не было тягостным для нее. Нужно, чтобы ее жизнь сложилась совершенно по-новому. Только тогда она вновь почувствует прелесть этого города, где все напоминает о ее муже. Впрочем, семейные дела идут превосходно благодаря опекуну-дарителю и опекуну-исполнителю.

*** весьма чувствителен к тому, что вы помните о нем, несмотря на ваше несколько суровое обхождение с ним. Он принадлежит к добрым натурам, которые всегда довольны, лишь бы ими хоть как-то занимались. Вы хотите знать, что он делает. Пожалуйста. Дорогой человек рассыпается прахом, той пылью, которую производят лишь засушливые почвы, которую малейший ветер поднимает и разносит во все стороны. Он цепляется за своих предшественников, настоящих или придуманных, и за добрые души, благосклонность которых он некогда промотал. Как и прежде, он использует все встречающееся на его пути, но с меньшей ловкостью. Наконец, то там, то здесь он занимается немного банальной филантропией и потрепанным либерализмом, что худо-бедно заполняет пустоты его существования. Таким образом, он тихо приближается к забвению[97].

Княгиня *** недавно мне написала. Я, конечно, не заслужил ее самых милых в мире слов. К счастью, у меня есть рецепт против иллюзий дружбы. Княгиня *** соблаговолила унаследовать толику ваших симпатий по отношению ко мне: так, по крайней мере, я склонен истолковывать ее ласковую улыбку при прощании с этой очаровательной особой. Не знаю, смогу ли увидеться с княгиней ***, но сделаю все возможное, чтобы задержаться в Москве до ее приезда. Все члены вашей семьи становятся мне с каждым днем все дороже. Если вдруг мне придется удалиться с мировой сцены, то, поверьте, в глубине моего уединения сохранится живой интерес. Скажу вам несколько слов о себе. Новый хозяин решил, кажется, переделать занимаемый мною флигель, что заставляет меня предпринять, наконец, усилие. Вероятно, в первых числах мая я должен окончательно переехать, не без сожаления разумеется. Никогда Москва не была для меня столь благоприятной, я бы сказал даже, столь любезной. Никогда ранее не раскрывалось здесь перед серьезными умами столько материала для плодотворных мыслей. И со всем этим надо будет расстаться. Простите за эти детали, касающиеся моей недостойной персоны. Но вы просили об этом.

Не знаю, сообщили ли вам о моем недавнем знакомстве с выдающимся представителем церкви[98]? Я нашел его бесконечно более интересным, нежели предполагал. К сожалению, он так окружен назойливой толпой, что нет никакой возможности видеть его в естественном состоянии.

Прощайте, княгиня. По дате письма вы видите, что оно написано сразу же после праздника ***. В тот день я провел вечер в доме князя ***. Захочет ли *** принять знаки моего искреннего почтения? Я желал бы знать, вспоминает ли маленькая Мария обо мне? Надеюсь, что князь***, равно как и***, все так же желают мне блага.

Примите, княгиня, заверение в моей сердечной преданности.

Е. А. СВЕРБЕЕВОЙ[99]

[*1842*]

Я вас благодарю, дорогая кузина, за уведомление и приму его во внимание, не сомневайтесь. Я огорчен тем, что нарушил на мгновение покой вашего существования, столь же драгоценный для ваших друзей, сколь необходимый для вашего счастья. Мне кажется, однако, что вы несколько ошибаетесь в определении природы ваших чувств: но не думайте вовсе об этом. Сохраняйте всю ясность вашей души для других привязанностей, наслаждайтесь в покое всеми доброжелательными чувствами, наполняющими ваше сердце, продолжайте поддерживать все окружающие вас симпатии, столь заслуженные. Желаю вам найти в них такое чистосердечие, такую же подлинность, такое же бескорыстие, какие вы находили в другом месте! Во всем этом, поверьте мне, нет ни славизма, ни каких-либо воззрений. Есть лишь новое чувство, возникшее рядом с нашей старой привязанностью и в конце концов поглотившее ее, и только. Подобное случится с вами еще не однажды. Ваше сильно любящее сердце еще не раз испытает потребность обогреться у очага более молодой привязанности. Женщины никогда не обращаются в воззрения, они обращаются лишь в чувства. По части воззрений, они, подобно тростнику, колеблются по воле дующих вокруг них теплых ветров. Дружба является добродетелью, как я вам говорил. К сожалению, из всех великих и прекрасных добродетелей, которыми наделена наша нация, к этой она испытывает наименьшую склонность. И совершенно естественно, что по мере углубления в жизнь страны наблюдаешь испарение из нее инстинктов и вкусов к чужой, если не лучшей, жизни, которую нам преподала иностранная цивилизация.

Режим, который вы мне предписываете, неисполним. С одной стороны, мне запрещают писать; вы же не позволяете мне говорить: слишком много молчания, согласитесь. Мне остается совсем немного времени пребывать в Москве. Воспоминание о нашей дружбе, так внезапно прервавшейся, будет сопровождать меня в уединении и, подобно лучу заходящего солнца, освещать своим бледным сиянием вечер моей жизни. Прощайте же, моя добрая кузина. Да ниспошлет господь вам и вашей дорогой семье самые обильные благословения.

А. С. СИРКУР [100]

[*1844*]

Глубоко огорчен, сударыня, тем, что вынужден сегодня лишить себя чести видеть вас в последний раз. Я чувствую себя не совсем хорошо и не могу позволить себе безбоязненно встретиться с такой плохой погодой. Примите же в этих строках мои прощальные слова. Господин де Сиркур любезно согласился передать кое-что от меня господину Мармье и попросил сопроводительную записку. Подумав, я решил, что записка придавала бы слишком большое значение делу. Перейдайте это, прошу вас, господину де Сиркуру, которому я чрезвычайно благодарен за его любезность и доброжелательность. Не рассчитывая на важное место в вашей памяти, осмеливаюсь тем не менее надеяться на маленький уголок в ней для наших встреч, не совсем лишенных интереса. Я был бы счастлив, если бы в кругу цветущих парижских умов, в котором вы находитесь, вы вспоминали бы бедный и подавленный ум, довольный тем, что еще не рухнул после многолетней борьбы, не безрезультатной, надеюсь.

Безгранично преданный вам, сударыня, *Чаадаев.*

Е. П. РОСТОПЧИНОЙ [101]

Басманная, 17 февраля 1845.

Позвольте, дорогая графиня, за отсутствием возможности представиться самому представить вам моего племянника [102]. Вы должны припомнить, что однажды выразили желание принять его у себя. Пользуясь этим неслыханным расположением, я рекомендую его вашему благосклонному вниманию на время его пребывания в Петербурге. Он будет искать там должность или нечто подобное, но улыбка прекрасной женщины, сверх того, гениальной женщины, сделает его более счастливым, нежели любой другой успех. Познакомьте его, прошу вас, с Карамзиным [103], который был недавно проездом в Москве и не навестил меня, за что Господь накажет его тотчас же, как он предстанет перед ним. Вот стихи Языкова [104], которые я кладу у ваших ног в сопровождении своего племянника и которые совершенно доказывают, что не обязательно иметь здравый смысл для сочинения самых прекрасных в мире стихов. Простите за этот выпад. Я не думал сейчас о вас, что случается со мной достаточно редко. Впрочем, я полагаю, что вы не могли бы особенно обидеться за здравый смысл, вы выше этого. Посмотрите стихи к Вяземскому, Самарину и др. В них вся патологическая Москва.

Я поручил племяннику передать письмо Шевичу. Но поскольку господина Шевича нет в Петербурге, а письмо является рекомендательным, нельзя ли найти способ познакомить с его содержанием госпожу Шевич? Мне кажется, что Карамзин мог бы взяться за это дело. Остаюсь безгранично преданным вам, дорогая графиня.

Е. Н. ОРЛОВОЙ [105]

Басманная, 15 декабря 1845

Я собирался писать вам сударыня, чтобы рассказать о нашей общей потере, когда ваше письмо столь трогательно призвало меня к этому. Я благодарю вас за дружбу и за повод сердечно поговорить с вами о достойной сожаления женщине, соблаговолившей называть меня своим другом. По мере того как мы движемся к концу жизни, люди исчезают вокруг нас, и остаются могилы, как бы заставляющие приближаться к нашей собственной могиле с большей сосредоточенностью. Свежая могила, только что образовавшаяся перед нами, действительно поучительна. Год назад наша дорогая покойница была при смерти, когда ее настигла болезнь, унесшая ее от друзей. В первый раз она вылечилась почти чудесным образом. Врачи обещали ей всего несколько часов земного существования, когда она неожиданно вернулась к жизни. Наш почтенный архиепископ был, кажется, единственным, кто не терял надежды. Как бы там ни было, ее выздоровление вызывало удивление. Она тотчас же обрела всю ясность ума, все чувства, всю теплоту своего сердца. От этой болезни, в которой ей приоткрылся лучший мир, у нее осталась только жажда узнать его, желание смерти. Оно не покидало ее до того последнего дня, когда эта душевная потребность была удовлетворена. Среди людей, видевших ее в последний период жизни, мало кто заметил, полагаю, это предвкушение другого мира, которое очищало и отвлекало ее от текущего существования. Что касается меня, то я не раз спрашивал себя, не заслуживает ли такое страстное желание вечности божьей благодати в его осуществлении. Впрочем, вам известно, что даже в лучшие дни она не переставала обращать свой взор к будущей жизни и ее мысли вращались вокруг этой любимой мысли. Спокойствие, с которым она обычно рассматривала момент перехода в мир своих неизменных чаяний, меня всегда восхищало. Но в конце жизни в ее отношении к этому появилось нечто более задушевное. Она говорила об этом в своем обычном тоне, с несколько нетерпеливой оригинальностью и слегка сердито, и я не могу передать вам всю трогательную наивность, едва не сказал прелесть, непринужденной души, полной веры на краю могилы. Я не знаю, поняли ли что-либо ученые доктора, присутствовавшие при ее кончине. Но мне хорошо известно, что буквально накануне они еще не подозревали о ее наступающей смерти, как ранее они не предполагали ее ближайшего выздоровления. Действительно, работа души всегда ускользает от этих бедных врачевателей праха, а в теле покойницы неизменно властвовала душа. Надо сказать вам, что во время первой болезни она считала свое существование необходимым для дочери Марии и прежде всего для внучки, очаровательного ребенка, воспитание которого составляло главное дело ее жизни. Но с тех пор как часть ее сил истощилась в длительных агониях, она осознавала себя бесполезной для других людей и стала буквально жадной до смерти. Жизнь ей надоедала и выводила ее из себя как бессмысленная вещь. Княгиня Софья мне показывала некоторые линии ее руки, где земная усталость и потребность покоя в лоне иного мира были выражены с особенной отчетливостью. Наконец ее душа, привычно устремлявшаяся к господу, покинула привязывавшее к земле тело, ставшее уже ненужным грузом. Несколько дней беспричинной болезни, почти без страданий, затем последний порыв к спасителю — такова была кончина этой женщины выдающегося ума и сердца.

Я передал ваши соболезнования княгине Софье и ее сестре, и они поручают мне выразить вам свою признательность. Что касается меня, то нет нужды говорить, как желанны для меня ваши письма. С каждым днем голоса дружбы слышатся все реже в моем сердце, и ваш так знакомый, дошедший издалека голос меня глубоко взволновал. Что я еще могу сказать о себе? Постоянная борьба без исхода, вечная работа мысли без результата, исчезающие друг за другом мечты, несколько неожиданных сердечных услад, стирающихся заранее предвиденными разочарованиями,— такова жизнь, уготованная мне миром и моей бедной натурой. Вы видите, что я не могу сказать вам ничего забавного о себе. Однако, по крайней мере, имею возможность сообщить нечто утешительное о вашем замечательном друге, у которого вы иногда спрашивали новости обо мне. К сожалению, сейчас могу лишь сказать, что еще не потеряна надежда сохранить его некоторое время и что он сам очень надеется на возвращение солнца. Г. Николя вам расскажет о его заболевании. Оно очень серьезно, однако, как уверяют, может продолжаться очень долго и перемежаться возвращением здоровья. Он мне поручил передать, что расценивает ваш интерес к нему как самое драгоценное благо и что попытается продиктовать вам письмо с самоличным выражением своей признательности. Я не устаю восхищаться деликатностью его чувств и их выражения. На днях он говорил мне, что стоны приносят облегчение, но необходимо избавлять от их докучливости своих друзей. Он говорил только о стонах тела, однако как, увы, могут быть еще более утомительными для ближних стоны души! О состоянии его здоровья и разумных надеждах на выздоровление вы, полагаю, должны хорошо знать от его домашних.

Но и вы сами, сударыня, не перестаете страдать и говорите, что ваши силы заметно слабеют. Однако не есть ли это ошибка вашего недомогания? Таково мое самое горячее желание. Ваше возможное намерение навестить нас согревает мое сердце. Но хочу надеяться, что оно осуществится в не столь отдаленное время. В противном случае моя надежда превратится в одно из тех напрасных ожиданий, которые время от времени обманывают мое больное воображение. Я и еще многие другие, мы будем жить этой очаровательной надеждой. И наш бедный друг дождется, может быть, дня вашего приезда. Княгиня Аннет, думаю, не сомневается в том, как я рад ее весьма заслуженным успехам. Уверен, сударыня, что вы еще менее сомневаетесь в моем давнем и глубоком почтении.

С. Г. ВОЛКОНСКОЙ [106]

Басманная, 1 ноября 1846

Уже не раз, княгиня, я собирался писать вам, и всегда какой-нибудь досадный случай или ухудшение моей болезни мешали мне. Сейчас же я решительно настроен довести до конца свою задачу. Впрочем, я исполняю дорогой моему сердцу долг, один из тех долгов, которые прекрасные души, подобно вашей, внушают нам не ведая того. Вы не можете вообразить себе, какие глубокие впечатления оставили здесь не только среди людей, почитающих вашу дружбу, но и среди тех, кого вы только слегка коснулись своей мимолетной симпатией. Ваше пребывание в Москве сохранится в нашей памяти как эпоха пылких и трогательных чувств, неведомых нашим ледяным существованиям. И если бы оно продлилось, то вы, не сомневаюсь, совершили бы настоящую революцию в наших нравах. Хочу верить, что однажды вы вернетесь к нам и возобновите эту благотворную реформу. Что касается меня, то не могу вам выразить, как тщательно я пестую внушенное вами чувство. Вы помните, что я был болен в тот день, когда вы нанесли мне прощальный визит. Боюсь, что строки, начертанные мною тогда в вашей записной книжке, несут слишком болезненную печать. Много раз я упрекал себя в том, что обесцветил своим жалобным словом эти белые листки, предназначенные для более приятных мыслей. Своеобразное обстоятельство добавило нечто необыкновенное в утешение, доставленное вашим посещением. Это охлаждение одной особы, дружба которой в течение долгого времени была для меня одним из самых дорогих благ и симпатии которой окружали ваше пребывание в Москве. Мне показалось, что вы принесли дыхание этой старой дружбы. Иллюзия, может быть, но вы мне простите это мгновение, соединившееся с моим очень реальным и подлинным чувством к вам. У вас, полагаю, есть прямые известия о той особе, о которой идет речь: поэтому не стану вам больше говорить о ней. Скажу только, что она, как всегда, прекрасна, привлекательна, добра к тем, кого почитает и уважает, и придает обаяние кругу, центром которого является. Говоря вам о ней, не могу не думать о замечательном друге, потерянном нами [107]. Вы не сумеете вообразить себе пустоту, оставленную в моей жизни после его ухода. Вблизи и издалека он приучил меня считать его человеком, необходимым для моего интеллектуального существования. Особенно к концу жизни его добрые качества были столь чистыми и бескорыстными, что он стал для меня как бы второй совестью, в которую я мог смотреться, как в свою собственную. Теплые сердца не боятся печальных воспоминаний, и вы, конечно, не раз трогательно вспомните этого достойного сожаления человека. Но нельзя без боли будить прах почивших друзей, и я пишу вам не для того, чтобы вас опечалить.

Вернемся, однако, к живым? Что с вашей рукой, дорогая княгиня? Нас здесь уверяют, что она уже совершенно здорова. Правда ли это? В Париже столько возможностей для лечения, и мы были бы рады узнать из первых уст о вашем выздоровлении. Не лишайте нас этого счастья, если можете доставить нам его. Чем занята мадемуазель Аделаида, эта очаровательная живая? Я тешу себя надеждой найти ее красивый почерк в уголке вашего письма. Я хотел бы сообщить вам новости о другой живой, тоже по-своему очаровательной, но, к сожалению, могу лишь заметить, что мне нечего о ней сказать. Представьте себе, что она еще не покинула замок и верных вассалов, менее преданных, безусловно, своей госпоже, нежели она им. Утонченный ум, доброе и умное сердце, благородная душа, исключительный вкус — и все это погребено в нескончаемом уединении, предано самой глубокой скуке. Понимаете ли вы это? И понимаете ли вы мои сожаления, мои огорчения оттого, что я лишен любимого с детства существа! Но дорогая Лиза [108] должна к нам все-таки вернуться, что доставит мне удовольствие поговорить немного о вас и о вашем приятном обществе. Я буду жить этой надеждой, утешая себя еще более любезным ожиданием строк, которые продиктует вам ваша доброжелательная натура. Примите, дорогая княгиня, знаки моей глубокой и сердечной преданности.

Н. П. БРЕВЕРН [109]

Басманная, 2 ноября 1847

Вот уже скоро год, дорогая кузина, как я получил ваше письмо. Мое молчание, признаюсь, совершенно похоже на преступную забывчивость. Но вы очень хорошо знаете, что неблагодарность не входит в число моих пороков: следовательно, вы прекрасно понимаете причину, удерживавшую мое перо. На ваши любезные слова я желал бы ответить без горьких слов о самом себе и каждый день тешил себя надеждой на более благоприятное завтра, а потому и откладывал на это завтра удовольствие писать вам. Надежда оказывалась ошибочной, ожидание напрасным, и я питался лишь разочарованием и обманом. Не в силах более сдерживать движения сердца, я и пишу вам, обескураженный, как никогда ранее. Все же я остерегусь от описания мрачной картины того состояния, в котором нахожусь. Скажу лишь, что отныне стремлюсь только к тому, чтобы заслужить у бога прощения своих грехов. Буду счастлив, если вы простите мне эти строки, вырвавшиеся в нелепом и жалком положении, и сохраните как можно долее ваши симпатии ко мне. Часы, проведенные в вашем доме, наполненном сердечным уютом, остаются в моей памяти самыми дорогими воспоминаниями. Хотелось бы верить, что и вы в своем процветании с удовольствием вспоминаете о них. Говорят, что память о сделанном добре более сладостна, нежели о полученном. Что касается меня, то мне остается лишь вспоминать о добрых делах других. Я чувствую удовлетворение, находя в своей безутешной жизни ясный момент, чтобы поблагодарить вас за дружбу и просить продлить ее еще немного на короткое будущее, мне предоставленное. Я был бы еще более удовлетворен, если бы однажды мог повторить это в вашем присутствии. К несчастью, мне не позволено питать себя подобной надеждой даже среди моих самых сумасшедших иллюзий. Я вас никогда не увижу, дорогая кузина, даже если моя упрямая натура сумеет победить одолевающие ее недуги, ибо по возвращении вы уже меня не найдете в Москве. Но поверьте, что испытываемые по отношению к вам чувства никогда не перестанут согревать мое ледяное существование в любом месте.

Как поживает ваш брат? Нас обнадежили его скорым выздоровлением. Хочу верить, что эта надежда не будет обманута. Одно время мы немного беспокоились, к счастью, напрасно, за дорогого и милейшего Бреверна. Обнимите его нежно за меня и заверьте в моей глубокой и неизменной дружбе. Доходившие же до нас известия о вашем здоровье нас только радовали, и я не могу удержаться от благодарности вам за это как за благодеяние. Мне осталось только радоваться счастью дорогих людей, менее дорогих, чем вы: судите же о благе, которое эти добрые новости приносят моему сердцу. Вы их подтвердите, надеюсь, когда станете мне писать.

Предполагаю, что у вас есть непосредственные известия о наших кузинах. Я же могу сказать, что они чувствуют себя хорошо, что Наталия [110] постоянно в заботах, а Лиза [111] ведет рассеянный образ жизни, что они хороши и счастливы, судя, по крайней мере, по их спокойному духу и цветущему виду. Пусть же всегда им сопутствуют эти блага, а их счастье не нарушается невзгодами ближних!

Пишите мне, дорогая кузина. Расскажите о ваших детях, о их здоровье и умственном развитии, о новых чувствах, пробуждающихся в их маленьких добрых сердцах. Их ласковые лица часто возникают в моем воображении и всегда просветляют его немного. Вы знаете, как старшая, столь рано развившаяся, живо заинтересовала меня при вашем отъезде: остерегайтесь слишком торопить ее дальнейшее продвижение. Раннее развитие — бич молодежи нашего времени, подобно гордости для зрелого возраста. Впрочем, мне известно, что наблюдаемые вещи не проходят бесследно для нее и что она вернется к нам с очаровательным умом и сердцем.

Прощайте, дорогая кузина. Вспоминайте меня иногда, когда у вас нет лучших занятий: добрые чувства всегда приносят благо душе и телу. В другой раз, возможно, я смогу беседовать с вами с меньшей грустью. Да хранит вас господь, как и вашу дорогую семью.

Петр Чаадаев.

С. С. МЕЩЕРСКОЙ[112]

[*1848*]

Вот, сударыня, построенная на поговорке маленькая пьеса, которую вы хотели прочитать. Надеюсь, что она понравится и вам, и господину*, который сможет найти в ней известное сходство со своей милой комедией. Тот же великосветский тон, то же количество персонажей, с почти одинаковыми лицами, элегантный и целомудренный диалог, как и в его пьесе. Правда, мораль в ней несколько иная, но что вы хотите? Приходится разделять участь деморализованного общества и простить кое-что этой бедной и неверующей Франции, предающейся всякой анархии, которой я так бездумно не придавал значения, как мне убедительно доказал однажды господин***. Верьте, сударыня, моей постоянной и сердечной преданности.

А.М. ДОЛГОРУКОВОЙ [113]

22 сентября 1848 года

Да, сударыня, давайте избегать бурных вопросов, давайте даже избегать, если это возможно, любое серьезное обсуждение. Будем жить как наши счастливые отцы, в молчании умственном и словесном. Но что же я говорил? Что, по моему мнению, слова божьи, Царствие мое не от мира сего, были плохо поняты, что смысл, слишком часто им приписываемый, отнюдь не соответствует просьбе, обращенной нами к богу в молитве господней, в которой мы молим его, чтобы воля его была на земле, как на небе: что поэтому нам не следует ставить в укор римской церкви то, что она не встретила препятствий в своих усилиях обеспечить видимому главе престиж или опору светского скипетра. Заметьте, что спор о светской власти был начат отнюдь не греческой церковью, а новейшими протестантами, детьми XVIII века и предшественниками сегодняшних мудрецов. Это они первыми открыли, что Иисус Христос подразумевал небо в своих словах*, что царствие божие, как и его Церковь, царствие невидимое, что бог желает править только в сердцах людей и прочее в том же роде. Греческие отцы церкви на Флорентийском соборе ничего подобного не говорили. Их главным образом занимали знаменитые слова «и сына» в символе веры, это роковое преувеличение христианского чувства, которое придает Иисусу Христу честь, ему не принадлежащую. Что касается папы, то они оспаривали его первенство, а не его суверенитет, который все находили вполне естественным, потому что все находили его вполне полезным, и никто, конечно, более, чем блистательный гость Евгения IV п р а в о с л а в н ы й и м п е р а т о р, приехавший в Италию, чтобы просить его помощи против турок, разбивших свой лагерь у Ворот Византии**. Царствие божие несомненно устроено совсем по-другому, чем те, которые существуют в этом мире, осо-

* «Царствие мое не от мира сего».

** 6 июля 1439 г. на соборе во Флоренции папа Евгений IV заключил с византийским императором Иоанном VIII Палеологом, патриархом Константинопольским и митрополитом Киевским, формальную унию на выгодных для Ватикана условиях, которая была отвергнута и на Руси и в Византии.

бенно по сравнению с некоторыми из этих царств, и, конечно, именно это Иисус Христос и хотел сказать; но отнюдь не как земные цари, а как духовные вожди христианства, как живое выражение церковного единства, как иерархический символ религиозного принципа, царящего над всеми другими принципами этого мира; даже не как преемники апостолов, как наместники Христа, правят они (папы) в городе цезарей, а просто потому, что история того захотела в интересах церкви, общества, цивилизации. Это, несомненно, ошибка со стороны истории, но, тем не менее, ошибка без определенного обличия правды (erreur tout fais qui ne manque pas d'une certaine apparence de vérité), которая, верю, не вызовет сожалеющей улыбки у умов серьезных, знакомых как с анналами народов Запада, так и с анналами нашей страны. Я знаю, что именно в этом заключается точка зрения, которую называют человеческой*; но, признаюсь Вам, я никогда не смогу представить себе, как иная точка зрения смогла бы найти себе приложение в этом мире, если в средние века общество (la société) вдруг бы разрушилось,— что церковь более духовная, более покорная властителям земли, более, наконец, совершенная, возможно, и не смогла бы предотвратить.

Дело в том, что слишком часто забывают о задаче, стоявшей перед христианством на Западе, о силах, с которыми ему там надо было бороться. Не видят, что не догмат и не честолюбие нескольких старых священников построили там церковь, а властительная потребность целого нарождавшегося мира, победоносных племен, которые воцарились на дымящихся развалинах Рима, и — самих этих руин, все еще всемогущих своим пеплом и прахом; что даже если церковь и устроилась там как царство мира сего, это было потому, что она не могла вести себя по-другому, это было потому, что ее великим призванием в этом полушарии (sic!) христианского мира было спасение общества, которому угрожало варварство, подобно тому, как в другом (полушарии) ее великим призванием было спасти догмат, которому угрожало гибельное дуновение с Востока и изощренный ум греков; что не папа отправился в Aix-la-Chapelle, чтобы возложить императорскую корону на голову Карла Великого, а что последний прибыл в Рим, чтобы ее получить из его рук; наконец, что отнюдь не папство создало историю Рима, как, похоже, считает наш друг Тютчев, но что, напротив, именно история создала папство. Благословим же небо за то, что поставило восточную церковь в

* Намек на противопоставление, которое Тютчев делает между «человеческим я» и религиозным чувством.

самые благоприятные в мире условия для того, чтобы жить в христианском смирении и его проповедать, но не будем слишком строго обвинять западную церковь в честолюбии, ибо кто знает, что стало бы с восточной церковью, окажись она в менее благоприятных условиях: возьмите пример нашего знаменитого Никона.

Те, кто считает светский суверенитет несовместимым с духовными обязанностями священнослужителя, хорошо бы, помоему, сделали, если бы смогли доказать нам это по-другому, чем повторяя слова Иисуса Христа, но не учитывая мысли, выраженной в них, и не пытаясь согласовать их с прочими высказываниями Писания, в которых идея царства божия выражена более точно. Более того, как Вы знаете, эту несовместимость так мало чувствовали в прошлом, что папы были далеко не единственными суверенными монахами, носившими и корону и митру. И вот странная вещь! Сегодня иная церковь предлагает нам странное зрелище духовного лица, имеющего суверенитет над племенем диких воинов, тем не менее даже самые пылкие защитники отделения священнослужителя от светской власти не оскорбляются этим. Более того, именно из рук целого церковного синода*, славного наследника тех великолепных патриархов, чья баснословная великодержавная деятельность** построила дух, престол, исчезнувший уже на следующий день***,— из рук одного из блистательных светил восточной церкви, получил воинственный прелат священное рукоположение и белый клобук, отличительный знак своего сана. Факт этот, взятый сам по себе, действительно является, как Вы с основанием заметили, исключением в лоне этой церкви, но, к несчастью, исключением, которое объясняется чувством удовлетворенности, не имеющим со стороны церкви серьезных оснований и заставляющим сомневаться в том, что человечество, как и сама церковь, когда-нибудь от этого факта выиграют.

Светская власть римских первосвященников в основе своей есть не что иное, как историческое следствие, с которым они сначала смирились, которое они потом приняли, которым они, следуя вечным законам человеческой натуры, затем злоупотребляли, но которое ничего общего не имеет с самим принципом римской церкви и за которое история несет полную ответственность: эта власть лишь одеяние, в которое облачено их духовное первенство, одеяние, которое сочли необходимым самые значи-

---

* т. е. святейшего синода.

** Politique fantastique d'un grand Etat.

*** Чаадаев имеет в виду Никона и последующую замену патриархата синодом при Петре I.

тельные и благочестивые умы Запада, притом всего Запада, для расширения высшей власти наследников св. Петра и для влияния, которое им было суждено иметь в мире. Если хотите, ошибка того же рода, и, добавлю, ошибка, роковые последствия которой ни один народ не смог бы оценить лучше, чем наш, ибо именно потому, что мы в нее не впали, мы имеем возможность воспользоваться богатствами, которых остальные христианские народы лишены; но ошибка тем не менее вполне простительная, поскольку из-за нее мы получили возможность обрести массу полезных знаний, сохраненных благодаря ей и в отношении даже знания ею порожденные, которые человечество получило в наследство от народов, в ней пребывавших.

Отметим мимоходом, что эти народы находились далеко не в тех логических условиях, что народы античности, начавшие процесс познания. Эти последние не знали истины: современные народы Запада, напротив, имеют о ней искаженное представление, упрямо отвергая существенную ее часть, быть может, самую существенную, соответственно которой устроено христианское общество, то есть та среда, где идея христианства должна найти свое воплощение и достичь своего полного развития. Роковое ослепление, которое должно было неизбежно исказить их разум и обессилить его. К счастью, на деле было не так: их слепота отнюдь не привела их к полному бесплодию. Милосердное небо позволило этим ослепленным племенам узреть некоторые истины, несомненно на пользу другим, менее грешным племенам. Пусть осчастливленные народы, обладатели истины, целиком и полностью сохранят, как и их заблудившиеся братья, всю глубину, всю энергию своего разума, и воздадут этим последним в один прекрасный день сторицей знания, полученные от них!

Наконец, очевидно, что точка зрения, которую Вы защищаете и против которой мы боремся, есть точка зрения протестантов, а отнюдь не греческой церкви, которая вполне равнодушна к этому вопросу. Бури, поднятые этим вопросом, не там бушуют. Но вот что могло бы их действительно раздуть, если нежному ветерку, нас обдувающему, не было бы суждено хранить на нашем небе, как и в наших сердцах, очаровательный и вечный покой. Например, если предположить, что мы видим в самих словах спасителя противоречие, тогда как, напротив, мы о нем с болью вещаем в их превратном истолковании; если отвергать все правила свободного, открытого, дружеского обсуждения; если в каком-то отношении неправильно понимать сам дух нашей церкви, столь терпимой ко всем мнениям, которые не нападают прямо на божественный догмат, попечительство над которым ей вручено; наконец, если хотеть быть более православным, чем сама православная церковь. Вот что, без сомнения, могло бы наполнить спор раздражением, могло бы перенести его на ту нечистую почву личностей, грязь которой не преминет испачкать несчастных, позволяющих себе в ней завязнуть: что, к сожалению, слишком часто является следствием нашей непривычки к серьезным дискуссиям, с которым, как я, однако, надеюсь, сударыня, ни Вы, ни я никогда не столкнемся.

Н. П. БРЕВЕРН[114]

Басманная, 5 мая (1849)

Я собирался отвечать вам, дорогая кузина, когда разыгрались великие события, свидетелями которых мы являемся. Нет возможности думать о собственных делах во время урагана, колеблющего мир. И чтобы написать вам, я стал ожидать момента, когда мир передохнет в своих блуждающих скачках к новым судьбам. Но мир совсем не стремится к отдыху и все мчится галопом. У меня же нет терпения ждать его остановки, чтобы выразить благодарность за вашу дружбу и желание получить известия от вас.

Вы хорошо представляете, что мы немного беспокоимся за ваше хрупкое существование, ввергнутое в эту дикую бурю, в этот грубый хаос, в этот огненный кратер, вобравший всю накипь дезорганизованного общества. Должен признаться, однако, что мои опасения не были столь сильными, как у других ваших друзей. Я знал, что ваша физическая природа заключает в себе сильную моральную натуру, и рассчитывал прежде всего на ясность вашего ума в предохранении от надменного террора. Нужно ли говорить, как я был счастлив узнать, что мое предчувствие не обмануло меня. Но это счастье было бы гораздо большим, если бы известие пришло из-под вашего пера. Позвольте же надеяться, что вы напишете мне несколько очаровательных строк о пережитых ситуациях и испытанных чувствах. Я не сомневаюсь, что эти строки помогут мне лучше узнать некоторые вещи, нежели читаемые нами газеты и послания наших соотечественников.

Не хочу говорить вам о себе: пишу вам не для этого, а чтобы услышать вас. Что же касается других интересующих вас лиц, то новости о них наверняка сообщает ваша сестра.

Что думает об этом наш дорогой феодальный генерал? Он не сомневается, видимо, в моей особой оценке его суждений о многих вещах, например, о финансовых вопросах. Передайте ему это, дорогая кузина, и заверьте его в моей постоянной и искренней дружбе. Для выражения же моих дружеских чувств к вам я не нахожу достойного эпитета.

Петр Чаадаев.

М. РОСТ[115]

10 июля 1849

Ваше письмо, дорогая кузина, меня живо взволновало. Если я задержался с выражением моих чувств по сему поводу, то только из желания сказать вам о них сильнее. Я не знаю еще в настоящий момент, когда смогу увидеть вас. Пока же примите мое заверение в готовности подписаться под всеми вашими желаниями и поверьте, что отныне я расцениваю возложенную вами на меня миссию как завещание самой трогательной прозорливости. Если же еще необходимо дать более формальную гарантию, я готов исполнить все, что вы скажете.

Предположение, не имеющее, надеюсь, достаточных оснований, об истощении ваших сил меня глубоко удручает. Мой бедный кузен, думаю, никогда не окажется в таком положении, чтобы нуждаться в другом попечении, кроме вашего. Но если, к несчастью, ему потребуется однажды моя забота, я лишь последую вашему примеру, буду поступать, как вы.

Судьба его верного слуги, с которым, к сожалению, я не смог повидаться на днях, заслуживает всемерной нашей заботливости. Его услуги имеют право на нашу полную признательность. Но желательно, чтобы вы сами привели в порядок все его дела и я мог только исполнять ваши намерения.

Я вас увижу в ближайшие дни, моя добрая кузина, и мы подробнее поговорим об этом деле. Перспектива исполнения долга преданности и любви на закате дней бесконечно радовала бы мое сердце, уставшее от произведенной временем пустоты, если бы не предполагала горестное условие, которое только и может сделать ее необходимой. Если божьей воле будет угодно меня к ней обязать, это станет незаслуженным благодеянием неба, которое я приму с благодарностью, хотя и с грустью.

Думаю, что вы не сомневаетесь, дорогая кузина, в моей глубокой и искренней привязанности.

А. М. ДОЛГОРУКОВОЙ[116]

Благодарю вас, княгиня, за записку и за ваши чувства, которых мало достоин. Как и вы, я сожалею о том, что слишком серьезно защищал мнение, относительно которого легко составить себе неверное представление даже тогда, когда имеется больший опыт в такого рода состязаниях, нежели в нашей стране блаженного спокойствия. Впрочем, есть столько тем, по которым нельзя не найти согласия, что легко избежать тех, по которым согласие невозможно. Я хотел бы надеяться видеть князя утром, если он не зайдет сегодня вечером. Еще одно сожаление, которое, по крайней мере, не будет сопровождаться раскаянием. Я сожалел и об его отсутствии вчера вечером, ибо существует мало людей, чьим мнением я дорожил бы так же, как его.

Верьте, княгиня, моей глубокой и неизменной преданности.

А. М. ДОЛГОРУКОВОЙ

Басманная, октябрь 1850

Милостивая государыня, вы уже, думаю, прочитали протест господина де Ларошжаклена, о котором я вам на днях рассказывал. Этот документ, как я говорил, показался мне особенно интересным для нас, русских, поскольку поднимает часто обсуждаемые нами вопросы. Позвольте же теперь передать вам вызванные им размышления. Предупреждаю, что мы тотчас окажемся на огненной почве, но, надеюсь, пересечем ее, не спалив нашей обуви. Ларошжаклен опирается на знаменитый отрывок из Массильона. Я выпишу его целиком: он вполне заслуживает быть еще раз прочитанным в том виде, в котором вышел из уст христианского оратора. Вот как выражался смиренный клермонтский епископ в Версале, в присутствии преемника Людовика XIV, короля, произнесшего: «Государство — это я»: «Но, государь, властелин, сильный мира сего создан не для себя одного, а для своих подданных. Вознося его, народы вверили ему могущество и оставили за собой его заботы, время, бдительность. Народы сделали королей всем тем, чем они являются. Да, государь, народное избрание вручило скипетр вашим предкам и возвысило их на военном щите, провозгласив властелинами.

Королевская власть стала затем наследием их преемников, но первоначально они ей были обязаны свободному согласию народа. Одно только их рождение давало им обладание троном, но это преимущественное право было сначала результатом публичного одобрения. Словом, поскольку первоисточник их власти происходит от нас, то короли должны употреблять ее лишь во благо своих подданных».

Что вы на это скажете, милостивая государыня? Находите

ли вы, что королям иногда хорошо, полезно, необходимо слышать этот язык посреди окружающих их льстецов, придворных, лакеев. Думаете ли вы, что бог правды, учреждая своих служителей, восхотел громко донести через них всю силу своего слова до слуха не только народов, но и их властелинов? Я думаю, что ваши верования, искренние и серьезные, согласятся с этим. Знаете ли вы, что необходимо для произнесения священником такой речи? Необходимо, чтобы церковь была свободна и повиновалась внутренне и внешне лишь самой себе, то есть Иисусу Христу, всегда пребывающему в ней. Что же нужно сделать для этого? Знаете ли вы какой-нибудь иной способ, кроме найденного западными народами с помощью истории и присущего им логического ума, авторитета Рима и наследия первоапостола? Знаете ли вы другое разрешение этой великой проблемы, кроме видимого главы, независимого от всякой человеческой власти, самодержавного, живого выражения единства церкви и ее авторитета в необходимых периодах, когда она не может возвысить свой голос, провозгласить свою священную и непогрешимую волю? Что касается меня, то я не знаю. Не исчезают ли все теологические, догматические, канонические и иные доводы перед верховным положением независимости церкви. Не должен ли весь авторитет семи вселенских соборов склониться перед этим авторитетом, первым из всех, ибо в нем заключается само существование церкви, непостижимое, если она не пользуется полнотой своей свободы.

Вот весь вопрос о filioque[117], сведенный к его простейшему выражению. Церковь, или, если хотите, часть церкви, где идея ее всемирности и единства восчувствовалась наиболее глубоко, а необходимость этой идеи была принята самым искренним образом, соизволила повиноваться своему главе, и только, так как она пожелала быть независимой, самодержавной, свободной от всяких человеческих оков в интересах истины, религии, человечества, вверенных ее заботам самим Иисусом Христом. Она не пожелала колебаться по воле дуновения каждой новой власти, каждого человека, который захочет себя провозгласить повелителем себе подобных. Это-то и назвали честолюбием, захватом Рима, что было по существу, как видим, лишь естественным следствием серьезных интересов европейских народов, прилагаемых к наисерьезнейшему на свете делу. Это было лишь необходимым развитием религиозной идеи в обществе, то есть в той среде, где она должна достичь всех своих результатов и выводов. Эта необычная судьба, дарованная римской церкви природой вещей, историей и религией, должна была, несомненно, вызвать у нее желание и дать ей средства для злоупотребления, что никогда и никто не отрицал. Более чем справедливо, что человек в ней слишком часто смешивался с принципом, а земные интересы нередко не отделялись от небесных. Но не менее справедливо и то, что вместе с помехами в судьбах церкви в одной из частей христианского мира человечество вообще получило великие выгоды, изумительное упражнение ума, высокое уважение к могуществу мысли, зародыш глубокого презрения ко всем брутальным силам общества, необыкновенный порыв к высотам, с которых падают на землю все истины и блага, все то, что не могло бы существовать, если бы духовная власть не установилась на вершине общества как независимая и суверенная сила, если бы она оставалась в прихожей светской власти.

Наконец, как бы ни постигали церковь по-протестантски, просто как собрание верующих, или по-католически, как представляемую своим духовенством, все-таки необходимо, чтобы она была свободна думать, действовать и прежде всего проповедовать по своему желанию. А это-то и невозможно без такого устройства, которое предохраняло бы ее от незаконного вмешательства сильных мира сего. Но, возможно, милостивая государыня, вы предпочли бы, чтобы немая церковь, заключенная в своих обрядах и склоненная перед политическими властями, никогда не осмеливалась поучать великих и властелинов земли; чтобы ей дозволялось или запрещалось говорить по воле этих людей, всегда готовых, как вы знаете, с восхищением внимать истине; чтобы ее самые красноречивые, знаменитые и святые служители должны были кроить себя по мерке их прихоти, неспособности, выгоды. Может быть, вы не находите нужным, чтобы божие слово пользовалось всей своей свободой, а надобно, чтобы оно обуздывалось человеческой рукой. Возможно, вы думаете, что проповедь не является необходимым атрибутом последователей апостолов, а церковь Иисуса Христа, воздвигнутая словом, теперь в нем не нуждается и может прекрасно без него обойтись для высшего блага верных и вящей славы господа; что, наконец, она способна жить полною жизнью, исполнять все свои августейшие обязанности, достичь всех своих результатов со связанным языком, подавленным вдохновением, изуродованным авторитетом. Если вдруг таковым оказалось ваше мнение, мне нечего было бы сказать вам и оставалось бы только призывать в молчании посланный Иисусом Христом на землю дух, «хотя он от него и не исходит», дабы он удостоил просветить ваше сердце и возвратить ваш заблудившийся ум на путь истины.

Но, я уверен, дело обстоит иначе, и вы, подобно мне,

убеждены, что если, по несчастью, в каком-нибудь неизвестном углу земного шара существует христианская община, доведенная до сего бедственного состояния, то таковою никогда не может быть судьба истинной церкви Иисуса Христа, церкви вселенской и православной, к которой мы имеем счастье принадлежать.

Еще одно слово. Евангелие, говорят, провозгласило, что дух святый исходит от отца. Да, но где оно объявило, что он не исходит от сына? Почему, я вас спрашиваю, одно должно мешать другому? Не разделяет ли Иисус Христос с отцом всех его прав, кроме отцовства? Почему бы ему не разделить и того, согласно которому дух святый исходит от отца? Однако, говорят еще мне, вы забыли, что до восьмого века сама римская церковь не исповедовала его исхождение от сына? Нет, конечно. Но и вы, в свою очередь, не забыли ли, что она не исповедовала его исхождение от отца до константинопольского собора, то есть до пятнадцатого столетия? Дело в том, что символы всегда формулировались по отношению к какой-нибудь ереси. А так как участие сына в исхождении святого духа до восьмого столетия никогда не оспаривалось, то и упоминание об этом в символе оказывалось совершенно не нужным, вот и все.

Хотите ли вы в двух словах узнать всю историю filioque? Пожалуйста. Испанские сектаторы, преемники ариан[118], отрицавших божественность Иисуса Христа, вздумали однажды отрицать и его участие в исхождении святого духа, которое, как мы видели, до тех пор никто не утверждал и не отрицал. Церковь, как она и должна была поступить, сначала колебалась высказаться за нововведение, сделавшееся необходимым этими еретиками, и Лев III вывесил в храме Святого Петра знаменитые серебряные скрижали с прежним символом по-гречески и по-латыни. Но, ревнуя воздать все должное Иисусу Христу, она не замедлила ввести filioque в символ, убежденная сначала в невозможности провиниться перед богом, когда доставляет верующим новый повод к благословлению божественного имени его сына. Затем она была убеждена и в том, что текст в ее глазах должен иметь лишь условное значение, поскольку только от нее одной получал свою каноническую ценность. Наконец, ее убеждение заключалось в том, что вселенская церковь никогда не могла бы потерять своих прав, что она до скончания веков будет пользоваться всеми преимуществами, вдохновениями и познаниями первоначальной церкви. Между тем оба разделяющих мир во все времена принципа — идея и форма, мысль и ее более или менее несовершенное выражение —

готовились встретиться на новой почве, где все серьезные интересы человечества должны были собраться после пришествия спасителя. И когда, наконец, наступил роковой момент их встречи, идея, проявившись в правильном процессе разумения, не могла более отступать и отрекаться от своего авторитета. Она могла лишь сделать определенные уступки единству, что и исполнила, предвидя обвинение в непоследовательности за это действие братской любви от тех, для которых оно было совершено. Буква же, показавшись, в свою очередь, на свет, также не могла отрекаться от себя.

Обе христианские семьи остались, таким образом, в присущих им ролях. Одна смело вышла из буквы и не убоялась приписать Иисусу Христу право, которое ему вообще еще не было присвоено, но которое она считала ему принадлежащим по духу священного текста. Другая, более робкая и верная букве, отказала ему в этом праве и сочла схизматиками тех, кто, по ее мнению, преувеличил участие господне и осмелился прибавить к его прежнему величию новое, еще одну причину поклоняться ему. Таков ход истории. Что же следует заключить из него? Очевидно, что чрезмерная любовь ко Христу привела в заблуждение верования европейских народов и мы остались в буквальной истине евангельского учения, благодаря нашему повиновению священному тексту. Благословим же небо за то, что оно даровало нам более скромную веру, нежели нашим западным братьям, и будем надеяться, что бог соблаговолит простить им заблуждения за их пламенную любовь к его возлюбленному сыну.

Предлагаю, милостивая государыня, эти размышления вашему благосклонному рассмотрению и заранее соглашаюсь с вашим приговором. Пусть он будет продиктован той самой благочестивой терпимостью, которая еще недавно отличала нас от всех народов земли, но которая, боюсь, скоро станет между нами лишь достоянием отдельных избранных натур, подобных вам!

ПИСЬМА К РАЗНЫМ ЛИЦАМ

С. П. ЖИХАРЕВУ[119]

[*1827*]

Повергаюсь пред вами, почтеннейший друг, как виновный. Я писал к вам, что в январе пришлю деньги Тургеневых, надеясь к тому времени успеть заложить имение на уплату всех своих долгов. Против моего чаяния случилось затруднение; дело это как-то затянулось; может быть, продлится с полгода. И так, к сожалению, принужден воспользоваться милостивым позволением наших друзей и вашим, просить вас позволить мне написать вексель. Скажите, любезнейший Степан Петрович, вручителю, как написать.

В Москву приехать никак не мог: обстоятельства не пускают из деревни[120]; когда буду, покамест не знаю. Страх как тяжело с вами так долго не видаться; делать нечего. Напишите, любезнейший, о себе словечко и о добрых друзьях наших. Если есть у вас их письмо, то нельзя ли ко мне на время прислать? Пишу к ним; стану ожидать ответа. Долго ли то пробудут в Дрездене, не хотят ли там укорениться; хорошо бы было, я б к ним поехал. Каков бедный больной?[121] Что Жуковский?

Извините любезный, что закидал вас вопросами.

На новый год желаю вам всего настояще хорошего.

Обнимаю вас, любезнейший брат, от всего сердца.

Преданный *Чаадаев.*

И. В. КИРЕЕВСКОМУ[122]

[1832]

Будете ли вы сегодня вечером у себя дома? Я испытываю большое желание и потребность видеть вас. В противном случае заходите ко мне в условленное время. Вы знаете, что время мчится галопом. Остерегайтесь, оно может унести меня на своем крупе, и тогда прощайте наши общие идеи, наши общие ожидания! Чем они станут? Может быть, печальным воспоминанием, раскаянием. Очевидно, что мир катится очень быстро. Есть чему вызвать головокружение у того, кто чувствует его движение. И как посреди этого видеть людей с закрытыми глазами, полусонных, ждущих, когда вихрь их опрокинет и унесет вверх тормашками неизвестно куда, возможно, в пекло, где происходит великая переплавка вещей, возможно, в обширное море, куда погружается, чтобы не вернуться, худшая часть! О, какая грустная картина! До свидания. Прошу поверить, что, кроме этого, у меня есть что сказать вам.

Ивану Васильевичу Киреевскому, в доме Елагина, у Красных ворот.

Ф. Д'ЭКШТЕЙНУ[123]

Москва. 15 апреля [1836]

Сударь!

Я был необычайно польщен, получив Ваш анализ Катха-упанишады. Ваше имя, сударь, уже давно является для меня символом одной из глубочайших идей нашего века; честью писать Вам я обязан, разумеется, не только литературной вежливости, а широкому приложению той же идеи, если я не ошибаюсь, прежде всего идеи единения [и вызывающей поэтому] особую симпатию. И позвольте сказать Вам, что вы, люди Запада, живущие в недрах великого мирового умственного движения, возможно, не вполне ясно понимаете всю ценность тех идей, которые, заполняя вашу повседневную жизнь, являются, однако же, для нас событиями исключительными. Всемогущий принцип единства, сформировавший мир, в котором вы живете, развил в нем также симпатические способности сердца человеческого. Вы знаете, что мы были лишены этого принципа; так что вполне естественно, что мы не испытали на себе его последствия. Но когда из этих возлюбленных небом краев, где сбываются наши желания, исполняются надежды и воплощаются наши идеи, до нас доходит благословенное дуновение, мы счастливы и горды.

Ваша новая философская критика представляет исключительный интерес. Мы здесь плохие индологи; я не располагаю средствами, необходимыми для того, чтобы в полную меру оценить (слово неразборчиво) работу (слово неразборчиво), и я не смог еще достать книгу г-на Полей, в которой я нашел бы всю поэму [Катха-упанишаду] целиком; но я ясно вижу, что на нескольких страницах изложено целое учение, из которого вытекает [много] плодотворных идей для тех учений, которые нам близки. Вот великий синтез, рожденный мыслью [нашего] времени. Вот та католическая философия, одним из наиболее искусных проповедников которой Вы являетесь. И высокое значение этого сродства легко уразуметь: оно нас учит, что источник всех человеческих знаний — один, что отправная точка для всех человеческих семей едина; что развитие их пошло разными путями по их собственному усмотрению, но между ними всеми обязательно существует точка соприкосновения; таким образом, чтобы достичь слияния всей распространенной на земле мудрости, потребуется найти силы, благодаря которым они соприкоснутся, после чего конечная работа человеческого разума совершится сама собой.

Именно в этом я всегда видел ценность изучения Востока, этого великого музея традиций человечества. Но Вы, сударь, привнесли в это изучение новую жизнь, редкую эрудицию, высокие убеждения, огромную идею, предвосхищающую результаты. Вы возвеличили эту область науки грандиозностью Вашей точки зрения. Мы осмысливаем издалека Ваши благородные усилия и будем рукоплескать вместе со всем миром, когда появится плод Ваших бдений. Достигнут ли Вас наши рукоплескания, не знаю. Но если какое-то случайно дошедшее до Вас эхо донесет до Вас что-либо, соблаговолите принять среди этих отдаленных одобрений одобрение человека, которому Вы так любезно протянули руку.

Две вещи, больше всего поразившие меня в философии индусов, я нашел в Вашей поэме [Катхе-упанишаде]. Во-первых, то, что нравственное усовершенствование и сама вечная жизнь являются всего лишь результатом познания того, что все заветы, все обряды, вся суровая гигиена души, за которую так ратуют их книги,— все это направлено только на обретение знания. Нет ли в этой системе какой-то особой глубины, и не находите ли Вы, что мудрость Запада может извлечь из нее пользу? Во-вторых,— стремление этой философии упразднить идею времени. Эта идея, как представляется, всегда проявляется только как бремя, от которого душа человеческая пытается избавиться, как иго, которое она силится сбросить. Индийский гений всегда с каким-то нетерпением спорит с пределами времени. Отсюда, я думаю, эта чудовищная хронология, отсюда это различие между годами людей и богов. Возможно, что, ища там опоры для собственных идей, я увидел в Ведах то, что хотел увидеть, потому что, признаюсь, я полагаю, что добро, как и вечность, которая есть не что иное, как абсолютное добро, является конечной целью познания, а идея времени, в которую дух человеческий добровольно себя заточил,— одним из наиболее гнетущих предрассудков нашей логики. Чтобы моя мысль стала полностью понятной для Вас, она нуждается в дальнейшем развитии, которое здесь неуместно, но мне было бы приятно побеседовать с Вами об этом в другой раз. Как бы то ни было, сударь, в том, что касается Индии, я всецело полагаюсь на Ваш авторитет. Счастлив, уверяю Вас, что встретил на своем пути силу, которую разум признает без колебаний,— вещь редкая для наших широт.

Соблаговолите принять, сударь, уверения в моем высоком уважении и моей глубокой преданности.

Петр Чаадаев.

Н. П. БРЯНЧАНИНОВУ[124]

[1836]

Милостивый государь
Никита Петрович.

Сейчас вспомнил, что два из моих сочинений, одно находилось вчера в руках перепищика, а другое просто в чужих руках. Я полагаю, что не худо сделаю, если вам их препровожу, одно потому, что она под нумером, следовательно, не видя этого нумера, могли бы подумать, что я его скрыл и что в нем заключается бог весть что; сверх этого последовательность была бы нарушена, и читатель при чтении не понял бы моих мыслей; другое же потому, что в нем(не) заключаются такие места, которые бы желал, чтобы правительству были известны. При сем прилагаю оба сии сочинения. Прошу вас, если это не противно вашей обязанности, доставить мне в получении оных расписку.

Честь имею быть, милостивый государь, Ваш покорнейший слуга

Октября 30

Петр Чаадаев.

А. И. ГЕРЦЕНУ[125]

[до 1847]

Не могли ли бы вы, дорогой Герцен, дать на время Уварову документ, который я вам передал. Он обещает продержать его у себя всего несколько дней, и уверяю вас, что, отдавая его вам, я забыл, что уже обещал его ему. Извините, что причиняю вам это беспокойство, и прошу вас принять уверение в совершенной моей преданности.

Чаадаев.

С. П. ШЕВЫРЕВУ[126]

[1849]

Желал бы сам вручить вам, почтеннейший Степан Петрович, этот пакет; но не зная, застану ли вас дома, пишу на всякий случай, повторяя вам просьбу, выраженную в письме брата, и обращая ее к вам от своего имени. Не помню, печатаются ли в Москвитянине проповеди; но если тому были примеры, то почему, кажется, не напечатать и эту? она, я думаю, этого заслуживает по простоте слога. Почем знать, может быть, в этом неизвестном человеке таится будущий Филарет или Иннокентий. При свидании поговорим еще про это; а между тем, прошу вас извинить меня, что навязываю на вас эти хлопоты, впрочем, не чуждые, кажется, вашей обычной деятельности.— Что-то поделывает наш художник-банщик, может быть, также будущий Рафаель или Доминикин? —

Сердечно и глубоко вам преданный

Петр Чаадаев.

ВЫПИСКА ИЗ ПИСЬМА БРАТА МОЕГО.

Посылаю тебе проповедь моего деревенского священника, говоренную в день моего ангела, в Михайлин день. Я предлагал крестьянам составить вспомогательную кассу для неимущих наших и просил священника сказать несколько слов на этот счет. Вот эти слова. Постарайся их где-нибудь напечатать. Они, кажется, этого стоят. К тому же, хотя христианскому учителю и не нужно поощрения, однако оно все-таки не худо проповедующему в нашей глуши. Впрочем, предоставляю все это на твое благоусмотрение.

Ф. Ф. ВИГЕЛЮ[127]

[1850]

М. г. Филипп Филиппович.

С тех пор как вы изволили переселиться в Москву, я не переставал оказывать вам самое дружеское расположение, следуя тому евангельскому ученью, которое предписывает нам любить врагов наших. Обращение мое с вами нередко навлекало на меня упреки моих приятелей, которые единогласно мне предсказывали, что этим не избегну какого-нибудь нового доказательства вашего недоброжелательства. Это предсказание, кажется, сбылось. Вы, слышал я, везде говорите и повторяете, что я на вас «навязываюсь». Позвольте же, не переставая любить вас, с вами развязаться.

Люди ищут приязни других людей или из каких-нибудь вещественных выгод, или с тем, чтобы насладиться их прекрасными душевными или умственными свойствами, или, наконец, для того, чтобы стать под сень их доброго имени. Которая же, по вашему мнению, из этих причин заставляет меня искать вашего благорасположения? Какими вещественными выгодами можете вы меня наделить? Кого, скажите, могут привлечь прекрасные ваши свойства? Признайтесь, что вам самому показалось бы смешно, если б кому-нибудь вздумалось не шутя говорить вам о том уважении, которым вы пользуетесь в обществе. Итак, я просто исполнял долг христианский, платя добром за зло. К сожалению моему, исполнение этого долга вы сделали почти невозможным. Не прогневайтесь же, если мое доброжелательство к вам выразится теперь иным образом; если, для собственной пользы вашей, для вашего поученья, я дам этому письму некоторую гласность. Это, кажется, лучшее средство вывести вас из заблуждения.

А. Е. ВЕНЦЕЛЮ[128]

Басманная. Января 25 [1850]

Сердечно благодарю вас, любезнейший Антон Егорович, за предоброе письмо ваше. Я сам на днях собирался писать к вам, скажу после, по какому случаю, а теперь дайте поговорить с вами о вашем житье-бытье в Курске. Неужто эта невыносимая жизнь должна продлиться? Не могу этому поверить. Мне кажется, вам бы это было вредно не только в нравственном отношении, но и в физическом. Я вас прошу покорнейше написать мне, что имеете в виду, какие ваши надежды и желания. Почем знать, может статься, какой-нибудь счастливый случай, какая-нибудь неожиданная встреча дадут мне возможность вывести вас из этого положения. Стану ожидать уведомления вашего, а между тем не престану искать случая служить вам по силам и по умению.

Вот по какому случаю хотел было писать к вам. *** портрета не получал и на вас гневается. Я бы мог ему дать другой, но как-то совестно навязывать свое изображение, особенно на такого человека, каков ***. К тому же с каким-то другим заблудившимся портретом моим случилось на днях странное приключение, которому ***, может статься, не чужд. В день именин своих старый недоброжелатель мой Вигель получил мой портрет с какими-то стихами, за что благодарит меня на свой лад, приписывая мне эту глупую шутку и поздравляя меня с тем, что научился по-русски. Полно, не шутка ли это ***? Если вы портрета, ему назначенного, не увозили, то таким образом загадка могла бы разъясниться. Вот, впрочем, последние слова письма моего, из которых вам немудрено будет заключить о содержании всего письма:

«В заключение не могу не выразить надежды, что русский склад этих строк, написанных родовым русским, вас не изумит, и что вы пожелаете еще более сродниться с благородным русским племенем, для того, чтобы и себе усвоить этот склад».

*** знал я лет десять тому назад; с тех пор совершенно потерял из виду и очень желал бы знать, в каком теперь находится положении. Он много обещал; особенно любил я его за строгую последовательность ума, столь редкую между нами. Что-то из этого вышло? Сколько людей даровитых, с златыми надеждами, с пышными обещаниями, прошло мимо меня, которым с любовью подавал руку, и скрылось в туманной неизвестности, несмотря на бесчисленное множество путей к достижению всех прекрасных целей жизни, проложенных по земле русской, несмотря на мудрые законы, под сенью которых мы благоденствуем, несмотря на благодатные верования, нас озаряющие! Грустно подумать, как мы, счастливые избранники Провидения, мало умеем пользоваться всеми благами, щедрою его рукою излитыми на благополучную страну нашу! Если увидите ***, то поклонитесь ему от меня и узнайте, как на свете пробивается. Но пуще всего пишите о себе, чего желаете, чего надеетесь. Иной радости, иного утешения давно в жизни не ведаю, кроме того, как любить меня любящих и по возможности служить им.

Не стану уверять вас в дружбе своей и преданности, в которых, конечно, не сомневаетесь.

Ф. Я. ЭВАНСУ[129]

[1850]

Я намеревался, дорогой учитель, навестить вас сегодня утром, но, убоявшись вашего отсутствия, решил написать вам. Поразмыслив над вчерашним признанием, я пришел к убеждению, что это одна из очаровательных низостей, столь охотно практикуемых Вигелем. Будьте уверены, что сейчас он уже начал распространять свои россказни на всех перекрестках города. Вы, конечно, понимаете, что это прекрасный способ навредить в известном кругу людей. Я уверен, что З.[130], каким бы он ни был дураком, никогда не мог придумать подобную глупость, а тем более поделиться ею с дорогим человеком. Я бы малого стоил, если бы после знаменитого приключения вновь не сумел найти свое естественное место в стране. Что же касается немощных властей Москвы, то они не заслуживают моего внимания. Р. в своем уединении не в курсе многих вещей. Если бы он больше общался с людьми, он ни на мгновенье не стал бы сомневаться в бессмысленности этой сплетни. Я хотел бы, чтобы он сказал Вигелю, что, подумав, находит это дело чересчур смехотворным и не будет сообщать мне о нем. Это избавило бы меня от затруднений при случайной встрече с ним и от изъявления благодарности. Впрочем, я буду вести себя с ним с моей обычной учтивостью. Это для меня тем более просто, что я считаю бессильного врага лучшим из наших друзей. Расскажите Р. об этой комбинации. Думаю, что он охотно согласится оказать мне помощь и ободрит меня вблизи этого зловонного насекомого — буду ему бесконечно благодарен.

Итак, до вторника. Мы обедаем в 5 часов.

М. А. ДМИТРИЕВУ[131]

Басманная, 29 октября 1850

Извините, почтеннейший Михаил Александрович, что замедлил отвечать на милое письмо ваше. Искренне благодарю за вашу дружбу; она тем для меня драгоценнее, что вижу в ней наследие незабвенного Ивана Ивановича. Посылаю вам свой портрет, вспомнил, что и у него был мой портрет и висел на почетном месте в гостинном его кабинете; вот почему думал, что милостиво примете мой нескромный подарок. День ото дня мир около меня скуднеет и пустеет; Москва стала для меня тот же Симбирск. Многие из чтимых мною отошли в лучший мир, другие не живут более в Москве. Грустна утрата неставших, грустна и разлука с живыми; но тем отраднее дружеское приветствие, посетившее нас издалека. Скажите, зачем люди, друг другу потребные, не живут в одном месте, зачем мы должны скитаться между существами, нам ни к чему не нужными и которым и мы ни на что не надобны; почему мы лишены удовольствия делить мысли с теми, которые и сами нашли бы, может быть, некоторое удовольствие разделить с нами свои чувства. Прекрасен божий мир, мир, послушный богу; но мир, созданный своеволием человека и во всем богу непослушный, право, никуда не годится. Что тут, например, хорошего, что вы живете в какой-то Симбирской губернии, а я все-таки на Басманной? Не гораздо бы лучше было, если бы вы по-прежнему жили у Смоленского рынка, хотя и это уже было от меня довольно далеко? В наше премудрое время не велят желать лучшего, велят довольствоваться настоящим, и это, по-моему мнению, очень благоразумно, особенно если настоящее так светло и прекрасно, как у нас; но желать возвращения к старому не воспрещается даже у нас; и поэтому не имею в настоящую минуту иного желания, как видеть вас опять на Смоленском рынке, вот моя утопия.

Но что же сказать вам про нашу любезную Москву? На улицах, как всегда бывает в эту пору, мостят мостовую, а по большей части не мостят, предоставляя зиме покрыть ее неудобства, на углах стоят будочники, но по большей части не стоят, а скрываются в будках или сидя спят; ночью иногда горят фонари, но по большей части не горят, в ожидании или в память месяца. Впрочем, все находят, что благодаря попечительному начальству все идет в городе гораздо лучше прежнего, и я вполне разделяю это мнение, уверен будучи, что если и нет теперь на то ясных доказательств, то они, конечно, обнаружатся впоследствии самым решительным образом. Успех особенно ощутителен в кругу общежития и умственности, и потому, кажется, никаких доказательств не нужно, cela saute aux yeux. К тому же об этом предмете доносит вам, вероятно, М. П. Погодин печатным образом; стало быть, мне уже и не приходится вам об этом доносить. Приезжайте-ка лучше сами сюда; все увидите собственными глазами, и тогда разделите с нами наши радости и надежды.

В. Н. ЛЕВАШЕВУ[132]

28 марта 1853

Любезнейший Василий Николаевич. Вы старший из детей покойных друзей моих, родителей ваших, и мне совестно, что по сю пору не послал вам еще печатного портрета своего[133], который бы они приняли, конечно, с удовольствием. Я узнал вас не мальчиком, а человеком. Вероятно, вы живо помните самое начало дружбы родителей ваших ко мне. Я сам уже теперь становлюсь стар и дряхл; следовательно, близок к свиданию с незабвенными друзьями моими и мог бы принять от вас сыновнее поручение, если бы вера в бессмертие наше жила в сердцах наших. Давно желал возобновить воспоминание ваше о себе вместе с воспоминанием о родителях ваших; теперь, пользуясь отъездом к брату человека его, исполняю это желание и надеюсь, что делаю вам приятное. Братцев ваших, Валерия и Николая, иногда вижу, и, может быть, случится еще раз увидать; но вас, вероятно, более на земле не увижу: итак, простите, до свидания в другом мире. Если сохранили то чувство, которым встретили меня впервые, то прошу сохранить его до конца.

Сердечно преданный вам.

Ф. Н. ГЛИНКЕ[134]

Мне не удалось, почтеннейший Федор Николаевич, выразить вам прошлым вечером удовольствие, которое ваше чтение мне доставило. Позвольте же теперь попросить у вас два из прочитанных стихотворений: Московские Дымы и Молитвы Богородице[135] — они мне чрезвычайно понравились, и я очень вам буду благодарен за это сообщение. Нынче же, может быть, их Вам возвращу. Авдотье Павловне мое глубокое почтение. Вам от души преданный

Петр Чаадаев.

А. П. ПЛЕЩЕВУ[136]

Милостивый государь
Александр Павлович!

Позвольте, ваше превосходительство, прибегнуть к покровительству Вашему в несчастном случае, меня постигшем. 26-го числа, в 11 часов вечера, выронил я из дрожек, на Трубном бульваре, новый с иголочки пальтожак; проискавши его до полуночи, возвратился домой с горестным сердцем. На другой день, к несказанной радости моей, узнаю, что он найден фонарщиком. Нынче посылаю за ним в пожарный Депо, с 3 рублями награды великодушному фонарщику. Там объявляют посланному моему, что пальто отправлено в канцелярию г-на обер-полицеймейстера; туда спешит он, и узнает, что до четверга не получу своего пальто. Войдите, ваше превосходительство, в мое положение, сжальтесь над моей наготою и милостивым предстательством Вашим пред его превосходительством возвратите мне, если можно без нарушения закона, мой бедный пальто: прошу вас покорнейше, между прочим, принять в соображение, что при долговременном его странствии в том светлом мире, где он находится, могут в него проникнуть разные насекомые, тем более что мир этот (я разумею мир фонарщиков) отчасти населен, как вам известно, гадинами...

В надежде на благосклонное участие Ваше, честь имею быть вашего превосходительства покорный слуга

Петр Чаадаев.

ПИСЬМО К НЕУСТАНОВЛЕННОМУ ЛИЦУ[137]

Любезный***, ты скоро уезжаешь, не бывши у меня. Мне невозможно не сказать тебе серьезного слова по этому предмету. Я не желал бы, чтобы ясность твоих воспоминаний когда-нибудь была смущена сожалением, что ты достаточно не уважал память твоего отца. Твой отец мог ошибаться в свойствах моего ума и сердца, и я, со своей стороны, думаю, что он, в самом деле, ошибался на мой счет, но, наконец, он меня любил, он меня уважал, ты это знаешь. Он мне дал трогательные доказательства своей дружбы, и я, со своей стороны, не упустил ничего, я думаю, к обязанностям моей дружбы, это ты также знаешь. Постарайся же, покамест еще есть время, поправить ошибку, которую скоро тебе уже нельзя будет поправить.

Всегда верь, прошу тебя, моим очень искренним привязанностям.

VI

ПРИЛОЖЕНИЕ

I. «ТЕЛЕСКОПСКАЯ ИСТОРИЯ»

Философические письма к Г-же ***

ПИСЬМО ПЕРВОЕ*

Я уважаю, я люблю в вас, более всего, ваше чистосердечие, вашу искренность. Эти прелестные качества очаровали меня с первых минут нашего знакомства и навели на разговор о религии, тогда как все вас окружавшее налагало на меня молчание. Представьте же мое удивление, когда я получил ваше письмо. Вот все, что могу я сказать о мнении, которое, по вашему предположению, должен составить о вашем характере. Но перейдемте к важнейшей части вашего письма.

Отчего это возмущение в ваших мыслях, которое, как вы говорите, волнует, утомляет вас до того, что расстраивает само здоровье? Неужели это следствие наших разговоров? Вместо спокойствия, мира, которые должно было воцарить новое чувство, возбужденное в вашем сердце, оно пробудило томление, сомнения, почти угрызения совести. Впрочем, что ж тут удивительного? Это естественное следствие настоящего порядка вещей, которому покорены все сердца, все умы. Вы уступили только влиянию причин, движущих всеми, начиная с самых высших членов общества до самых низших. И вы не могли воспротивиться их влиянию. Самые качества, которыми вы отличаетесь от толпы, делают вас еще восприимчивее

---

* Письма эти писаны одним из наших соотечественников. Ряд их составляет целое, проникнутое одним духом, развивающее одну главную мысль. Возвышенность предмета, глубина и обширность взглядов, строгая последовательность выводов и энергическая искренность выражения дают им особенное право на внимание мыслящих читателей. В подлиннике они писаны на французском языке. Предлагаемый перевод не имеет всех достоинств оригинала относительно наружной отделки. Мы с удовольствием извещаем читателей, что имеем дозволение украсить наш журнал и другими из этого ряда писем. Изд.

к вредному влиянию воздуха, которым вы дышите. Немногое, что я мог сказать вам, не могло дать должного направления вашим мыслям посреди всего вас окружающего. Мог ли я очистить атмосферу, в которой мы живем? Я должен был предвидеть последствия, и в самом деле я их предвидел. Вот причина частых моих умолчаний, которые не только не могли проникнуть вашу душу убеждением, напротив, должны были привести вас в недоумение. Если б я не был уверен, что страдания, которые может возбудить религиозное чувство, не вполне развитое, всегда лучше совершенного равнодушия, я раскаивался бы в своей излишней ревнительности. Но облака, которые затемняют теперь ваше небо, преобратятся в благотворную росу, которая возрастит семена, запавшие в ваше сердце. Действие на вас немногих слов служит мне верным ручательством, что ваше собственное разумение доведет вас впоследствии до полнейшего развития. Предавайтесь безбоязненно религиозным чувствованиям: из этого чистого источника не могут родиться чувства нечистые.

Что ж касается до предметов внешних, то на этот раз вам довольно знать, что учение, основанное на высшем начале единства и на прямой передаче истины священнослужителями, беспрерывно следующими один за другим, совершенно согласно с истинным духом религии; потому что вполне соответствует идее слития всех нравственных сил в одну мысль, в одно чувство, и постепенного образования в обществе духовного единства, или церкви, которая должна воцарять истину между людьми. Всякое другое учение, одним уже отделением от учения первоначального, уничтожает значение высокого воззвания спасителя: «Отче да будут едино, яко же и мы!», и противодействует осуществлению на земле царствия божия. Но из этого не следует, чтоб вас обязывали проявлять эту истину на земле; нет, не в том состоит ваше призвание. Напротив, по вашему положению в свете, самое начало, из которого истекает эта истина, обязывает вас почитать ее не более, как внутренним светильником вашего верования. Я счастлив, что мог содействовать религиозному направлению ваших мыслей; но почел себя несчастным, если б, в то же время, возбудил укоры совести, которые впоследствии могли бы охладить вашу веру.

Кажется, я говорил вам однажды, что религиозное чувство поддерживается лучше всего выполнением постановлений церкви. Это упражнение в покорности, которое заключает в себе гораздо больше, нежели предполагают, которое налагали на себя величайшие умы, по зрелому рассуждению, с полным сознанием, есть настоящее чествование бога. Ничто так не укрепляет ума в его верованиях, как строгое выполнение всех налагаемых ими обязанностей. Кроме того, большая часть обрядов христианской религии, постановленных самим Верховным Умом, существенно действительны для каждого, кто умеет проникнуться истинами, которые они выражают. Горе тому, кто примет обольстительные призраки своего тщеславия, суемудрствования своего рассудка за высшее просветление и возмечтает, что оно освобождает его от общего закона! И для вас, сударыня, что может быть приличнее одежды смирения? Облекитесь в нее: она так идет вашему полу. Поверьте, это средство всего скорее укротит волнения вашего ума, разольет сладостное спокойствие по всему существу вашему.

Для женщины, которой образованный ум находит прелесть в учении и в важных занятиях созерцания, что может быть естественнее, даже по светским понятиям, как жизнь несколько серьезная, посвященная преимущественно благочестивым помыслам и выполнению обязанностей, налагаемых религией? Вы пишете, что ничто не говорит вашему воображению так сильно, как описания этих мирных ясных существований, взгляд на которые, как взгляд на прелестное сельское местоположение, озаренное последними лучами солнца, успокаивает душу и уносит ее на мгновение из мира нашей болезненной или бесцветной существенности. Что ж мешает вам осуществить одно из этих прелестных созданий фантазии? Вы одарены всем, что для этого нужно. Вы видите, как я снисходителен: я отыскиваю успокаивающие средства в собственных ваших вкусах, в приятнейших мечтах вашего воображения.

В жизни есть сторона совершенно невещественная, относящаяся собственно к разумной стихии нашего бытия: этой стороны никак не должно пренебрегать. Для души есть диететическое содержание, точно так же, как и для тела; уменье подчинять ее этому содержанию необходимо. Знаю, что повторяю старую поговорку; но в нашем отечестве она имеет все достоинства новости. Это одна из самых жалких странностей нашего общественного образования, что истины, давно известные в других странах, и даже у народов, во многих отношениях менее нас образованных, у нас только что открываются. И это оттого, что мы никогда не шли вместе с другими народами; мы не принадлежим ни к одному из великих семейств человечества, ни к Западу, ни к Востоку, не имеем преданий ни того, ни другого. Мы существуем как бы вне времени, и всемирное образование человеческого рода не коснулось нас. Эта дивная связь человеческих идей в течение веков, эта история человеческого разумения, доведшая его в других странах мира до настоящего положения, не имели на нас никакого влияния. То, что у других народов давно вошло в жизнь, для нас до сих пор есть только умствование, теория. Примеры не далеки; вы сами, созданная так счастливо, что можете совмещать в себе все, что есть в мире благого и истинного, одаренная сознанием всего, что доставляет изящнейшие и чистейшие душевные наслаждения, скажите, далеко ли ушли вы со всеми этими достоинствами? Вы ищете даже того, чем наполнить ваш день, не то что целую жизнь. Вам не достает даже тех предметов, которые в других странах составляют эту необходимую рамку жизни, где все происшествия дня размещаются так естественно: условие столь же нужное для здоровья нравственного, как чистый воздух для здоровья телесного. Вы понимаете, что я говорю здесь не о нравственных или философических правилах, а просто о хорошем распределении жизни, о тех обыкновениях, тех навыках, которые дают уму какое-то приволье, душе правильное движение.

Посмотрите вокруг себя. Все как будто на ходу. Мы все как будто странники. Нет ни у кого сферы определенного существования, нет ни на что добрых обычаев, не только правил, нет даже семейного средоточия; нет ничего, что бы привязывало, что бы пробуждало ваши сочувствия, расположения; нет ничего постоянного, непременного: все проходит, протекает, не оставляя следов ни на внешности, ни в вас самих. Дома мы будто на постое, в семействах как чужие, в городах как будто кочуем, и даже больше, чем племена, блуждающие по нашим степям, потому что эти племена привязаннее к своим пустыням, чем мы к нашим городам. Не воображайте, чтоб эти замечания были ничтожны. Бедные! неужели к прочим нашим несчастиям мы должны прибавить еще новое: несчастие ложного о себе понятия? Как добиваться нам жизни чистых духов! Научимся прежде жить благоразумно в нашей данной существенности.

Для всех народов бывает период сильной, страстной, бессознательной деятельности. Люди блуждают тогда и телом и духом. Это время великих страстей, великих ощущений. Народы движутся в то время сильно, без видимой причины; но не без пользы для будущих поколений. Все общества проходили чрез этот период. Он даровал им их живейшие воспоминания, их чудесное, их поэзию, все их высшие и плодотворнейшие идеи. Он необходим для жизни общества. Без него что сохранилось бы в памяти народов, к чему могли бы они привязаться, пристраститься; без него они дорожили бы только прахом родной земли. Эта чрезвычайно занимательная эпоха в истории народов есть время их юности; время, когда способности их развиваются с наибольшею силою, время, воспоминание о котором, в возрасте возмужалом, служит им наслаждением и уроком. Мы не имеем ничего подобного. В самом начале у нас дикое варварство, потом грубое суеверие, затем жестокое унизительное владычество завоевателей, владычество, следы которого в нашем образе жизни не изгладились совсем и доныне. Вот горестная история нашей юности. Мы совсем не имели возраста этой безмерной деятельности, этой поэтической игры нравственных сил народа. Эпоха нашей общественной жизни, соответствующая этому возрасту, наполняется существованием темным, бесцветным, без силы, без энергии. Нет в памяти чарующих воспоминаний, нет сильных наставительных примеров в народных преданиях. Пробегите взором все века, нами прожитые, все пространство земли, нами занимаемое, вы не найдете ни одного воспоминания, которое бы вас остановило, ни одного памятника, который бы высказал вам протекшее живо, сильно, картинно. Мы живем в каком-то равнодушии ко всему, в самом тесном горизонте без прошедшего и будущего. Если ж иногда и принимаем в чем участие, то не от желания, не с целью достигнуть истинного, существенно нужного и приличного нам блага; а по детскому легкомыслию ребенка, который подымается и протягивает руки к гремушке, которую завидит в чужих руках, не понимая ни смысла ее, ни употребления.

Истинное общественное развитие не начиналось еще для народа, если жизнь его не сделалась правильнее, легче, удобнее неопределенной жизни первых годов его существования. Как может процветать общество, которое, даже в отношении к предметам ежедневности, колеблется еще без убеждений без правил; общество, в котором жизнь еще не составилась? Мир нравственный находится здесь в хаотическом брожении, подобном переворотам, которые предшествовали настоящему состоянию планеты. И мы находимся еще в этом положении.

Первые годы нашего существования, проведенные в неподвижном невежестве, не оставили никакого следа на умах наших. Мы не имеем ничего индивидуального, на что могла бы опереться наша мысль. Разобщенные, какою-то странною судьбою, от всемирной жизни человечества, мы ничего не извлекли даже из идей, которые сообщаются человечеству преданиями. А на этих-то идеях основывается частная жизнь народов; из них развивается их будущность, их нравственное образование. Чтоб сравниться с прочими образованными народами, нам надобно переначать для себя снова все воспитание человеческого рода. Для этого перед нами история народов и плоды движения веков. Конечно, велик этот труд, и, может быть, одно поколение людей не в состоянии совершить его; но прежде всего необходимо узнать: в чем дело, что это за воспитание человеческого рода и какое место занимаем мы в общем порядке мира?

Народы живут только мощными впечатлениями времен прошедших на умы их и соприкосновением в другими народами. Таким образом каждый человек чувствует свое соотношение с целым человечеством. «Что такое жизнь человека,— говорит Цицерон,— если память о предшествовавшем не соединяет настоящего с прошедшим?» Мы явились в мир, как незаконнорожденные дети, без наследства, без связи с людьми, которые нам предшествовали, не усвоили себе ни одного из поучительных уроков минувшего. Каждый из нас должен сам связывать разорванную нить семейности, которой мы соединялись с целым человечеством. Нам должно молотами вбивать в голову то, что у других сделалось привычкою, инстинктом. Наши воспоминания не далее вчерашнего дня; мы, так сказать, чужды самим себе. Мы идем по пути времен так странно, что каждый сделанный шаг исчезает для нас безвозвратно. Все это есть следствие образования совершенно привозного, подражательного. У нас нет развития собственного, самобытного, совершенствования логического. Старые идеи уничтожаются новыми, потому что последние не истекают из первых, а западают к нам бог знает откуда; наши умы не браздятся неизгладимыми следами последовательного движения идей, которое составляет их силу, потому что мы заимствуем идеи уже развитые. Мы растем, но не зреем; идем вперед, но по какому-то косвенному направлению, не ведущему к цели. Мы подобны детям, которых не заставляли рассуждать; возмужав, они не имеют ничего собственного; все их знание во внешности их существования; во внешности вся душа их.

Народы — существа нравственные, точно так же как и люди. Они образуются веками, как люди годами. Но мы, почти можно сказать, народ исключительный. Мы принадлежим к нациям, которые, кажется, не составляют еще необходимой части человечества, а существуют для того, чтоб со временем преподать какой-нибудь великий урок миру. Нет никакого сомнения, что это предназначение принесет свою пользу; но кто знает, когда это будет?

Народы Европы имеют одну общую физиономию, какой-то

отблеск односемейности. Несмотря на разделение их на ветви латинскую и тевтоническую, на южную и северную, между ними есть связь общая, которая соединяет их, связь видимая для всякого, кто углублялся в их общую историю. Давно ли вся Европа называлась «христианством», и это название имело место в ее публичном праве? Но кроме этого общего характера, каждый из них имеет еще свой особенный, придаваемый ему историей и преданиями. И то и другое составляет родовое наследие идей этих народов. Каждое частное лицо пользуется плодами этого наследия; без утомления, без труда, собирает на жизненном пути сведения, рассеянные в обществе, и употребляет их в свою пользу. Теперь сравните сами: много ли соберете вы у нас начальных идей, которые, каким бы то ни было образом, могли бы руководствовать нас в жизни? Заметьте, что здесь дело не об учении, не о литературе или науке; но просто о соприкосновении умов, об тех идеях, которые овладевают ребенком еще в колыбели, которые окружают его в играх, которые мать вдыхает в него своими ласками; которые в виде различных чувствований проникают в его существо вместе с воздухом, которым он дышит, и образуют его нравственное бытие еще до вступления в мир и общество. Хотите ли знать, что это за идеи? Это идеи долга, закона, правды, порядка. Они развиваются из происшествий, содействовавших образованию общества; они необходимые начала мира общественного. Вот что составляет атмосферу Запада; это более чем история, более чем психология: это физиология Европейца. Чем вы замените все это?

Не знаю, можно ли вывести из сказанного что-нибудь совершенно безусловное и основать на нем непременное правило; но очевидно, какое сильное влияние на дух каждого отдельного лица должно иметь это странное положение народа, по которому он не может остановить своей мысли ни на одном ряде идей, развивавшихся в обществе постепенно одна из другой; по которому он принимал участие в общем движении человеческого разума только слепым, поверхностным и часто дурным подражанием другим нациям. От этого вы найдете, что всем нам не достает некоторого рода основательности, методы, логики. Силлогизм Запада нам неизвестен. В наших лучших головах есть что-то больше, чем неосновательность. Лучшие идеи, от недостатка связи и последовательности, как бесплодные призраки, цепенеют в нашем мозгу. Человек теряется, не находя средства прийти в соотношение, связаться с тем, что ему предшествует и что последует; он лишается всякой уверенности, всякой твердости; им не руководствует чувство непрерывного существования, и он заблуждается в мире. Такие потерявшиеся существа встречаются во всех странах; но у нас эта черта общая. Это не та легкомысленность, которою некогда упрекали французов, которая, не отрицая ни глубины, ни многообъемлемости ума, зависела только от способности понимать все с чрезвычайною легкостью, что придавало обращению более прелести и любезности; нет! это ветреность жизни без опыта и предвидения; жизни, которая ограничивается эфемерным существованием неделимого, оторванного от своей породы; жизни, которая не заботится ни о славе, ни о распространении каких-либо общих идей или выгод, ни даже о тех семейных, наследственных интересах, о том множестве притязаний и надежд, освященных давностью, которые в обществе, основанном на памяти прошедшего и на понятии будущего, составляют жизнь общественную и жизнь частную. В наших головах решительно нет ничего общего; все в них частно, и к тому еще не верно, не полно. Даже в нашем взгляде я нахожу что-то чрезвычайно неопределенное, холодное, несколько сходное с физиономиею народов, стоящих на низших ступенях общественной лестницы. Находясь в других странах, и в особенности южных, где лица так одушевленны, так говорящи, я сравнивал не раз моих соотечественников с туземцами, и всегда поражала меня эта немота наших лиц.

Чужестранцы ставили нам в достоинство некоторого рода беспечную отважность, которую встречали особенно в низших классах. Но по нескольким отдельным проявлениям народного характера они не могли верно судить о целом. Они не видят, что то же самое начало, которое иногда придает нам эту смелость, делает нас в тоже время неспособными ни к глубокомыслию, ни к постоянству; они не видят, что это равнодушие к материальным опасностям делает нас также равнодушными ко всему хорошему, ко всему дурному, ко всякой истине, ко всякой лжи, и что тем самым уничтожает в нас все сильные возбуждения, которые стремят людей по пути совершенствования; они не видят, что, по милости этой-то беспечной отваги, у нас и в высших классах, к прискорбию, существуют пороки, которые в других странах принадлежат только низшим; не замечают, что, имея некоторые из добродетелей народов юных, еще необразованных, мы лишены всех достоинств народов зрелых, наслаждающихся высшим просвещением. Я совсем не хочу сказать, что у нас только пороки, а добродетели у европейцев; избави боже! но я говорю, что для верного суждения о народах надобно изучить общий дух, их животворящий; ибо не та или другая черта их характера, а только этот дух может довести их до совершеннейшего нравственного состояния, до развития бесконечного.

Массы находятся под влиянием особенного рода сил, развивающихся в избранных членах общества. Массы сами не думают; посреди них есть мыслители, которые думают за них, возбуждают собирательное разумение нации и заставляют ее двигаться вперед. Между тем как небольшое число мыслит, остальное чувствует, и общее движение проявляется. Это истинно в отношении всех народов, исключая некоторые поколения, у которых человеческого осталось только одно лицо. Первоначальные народы Европы, Кельты, Скандинавы, Германцы, имели Друидов, Скальдов, Бардов; это были сильные мыслители, разумеется, в своем роде. Посмотрите на народы Северной Америки, истреблением которых так ревностно занимается материальное просвещение Соединенных Штатов: между ними есть люди дивного глубокомыслия. Теперь спрашиваю вас, где наши мудрецы, наши мыслители? Когда и кто думал за нас, кто думает в настоящее время?

По нашему местному положению между Востоком и Западом, опираясь одним локтем на Китай, другим на Германию, мы должны бы соединять в себе два великие начала разумения: воображение и рассудок; должны бы совмещать в нашем гражданственном образовании историю всего мира. Но не таково предназначение, павшее на нашу долю. Опыт веков для нас не существует. Взглянув на наше положение, можно подумать, что общий закон человечества не для нас. Отшельники в мире, мы ничего ему не дали, ничего не взяли у него; не приобщили ни одной идеи к массе идей человечества; ничем не содействовали совершенствованию человеческого разумения и исказили все, что сообщило нам это совершенствование. Во все продолжение нашего общественного существования мы ничего не сделали для общего блага людей: ни одной полезной мысли не возросло на бесплодной нашей почве; ни одной великой истины не возникло среди нас. Мы ничего не выдумали сами, и из всего, что выдумано другими, заимствовали только обманчивую наружность и бесполезную роскошь.

Странное дело! Даже в мире наук, который обнимает все, наша история разобщена от всего, ничего не объясняет, ничего не доказывает. Если б орды варваров, возмутивших мир, не прошли, прежде нежели наводнили Запад, страны, нами обитаемой, мы не доставили бы и одной главы для всемирной истории. Чтоб обратить на себя внимание, мы должны были распространиться от Берингова пролива до Одера. Некогда великий царь хотел нас образовать, и, чтоб заохотить к просвещению, бросил нам мантию цивилизации: мы подняли мантию, но не коснулись просвещения. В другой раз, другой великий государь приобщил нас своему великому посланию, проведши победителями с одного края Европы на другой; мы прошли просвещеннейшие страны света и что же принесли домой? Одни дурные понятия, гибельные заблуждения, которые отодвинули нас назад еще на полстолетие. Не знаю, в крови у нас есть что-то отталкивающее, враждебное совершенствованию. Повторю еще: мы жили, мы живем, как великий урок для отдаленных потомств, которые воспользуются им непременно, но в настоящем времени, что бы ни говорили, мы составляем пробел в порядке разумения. Для меня нет ничего удивительнее этой пустоты и разобщенности нашего существования. Конечно, в этом виновата отчасти какая-то непостижимая судьба; но не правы и люди, которых содействие во всем, что свершается в нравственном мире, неизбежно. Заглянем еще раз в историю: она объясняет бытие народов лучше всего.

Что делали мы в то время, как из жестокой борьбы варварства северных народов, с высокою мыслию религии, возникало величественное здание нового образования? Ведомые злою судьбою, мы заимствовали первые семена нравственного и умственного просвещения у растленной, презираемой всеми народами Византии. Мелкая суетность только что оторвала ее от всемирного братства; и мы приняли от нее идею, искаженную человеческою страстию. В это время животворящее начало единства одушевляло всю Европу. Все истекало там из этого начала; все сосредоточивалось; всякое умственное движение силилось объединить человеческую мысль; всякое побуждение проявлялось могучею потребностью отыскать одну всемирную идею: это самое и составляет дух новейших времен. Чуждые этому дивному началу, мы сделались добычею завоевателей. Свергнув иго чужеземное, мы могли бы воспользоваться идеями, которые развились между тем у наших западных братий; но мы были оторваны от общего семейства.

Сколько светлых лучей прорезало в это время мрак, покрывавший всю Европу! Большая часть познаний, которыми ум человеческий теперь гордится, были уже предчувствуемы тогдашними умами; характер новейшего общества был уже определен; миру христианскому не доставало только форм прекрасного, и он отыскал их, обратив взоры на древности язычества. Уединившись в своих пустынях, мы не видали ничего происходившего в Европе. Мы не вмешивались в великое дело мира. Мы остались чужды высоким доблестям, которыми религия озарила новейшие поколения и которые в глазах здравого смысла возвышают их над древними народами, так же как эти последние возвышаются над Готтентотами и Лапландцами. В нас не развились эти новые силы, которыми она обогатила человеческое разумение; эта кротость нравов, потерявших свое первобытное зверство от покорности власти безоружной. Несмотря на название христиан, мы не тронулись с места, тогда как западное христианство величественно шло по пути, начертанному его божественным основателем. Мир пересоздавался, а мы прозябали в наших лачугах из бревен и глины. Коротко, не для нас совершались новые судьбы человечества; не для нас, христиан, зрели плоды христианства.

После этого, скажите, справедливо ли у нас почти общее предположение, что мы можем усвоить европейское просвещение, развивавшееся так медленно, и притом под прямым и очевидным влиянием одной нравственной силы, сразу, даже не затрудняясь розысканием, как это делалось?

Тот решительно не понимает христианства, кто не замечает в нем стороны чисто исторической; стороны, которая, показывая, что сделало оно для людей и что должно еще сделать, заключает в себе всю его философию и составляет необходимую часть его догматики. Таким образом, христианская религия является не только нравственною системой, выразившеюся в преходящих формах человеческого ума; но силою божественною, вечною, действующею во всем пространстве мира умственного; силою, которой видимые действия должны нам служить вечными уроками.

В мире христианском все необходимо должно содействовать и в самом деле содействует учреждению на земле совершенного порядка. В противном случае действительность противоречила бы слову господа: он не был бы посреди своей церкви до скончания веков. Новый порядок. царствие божие, которое должно было осуществиться искуплением, не отличалось бы от прежнего порядка, от царства зла, которое искупление должно было уничтожить: тогда существовала бы одна воображительная усовершимость, о которой мечтает философия и которую обличает во лжи каждая страница истории: суетное волнение ума, удовлетворяющее только нуждам существа материального, которое если когда и возносило человека на некоторую высоту, то для того только, чтоб низвергнуть потом в глубочайшие пропасти.

Но вы вообразите: разве мы не христиане, разве образование возможно только по образцу европейскому? Без сомнения, мы христиане: но разве абиссинцы не христиане же?

Разумеется, можно образоваться отлично от Европы: разве японцы не образованны и, если верить одному из наших соотечественников, даже более нас? Но неужели вы думаете, что христианство абиссинцев и образованность японцев могут воссоздать тот порядок, о котором я говорил сию минуту, порядок, который составляет конечное предназначение человечества? Неужели вы думаете, что эти жалкие отклонения от божественных и человеческих истин низведут небо на землю?

В христианстве есть два направления, резко отличающиеся одно от другого: это его действие на человека и действие на всемирное разумение. Они сливаются оба в Верховном Разуме и ведут к одной и той же цели. Но наше ограниченное зрение не может обнять время, в продолжение которого должны осуществиться вечные предначертания божественной мудрости. Поэтому мы должны различать божественное действие, проявляющееся в данное время в жизни человека, от проявляющегося только в бесконечности. Конечно, в день окончательного исполнения великой тайны искупления все сердца и все умы соединятся в одно чувство и в одну мысль, и все преграды, разделяющие народы и вероисповедания, исчезнут; но в настоящее время каждый должен знать свое место в порядке общего призвания христиан, то есть должен знать, чем и как может содействовать он и все его окружающее конечной цели, предположенной всему человечеству.

Поэтому необходимо должен быть особенный круг идей, где должны двигаться умы общества, в котором должна достигаться эта конечная цель, то есть где возбужденная мысль должна созреть и достигнуть всей полноты своей. Этот круг идей, эта нравственная сфера дают обществу особенный род существования, особенный взгляд, которые, не будучи совершенно тождественны для каждого неделимого общества, как в отношении нас, так и в отношении других неевропейских народов, составляют одинаковый способ их бытия: следствие огромной умственной работы осьмнадцати веков, работы, в которой участвовали все страсти, все выгоды, все страдания, все мечты, все усилия разума.

Все европейские народы проходили эти столетия рука в руку, и в настоящее время, несмотря на все случайные отклонения, они всегда будут сходиться на одной и той же дороге. Чтоб понять семейное развитие этих народов, не нужно даже изучать историю: прочтите только Тасса, и вы увидите, как все они склоняются в прах перед Иерусалимом; вспомните, что в продолжение пятнадцати веков они молились богу на одном языке, покорялись одной нравственной власти, имели одно убеждение; вспомните, что в продолжение пятнадцати веков, каждый год, в один и тот же день, в один и тот же час, одними и теми же словами все вдруг они возносили хвалебные гимны Всевышнему, торжествуя величайшее из его благодеяний: дивный концерт, в тысячу раз изящнейший, возвышеннейший всех гармоний мира физического! Итак, если эта сфера, в которой живут европейцы, сфера единственная, где человеческий род может достигнуть своего конечного предназначения, есть плод религии; если, напротив, враждебные обстоятельства отстранили нас от общего движения, в котором общественная идея христианства развилась и приняла известные формы; если эти причины отбросили нас в категорию народов, которые не могли воспользоваться всем влиянием христианства; то не очевидно ли, что должно стараться оживить в нас веру всеми возможными способами? Вот что я хотел сказать, говоря, что у нас должно переначать все воспитание человеческого рода.

Вся история нового общества совершается в области мнения. Следовательно, здесь настоящее воспитание. Новое общество, основанное на этом начале, двигалось вперед только мыслию. Выгоды всегда следовали за идеями, но никогда им не предшествовали. Мнения рождали выгоды, но выгоды никогда не рождали мнений. Все успехи Запада в сущности были успехи нравственные. Искали истину и нашли благосостояние. Вот как объясняется явление нового общества и его образование; иначе оно совершенно непонятно.

Первые столетия новой истории наполняются: гонениями за веру, мученичеством, распространением христианской веры, ересями и соборами. Движение всей этой эпохи, не исключая и нашествия варваров, связано тесно с усилиями новейшего разума еще в детстве. Вторую эпоху наполняют: образование иерархии, сосредоточение духовной власти и беспрерывное распространение религии на Севере. Затем следуют: усиление религиозного чувства до высочайшей степени и упрочение религиозной власти. Философическое и литературное развитие ума и образование нравов под влиянием религии оканчивают эту историю, которая имеет точно такое же право на название священной, как и история древнего избранного народа. Наконец, и настоящее положение общества заимствует свой характер от религиозного противодействия, от нового направления, которое религия дала человеческому духу. Таким образом, можно сказать, что у новейших народов мнение было единственным могучим деятелем; оно поглощало все материальные, положительные и личные выгоды.

Знаю: вместо того чтоб дивиться этому дивному порыву человечества к возможному совершенству, его называли фанатизмом, суеверием. Но что бы ни говорили, подумайте, как сильно должно отпечатлеться на характерах этих народов, как в добром, так и в дурном отношении, это развитие общественности, вполне совершенное одним чувством! Пусть поверхностная философия вопиет, что хочет, против войн за веру, против костров, зажженных нетерпимостию: мы можем только завидовать народам, которые в этой сшибке мнений, в этой кровопролитной борьбе за истину, создали себе целый мир идей, мир, который мы не можем представить себе воображением, не только перенестись в него телом и душой, как у нас предполагают.

Повторяю еще: в Европе не все было умно, добродетельно, религиозно; но в ней все проникнуто таинственною силой, которая царила самодержавно целый ряд столетий; в ней все следствие того бесконечного сцепления идей и явлений, которые образовали настоящее общество. Из многих доказательств вот одно. У народа, физиономия которого оттенена резче прочих, постановления которого проникнуты наиболее новейшим духом, словом, у англичан, почти одна религиозная история. Что такое бурная эпоха Карла I и Кромвеля, предшествовавшая их настоящему благосостоянию, и весь этот длинный ряд происшествий, ее породивших, до самого Генриха VIII, как не развитие чисто религиозное? Во всем этом периоде выгоды чисто политические появляются второстепенными побудителями и часто исчезают совершенно или приносятся в жертву мнению. Даже в эту самую минуту, как я пишу*, что волнует эту привилегированную землю? Выгоды религиозные. Коротко, есть ли в Европе народ, который не нашел бы в своем национальном сознании, если б только захотел поискать, этого особенного начала, которое, под видом священной мысли, постоянно было животворящим деятелем, душою общественного бытия, во все продолжение его существования?

Действие христианства отнюдь не ограничивается его прямым и непосредственным влиянием на умы людей. Исполинское предназначение его должно быть следствием множества нравственных, умственных и общественных сопряжений, в которых человечество должно найти возможный простор для всех направлений своей деятельности. Отсюда понятно, что все свершившееся с первого дня нашей эры, или лучше с той минуты, как спаситель сказал своим ученикам: «идите,

---

* 1829.

проповедуйте Евангелие всей твари!», не исключая и самые гонения на христианство, совершенно согласуется с этим общим понятием об его влиянии. Чтоб убедиться в действительном осуществлении пророческих изречений Христа, довольно одного взгляда на повсеместное проявление его царствия в сердцах людей, проявление сознательное или бессознательное, вольное или невольное. Таким образом, несмотря на все несовершенства, на все, что есть дурного и порочного в настоящем европейском обществе, частное осуществление царствия божия в нем неоспоримо, потому что оно заключает в себе начало бесконечного совершенствования и содержит в зародыше и в начальных проявлениях все нужное для конечного осуществления его на земле.

Теперь позвольте мне заключить это рассуждение о влиянии религии на общество выпискою из одной вам неизвестной статьи, написанной мною гораздо прежде.

«Нет никакого сомнения, говорил я, что тот, кто не замечает действий христианства, везде, где человеческая мысль приходит с ним в соприкосновение, каким бы то ни было образом, даже противодействуя ему, тот не имеет об нем настоящего понятия. Везде, где произносится имя Христа, одно это имя увлекает людей против их воли. Ничто не обнаруживает так божественного начала этой религии, как этот отблеск безусловной всемирности, которым она проникает в душу всеми возможными способами; овладевает умами, даже в то время, когда они, кажется, противятся ей наиболее; покоряет, сообщая разумению истины, дотоле ему неизвестные, возбуждая в сердце ощущения, до сих пор им не испытанные, вдыхая в нас чувства, которые без нашего ведения вводят нас в порядок общий. Таким образом, она определяет круг действий каждого в особенности, устремляя в то же время действия всех к одной цели. При рассматривании христианства с этой точки каждое из пророческих изречений Христа делается осязаемою истиною. Отсюда можно видеть ясно игру всех рычагов, которые приводит в движение его всемогущая рука, ведя человека к его предназначению, никак не ограничивая его деятельности, никак не подавляя ни одной из сил ему врожденных, но, напротив, удвояя их, возвышая до бесконечности. Ни одно из нравственных начал не остается бездейственным; оно пользуется всеми способностями мысли, всею пламенною расширимостию чувства, героизмом души сильной и преданностию ума покорного. Доступное всякому созданию, одаренному разумением, сливаясь с каждым биением нашего сердца, оно поглощает все, растет и даже укрепляется препятствиями, которые встречает. С гениальным человеком оно возносится на высоту недосягаемую для других; с умом робким идет по земле мерным шагом; в уме мыслящем, безусловно, глубоко; в душе, преобладаемой воображением, эфирно, творит мириады образов; в сердце нежном, любящем, проявляется милосердием и любовью. Оно идет всегда вместе с разумением ему предавшимся, сообщая ему силу, теплоту, ясность. Посмотрите, как разнообразны природы, как многочисленны силы, которые оно приводит в движение; сколько различных деятелей сливается воедино, сколько сердец, совершенно несходных одно с другим, бьется для одной единственной идеи!»

«Еще удивительнее общее действие христианства. Взгляните на картину полного развития нового общества, и вы увидите, что христианство преобразует все человеческие выгоды в свои собственные; потребность вещественную везде заменяет потребностию нравственною; возбуждает в мире мыслительном эти великие прения, которых вы не встретите в истории других эпох, других обществ; воспламеняет это ужасное борение мнений, в котором целая жизнь народов становится одною великою идеею, одним бесконечным чувствованием. Вы увидите, что все создано им, и только им: и жизнь частная и жизнь общественная, и семейство и отечество, и наука и поэзия, и ум и воображение, и воспоминания и надежды, и восторги и горести. Счастливы те, которые в глубине души сознают свои действия в этом великом движении мира, движении, возбужденном самим богом!»

Но время обратиться к вам, сударыня. Признаюсь, мне тяжело оторваться от этих общих взглядов. Картина, которая с этой высоты представляется мне, есть для меня источник всего удивительного. Сладостное верование в будущее благоденствие человечества живит мою душу, когда, сдавленный жалкою окружающею меня существенностию, я жажду подышать воздухом чистейшим, взглянуть на небо яснейшее. Впрочем, мне кажется, что я не употребил вашего терпения во зло. Прежде всего надобно было показать вам точку зрения, с которой должно смотреть на христианский мир и на наши действия в нашем мире. Может быть, вам покажется, что я слишком нападаю на нас: нет, я говорил истину и еще не высказал ее вполне. Впрочем, дух христианства не терпит никакого ослепления, а тем более народных предрассудков, потому что они разъединяют людей более всего.

Это письмо довольно длинно. Вначале я полагал, что выскажу все в немногих словах, но впоследствии увидел, что рассмотрение этого предмета может составить целый том. Вы мне напишете, согласны ли вы с моими мнениями. Но во всяком случае, вы не избавитесь второго письма, потому что мы только приступили к предмету нашего рассуждения...

Некрополис.
1829, декабря 1

ПОСТАНОВЛЕНИЕ ЦЕНЗУРНОГО КОМИТЕТА[2]

От 31 января 1833 г.

Комитет находит следующее:

1) В первой статье, содержащей в себе опровержение возражений протестантов против церкви католической и защищений достоинства сей церкви, при многих суждениях правильных есть такие мысли, кои не могут быть одобрены. Именно стран. 5, стр. 13. «В золотой век церкви, в век величайших ее страданий,— еще струилась кровь спасителя». Кровь спасителя, в собственном смысле, изливалась во время его страданий, и тогда, когда воин пронзил копьем ребро его. В смысле таинственном она не перестает изливаться и ныне и во все времена церкви христианской в таинстве Евхаристии. Следовательно, пролияние крови спасителя нельзя относить как отличительный признак к церкви апостольской I и II века по Р. Х., о которой говорит здесь сочинитель. Стран. 5, стр. 16: «Безрассудно мечтать о возвращении такого состояния вещей, которое происходило только от чрезвычайных бедствий, угнетавших первых христиан». Под сим состоянием разумеет сочинитель совершенство церкви апостольской (стр. 3), но нельзя сказать, что сие совершенство происходило единственно от бедствий церкви. Бедствие было только содействующею причиною, а не главною. Стран. 7, стр. 2—5: «Таинство причащения, сие чудное открытие разума христиан., если позволено так выразиться, материализирует души». Оба сии выражения (открытие разума Христ. и материализирует души) — неправильны. Стран. 10, стр. 1—5: «Папство в свое время происходило существенно из источника духа христианства... почему же не предоставить ему первенства перед всеми христианскими обществами». Стран. 11, стр. 1—3: «Оно совершенно выполняет всегда свое предназначение, сосредоточивает мысли християн». Стр. 13: «Пусть оно исчезнет с лица земли, и вы увидите, в какое заблуждение впадут общества религиозные». Все сии мысли противны истинным понятиям о православии, чистоте и превосходстве церкви восточной.

2) В статье о Моисее (стр. 12—21) основные понятия несправедливы. Главное недоразумение состоит в том, что сочинитель видит в Моисее не посланника божия, а законодателя, который при всей странности характера, совмещающего в себе свойства противоположные, силою своего гения и употреблением средств необыкновенных достигает того, что утверждает на целые века в народе израильском свою систему — монотеизм. Эти превратные и противные смыслу Св. Писания понятия о Моисее выражены на стр. 15 — «не знаю, чему более удивляться и далее»... Сюда же относятся следующие выражения. Стр. 17: «Моисей мог найти у своего народа или у других идею о боге национальном, мог воспользоваться сим обстоятельством, так как воспользовался другими... для того, чтобы ввести в мысль человеческую свой высокий монотеизм». Стр. 13—19: «Читайте второзаконие с сей точки зрения, и вас удивит свет, разливающийся отселе не только на систему Моисея, но и на всю откровенную философию. Каждое слово сей особенной книги дает видеть идею господствующую (над строкой карандашом: l'idée surhumaine) в духе ее писателя. Отселе также происходят и ужасные истребления, кои предписывал Моисей. Его предназначение не состояло в том, чтобы представить образец справедливости и совершенства нравственного, но в том, чтобы вложить в дух человеческий оную неизмеримую идею, которой не мог дух человеческий произвести из себя». Кроме сего главного заблуждения встречаются в сей статье и другие неправильные мысли, кои замечены на самой рукописи. Стр. 13, 19—25, 18, 16, 20, 19 et cetera.

Поелику же по исключении сих мыслей в статье о Моисее останется несколько отрывков, кои хотя не заключают в себе понятий ложных, но соединены с мыслями неправильными и без оных не будут иметь связи, то вся статья сия не может быть также одобрена.

Ф. А. ГОЛУБИНСКИЙ — А. П. ЕЛАГИНОЙ

Милостивая государыня достопочтеннейшая
Авдотья Петровна!

Приношу вам искреннейшую благодарность за обязательное письмо Ваше, Н. И. Надеждиным мне доставленное. Вы напоминаете в оном о 1830-м годе и, взявши в свои руки весы, на чужую чашку оных кладете золото, а на свою ничего. Прекрасная душа любит придавать цену и ничтожным услугам других и не хочет видеть в себе тех редких достоинств, коим приветливость и любовь к Истинному и Изящному украшают оную.

Жалею, что я не мог удовлетворить Вашим ожиданиям касательно отрывков из писем г. Чаадаева. О них сделано уже было суждение в Цензурном Комитете, когда я имел честь получить письмо Ваше: первые страницы, где показывается неосновательность протестантских возражений против католической церкви, признаны не содержащими в себе ничего сомнительного. Но те места, где сочинитель приписывает первенство церкви западной, где говорит, что папство существенно происходило из истинного духа христианства; также где представляет Моисея как законодателя, своею силою основавшего веру в единого бога и пользовавшегося необыкновенными средствами к достижению сей цели, как человека, говорившего к людям из среды метеора, здешний Цензурный Комитет не мог одобрить. И я не мог и не хотел защищать их, ибо, поступая так, я пошел бы против истины и против присяги. Я уважаю г. Чаадаева как философа — особенно по его мыслям об обелисках египетских[3]. Но больше несравненно чту откровение божественное, из которого вижу, что не Моисей был виновником законодательства синайского, а сам бог, и что закон иудейский есть не только монотеизм, но и содержащий еще другие важные истины, близкие по учению христианству: и центр Евангелия и Ветхого Завета один — *Господь Иисус*, Проявитель *Божества*, посредник между *Богом непостижимым и миром*.

С чувствованиями совершенного почтения и признательности имею честь быть, милостивая государыня!

1 февраля 1833 Ваш покорнейший слуга *Федор Голубинский*.

ДВА ДОНЕСЕНИЯ МОСКОВСКОГО ОСВЕДОМИТЕЛЯ КАШИНЦОВА[4]

1

Секретно

№ 75. О слухах касательно Надеждина, Болдырева и Чаадаева.

В Москве идет рассказ, что издатель Телескопа Надеждин и цензор сего журнала ректор университета Болдырев вытребованы в С.-Петербург за переводную статью г. Чаадаева и что издание сие запрещено.

Вообще все рады сему, особенно отцы семейства, которым

давно желалось, чтоб сей журнал был запрещен и даже всегда дивились, как сего давно не последовало.

О Чаадаеве, который у всех слывет чудаком, идет слух, будто повелено: что как статья его заставляет сомневаться в его добром здоровье, то чтоб к нему ездил наведываться по два раза в день доктор.

Этот рассказ сопровождается необыкновенным общим удовольствием, что ежели действительно эта молва справедлива, то что для Чаадаева невозможно найти милосердие великодушнее и вместе с тем решительнее наказания в отвращение юношества от влияния на оное сумасбродство.

3 октября 1836. Москва

2

83. Слухи о связях авторов[5].

По слухам, за секрет рассказываемым, напечатание статьи Чаадаева Философические письма много приписывают побуждение его к тому будто бы, кроме Надеждина, особенно Александра Ивановича Тургенева, который будто уже струсил и оттого под всегда носимою им маскою для скрытия фальшивых правил его ускакал в С.-Петербург.

Некогда (очень давно) было Вашему превосходительству доложено о замечательном литографированном портрете, на котором изображен или Александр Тургенев или постыдный брат[6] его с книгою «О теории налогов» и с дерзкою надписью: без боязни обличаху. Я слышал секретно, что в числе взятых и препровожденных к вам бумаг Чаадаева и экземпляр сего литографированного одного из Тургеневых портрета находится[7].

Говорят, что Надеждин имел особенную дружбу (если таковой человек может ее к кому-либо иметь) с молодым Селивановским, недавно наследовавшим типографию от отца своего. Есть мрачный глухой гул, что будто бы типография сия подвергалася подозрению еще в 1826 году по доносу барона Штенгеля, что там намеревались заговорщики печатать буйные прокламации. Но это эхо прошедшего весьма теперь невнятно. В сей же типографии печатался Conversation Lexicon, по второй книге воспрещенный.

У сего Селивановского, говорят, бывали частые беседы по субботам. По наблюдению собеседниками замечены в частых посещениях следующие: доктора Воскресенский, Пик и Кечер, как говорят, переведший на русский язык Философические письма Чаадаева; служащий в горном Правлении Селиванов, участвующий, как говорят, в издании Московского Наблюдателя, издатель сего журнала Андросов, издатель картин света Вельтман, книгопродавец Свешников, типографщик Решетников и профессора скверных правил: Погодин и Давыдов.

По секретным сведениям замечательно, что после происшедшего с Чаадаевым Селивановский все бумаги свои собрал и снес в особую комнату и сказывается больным.

Говорят, что он необыкновенно трусливого характера. Кажется, он в Москве много помогал в статьях о театре ругать Надеждину дворянство, называя его чопорною аристократиею.

По гласности же странно для многих, что он, кажется, пользуется титлом коммиссионера II Отделения собственной Его Императорского Величества канцелярии и будто так важно печатает это титло на всяком маловажном счете своем.

2 декабря 1836.
Москва

Ф. Ф. ВИГЕЛЬ — МИТРОПОЛИТУ СЕРАФИМУ[8]

Высокопреосвященнейший владыко, милостивейший архипастырь! Прожив более полувека, я никогда ничьим не был обвинителем. Но вчера чтение одного московского журнала возбудило во мне негодование, которое, постепенно умножаясь, довело меня до отчаяния. В сем положении не нахожу другого средства к успокоению своему, как прибегнуть к вашему высокопреосвященству с просьбою обратить пастырское внимание ваше на то, что меня так сильно встревожило. Иные скажут, может быть, что я не вправе сего делать, но, как верный сын отечества и православной церкви, я считаю сие обязанностью.

Самая первая статья из сего журнала под названием «Телескоп», содержит в себе такие изречения, которые одно только безумство себе позволить может. Читая оные, я сначала не доверял своим глазам. Многочисленнейший народ в мире, в течение веков существовавший, препрославленный, к коему, по уверению автора статьи, он сам принадлежит, поруган им, унижен до невероятности. Если вашему высокопреосвященству угодно будет прочитать хотя половину сей богомерзкой статьи, то усмотреть изволите, что нет строки, которая бы не была ужаснейшею клеветою на Россию, нет слова, кое бы не было жесточайшим оскорблением нашей народной чести.

Меня утешала мысль, что сие так называемое философическое письмо, писанное по-французски, вероятно, составлено каким-нибудь иноверцем, иностранцем, который назвался русским, чтобы удобнее нас поносить. Увы! К глубочайшему прискорбию узнал я, что сей изверг, неистощимый хулитель наш, родился в России от православных родителей и что имя его (впрочем, мало доселе известное) есть Чаадаев. Среди ужасов французской революции, когда попираемо было величие бога и царей, подобного не было видано. Никогда, нигде, ни в какой стране, никто толикой дерзости себе не позволил.

Но безумной злобе сего несчастного против России есть тайная причина, коей, впрочем, он скрывать не старается: отступничество от веры отцов своих и переход в латинское исповедание. Вот новое доказательство того, что неоднократно позволял я себе говорить и писать: безопасность, целость, благосостояние и величие России неразрывно связаны с восточною верою, более осьми веков ею исповедоваемою. Сею верою просвещалась она в дни своего младенчества, ею была защищена и утешаема во дни унижений и страданий, ею спасена от татарского варварства и с нею вместе восстала в дни торжества над бесчисленными врагами, ее окружавшими. Стоит только принять ее, чтобы сделаться совершенно русским, стоит только покинуть ее, чтобы почувствовать не только охлаждение, омерзение к России, но даже остервенение против нее, подобно сему злосчастному, слепотствующему, неистовому ее гонителю. Разъединению с западной церковью приписывает он совершенный недостаток наш в умственных способностях, в понятиях о чести, о добродетели; отказывает нам во всем, ставит нас ниже дикарей Америки, говорит, что мы никогда не были христианами и, в исступлении своем, наконец нападает даже на самую нашу наружность, в коей видит бесцветность и немоту.

И все сии хулы на отечество и веру изрыгаются явно, и где же? В Москве, в первопрестольном граде нашем, в древней столице православных государей совершено сие преступление![9] И есть издатель, который не довольствуется поместить статью сию в журнале, но превозносит ее похвалами как глубокомысленнейшее произведение высокого ума, и он грозит еще другими подобными письмами! И есть цензура, которая все это пропускает! Кто знает, будут и люди, которые с участием и одобрением будут читать оное. О боже! До чего мы дожили!

Сама святая и апостольская церковь вопиет к вам о защите: при ее священном гласе моления мои ничто. Вам, вам предстоит обязательно объяснить правительству про губительные последствия, которые проистекут от дальнейшей снисходительности, и указать средства к обузданию толиких дерзостей.

Может быть, кто-нибудь и предупредит меня: дай всевышний, чтобы прежде меня тысячи голосов воззвали к вашему высокопреосвященству о скорой помощи.

С глубоким благоговением честь имею быть, милостивейший архипастырь, вашего высокопреосвященства всепокорнейший слуга.

Филипп Вигель,
действительный статский советник,
управляющий департаментом духовных дел иностранных исповеданий.

ИЗ ЗАПИСОК К. Н. ЛЕБЕДЕВА[10]

Я читал письмо полковника[11] Чаадаева (1829 г. Декабря 1 день из Некрополя), писанное на французском к одной даме, княгине Зинаиде Волконской[12], и помещенное в переводе в Телескопе 1836 г. Это письмо наделало много шуму: журнал запрещен, цензор отставлен, автор — говорят — должен был заявить, что писал его в помешательстве. Толков множество всяких; как бы то ни было, вреда много. Трудно найти № журнала, в Москве, я думаю, еще трудней. (Запрещение у нас распространяет известность и смысл.) Сочинитель беседует о влиянии религии на совершенствование общества. Беседа происходит, кажется, с иллюминаткой[13]: автор почти прямо убеждает ее надеть лик ангельский и искать отраду, утешение в религиозном созерцании. Догматическая часть письма для дамы темная и отзывается каким-то католическим учением. Он говорит, что история религии составляет ее философию и ее догматику.

Все письмо имеет свойство парадокса, как, например, невыгодно устанавливать мнения, но мнения порождают выгоды. Много непоследовательного, много полемического и особенно много выходок против России. Россия есть главное основание, религиозное совершенствование служило только предлогом. Письмо писано на французском, к даме, которая, вероятно, по-русски ничего не знает. Она — как видно из некоторых строк — жаловалась на пустоту русского общества, в котором, может быть, не играла первой роли, что при так называемом религиозном направлении дамы должно быть тайною и главною целью. Письмо писано г. Чаадаевым, приятелем генерала Орлова (Михаила) и прочих, памятных по своему уму, образованию и подозрению в 14 декабря. Это ропот на современность, выраженный главою прорицателей. Ума в авторе много, мысль нова и определенна, выражение уверенно. Тон и последовательность письма не выдержаны; явно, что он писал в страстном (озлобленном) состоянии к особе, которая предварительно согласна с ним во мнении о России. Вот содержание письма, сколько я могу припомнить после беглого чтения. № журнала рвут по рукам. То, что у других народов правило жизни, принятое всеми и давно, у нас есть теория, положение строгое, которое надобно показать и доказать.

В самом взгляде (глазах) наших есть что-то холодное, низкое, дикое. Мы делаем все кое-как, как угорелые, как потерявшиеся. И везде есть потерявшиеся, но там они исключение, у нас общее свойство. Петр Великий разостлал мантию цивилизации, но мы не коснулись этой мантии; Александр провел нас от Москвы до Парижа, чрез всю Европу, но мы вынесли оттуда одно поверхностное, одно полуобразование глупое; в нас царствуют беспечность, нехотение, отсутствие энергии и опытного действования. Мы имеем недостатки младенчествующих народов, не владея способами образованных. Наша физическая храбрость есть какое-то минутное, неусвоенное чувство. В крови нашей есть что-то отталкивающее любовь к совершенствованию, и русская нация в книге разумения составляет пробел и проч.

Автор ищет причины в истории. Чтобы переиначить, преобразовать нас, надобно переиначить воспитание человечества (переиначить историю мира). Мы какой-то опыт, который через несколько веков будет назидателен для человеческого рода, как неподвижная, несчастная тема, осужденная Верховным Умом на бедственную участь. Здесь сочинитель, изыскивая причины, делается темным и сбивчивым. Главною причиной он полагает наше религиозное отчуждение, отчего мы не приняли участия ни в каких выгодах христианства. Тогда как Германия и латинские племена составляли одно семейство — христианство, имевшее значение и в публичном европейском праве, тогда как они в один час молились и праздновали одним языком, одни торжества, одного бога, одинаковыми обрядами, тогда как они разрабатывали наследство, завещанное древностью, обобщали и делались братьями между собою, вместе внимали буллам Ватикана, вместе шли ко гробу спасителя, вместе ратовали против пап, мы, русские, получили идею религии от растленной, презираемой Византии, отделились чрез то от человечества, лишились всех выгод, предлагаемых прошедшим, а чрез это и самой будущности, которая есть следствие прошедшего.

Не думайте, чтобы я преувеличивал, говорит сочинитель. Я сказал еще слишком мало; а говорят, что он сознался, будто писал письмо в помешательстве! Я этому не верю.

Если достану, то спишу некоторые страницы слово в слово. А между тем скажу несколько слов о запрещениях.

Что они запрещают? Явись какая-нибудь книга, статья, стишонки не по нраву, не по вкусу некоторых людей, сейчас запрещают. Чрез это: 1) Хорошая и дрянная вещь приобретает знаменитость, ее ловят, добиваются, читают, переписывают, затверживают; не будь запрещена она, ее десятая бы доля не знала и не заметила, прочитавшие прочли бы с равнодушием и не сказали бы об ней ни слова; 2) Правительство навлекает неудовольствие за строгость цензуры, за притеснение; за эти толки, пересуды, ропот, чем запрещение суровее — тем ропот громче; 3) Несчастие авторов, из которых иные, может быть, благонамеренные и добрые люди, делаются неблагонамеренными и лишаются всякой карьеры. Да и что они запрещают?

Ложь? Не запрещайте, она сама обличится; вы боитесь ее действий? Так опровергайте, раскритикуйте, скажите правду благородно, прямо, достойно. Истину? Нечего запрещать. Хоть вы учредите заключение, инквизицию, костры,— истина всегда возьмет свое, и чем больше настроят лесов и подпорок, тем появление ее наделает больше шуму и ломки.

ИЗ «БЫЛОГО И ДУМ» А. И. ГЕРЦЕНА[14]

«Письмо» Чаадаева было своего рода последнее слово, рубеж. Это был выстрел, раздавшийся в темную ночь; тонуло ли что и возвещало свою гибель, был ли это сигнал, зов на помощь, весть об утрате или о том, что его не будет,— все равно надобно было проснуться.

Что, кажется, значат два-три листа, помещенных в ежемесячном обозрении? А между тем, такова сила речи сказанной, такова мощь слова в стране, молчащей и не привыкнувшей к независимому говору, что «Письмо» Чаадаева потрясло всю мыслящую Россию. Оно имело полное право на это. После «Горе от ума» не было ни одного литературного произведения, которое сделало бы такое сильное впечатление. Между ними — десятилетнее молчание, 14 декабря, виселицы, каторга, Николай. Петровский период переломился с двух концов. Пустое место, оставленное сильными людьми, сосланными в Сибирь, не замещалось. Мысль томилась, работала — но еще ни до чего не доходила. Говорить было опасно — да и нечего было сказать; вдруг тихо поднялась какая-то печальная фигура и потребовала речи для того, чтоб спокойно сказать свое lasciate ogni speranza*.

* оставьте всякую надежду *(итал.)*. — *Ред.*

Летом 1836 года я спокойно сидел за своим письменным столом в Вятке, когда почтальон принес мне последнюю книжку «Телескопа». Надобно жить в ссылке и глуши, чтоб оценить, что значит новая книга. Я, разумеется, бросил все и принялся разрезывать «Телескоп» — «Философические письма», писанные к даме, без подписи. В подстрочном замечании было сказано, что письма эти писаны русским по-французски, т. е. что это перевод. Все это скорее предупредило меня против статьи, чем в ее пользу, и я принялся читать «критику» и «смесь».

Наконец дошел черед и до «Письма». Со второй, третьей страницы меня остановил печально-серьезный тон: от каждого слова веяло долгим страданием, уже охлажденным, но еще озлобленным. Эдак пишут только люди, долго думавшие, много думавшие и много испытавшие; жизнью, а не теорией доходят до такого взгляда... Читаю далее — «Письмо» растет, оно становится мрачным обвинительным актом против России, протестом личности, которая за все вынесенное хочет высказать часть накопившегося на сердце.

Я раза два останавливался, чтоб отдохнуть и дать улечься мыслям и чувствам, и потом снова читал и читал. И это напечатано по-русски, неизвестным автором... Я боялся, не сошел ли я с ума. Потом я перечитывал «Письмо» Витбергу, потом С(кворцову), молодому учителю вятской гимназии, потом опять себе.

Весьма вероятно, что то же самое происходило в разных губернских и уездных городах, в столицах и господских домах.

СТАТЬЯ БЕЗ НАЗВАНИЯ[15]

Человек необыкновенный, которому потомство не престанет дивиться, Наполеон, называл таковые статьи поджигательными пламенниками: я говорю *таковых* лишь по их содержанию, но писанных со вкусом и пылом убеждения*. Та, о которой хотим говорить, может назваться *отравленною льдиною.* Мы уже привыкли к подобным ей,— и я никому не советовал бы возражать на нее: автор не стоит чести страдальца, всегда интересного для толпы невежд, хотя бы он был прав как Иуда. Известно, что все мутители народов

* Г-жа Сталь никогда не говорила с явным и неистовым озлоблением против сограждан своих и существовавшего порядка дел: она, в славном своем творении о Германии, лишь заметила в германцах более вольномыслия и более идеализма, чем во французах,— но Наполеон не простил ей и этого.

говорят им: «Вы гнилушки; но подождите: мы вас одушевим, разогреем: *очистим атмосферу, в которой вы живете. Вам скучно дома и в гостях; вы везде кочующие, везде как на постое, как чужие:* мы вас развеселим. *Ваша жизнь еще не составилась; вы не составляете еще необходимой части человечества: вы живете лишь для того, чтобы мы преподали вами великий урок миру. Мы породним вас с семейством человечества, введя в атмосферу Запада.* Вы глупы; у вас немота на лицах; *в ваших взглядах что-то холодное; у вас в крови что-то противное просвещению; вы взяли Париж и тем отодвинулись на 50 лет от просвещения.* Отцы ваши были также глупы и не оставили ни памятников, ни преданий, которые говорили бы о доблестях народа. Мы дадим вам *эпоху живую, безмерно деятельную;* мы введем вас в *эту поэтическую игру нравственных сил народа.* Безверие нам не удавалось; это старо: мы употребим христианство и *осуществим на земле царствие божие»**.

А народы, наученные и ежедневно научаемые, говорят им: «Увольте нас от этих благ: ваша поэтическая форма бытия, в которую вы хотите ввести игру народных сил, шумна и кровава для нас, современников; развратительна и гибельна для детей и внуков наших. Пример в глазах: что осталось светлого и нравственного для нового поколения там, где Марат и Робеспьер прошли по трупам отцов и матерей? Мы не просимся породниться с ними; избавьте нас от такого царствия божия на земле». Вот что говорят им *массы*, которые, по их мнению, *сами собою не думают,* но умно и благодетельно управляются.

И ужели русские без омерзения могли читать эту статью? (Это писано тотчас по прочтении философического письма.) У нас нет памятников великих дел! нет славных преданий! Нет и не было народных добродетелей! Нет поэзии в скрижалях нашей истории!— Не злой ли безумец один может сказать, что мы развратились от Византии? Нет, вместе с великим даром истинного православия, которое утвердило величие России, спасало ее не один раз от римского ига, мы почерпнули там и первые выгоды образованности.— Но наша образованность и православие никуда не годятся: они не западные.— Что отвечать на это?.. Статья, писанная русским против России на французском языке, заслуживает уже смех и презрение. Но добрый патриот не будет смеяться: он с сожалением укажет в ней отцам и матерям на бедственные следы французского воспитания. Оставя дух вредного вольно-

---

* Подчеркнутые строки взяты из самого сочинения.

мыслия, видно, что автор изучал историю отечества по Леклерку и Левеку и наблюдал его быт по замечаниям аббата Шапа (?) и Перрена. Родители! Ужаснитесь мнимоневинного желания, чтобы дети ваши отличнее других лепетали на языке наших врагов — завистников, оставляя в небрежении свой, богатый и благозвучный. Пусть их сердца полнятся сперва родными его звуками; пусть на нем передадутся им события отечественного края, слава и высокие добродетели предков: пусть возгордятся они своим, а потом отдадут справедливость и чужому, хваля достойное хвалы, порицая достойное порицанья, пусть будут они просвещенными, но просвещенными россиянами,— дабы великая тень Петра не разбила, подобно Моисею на Синае, скрижалей своих, где предначертал он нам и твердое величие и беспримерную славу.

ИЗ ПИСЬМА Н. И. НАДЕЖДИНА К В. Г. БЕЛИНСКОМУ[16]

От 12 октября 1836 г.

Я нахожусь в большом страхе. Письмо Чаадаева, помещенное в 15 книжке, возбудило ужасный гвалт в Москве благодаря подлецам-наблюдателям[17]. Эти добрые люди с первого раза затрубили о нем, как о неслыханном преступлении, и все гостиные им завторили. Ужас что говорят! Андросов[18] бился об заклад, что к 20 октября Телескоп будет запрещен, я посажен в крепость, а цензор отставлен; и все остальные повторяют: «Да! Это должно быть так непременно!» Граф Строганов[19] так поражен великостью этого дела, что хранит глубочайшее молчание и не смеет высказать никакого мнения о таком чрезвычайном событии. Александр Васильевич (Болдырев)[20] убит слухами.

ОТРЫВОК ИЗ ПИСЬМА НЕУСТАНОВЛЕННОГО ЛИЦА[21]

Высокое чувство любви к отечеству, столь часто воспламеняющее и наше женское сердце, есть преимущественно ваше достояние, а вы, да простит вас господь, отнимаете это родное чувство у русских!

ОТРЫВОК ИЗ ПИСЬМА А. И. ТУРГЕНЕВА К П. А. ВЯЗЕМСКОМУ[22]

От 24 октября 1836 г.

Ввечеру Свербеев, Орлов, Чаадаев спорили у меня так, что голова моя, и без того опустевшая, сильно разболелась.

Что же ты ни слова о статье Чаадаева? Баратынский пишет опровержение. Здесь остервенение продолжается и паче молва бывает. Чаадаев сам против себя пишет и отвечает языком и мнениями Орлова. Увидим, будет ли ему такой же успех в..., но чтобы мне не провраться с больной головой моей! Чаадаев обещал мне письмо к Бравуре, которое пошлю через тебя.

ИЗ ПИСЬМА П. А. ВЯЗЕМСКОГО К А. И. ТУРГЕНЕВУ

От 28 октября 1836

Пришли мне по оказии, что будет, и сообщи по оказии несколько московских коммеражей[23], чтобы сличить их с здешними. Грустно, а сами виноваты, до непростительности виноваты! Точно лунатики: живут на луне и не знают, как подобает жить на земле. Никого не уверишь здесь, что нет тут преступной неблагонамеренности и обдуманного замысла. Впрочем, со стороны оно так и кажется. Зная лица, знаешь, что тут всего-навсего с одной стороны — непомерное самолюбие, раздражение, жажда театральной эффектности и большая неясность, зыбкость и туманность в понятиях; а с другой стороны — какая-то закоснелая тупость, безчуткость, особенно свойственная нашим литераторам и журналистам, а может, и коммерческий расчет умалить расход на журнал; но и тут пробивается та же глупость и неведение того, что можно и чего нельзя. Самоотвержения, мученичества тут, разумеется, нет; не говорю уже о том, что и вольная страсть была бы в этом случае нелепость, потому что ни к чему приложить бы ее нельзя. Что за глупость пророчествовать о прошедшем? Пророков и о будущем сажают в желтый дом, когда они предсказывают преставление света, а тут предсказание о бывшем преставлении народа. Это верх безумия! И думать, что народ скажет за это спасибо, за то, что выводят по старым счетам из него не то что ложное число, а просто нуль! Такого рода парадоксы хороши у камина для оживления разговора, но далее пускать их нельзя, особенно же у нас, где умы не приготовлены и не обдержаны прениями противоположных мыслей. Даже и опровергать их нельзя, потому что опровержение было бы обвинением, доносом. Тут вышел бы спор не об отвлеченном предмете, а бой рукопашный за свою кровь, за прах отцов, за все свое и за всех своих. Как же можно вызывать на такой бой, заводить такой спор?

ИЗ ПРОЕКТА ПИСЬМА П. А. ВЯЗЕМСКОГО К С. С. УВАРОВУ[24]

Дух сомнения, дух отрицания овладел умами преподавателей. Какой-то исторический протестантизм силится осушить источники наших верований и преданий, не раскрывая, впрочем, новых для жажды нашей веры и народной любознательности. Мелочная критика, ничтожные изыскания, нелепая фразеология высших взглядов, потребностей и духа времени искажают нашу историю. Университеты начали требовать какой-то подвижной истории, то есть хотят перекраивать ее, по изменениям господствующего образа мыслей и страстей современного поколения. Исторический скептицизм, терпимый и даже поощряемый министерством народного просвещения, неминуемо довел до появления в печати известного письма Чаадаева, помещенного в «Телескопе». Напрасно искать в сем явлении тайных пружин, движимых злоумышленными руками. Оно просто естественный и созревший результат направления, которое дано исторической нашей критике. Допущенное безверие к писанному довело до безверия к действительному. Подлежащие вам места как будто именем правительства говорили учащемуся поколению: не учитесь Карамзину! Не верьте ему! Не другими ли словами говорили они: не учитесь Русской Истории! Не верьте ей! Ибо нельзя же учиться по белой бумаге и по пустому месту. Письмо Чаадаева не что иное, в сущности своей, как отрицание той России, которую с подлинника списал Карамзин. Тут никакого умысла и помысла политического не было. Было одно желание блеснуть новостью воззрений, парадоксами и попытать силы свои в упражнениях по части искажения русской Истории. Обыкновенно лица и правительства при явлении неожиданных и неприятных для них событий ищут им внешние и независимые от них причины. Никому не хочется внутреннею исповедью доискаться тайной связи между началами, в нас сокрытыми, и дальнейшими результатами, истекающими уже не только вне, но часто вопреки воле нашей. Для достижения истины должно следовать совершенно противному порядку. Можно сказать решительно, что, за исключением редких случаев, каждая неудача наша заключается в собственной нашей вине и каждый общественный беспорядок имеет зародыш свой в ошибках той или другой власти. Перечтите со вниманием и без предубеждения все, что писано было у нас против Истории Государства Российского и самого Карамзина, сообразите направление, мнение и дух нового исторического учения, противопоставленного учению Карамзина, и из соображений ваших неминуемым итогом выйдет известное письмо, которое так дорого обошлось бедному Чаадаеву.

ИЗ ПИСЬМА С. Н. КАРАМЗИНОЙ К А. Н. КАРАМЗИНУ[25]

От 3 ноября 1836

Я должна рассказать тебе о том, что занимает все петербургское общество, начиная с литераторов, духовенства и кончая вельможами и модными дамами; это — письмо, которое напечатал Чедаев в «Телескопе», «Преимущества католицизма перед греческим исповеданием», источником, как он говорит, всяческого зла и варварства в России, стеною, воздвигнутой между Россией и цивилизацией,— исповеданием, принесенным из Византии со всей ее испорченностью и т. д. Он добавляет разные хорошенькие штучки о России, «стране несчастной, без прошлого, без настоящего и будущего», стране, в которой возникли лишь два великана: Петр I, мимоходом набросивший на нее плащ цивилизации, и Александр, прошедший победителем через Европу, ведя за собой множество людей, внешняя доблесть и мужество которых были не чем иным, как малодушной покорностью людей, у которых «человеческое только лицо, и к тому же безо всякого выражения».

Как ты находишь все эти ужасы? Недурно для русского! И что скажешь ты о цензуре, пропустившей все это? Пушкин очень хорошо сравнивает ее с пугливой лошадью, которая ни за что, хоть убейте ее, не перепрыгнет через белый платок, подобный запретительным словам, вроде слов «свобода», «революция» и пр., но которая бросится через ров потому, что он черный, и сломает там себе шею. Это письмо вызвало всеобщее удивление и негодование. Журнал запрещен, цензор отставлен от должности, приказано посылать ежедневно к Чедаеву врача, чтобы наблюдать, не сумасшедший ли он, и еженедельно докладывать о нем государю.

ИЗ ПИСЬМА А. Н. КАРАМЗИНА К А. Н. КАРАМЗИНУ

От 5—6 ноября 1836

Философия — самая ужасная вещь настоящего века; станешь философствовать, что вот-де как проводишь время, что-де молодость проходит таким подлым образом, что оскотинился, что чувства душевные тупеют приметно, что начинаешь весьма походить на полену и пр. При этой философии начинает по всему телу проходить какая-то гадость, которая мало-помалу переходит в сонливость, станешь зевать, ляжешь да и всхрапишь. А на другое утро в казармы! Видя такую всеобщую гадость в жизни, можно помешаться и даже написать письма вроде Чаадаева, о которых говорит тебе сестра. В галиматье этого человека, право, иногда есть довольно справедливые мысли, только точка зрения его совершенно ложная: он все зло видит только у нас и все ругает бедную Россию там, где нужно ругать весь век, все человечество. Кроме того, он смешивает частности одного времени с общим характером народа и, наконец, все увеличивает, доказывает вред, происшедший от одной причины, а не видит, что эта же самая причина спасла нас от других, может быть, больших бедствий. Словом, видно, что он человек с большим умом, но, к несчастью, несколько помешался от излишнего самолюбия или от того, что слишком влюбился в свои мысли и мнения, всмотрелся в них пристально и забыл все, что видел прежде, все, что слышал прежде, все, что не непосредственно принадлежало к этим мыслям, которые, наконец, свели его несколько с ума. Вещь известная, что во что бы и в кого бы ни влюбился, но любовник всегда не в совершенном рассудке.

ИЗ ПИСЬМА В. Ф. ОДОЕВСКОГО К С. П. ШЕВЫРЕВУ[26]

От 17 ноября 1836 г.

Что пишешь о недоумениях московской цензуры, должно было, и этому помочь нельзя: глупая статья Чаадаева затворяет рот всякому, кто бы хотел вступиться за литературу. Как мне жаль, что я не успел прежде окончить печатание моего Дома Сумасшедших; два года тому назад, не имея почти никакого понятия о мыслях Чаадаева, я написал эпилог, заключающий книгу и как будто нарочно совершенно противоположный статье Чаадаева; то, что он говорит об России, я говорю об Европе, и наоборот. Ты знаешь мою мысль, о которой я намекнул мимоходом во Введении к Дому Сумасшедших (см. в Библиотеке для Чтения: «Кто сумасшедший») и в «Русских ночах» о том, что Россия должна такое же действие произвесть на ученый мир, как некогда открытие новой части света, и спасти издыхающую в европейском рубище науку. Если бы эта статья появилась в одно время с Чаадаевской, то, может быть, elle aurait neutralisé son effet* и по крайней мере правительство бы увидело, что на одного сумасшедшего есть тоже человек по крайней мере несумасшедший. Теперь уже поздно. И досадно, и грустно!

ИЗ ПИСЬМА П. Б. КОЗЛОВСКОГО К П. А. ВЯЗЕМСКОМУ[27]

От 26 ноября 1836 г.

Мнение мое о письмах Чаадаева отгадать вам будет нетрудно; но дело идет не о том, а о том, чтобы... отстоять его невредимым и прикрыть своею человеколюбивою защитою безумное его стремление к мученичеству. Как бы ни странны казались его мысли, все-таки человек, не посягающий на существующее правление, не оскорбляющий высокую особу монарха, не ищущий, в неблагоразумной своей искренности, ничего, кроме правды добра, все-таки в самых заблуждениях достоин заступления... тех, у которых есть перо и сердце. Многие из вас доступны к генералу князю Бенкендорфу, и я твердо надеюсь, что вы не оставите без покровительства журналиста и автора. Конечно, лучше бы было не начинать таковые разговоры, которые не производят убеждения, а подвергают убеждающего разным неприятностям; но граф Бенкендорф отхотно примет ваше братско-литературное ходатайство за невинную дерзость. Вот о чем надобно думать, оставляя время на решение в таком важном споре.

Спросите Пушкина, надобна ли ему статья о паровых машинах[28], о которой говорил мне граф Виельгорский; и будет ли она довольно новою, чтобы заманить читателей, ибо печальная вещь ломать себе голову и писать без надежды некоторой пользы.

ИЗ ПИСЬМА С. П. ШЕВЫРЕВА К В. Ф. ОДОЕВСКОМУ[29]

От 9 января 1837 г.

Ладьте дело с Плюшаром, но не выпускайте «Наблюдателя» из наших рук. Здесь издавать невозможно: цензура здешняя как будто с ума сошла, особенно после глупой статьи в «Телескопе». Она уже все марает. Видно, хочет «Наблюдателя» уморить сухоткой. Я не понимаю, зачем эта московская цензура существует. С одной стороны, пропускает такие статьи, как эта известная; с другой, притесняет всю московскую литературу. От нее ни пользы, ни охранения автору, потому что

* она нейтрализовала бы ее действие *(фр.)*.

за ней же сам смотри, а то ушибется и ушибет. Только стоит денег правительству, а прибыли от нее нет.

ИЗ ВОСПОМИНАНИЙ И. И. ПАНАЕВА[30]

Причина внезапного конца «Телескопа», который начинал приобретать еще более значения с появлением в нем Белинского, известна всем. Прекращение этого журнала наделало большого шуму, возбудило различные толки и заставило прочесть статью Чаадаева — виновницу прекращения — даже тех, которые от роду не читали таких серьезных статей. Того нумера «Телескопа», в котором она появилась, скоро достать уже было невозможно: его расхватали, а статья Чаадаева стала расходиться во множестве рукописных экземпляров. Кажется, все строгие, запретительные меры относительно литературы никогда не действовали во вред ей. Запрещение журнала все еще возбуждало в публике сочувствие и участие к журналисту, подвергшемуся опале, а статья, вследствие которой запрещался журнал, приобретала популярность не только между всеми грамотными и читающими людьми, но даже и между полуграмотными, которые придавали ей бог знает какие невежественные толкования.

ИЗ ВЫСКАЗЫВАНИЙ В. А. ЖУКОВСКОГО[31]

Порицать Россию за то, что она с христианством не приняла католичества, предвидеть, что католическою она была бы лучше — все равно, что жалеть о черноволосом красавце, зачем он не белокурый. Красавец за изменением цвета волос был бы и наружностью и характером совсем не тот, каков он есть. Россия, изначала католическая, была бы совсем не та, какова теперь; допустим, пожалуй, что католическая была бы она и лучше, но она не была бы Россиею.

А. С. ПУШКИН — П. Я. ЧААДАЕВУ[32]

19 окт. [*1836*]

Благодарю за брошюру, которую вы мне прислали. Я с удовольствием перечел ее, хотя очень удивился, что она переведена и напечатана. Я доволен переводом: в нем сохранена энергия и непринужденность подлинника. Что касается мыслей, то вы знаете, что я далеко не во всем согласен с вами. Нет сомнения, что Схизма отъединила нас от остальной Европы и что мы не принимали участия ни в одном из великих событий, которые ее потрясали, но у нас было свое особое предназначение. Это Россия, это ее необъятные пространства поглотили монгольское нашествие. Татары не посмели перейти наши западные границы и оставить нас в тылу. Они отошли к своим пустыням, и христианская цивилизация была спасена. Для достижения этой цели мы должны были вести совершенно особое существование, которое, оставив нас христианами, сделало нас, однако, совершенно чуждыми христианскому миру, так что нашим мученичеством энергичное развитие католической Европы было избавлено от всяких помех. Вы говорите, что источник, откуда мы черпали христианство, был нечист, что Византия была достойна презрения и презираема и т. п. Ах, мой друг, разве сам Иисус Христос не родился евреем и разве Иерусалим не был притчею во языцех? Евангелие от этого разве менее изумительно? У греков мы взяли евангелие и предания, но не дух ребяческой мелочности и словопрений. Нравы Византии никогда не были нравами Киева. Наше духовенство, до Феофана, было достойно уважения, оно никогда не пятнало себя низостями папизма и, конечно, никогда не вызвало бы реформации в тот момент, когда человечество больше всего нуждалось в единстве. Согласен, что нынешнее наше духовенство отстало. Хотите знать причину? Оно носит бороду, вот и все. Оно не принадлежит к хорошему обществу. Что же касается нашей исторической ничтожности, то я решительно не могу с вами согласиться. Войны Олега и Святослава и даже удельные усобицы — разве это не та жизнь, полная кипучего брожения и пылкой и бесцельной деятельности, которой отличается юность всех народов? Татарское нашествие — печальное и великое зрелище. Пробуждение России, развитие ее могущества, ее движение к единству (к русскому единству, разумеется), оба Ивана, величественная драма, начавшаяся в Угличе и закончившаяся в Ипатьевском монастыре,— как, неужели все это не история, а лишь бледный и полузабытый сон? А Петр Великий, который один есть целая всемирная история! А Екатерина II, которая поставила Россию на пороге Европы? А Александр, который привел вас в Париж? и (положа руку на сердце) разве не находите вы чего-то значительного в теперешнем положении России, чего-то такого, что поразит будущего историка? Думаете ли вы, что он поставит нас вне Европы? Хотя лично я сердечно привязан к государю, я далеко не восторгаюсь всем, что вижу вокруг себя; как литератора — меня раздражают, как человек с предрассудками — я оскорблен,— но клянусь честью, что ни за что на свете я не хотел бы переменить отечество или иметь другую историю, кроме истории наших предков, такой, какой нам бог ее дал.

Вышло предлинное письмо. Поспорив с вами, я должен вам сказать, что многое в вашем послании глубоко верно. Действительно, нужно сознаться, что наша общественная жизнь — грустная вещь. Что это отсутствие общественного мнения, это равнодушие ко всякому долгу, справедливости и истине, это циничное презрение к человеческой мысли и достоинству — поистине могут привести в отчаяние. Вы хорошо сделали, что сказали это громко. Но боюсь, как бы ваши исторические воззрения вам не повредили... Наконец, мне досадно, что я не был подле вас, когда вы передавали вашу рукопись журналистам. Я нигде не бываю и не могу вам сказать, производит ли статья впечатление. Надеюсь, что ее не будут раздувать. Читали ли вы 3-й № «Современника»? Статья «Вольтер» и Джон Теннер — мои, Козловский стал бы моим провидением, если бы захотел раз навсегда сделаться литератором. Прощайте, мой друг. Если увидите Орлова (?) и Раевского (?), передайте им поклон. Что говорят они о вашем письме, они, столь посредственные христиане?

2. ПИСЬМА К ЧААДАЕВУ ОСНОВНЫХ КОРРЕСПОНДЕНТОВ

Ф. д' ЭКШТЕЙН — П. Я. ЧААДАЕВУ

Милостивый государь, прошло уже много месяцев, как я получил письмо, которым вы благоволили почтить меня; уже много месяцев также, как я собираюсь отвечать вам, но вы не сообщили мне вашего адреса; господин Тургенев, который мог бы мне дать его, был в отъезде; теперь, когда он вернулся, я пользуюсь случаем, чтобы выразить вам всю мою признательность и мое живое сочувствие вашим взглядам и доктринам. Восток — новый мир; он будет отныне для старой революционной Европы тем, чем Америка была для старой протестантизированной Европы; он обновит в ней источники творчества, он направит ее моральную деятельность, равно как и ее деятельность материальную, он помешает ей вращаться исключительно вокруг самой себя с тем, чтоб пожирать себя. Мы не будем подражать тому, что не заслуживает подражания, но мы не будем также и полагать, что достигли геркулесовых столпов, как это воображали в прошлом веке. Таковы некоторые из взглядов, которые я стараюсь выставить в периодическом труде, который я здесь выпускаю в свет под заглавием Французское и иностранное обозрение. Правда, промышленность нас захватывает и властвует над нами, но я не вижу в этом зла; лучше уж промышленность, чем леность. Невозможно, чтобы человеческая деятельность развивалась исключительно на какой-нибудь одной точке; рано или поздно она пробьется и в остальных дисциплинах; в этом направлении я и стараюсь бороться, не позоря, однако, при этом моего века. Всегда следует принимать то, что существует, с тем, однако, чтобы видоизменять его и извлекать из него возможно большую пользу.

Благоволите принять, милостивый государь, выражение всей моей признательности, равно как высокого и совершенного почитания, с которым имею честь быть

*барон д'*Экштейн.

Париж, улица Мондоре, 5;
12 октября [*1836*]

Ф. В. ШЕЛЛИНГ — П. Я. ЧААДАЕВУ

Милостивый государь.

В то самое время, когда мы оканчиваем уже давно начатую нами в тиши работу, результатом которой является новый интеллектуальный мир, до сих пор недоступный философии, нам отрадно узнать, что другие лица находятся на одном пути с нами, что они слышат нас, что они понимают нас заранее, и что не скудный и жалкий дух индивида, а общий дух времени вдохновил нас и пожелал выявиться в нас и через нас.

Я только что усмотрел из письма моего друга, господина Тургенева, дружбу которого я причисляю к величайшим из тех преимуществ, которыми я обязан моим усилиям, что вы, милостивый государь, желали бы от меня немецкого письма. Но так как я уже выразил выше мою радость по поводу вашей солидарности со мною, то, чтобы дать вам некоторое понятие о моей теперешней точке зрения, я замечу только, что я, собственно, не покинул прежнего пути, но только продолжил его, равным образом не отказался и от прежних средств, но лишь пытался применить их в более высокой мере, вообще говоря, не отбросил приобретенного прежде, но стремился повысить и превзойти его.

Философия откровения, о которой писал вам наш почтеннейший друг, не есть наименование всей моей философии, но лишь последняя часть ее.

Сама система отличается от всех предыдущих только тем,

что содержит философию, которая действительно может проникнуть в эту область, не насилуя философии и христианства.

Вот каким делом будет этот труд.

Я держался, таким образом, возможно ближе к прежнему пути и изыскивал простейшие средства; и, стремясь преодолеть господствовавший до сих пор рационализм (не богословия, а самой философии), в той же мере остерегался, с другой стороны, впасть в сантиментальность, мечтательность или род мистики, отвергаемый разумом.

Кроме того, я остерегался оглашать результаты или положения, которые как бы непосредственно хватают за сердце человека и поэтому скоро и легко привлекают его внимание и участие; я отвергал материальное воздействие, пока не достиг уверенности в совершенном формальном обосновании, ибо я забочусь не о субъективном, индивидуальном и мгновенном, но о всеобщем и пребывающем убеждении, о прибытке навек, который изменившееся всеобщее настроение не исторгнет у мира с той же легкостью, с какой теперешнее настроение делает его желательным миру.

Будьте здоровы, милостивый государь, не оставляйте меня и впредь вашим участием, как и я прошу вас верить в неизменность моего расположения к вам.

Мюнхен 21 Сент. 1833 *Шеллинг.*

А. СИРКУР — П. Я. ЧААДАЕВУ

Париж. 21 апреля 1845

Я получил, милостивый государь, ваше письмо от 15 января. Оно странным образом задержалось; я же отвечаю на него с наивозможнейшей быстротой. Прежде всего хочу обратить ваше внимание, что замечания в обеих статьях были сделаны г. Лютеротом, а не мною. То, что вы нашли в них, означает мнения (и предрассудки тоже) протестантской церковной школы, или, скорее, независимой, и нисколько не характеризует мои собственные. Я далек от детального знания организации и современной деятельности русской церкви, но могу оценить ее дух. Я никогда не терял случая, чтобы исправить легкомысленные догадки на этот счет среди окружающих меня людей. Ценность моих суждений по отношению к России следует искать в систематической благосклонности, а не в болезненной предрасположительности. Было бы чудесно, кроме того, если бы реальный, исторический и социальный характер славянской нации и русской церкви стал хорошо известен на Западе. Об этих великих предметах мы имеем в обращении лишь клеветнические романы, большей частью вдохновляемые и комментируемые вашими собственными соотечественниками. Современная школа, наряду со страстным преувеличением, которое влечет за собой всякая реакция, помогает Европе обратить внимание, направить интерес на одну из самых главных частей этого господствующего района мира. Но показывая Россию Европе, не следует прятать Европу от России. Безусловно, ваше прошлое величественно, имеет славные периоды, поколения мучеников, века твердого терпения. Да, вы спасли восточную форму христианской религии. Да, вы остановили, кровью и муками, постоянный до тех пор поток нашествий из Азии в Европу. Да, вы восстановили и окончательно закрепили восходящий авторитет европейского принципа над азиатским. Да, в разгар эры бесконечных социальных и интеллектуальных усложнений вы продлили существование простых элементов и плодотворных идей в их величественной простоте. Но было бы ошибочным, если бы вы оттолкнули всякую симпатию, всякую общность мысли и чувства с Западом. Это было бы равносильно возобновлению действий, которые предпринимали против вас ваши враги. Это оказалось бы неверным отношением к вашему истинному прошлому и недооценкой вашего провиденциального будущего. Мир является книгой бога. Каждый народ должен написать в ней свою страницу и прочитать все другие. Дух исключительности и закрытости стал бы для России таким же черным благом, таким же чреватым бедствиями, каким были Орда, Литва, Швеция — три ужасные испытания, пережитые и отраженные вами. Этот дух заключил бы вас в непроницаемый круг, внутри которого вы бы вскоре погибли. Восходя к источнику своих учреждений, ваши ученые (а они одновременно и поэты) должны приложить усилия, чтобы не исказить правильный ход событий. Ваше законное, истинно национальное, прошлое, да, несомненно; оно привело вас к чистому христианству, к простым установлениям, праведным и святым. Когда Кирилл и Мефодий приобщили ваш народ к знанию божественных истин, апостольская традиция существовала в своей первоначальной чистоте; великая христианская семья уже объединилась, но еще не разделилась вновь: мир пребывал между уничтоженным Арием и еще не родившимся Фотием. Император Анастасий издаст эдикт, который положит начало в Европе новой священной эре, освобождению всех рабов восточного романского мира на основе духа христианства и интересов человечества. У вашего же народа уже развивалась торговля, любовно возделывалось сельское хозяйство, почиталось военное искусство и осуждалось рабство; нити подлинного взаиморасположения связывали хозяина земли и тех, кто ее обрабатывал: отношения между господином и слугой, клиентом и патроном носили патриархальный характер; да, Западу тогда мешали тяжелые препятствия; да, социальные основания у славян более соответствовали построению христианского здания. Но вот прокатились великие политические революции, и поток народов, наводнивший славян, навязал им надолго свой гнет. В результате славяне глубоко пропитались чужеродными и, как правило, дурными элементами: при слепом отступлении к прошлому появляется риск вернуться именно к этим элементам. Так, у Ивана IV наряду с определенными чертами великого князя, законного последователя национальных предводителей, разве вы не встретите свойств византийского кесаря, развращенного наследника македонской династии? А сколько черт золотоордынского хана заимствовал завоеватель Казани в своей верховной власти и еще больше, к сожалению, в жестокостях ее применения? Так же обстоит дело и в других пунктах. Не будем отступать назад, но пойдем вперед. Прошлое было лишь приготовлением, великим и почтенным в одних отношениях, темным и тягостным — в других, приготовлением великого действия Провидения на человечество. Adveniat regnum tuum! Идя праведными дорогами, мы найдем попутно все, что было великого, доброго, достойного жизни на последовательных этапах нашего прошлого. В мире существует лишь одна истина; но у нее есть несколько сторон, как у справедливости; но эта справедливость имеет множество способов осуществления, как цель; но эта цель может достигаться различными путями. Не станем вершить приговоры и преследовать, будем народом разума и любви. Ненавидеть, отталкивать, угнетать — это не славянские мысли, не славянские действия. Такие грустные плоды духовной деятельности скорее подходят негибкой организации готических племен, узкой, хотя и блестящей, концепции пеласгов. Славянский дух является по своей сути духом смягчения, деревом, выращенным всевозможными прививками и способным умножить свою естественную плодовитость. В Европе всегда была и всегда будет лишь одна цивилизация — божественная путешественница: кто смог бы определить ей особенную атмосферу, исключительный язык? Греция первой оказала ей гостеприимство и сделала вид, будто боги привели ее к ней с небес. Из Греции она направилась в Италию, открывшую ей двери Запада, а затем — на Север, откуда каждый день путешествия приближает ее к своей колыбели. Ни один народ не может оттолкнуть ее как чужую; она вдохновила Владимира, как и Карла Великого, Цезаря Анастасия, норвежского Олафа, венгерского Этьена. Петр Великий недооценил гений своего народа, когда захотел натянуть западный мундир на эту, в сущности, космополитическую цивилизацию, являющуюся достоянием всех. Но грубый наставник сильного ребенка, Петр Великий тем не менее открыл воспитаннику высокие судьбы, которые сулили ему стремительное движение к Западу. Не отбрасывайте преимуществ, завоеванных этим движением; цена, заплаченная вами за них, восполнена. Выполняйте прежде всего обязательства, которые накладывает на вас это уже совершившееся движение. Вы знали тяжелые времена и вынесли жестокий гнет. Пусть же иго подвластных вам народов будет легким! Отбросьте взаимные обвинения и ненависть по отношению к западным народам и оставайтесь сильными, показывая себя разумными и милосердными. Оставайтесь же с нами в дружеском обмене как идеями, так и материальными достижениями. Пусть ваши спокойные и неослабные успехи, укрепившиеся на основе ваших первоначальных и фундаментальных установлений, вызовут разумную симпатию у рассеянного Запада, озабоченного внутренними раздорами. Оставайтесь европейцами, продолжая быть русскими! Нет ничего более европейского, нежели славянский дух, более европеизированного, нежели дух христианский! Вы видите, каковы пожелания одного из тех, кто, хотя и не принадлежит вашей стране, питает к ней самый живой и неослабный интерес.

А. СИРКУР — П. Я. ЧААДАЕВУ

Париж. 5 февраля 1846

...Наше время и страна, в которой я проживаю, составляют довольно редкое и достойное сожаления единство. В Париже особенно быстро уменьшается число людей, с которыми я могу находить общий язык, так что в недалеком будущем я вижу себя совершенно одиноким. Незаконнорожденный империализм овладел умами, ибо я не могу употребить здесь слово сознание. Я видел нацию, волнуемую противоположными страстями, часто неразумную, но никогда я не видел ее столь быстро отступающей в мыслях и столь низко опускающейся в чувствах... Англия возвышается, в то время как мы ослабляемся. Нам не нужно жаловаться на это. Для путей Провидения достаточно, чтобы солнце светило над нами и поступательное движение совершалось в определенном направлении. Окончательный результат господства демократических интересов заключается в том, что Франция оказалась лишенной всякого благородства. Остающиеся еще у нас дворяне отрекаются от духа своего сословия и отличаются от победоносного класса лишь какой-то наглостью поведения, которая лишает их благородства и делает непопулярными. Да послужит наш пример нациям, еще обладающим прочной аристократией и способным эффективно использовать в правительстве этот инструмент всякого устойчивого возвышения мыслей и действий.

Уже я не получаю никаких известий об интеллектуальном мире Москвы. Меня по-настоящему интересует его жизнь, и я с признательностью получил бы любое сообщение о его деятельности и планах — о том, что уже осуществлено и что может быть еще сделано...

С. П. УБРИ — П. Я. ЧААДАЕВУ

Милостивый государь, пользуясь надежной оказией, возвращаю обе тетрадки, которые вы мне любезно доверили и за которые я вам бесконечно благодарен. Надеюсь также, что вы найдете возможность сообщить полный текст письма, которое вы составляли во время моего проезда через Москву и отрывки из которого читали мне. Я бы очень хотел его иметь в надежде найти там развитие выдвинутой вами мысли о том, что, если не ошибаюсь, все наше историческое прошлое явилось, так сказать, следствием или необходимым развитием религиозного чувства нации. Эта тема могла бы быть плодотворной и богатой безупречно доказанными фактами. Не оставляйте ее, прошу вас; на мой взгляд, поиск везде и во всех эпохах движущего народы начала свидетельствует об истинности предпринимаемого пути. Тогда нам показывают, что мы лишь испытываем последовательные изменения, которые религиозное чувство претерпевает в политических и иных обстоятельствах, где оно призвано действовать. Таким образом, мы всегда в боге, если так можно сказать, и единство прогрессивного движения человечества проявляется во всем своем свете.

Примите, милостивый государь, заверение в моем совершенном почтении.

30 июня 1846

Вам преданный

С. Убри.

Ю. Ф. САМАРИН — П. Я. ЧААДАЕВУ

Мне невозможно было, дорогой г. Чаадаев, несмотря на все мое желание, зайти еще раз проститься с вами в день моего отъезда. Я оставил вас страдающим и озабоченным, и, хотя далеко не разделяю ваших опасений, я вынес весьма тягостное впечатление. Для того, чтобы разрушить его, я и умоляю вас написать мне несколько строк. Я знаю, что подобного рода вопросы, обращенные к больному, не всегда уместны; поэтому я позволил себе действовать таким образом лишь в силу того качества доброго малого, которое вы признали за мною, и искреннейшей моей дружбы к вам, в которой вы не можете сомневаться. Слова, сказанные мне вами при нашем последнем свиданьи о том мнении, которое вы имеете обо мне, доставили мне величайшую радость. Я всегда и превыше всего домогался таких слов, и мне весьма редко доводилось их выслушивать. Ручаюсь вам, что не забуду их. Итак, если моя просьба пришлась некстати, считайте, словно ее не было; душевно желаю, чтобы случилось обратное и вместе с тем прошу вас принять выражение искреннейшего уважения и привязанности

преданного вам

Ю. Самарина.

5 Декабря 1846.
Рига

П. А. ВЯЗЕМСКИЙ — П. Я. ЧААДАЕВУ

6 января 1847

Не стану оправдываться перед Вами, любезнейший Петр Яковлевич, хотя имею много дельных и законных оправданий в свою пользу. Лучше прибегну просто к Вашему великодушию со смирением и доверчивостью. Прошу одного: не приписывать долгого молчания моего невниманию или непризнательности за обязательную Вашу обо мне память. Еще одно объяснение. Арфиста Вашего я не видел и не слыхал о нем, а Кавелина не мог определить к себе по причинам, которые изложены в письме моем к брату его. Написать о нем К. Щербатову я охотно готов, но ожидаю, чтобы мне положительно сказали: чего просить, то есть какого места? Очень желал бы я приехать к Вам и погостить у Вас, посмотреть на умственное движение Ваше, послушать Ваших споров: здесь всего этого нет. Но зато у Вас недостаток в практической жизни. Вы очень умны в Москве, но у Вас мало наличных и ходячих мнений в обращении. Вы капиталисты, но ваши миллионы все в кредитных бумагах на дальние сроки и в акциях, которых выручка отложена на неопределенное время, так что на свои нужды и на насущные нужды ближних нет у Вас карманных денег. А у иного в Москве все богатство в древних медалях. Для охотников и знатоков они имеют большую и неизменную цену, но подите с ними на рынок, Вы не купите на них и осьмушки хлеба, а еще того и смотри, что схватит Вас полиция как делателя фальшивой монеты. Здесь крайность другая. Все разменено на мелочь, и каждый гривенник должен тотчас окупиться. У нас возбудила общее внимание новая книга Гоголя. То-то у Вас будут толки о ней. Она очень замечательна по новому направлению, которое принято умом его. Замечательна и особенно хороша она и потому, что он ею разрывает со своим прошедшим, а еще более с прошедшим и ответственностью, которые наложили на него неловкие подражатели и безусловные поклонники. Мне очень хочется написать о ней. Но не знаю: удастся ли? Со вступления моего в новую должность, мои дни совершенно обезглавлены, то есть без утра, которое уже мне не принадлежит. К тому же лень, какое-то охлаждение к умственной производительности, недостаток сочувствия и соревнования в окружающем меня мире, все это склоняет меня к бездействию. Со смертью Пушкина, с отсутствием Жуковского мои литературные отношения почти совершенно пресечены. С одним Тютчевым есть еще что-то общее, но пример его вовсе не возбудительный. Он еще более моего пребывает в бездействии и любуется и красуется в своей пассивной и отрицательной силе. Кстати о нем, скажу Вам, что он ждет вашего портрета. Надеюсь, что и меня не забудете. Знаю, что Вы часто видитесь с Е. Н. Орловою. Напомните ей о нас и о нашей к ней сердечной привязанности. Повторяя Вам свои извинения и умоляя Вас не считать меня неблагодарным, заключаю письмо мое уверением в моей старой и неизменной преданности, которой верьте на письме и без письма.

Вяземский.

Ф. П. ТЮТЧЕВ — П. Я. ЧААДАЕВУ.

С.-Петербург, 13 апреля 1847

Наконец-то, дорогой Петр Яковлевич, в моих руках прекрасный подарок, вручаемый мне вашей дружбой. Я был польщен и тронут более, чем могу то выразить. В самом деле, я мог ждать только скромной литографии; судите же, с каким признательным удивлением я получил прекрасный портрет, вами посланный мне; этот подарок, удовлетворяющий всем желаниям и столь обязательно обращенный именно ко мне... Говоря здешними выражениями, я сравню себя с человеком, ждавшим просто Станислава и вдруг получившим Анну на шею с бриллиантами. Еще раз примите выражения моей сердечнейшей благодарности. Портрет очень хорош, очень похож, и притом это сходство такого рода, что делает великую честь уму художника. Это сходство настолько поразительно, что у меня невольно возникла мысль, нет ли особого типа людей, являющегося как бы медалями в человечестве: настолько он отличается от обычного типа людей, который можно тогда сравнить с ходячей монетой, и настолько кажется он делом рук и вдохновения Великого Художника.

Ваш портрет, дорогой друг и любезный Петр Яковлевич, удовлетворил бы окончательно все мои желания, если бы он вдобавок мог сообщить мне те сведения, которые я желал бы иметь о вас, о теперешнем состоянии вашего здоровья и вообще обо всем, что имеет отношение к вашей телесной и духовной жизни. Почему бы вам в один из свободных часов не прийти к нему на помощь и не дать мне возможности узнать о вас все, что скрыто от меня его вынужденным безмолвием... несмотря на все его сходство.

Последние известия о вас, если не ошибаюсь, были нам доставлены Поповым при его возвращении в Москву, и были они далеко не так удовлетворительны, как я того желал... по крайней мере, что касается вашего здоровья. Не решитесь ли вы предпринять наступающим летом что-нибудь более существенное, чем все, что вы делали до сих пор в этом направлении? Почему, например, серьезно не подумаете вы о том, чтобы с возвращением хорошей погоды не пробовать немецкие воды, если только хорошая погода в этом году намерена возвратиться к нам?.. Я убежден, что при вашем состоянии здоровья уже само путешествие, то есть просто перемена места и настроения, было бы уже добрым началом лечения и, может быть, взяло бы на самого себя все труды по исцелению. Подумайте об этом, дорогой Петр Яковлевич, и сделайте мужественное усилие во имя лучшего из благ, здоровья.

Теперь, сказавши все существенное, я охотно поболтал бы с вами вволю о литературных и других наших занятиях прошедшей зимы, каковы «Переписка» Гоголя, ваш «Огромный Московский Сборник» и т. под.; но увы! плохо говорится на расстоянии шести сот верст, и, что бы там ни утверждали, болтовня в письмах утомляет почти столько же, как партия в шахматы по переписке. К тому же у меня есть надежда, что, так или иначе, мы свидимся в продолжение этого лета. Вот почему прошу вас смотреть на это письмо более как на извещение о получении прекрасного подарка, сделанного вами мне, чем как на выражение, хотя бы и не полное, дружественных чувств и неизменной любви преданного вам *Тютчева.*

М. А. ДМИТРИЕВ — П. Я. ЧААДАЕВУ

30 августа, 1847. Суббота

Благодарю Вас, почтеннейший Петр Яковлевич, за ваше внимание к моему беглому замечанию. Я теперь перечитал письмо ваше неоднажды. Вот фраза, которая вчера остановила меня и Погодина: que notre vie passée n'est pas aussi vide de pensée qu'on le dit, et que notre histoire pourrait bien mériter une place parmi celles des peuples civilisés*. Мне хотелось бы, чтобы русский казался даже и не подозревающим той мысли в иностранцах, что будто наше прошедшее не имеет в себе мысли. Мне показалось это, во-первых, почти лишним, потому что иностранцы, мало занимающиеся нашей историей, едва ли делают нам подобный упрек; во-вторых, это было бы не вполне справедливо: ибо во все свои эпохи наша история представляет какую-либо *одну* мысль, на которую нанизываются все происшествия, и именно ту, которая в эту эпоху нужнее. Вот эти мысли: сперва родового единства, потом освобождения, потом целости государства, потом силы политической; и эта мысль, составляющая непрерывную нить нашей истории, есть *одна* и *та же,* заключается в слове *Россия,* потому уже, что она для нее одной, для ее только истории прилична, а не для всякого другого государства. Были эпохи, когда во многих государствах Европы господствовала одна общая мысль: это от того только, что в те эпохи их интерес был общий, их история имела сходство; *но не наоборот!*— Таковы были, например, крестовые походы. Я думаю, что не они начались от мысли, а, напротив, при первом воззвании, если мысль об них пробежала как электрическая искра, то потому, что пришлась кстати, а пришлась она вовремя, потому что народам худо было дома и что все назрело к перемене.— Наша история шла путем особым; потому в ней мысль *своя*, но единая и целая. Даже и теперь, когда мы, стоя близко к происшествиям и ко всему, что творится на святой Руси, видим только части и не можем обнять целого, мы не можем, однако, отрицать, чтобы во всем этом не было мысли, истекающей прямо из истории. Даже вчерашний разговор наш и те мысли, которые мы обнаруживали с такою скромностью,

---

* что наше прошлое не так бедно мыслью, как говорят, и что наша история вполне могла бы занять свое достойное место среди цивилизованных народов *(фр.).*

они не наши: они лежат в теперешней нашей истории, из которой непременно их выведет будущий историк, указав на факты.

Теперь два слова о другой части вашей фразы: que notre histoire pourrait bien mériter une place parmi celles des peuples civilisés*. Мне хотелось бы, чтобы русский представлялся стоящим твердою ногою между просвещенными народами; чтобы он показывал им, что стоит между ними на своем месте; чтобы он не добивался этого, как особой чести; чтобы он казался, наконец, и не подозревающим того, чтобы иностранцы могли оспаривать это место и у него и у его истории: этого требует и народное достоинство и справедливость.

Вот мои мысли, почтеннейший Петр Яковлевич! Я могу ошибаться, как и другой; но я думаю, что прекрасное письмо ваше не потеряло бы ничего, если бы вы несколько изменили это место. Извините мою откровенность; вы сами желали ее, и она порука за то уважение, с которым всегда буду искренно вам преданным

Мих. Дмитриев.

М. П. ПОГОДИН — П. Я. ЧААДАЕВУ

1

Милостивый государь
Петр Яковлевич!

Москвитянин возобновляется и смеет ласкать себя надеждою, что вы не лишите его своего участия. Вчера не успел я передать вам убедительную просьбу — приготовить для украшения первой книги ваши воспоминания о Пушкине. Также не позволите ли вы включить ваше имя в число сотрудников при объявлении?

Примите уверение в моем совершенном почтении

Преданный

М. Погодин.

22 октября [1847]

---

* что наша история вполне могла бы занять свое достойное место среди цивилизованных народов *(фр.)*.

2

Милостивый государь
Петр Яковлевич!

Усерднейше благодарю Вас за ваше благосклонное согласие. Мне очень жаль только, что я получил его после напечатанного объявления: я украсил бы это объявление вашими словами: «умеренность, терпимость, любовь ко всему доброму, умному, хорошему, в каком бы цвете оно ни явилось» — вот правила, коими будет руководствоваться Москвитянин. Исключительным, впрочем, он, а редактор его еще более, никогда быть не желал и допускал к себе мнения даже противные. В следующем году я постараюсь изложить свое мнение яснее, и ваше письмо, дельное и вместе изящное, послужит мне сильным подкреплением.

Касательно Воспомин. о Пушкине я попросил бы Вас [положиться на?] за мою цензурную опытность, а писать как скажет вам ваше чувство и память. После я подам вам совет, если будет то угодно, что и как изменить должно. Впрочем, уверен заранее, что изменений существенных никаких не понадобится.

Примите уверение в моем совершенном уважении

М. Погодин

3 ноября. [1847]

П. А. ВЯЗЕМСКИЙ — П. Я. ЧААДАЕВУ

С. Петербург, 11 февраля 1848

Я доставил оба ваших письма по назначению в один день, с перерывом лишь в несколько часов, и мое поручение было прервано ранее, нежели время могло позволить принять во внимание предварительные переговоры. Следовательно, все является как бы недействительным, и предложение, будто в палате депутатов, оказывается замороженным. Разница лишь в том, что оно в данном случае находится в самом глубоком секрете, ибо, кроме А. К. и меня, никто о нем не знает. Совсем недавно городской почтой я получил письмо, поначалу приятно меня удивившее. Я узнал ваш почерк на конверте и естественно подумал, что вы приехали в Петербург. Моя иллюзия длилась недолго — распечатав письмо, я обнаружил, что оно написано в Москве и датировано десятым августа. В нем вы рекомендуете француза, бывшего офицера египетского паши. Каждый день я ждал разъяснения загадки, но по сию пору податель вашего письма не появился и ничего о нем не слышно.

За отсутствием бывшего египтянина, которого с большим смирением оплакиваю, пришлите мне ваше письмо по поводу Гоголя. Мне оно чрезвычайно любопытно и интересно, и я совсем не желаю, чтобы оно прошло незамеченным. Очень прошу вас написать самому Гоголю. Что бы вы ему ни сказали, ваше мнение о его последнем произведении будет бесценным в его глазах, глубоко убежден в этом. Ваш портрет был вручен Сержу Полторацкому при его отъезде в Париж. Он собирался его литографировать и написать вам по этому поводу. Он должен переписываться с Булгаковым. Обратитесь к нему, чтобы узнать, как обстоит дело. Рад, что имею возможность писать вам и напомнить о себе. Не сердитесь, если делаю это редко. У нас здесь столько писанины, что вид чернильницы вызывает морскую болезнь. К тому же я часто недомогаю и вот уже третий или четвертый раз с начала зимы болен гриппом.

Передайте, пожалуйста, княгине Наталии Шаховской, что я сделал все возможное для ее протеже, которому обещано место в Киеве. Низко кланяюсь ей, как и госпоже Свербеевой.

Примите, прошу вас, заверение в моей преданнейшей дружбе.

Вяземский.

НЕИЗВЕСТНЫЙ — П. Я. ЧААДАЕВУ

[1848]

Вы сообщили мне Ваше письмо к одной даме с тем, чтобы я откровенно сказал свое мнение о взглядах, в нем изложенных, на два действительно существенные и важные вопроса христианской церкви: — о свободе церковной и о догмате — filioque, послужившем одною из причин несчастного разделения церквей — Восточной и Западной.

На мнения, изложенные в письме, позвольте и отвечать письменно, хотя и не на том языке, на котором написано письмо. Но о вопросах христианства, проповеданного всем языкам, можно говорить и писать на всех языках.

Вы начинаете письмо отрывком из проповеди Массильона, произнесенной в Версале в присутствии короля французского, в которой оратор напоминает ему, что власть королю дается народом и потому его жизнь и действия должны быть посвящены благу народному. Если бы нужно было оценивать мнение Массильона, то, конечно, в нем нельзя бы не заметить галликанского прелата, позволяющего себе иногда противоречить Западной церкви, которая произвела и развила вполне и последовательно учение о происхождении верховной власти от бога, о так называемом jure divino. Но Вы оставляете в стороне оценку самого мнения проповедника и рассматриваете только его слова как смелый поступок, возможный единственно при свободе церковной, которая в свой черед возможна только тогда, как Вы полагаете, когда церковь имеет свое самостоятельное средоточие, являющееся в лице верховного первосвятителя или папы.

Прежде нежели скажу, справедиво ли кажется мне или несправедливо последнее мнение, позволю себе, подражая Вашему рассказу о случае из жизни французского проповедника, рассказать другой несколько похожий на него случай.

В эпоху бешенства власти одного из царей московских митрополит Филипп в Успенском соборе в глазах народа, когда царь, предводя толпою опричников в странных костюмах, явился в храм и подошел к митрополиту, прося благословения, говорил Иоанну: «не узнаю царя русского, мы здесь приносим бескровную жертву, а за алтарем льется кровь христиан невинных. С тех пор как сияет солнце на небе, не видано и не слыхано, чтобы христианские цари так терзали собственную державу. В царствах языческих есть закон и правда, есть милосердие к людям — в России их нет. Достояние и жизнь граждан не имеют защиты, везде грабежи и убийства совершаются царским именем. Ты высок на троне, но есть судия всевышний наш и твой. Как предстанешь на суд, обагренный кровию невинных, оглушаемый воплями их мучений, камни под твоими ногами вопиют о мести. Государь, я говорю как пастырь душ, который боится только одного бога». Спустя несколько времени, как Вам известно, митрополита в темнице задушил опричник царский.

Не правда ли, поступок русского митрополита в том же роде, как и рассказанный Вами. И много можно бы напомнить подобных, начиная с первых времен церкви, времен мученических, и до настоящего, но они Вам известны и Вы согласитесь, что в них недостатка нет и быть не может; а я со своей стороны не могу, вслед за Вами, не принять их свидетельствами церковной свободы. Но вместе с тем замечу между приведенными Вами и мною поступками некоторое различие, и притом довольно важное. Представители церкви латинской могли гораздо смелее обличать злоупотребления светской власти, напоминать ей об ее обязанностях, нежели представители восточной церкви, и по самой простой причине: иностранец гораздо смелее может говорить о государственной власти, чуждой в отношении к нему и, следовательно, такой, которая в большей части случаев преследовать его не может. Он находится как бы вне ее границ и потому безопасен. Таково положение латинского прелата, подчиненного папе в отношении к какому-либо из королей европейских. Не таково положение епископа церкви восточной, он гражданин того же государства, в котором представителя верховной власти он вздумал бы обличать; он не может защититься от преследований, если они последуют, и неминуемо падет их жертвою. Ему нужно гораздо более смелости решиться на обличение, гораздо более самопожертвования. Но чем выше и смелее подвиг, тем может он служить большим свидетельством в пользу церковной свободы. Если же поступок, мною рассказанный, свидетельствует также о церковной свободе, то, кажется, нельзя согласиться с тем, что она возможна только в церкви, имеющей видимое средоточие в лице папы;— митрополит Филипп не принадлежал к ней. Свобода церкви, впрочем, и не определяется ни востоком, ни западом и не зависит ни от папы, ни от патриархов. Церковь не может и существовать без свободы, ибо не существует без духа божия. О ней, кажется по преимуществу, можно сказать словами писания: идеже дух божий, ту и свобода, и дух живущий в ней веет идеже хощет, и не имеет нужды постоянно выражаться в лице одного человека.

Итак, я не совсем согласен с изложенным Вами мнением, хотя и вполне соглашаюсь с желанием: да будет церковь свободна, или, лучше сказать, да будет церковь церковью, а не государством, хотя бы даже и церковным, и тем паче не приказом духовных дел в каком-либо государстве, хотя бы и христианском.

Признаюсь, не разделяю и вашего мнения о filioque и об этом важном слове, разделившем церковь Христову, в ответе Вам позволю себе сказать несколько слов.

Церковь приняла прибавление к Символу, повинуясь власти папы, говорите Вы, не желая вводить раскола,— и делом повиновения оправдываете церковь. Так можно оправдывать не церковь, но только тех членов церкви, которые и должны повиноваться. Но если есть повинующиеся, то должна же быть и власть повелевающая. Она и действительно была и действовала в лице пап, допустивших прибавление нового слова к Символу. Ее, конечно, нельзя в этом случае оправдать повиновением, потому что пришлось бы тогда сказать, что повиновалась она политической власти Императора, которая еще прежде папы допустила и утвердила прибавление. Положим, правы беспрекословно повинующиеся, но могут ли быть правы повелевающие неправо исповедовать веру?

Не признавая правильным одного из доказательств в пользу

прибавления к Символу, я не могу, однако же, не согласиться с Вашим вторым замечанием. Осуждать Западную церковь только за то, что она допустила прибавление, не входя в рассмотрение самой его сущности, было бы странным забвением или незнанием истории нашей церкви. Символ со времен Апостольских и до Никейского Собора добавлялся постоянно и, позволю себе сказать, развивался, разумея в этом случае не развитие самых догматов, но способа понимания сих догматов верующими и способа их выражения. Позволю себе прибавить даже: он может еще развиться, если потребует нужда. Большею частию действительно внешние, в отношении к церкви, обстоятельства,— появление новых ересей, как Вы замечаете, служили поводом к прибавлениям к Символу. Но какая же новая ересь подала повод Западной церкви прибавить filioque? Конечно, не старые Ариане, против мнений которых уже достаточно защитили церковное исповедание Вселенские соборы. Обратив внимание на историю, нельзя не заметить, что поводом к прибавлению послужило новое прение, спор личных мнений, возбудивший вопрос, который неправильно разрешил один из местных соборов и принял под свою защиту император.

Оправдывать прибавление ревностью церкви к почитанию спасителя, которая отчасти даже перешла предел, кажется, тоже нельзя; такое оправдание возможно еще для частных лиц, часто в делах веры ревнующих не по разуму; но можно ли так оправдать церковь? Отцы Восточной церкви, произнося анафему некоторым из мнений Оригена, не позволяли, однако же, произнести самому писателю. Они пропели ему вечную память, зная искреннюю его веру и святость жизни, признавая всегда возможным заблуждение для слабого разума человеческого, греховного дела и ложного мнения при самом добром и правильном намерении. Но что возможно и простительно человеку, что терпит и прощает церковь, то невозможно для самой церкви, в ней же живет Дух Господен, не заблуждающийся, неревнующий не по разуму.

Оправдывая таким образом Западную церковь, самое оправдание обличает ее и лишает значения церкви — Западных христиан так оправдывать можно, и всякий христианин искренно пожелает, чтобы они так оправдались. Но дабы оправдать церковь, необходимо доказать справедливость самого учения, заключенного в прибавлении — filioque.

Вы не входите в рассмотрение сущности самого учения, и я не войду в толкование одного из самых глубоких вопросов христианского богословия; позволю себе сказать только одно замечание. Положим даже, что и частный спор может послужить поводом церкви сделать прибавление к Символу и точнее выразить исповедываемый догмат, положим даже, и поместный собор может сделать такое прибавление; но согласие всей церкви признает его впоследствии Вселенским и новый Вселенский Собор утвердит его силу. Так бывало, но не знаю и сомневаюсь, бывало ли, чтобы новое прибавление к Символу возбуждало раздоры в церкви и разделило бы ее на две половины. Плоды нового учения не свидетельствуют в его пользу.

В заключение позвольте принести Вам искреннюю благодарность за то удовольствие, которое Вы мне доставили, позволив прочесть прекрасное письмо Ваше и даже снисходительно потребовав непременно моего мнения о мыслях, в нем изложенных.

Ф. Ф. ВИГЕЛЬ — П. Я. ЧААДАЕВУ

Милостивый государь
Петр Яковлевич.

Часу в девятом утра 14 ноября, когда еще был я в постеле, принесли мне, неизвестно от кого, свиток бумаги: это был первый подарок старому, многими уже забытому имениннику. Развернув свиток, как в изображении, так и в деликатности поступка узнал я истинного христианина, кроткого сердцем, незлобивого и человека, высокою своею светскою образованностию, ныне уже столь редкою, украшающего московское общество. Стихи, которые нашел я на обертке, весьма правильны и милы: но чьи они? вероятно, того же человека, которому стоило хорошенько заняться русским языком, чтобы и на нем показать совершенство слога.

Снисходительность часто возбуждает к нескромности, и от того всепокорнейше просил бы я вас, если возможно, доставить мне другой экземпляр портрета Вашего. Сие делаю я вследствие желания, изъявленного одной придворной дамой, которая прошедшей весной имела удовольствие познакомиться с Вами.

С совершенным почтением и преданностию честь имею быть
милостивый государь
Ваш покорнейший слуга
Ф. Вигель.

С. П. бург

30 Ноября 1849

Ф. Н. ГЛИНКА — П. Я. ЧААДАЕВУ

6 марта 1851

Прекрасно, многоуважаемый Петр Яковлевич! Прекрасно написано письмо Ваше. Я читал его с трепетным удовольствием, как чистую русскую прозу, как поучение и, наконец, как очерк современных нравов и литературы. В этом очерке так много истины, и самой животрепещущей истины!— Впрочем, письмо Ваше перенесло меня далеко в отдаленность времен. Мне показалось, что я слышу Гостомысла, вызывающего Рурика. Так и слышишь слова: «Земля наша пространна и богата, да нет в ней «порядка».— Будете ли вы так счастливы, как Гостомысл; приедет ли Рурик из Баден-Бадена володети русскою землею, т.е. литературою?— А худо без Рурика!— Что разговор, то спор, что спор, то ссора; а дело от этого не выигрывает. Петербургские нахалы бьют Московскую усобицу по носам и набегают как половцы, пользуясь семейными раздорами. Авторитет великое дело: он ставит все на свое место. Теперь у нас: «кто раньше встал, тот и капрал!»— Все колеса спрыгнули с осей и всякому колесу хочется на чужой оси повертеться. Вот наше положение. Вызывайте же, вызывайте же Рурика из Баден-Бадена и напечатайте, непременно напечатайте ваше мастерское письмо.— Извините, гости приехали, писать больше некогда.

Ваш покорный *Ф. Глинка.*

С. П. ШЕВЫРЕВ — П. Я. ЧААДАЕВУ

28 марта 1852

В понедельник, во второй день Пасхи, минет сороковой день по кончине Гоголя. В Даниловом (монастыре), в десять с половиной часов утра, начнется заупокойная обедня и потом панихида по душе усопшего, а потом предложена будет трапеза сорока бедным, монашествующей братии и нам, участникам поминовения, в келье архимандрита. Издержки каждого участника десять р. сер.

Вы, конечно, примете участие в этом поминовении, потому я счел долгом уведомить вас об этом. Отрадно будет услышать воскресную песню вместе с заупокойной на могиле того, кто так любил и так глубоко чувствовал праздник воскресения. Мне хочется за трапезой прочесть его «Светлое Воскресение».

Желаю вам встретить праздник в радости духовной и в полном здравии, прошу вас принять заранее и сердечное поздравление мое и чувство полного к вам уважения и преданности.

С. Шевырев.

С. П. ШЕВЫРЕВ — П. Я. ЧААДАЕВУ

Поверьте, почтеннейший Петр Яковлевич, что Бартенев неумышленно виноват перед Вами, и я ручаюсь Вам за него, что он искренно будет благодарить Вас, когда Вы его вразумите и сообщите ему сведения касательно отношений Ваших к Пушкину. Непростительно б было биографу славного поэта не иметь понятия о послании, к Вам написанном; но оно не входит в период его Лицейских стихотворений. О нем речь впереди. Я убежден, что Бартенев обрадуется случаю услышать от Вас все подробности общения Вашего с Пушкиным и верно и точно передаст их в дальнейшем развитии своей темы.

Если бы Вы, по этому случаю, взяли перо, очинили бы его по-русски и передали бы нам всю историю сношений Ваших с Пушкиным,— я поблагодарил бы Бартенева за его неловкость и оплошность, которые подали бы повод к такому любопытному рассказу. А Вы даже обязаны это сделать, и биограф Пушкина не виноват, что Вы этого не сделали, а виноваты Вы же сами.— Как таить такие сокровища в своей памяти и не дать о них отчета современникам? Вот чем хорош Запад: там прошедшее не погибает. Там нет ржавчины равнодушия.

Но виноват: думал только защитить Бартенева — и, забывшись, позволил себе нападение на Вас. Дай бог, чтоб и моя неловкость повела к добру и чтоб мы когда-нибудь прочли Ваши Записки или по крайней мере записку о Вашей дружбе с Пушкиным.

Всегда Вам рад, и в среду, и когда угодно. Горло мое меня беспокоит. Сижу дома — и берегусь. Приходится думать безмолвно, или с пером в руках, а не живым словом. На все пора. Время безмолвной мысли, время говорливой. Но пора перестать.

Простите, если в чем описался, но, конечно, не встретится описки в моем уважении и преданности Вам.

Окт. 17 [1854]

С. Шевырев.

И. В. КИРЕЕВСКИЙ — П. Я. ЧААДАЕВУ

[1854]

С благодарностию возвращаю Вам книжку стихов Пушкина. Я перечел с большим удовольствием его послания к Вам и еще больше убедился, что Вы точно правы. Невозможно рассказывать жизнь Пушкина, не говоря об его отношениях к Вам.— Но позвольте Вам повторить то, что я говорил Вам прежде: Вы правы только в отношении к Бартеньеву, а не в отношении к Пушкину и Вашей дружбе.— Если человек, совсем не знавший Пушкина, расскажет о нем неполно, или даже не так, то друзья Пушкина обязаны дополнить и поправить.— Несмотря на его ошибки, мы все будем благодарны Бартеньеву за то, что он рассказал без ошибок. Он мог и совсем не говорить о нем; на нем не было той обязанности спасти жизнь Пушкина от забвения, какая лежит на его друзьях. И чем больше он любил их, тем принудительнее эта обязанность.

Потому я надеюсь, что статья Бартеньева будет введением к Вашей, которую ожидаю с большим нетерпением.

Преданный Вам *И. К.*

Я сей час проводил жену в Оптин, куда она поехала на неделю. Я собирался ехать вместе с нею, но маленькое нездоровье детей меня остановило.

3. DUBIA
ПРОЕКТ ПРОКЛАМАЦИИ

Братья любезные, братья горемычные, люди русские, православные, дошла ли до вас весточка, весточка громогласная, что народы вступили, народы крестьянские взволновались, всколебались, аки волны окиана-моря, моря синего! Дошел ли до вас слух из земель далеких, что братья ваши, разных племен, на своих царей-государей поднялись все, восстали все до одного человека! Не хотим, говорят, своих царей, государей, не хотим их слушаться. Долго они нас угнетали, порабощали, часто горькую чашу испивать заставляли. Не хотим царя другого, окромя царя небесного.

ГОЛОС ВЕКА

Много сил и твердой воли
Ранних лет твоих в бреду
Обрекал ты низкой доле,
В жертву ложному труду.

С бодрым чувством юной мочи
Подвизался ты,— но верь,
Что сознаньем наши очи
Просветилися теперь.

Ваше царство пасть готово,
Ваше благо — вред и ложь,
Ваш закон — пустое слово,
Ваша деятельность — тож.

Но иной теперь стремится
Мир достигнуть высоты,
И грозят осуществиться
Наши давние мечты!

Но вижу я, печальный и смущенный,
Свои глаза ты обращаешь вновь
К той области, от мира отрешенной,
Где властвует искусство и любовь.

Но берегись, чтобы в избытке чувства
Не ослабела крепкая душа.
Блаженство даст тебе искусство,
Могучих сил (неразб.)!

Не время вам теперь скитаться
В странах поэзии святой:
Гражданский быт готов распасться,
Грозит нам близкою бедой.

В эгоистическом забвенье
Ужели станешь ты дремать,
Когда на славное служенье
Мы собираемся восстать?

Искусство сделали мы средством,
Науки путь избрали мы,
Грядущей радостью и братством
Да преисполнятся умы!

Услышь мой зов!— Ужели руки
Теперь ты сложишь навсегда,
Нет, в пользу дела и науки
Ты принесешь мечты и звуки
И жар обильного труда!

НЕ В БЛЕСКЕ ПЫШНОГО МЕЧТАНЬЯ...

Не в блеске пышного мечтанья,
Не в ложном, сладком полусне,
Не с красотой очарованья,
Бывало, жизнь являлась мне.

Но предан юному усердью
К трудам суровым в бытии,
Казалось мне, с землей и твердью
Не прочь бы был сразиться я!

И для потехи оборонной
Готовился на всякий час.
Так много воли непреклонной
И сколько мужества в запас!

И полагал я в день века
Все чувства личные стыдом
Природы слабой человека
Смешным, презрительным плодом.

Сначала бодро и упруго
Кипела деятельность сил;
Я душу вредного досуга,
А сердце голоса лишил.

И рад я был в своей гордыне
Жить без отрады и в тиши
Да все идти — слабеет ныне
Высокий строй моей души!

Когда напев забытых песен
Вдруг пронесется надо мной,
То мнится мне, что мир мой тесен,
Но что прекрасен мир иной.

Что много в жизни упоенья
Дарует образ красоты,
Что есть возможность увлеченья,
Что много власти у мечты.

Что тяжко иго сил желанных,
И что бездействие иных

Полезней всех трудов полезных,
Отрадней всех даров земных!

Ты, благодатное искусство,
Противно жизни деловой:
Всегда с тобой рифмует чувство,
Как неразлучный спутник твой.

ЧТО ДОМОВ,
ЧТО КОЛОКОЛЕН...

Что домов, что колоколен
В белокаменной Москве!
Вижу, коршун вьется волен
В лучезарной синеве.

Утро раннее прелестно,
Слышу благовест церквей,
От чего же сердцу тесно
У окна тюрьмы моей?

Или, ею пробужденный,
Вновь очнулся прежний пыл?
Нет, Свобода, друг бесценный,
Я давно к тебе остыл.

Ты являлась между нами
В человеческих сердцах,
А живешь за облаками,
В неизведанных странах.

Но за тьмою этих зданий,
Этих улиц без конца,
Есть предел моих страданий,
Сын, далекий от отца.

Так зачем на эту груду
Безобразную домов,
Где напрасно отовсюду
Блещет золото крыльцов,

Из чистейшего эфира
Солнце шлет лучи свои

С лона благости и мира,
С неба правды и любви?

НЕ ГОВОРИ,
ЧТО СЕРДЦУ БОЛЬНО...

Не говори, что сердцу больно
От ран чужих,
Что слезы катятся невольно
Из глаз твоих.

Будь молчалива, как могила,
Кто ни страдай,
И за невинных бога имя
Не призывай.

Твоей души святые звуки,
Твой детский бред,
Перетолкует все от скуки
Безбожный свет.

Какая в том тебе утрата,
Какой надрыв,
Что люди распинают брата
Наперерыв?

4. ИЗ МЕМУАРНЫХ СВИДЕТЕЛЬСТВ

СТИХОТВОРЕНИЕ Я. П. ПОЛОНСКОГО

Петру Яковлевичу Чатаеву

Я признаюсь тебе, любимец давний муз:
Недавно заключил я с музою союз.
Как новобрачная, она робка, послушна,
К суждению толпы еще не равнодушна,
И так доверчива, что в простоте своей
Велит сказать тебе — будь благосклонен к ней.

...Кто в дальнюю дорогу
Сбирается идти,— взяв в руки посох свой,
Тот говорит друзьям: «Друзья, молитесь Богу!..

Иду...неведомо, свершу ль я подвиг мой».
Слеза невольная в очах его сверкает.
Он, робко в дверь толкнув, порог переступает.
Идет. Оглянется. Опять идет — потом,
Когда в седой дали исчезнет отчий дом,
На роковом пути, в благих трудах мужая,
Он к цели шествует, надменно презирая
И ветра свист в лесу, и в черных тучах гром.
Лишь только изредка, быть может, утомленный
Садится отдыхать в тени уединенной.—

Я ж только дверь мою в раздумье отворил.
Идти ль, не испытав вполне мне данных сил?—
Довольно ль взял себе запаса на дорогу?..
И посох крепок ли?.. Молись, Чатаев, Богу!
За путника молись!..

СТИХОТВОРЕНИЕ
Ф. Н. ГЛИНКИ

Петр Яковлевич Чаадаев
(Человек, памятный Москве)

Одетый праздником, с осанкой важной, смелой,
Когда являлся он пред публикою белой
С умом блистательным своим,
Смирялось все невольно перед ним!
Друг Пушкина любимый, задушевный,
Всех знаменитостей тогдашних был он друг:
Умом его беседы увлеченный,
Кругом его умов теснился круг;
И кто не жал ему с почтеньем руку?
Кто не хвалил его ума?..
Но пил и он из чаши жизни м у к у
И выпил Г о р е о т у м а.

ИЗ ВОСПОМИНАНИЙ М. А. ДМИТРИЕВА

Я встречался с ним у Левашевых; но не искал его знакомства именно потому, что не хотел себя показать заискивающим внимания этой тогдашней знаменитости. Однажды Катерина Гавриловна Левашева (у которой во флигеле он и жил) позвала меня обедать, сказала мне, что ее просил Чаадаев сблизить его со мною и что она приглашает меня именно для этого. От такого предупредительного вызова отказаться было нельзя и не было причины. Мы сошлись, и это было одно из самых приятных и прочных знакомств моих.

Чем же был знаменит в Москве Чаадаев? Умом, не говоря о других его качествах и чистоте жизни. Вопреки мелочной зависти, которая у нас тем сильнее в обществе, и вопреки предубеждения против людей светских, пример Чаадаева доказывает, что и у нас достоинствам человека знают цену. Чаадаев был не богат, не знатен; но не было известного лица, приезжавшего в Москву, не было путешественника, который бы не явился к нему, просто как к человеку, известному своим умом, своим просвещением. Это была в Москве умственная власть. Но участь его была довольно странная. Он служил в гвардии. После неповиновения Семеновского полка, которое представлено было возмущением, он был послан курьером с этим известием к императору Александру Павловичу, который находился тогда в чужих краях. Но курьер австрийского посла, отправившийся из Петербурга при самом начале этой истории, само собою разумеется, приехал ранее Чаадаева, посланного уже по усмирении: Александр был раздосадован, что узнал об этом после Меттерниха и от чужих, прежде получения донесения. Не знаю, какого рода неприятности испытал по этому случаю Чаадаев; но он после этого вышел в отставку и поехал в чужие края.

Это путешествие не прошло бесследно. Он хорошо узнал эти земли и народы, познакомился со многими европейскими знаменитостями, в том числе и с Шеллингом. Но получил какую-то особенную наклонность к католицизму: единственное пятно, которым можно укорить Чаадаева. Это поставило его в жалкую противоположность с действительною жизнью, вообще чистую и примерную. Плоды просвещения, которыми Европа действительно много должна католицизму, мешались в его уме с самими истинами религии, и потому, приписывая многое единству просвещения, замечаемого в Европе, он относил его, как к одной из главных причин, к единству видимой главы церкви, то есть к папе. Это был пункт, который тем более мучил его, что в душе своей он был православным, принимал, однако же, православие едва ли не за схиматизм.

С этой точки зрения смотрел он с сомнением и на историю России как на отставшую во всем от Европы. В это время зародилась уже в Москве партия староверов. Чаадаев долго прислушивался к их проповеди: он не сочувствовал нисколько застою нашей старины; но понимал инстинктом всю незрелость реформы Петра, не имевшей корня в прошедшем. Это поставило его в еще большее противоречие с самим собой. Таким образом, этот ум, ясный и образованный по-европейски, уступал среде, в которую поставлен был русскою жизнью и толками московских умников, не находил опоры и центра и колебался между двух крайностей, отвращения к застою старины и чувства явной несостоятельности нашего русского европейства. Он пропадал в этом омуте и был решительно неспособен к практической жизни, например, к занятиям гражданской службы или какой-нибудь другой общественной деятельности. Такова у нас, впрочем, участь всех людей, выходящих мнением и просвещением из уровня посредственности: они делаются бесплодными мыслителями, живущими в сердце идеальной жизнью, редко кому передающими свои идеи и не находящими возможности применить их к делу. Чаадаев мог быть счастлив сам собою. Но ему не хватало свободного воздуха в окружающей его атмосфере. Он искал и не находил под ногами твердой почвы. Русскою жизнью был он недоволен, да и нечем было быть довольным; а европейская не прилагалась к русскому быту и ни к чему, чего желал он для России.

Под влиянием этого духа написаны философические письма к Пановой. Чаадаев давал мне читать все эти письма в подлиннике на французском. Я не думал, что их можно напечатать. Первое письмо было особенно замечательно: в нем было много горькой правды, сказанной резко, но метко и красноречиво, хотя и не всегда верно.

Однажды Катерина Гавриловна Левашева просила меня приехать к ней и обратилась ко мне с просьбою. От нее я узнал, что философические письма переведены Кетчером и что их хотят печатать в Телескопе. Она предвидела последствия и боялась их; зная некоторое влияние мое на Чаадаева, она просила меня уговорить его не издавать этих писем, как содержащих в себе такие мнения, которые для него лично могли быть опасны. Но ничто не помогло, и первое письмо было напечатано в 15 книжке Телескопа за 1836 год. Книжка эта должна была выйти в августе; но журнал запоздал с выходом — в октябре. А в ноябре разыгралась следующая история: московский генерал-губернатор князь Голицын получил вдруг (от 23 октября) отношение гр. Бенкендорфа, который писал к нему: «что статья Чаадаева возбудила в читающей московской публике всеобщее удивление. Но что читатели древней нашей столицы, всегда отличающиеся здравым смыслом и будучи проникнуты чувством достоинства русского народа, тотчас постигли, что подобная статья не могла быть написана соотечественником их, сохраняющим полный свой рассудок. И потому как дошли до Петербурга слухи, не только не обратили своего негодования на господина Чаадаева, но, напротив, изъявляют искреннее сожаление о постигшем его расстройстве ума, которое одно могло быть причиной написания подобных нелепостей».— «Вследствие чего (писал в заключение Бенкендорф) его величество повелевает, дабы вы поручили лечение его искусному медику, вменив ему в обязанность каждое утро посещать господина Чаадаева, и чтоб сделано было распоряжение, чтоб г. Чаадаев не подвергал себя влиянию нынешнего сырого и холодного воздуха».

Одним словом, Чаадаев, один из умнейших людей Москвы, объявлен был, по высочайшему повелению, сумасшедшим, и с тем вместе, с сожалением о влиянии холодного воздуха, запрещался ему выход из дома и сообщение с человеческим общежитием. Эта высочайшая ирония принята была Москвою еще с большим негодованием, чем история Глинки. Само собою разумеется, что все бросились навещать Чаадаева, и деспотизм произвел действие, совершенно противное намерению деспота. Все были на стороне угнетенного, и никто не похвалил насилия власти, что тем замечательнее, что перед этим многие сами винили Чаадаева; но жестокость власти заставила и их перейти на его сторону.

Следствие. Благородно вел на нем Надеждин. Он объявил, «что повод к напечатанию философического письма — мнение многих, которые ставят себя в просвещении наряду с Европою; но он сею статьею хотел доказать, что они ошибаются и находятся еще в таком положении, что не только не могут сравниться с европейским просвещением, но что их надо еще возить на помочах».

Но Чаадаев (чего от него никак нельзя было ожидать) оказал некоторую слабость духа. Выслушав объявление высочайшего повеления, он сказал, «что заключение, сделанное о нем, весьма справедливо; ибо, при сочинении им назад тому шесть лет философических писем, он чувствовал себя действительно нездоровым и расстроенным во всем физическом организме; что в то время хотя он и мыслил так, как изъяснил в письмах, но по прошествии столь долгого времени образ его мыслей теперь изменился и он предполагал даже против оных написать опровержение; что он никогда не имел намерения печатать сих писем и не может самому себе дать отчета, каким образом он был вовлечен в сие и согласился на дозволение напечатать оные в журнале Надеждина, и что, наконец, он ни в каком случае не предполагал, чтоб цензура могла сию статью пропустить.

На объяснении своем с попечителем университета гр. Строгановым (если верить донесению обер-полицмейстера) Чаадаев объявил, что статья напечатана «вопреки его желанию».— Но это несправедливо: Левашева его упрашивала не печатать, а он не соглашался.

Следствие об оценке мнений философа, о спорах европейства с Русью, хотя бы отчасти и ошибочных, производил невежда, взяточник, солдат и лошадиный охотник, не только не слыхавший о науке, но не знающий даже ни одного иностранного языка, одним словом: обер-полицмейстер Цынский, вышедший в люди тем, что управлял конным заводом графа Алексея Федоровича Орлова. Только у нас наука и философия попадают в такие лапы!— О Русь!

...Но всего любопытнее было видеть Вигеля вместе с Чаадаевым. Чаадаев, человек благородных свойств и высокого духа, был порядочно самолюбив и понимал свое достоинство; но его ценили не за один ум, а также за его чистый, безукоризненный характер. Вигель чувствовал к нему зависть, видя в нем единственную помеху своему первенству в московском обществе. Одним словом: признавая в Москве только две патентованные умственные силы, себя и Чаадаева, он никак не мог победить в себе этого чувства соперничества; они двое в Москве делили между собою область ума и никак не могли согласиться в этом разделе! Оба они хотели первенства. Но Чаадаев не показывал явно своего притязания на главенство, а Вигель дулся и томился, боясь беспрестанно второго места в мнении общества: он страдал и не мог скрыть своего страдания. Иногда, правда, и Чаадаев изменял своему аристократическому, величественному хладнокровию: сколько раз случалось, что Вигель приезжает ко мне ранее всех, часов в семь, и садится на диване, как на первое место, а Чаадаев приедет всех позже, часов в одиннадцать. Видя Вигеля на почетном месте, он, с досады, сядет на последнем стуле, да и страдает целый вечер! Впрочем, они и разговаривали друг с другом, только все как-то с некоторой осторожностью и как будто с принуждением... В последний приезд свой в Москву (это было без меня, я жил в деревне) Вигель, после долгого размышления, объявил, что хочет быть у Чаадаева. Чаадаев, услышав об этом, сказал, что готов сам сделать ему первый визит. Но ни тот, ни другой не ехали. Наконец Вигель занемог и вскоре умер. Чаадаев действительно сделал ему визит первый, но поклонился уже его тлену. Нынче обоих их нет на свете; смерть примирила соперников. О самолюбие человеческое!

ИЗ ДНЕВНИКА О. М. БОДЯНСКОГО

А. В., супруга С. П. Шипова, рассказала о кончине П. Я. Чаадаева, 14 апреля, в большую субботу. Он уже с некоторого времени дурно себя чувствовал. В последний раз видался я с ним у Шипова же, в середу на вербной, и он, против обыкновения, ушел еще до меня, в 11 часов ночи. В страстную пятницу он, вопреки врачу своему, не мог удержаться, чтобы не выехать, завернул к Шевалье в гостиницу (в Новом Газетном переулке), заказал обед в 4 часа, но ничего не ел, а, закинувши голову, долго лежал на кресле, так что некоторые, тут бывшие, стали окликать его. Опомнившись, он жаловался на большую неловкость в желудке. В самый день кончины приказал было заложить себе экипаж, но остался дома по случаю прихода священника от церкви Петра и Павла, бывшего бакалавра московской духовной академии, Сергиевского, очень умного и ловкого, пользовавшегося особенным его расположением. Он, зная его состояние, явился к нему со Св. Дарами и тот же час склонил к исповеди и причащению. После того он, поговоривши с ним, несколько опрокинулся головой на кресло, и, когда хозяин его, Шульц, вошел к нему с чем-то и обратился к нему с речью, он не отвечал — он уже не был жив. Умер, как желал всегда, т. е. лежа и не обезображен мучениями от болезни. Спустя два часа потом, приехал к нему А. С. Хомяков и застал его еще на кресле с запрокинутой головой.

Хоронили в середу, на святой, при многолюдном стечении высшего общества, в разных кругах коего он постоянно бывал. Едва ли кто из москвичей так любил общество, как он, и так был постоянно привязан к Москве, хотя, надо сказать, по-своему. При всех добрых качествах (а их немало у него было), он страстно, вопреки всем, стоял за папу и папство, что наводило на него много горечей. Известен случай с Н. И. Надеждиным, по поводу его французских писем о папе и католичестве, одно, переведенное, помещено было в Телескопе, который за это запрещен, издатель сослан в Усть-Сысольск, цензор лишен всех мест: Болдырев, ректор университета, вскоре от горя умерший, а сочинитель объявлен сумасшедшим. Последнее вызвало «Apologie d'un fou». Недавно я получил от И. И. Манара, списавшего оную в 1843 г. Прелюбопытная. Пушкин был с ним довольно в тесных отношениях, познакомился еще в Царском Селе, в Лицее, когда Чаадаев стоял там со своим лейб-гусарским полком. В Отечественную войну был адъютантом у Васильчикова, участвовал в битве под Кульмом, о которой любил порассказать, а также в Париже, взятом нами. Сильно огорчился почестями севастопольцам в Москве, говоря, что нам, на возврат из Франции после избавления России от Наполеона I, никто даже хлеба и соли не вынес, ласкового слова не сказал. Вообще, сколько видно было, он любил во всем свой взгляд, который очень часто бывал совершенно противоположен общему, за что, как сказал я, и доставалось ему всегда. Но в борьбе слабого с сильным он всегда держался первого. Когда огласилась история моя с министром просвещения, он один из первых посетил меня, бывши до того вовсе незнаком со мною, и после охотно встречался всюду, особенно у Шипова, даже узнавая нарочно наперед дни, в которые я бывал у последнего. Может быть, я единственный человек, с которым он никогда не спорил, любя до страсти противоречия.

М. Н. ЛОНГИНОВ — С. Д. ПОЛТОРАЦКОМУ

Москва, 15 апреля 1856

Христос Воскресе, милый друг Сергей Дмитриевич. Желаю тебе от души всего лучшего, а главное, здоровья и скорого успеха в устройстве дел...

С искренней грустью должен прибавить к этим пожеланиям известие, которое, конечно, опечалит тебя не менее, чем меня. Вчера мы лишились Чаадаева! Ты знаешь, что он уже несколько месяцев жаловался часто на здоровье и особенно последнее время часто говорил о предчувствиях близкой смерти. В понедельник (последний его прием) я был у него, и по случаю страстной недели никого, кроме меня, не было. В первый раз застал я его переменившимся. В среду он обедал в клубе, по обыкновению поздно, и я его увидел уже часов в 7, в полутемноте, а потому не мог хорошенько разглядеть его лица, тем более что поговорил с ним только несколько слов. Он был очень встревожен, жаловался на ужасную слабость и недостаток аппетита. В пятницу мы обедали с Соболевским у Шевалье. Вдруг является согбенный, чуть двигающийся старец; лицо изрыто морщинами, глаза мутны, ввалились и окружились черными кругами; голос чуть слышный и похожий на предсмертное хрипенье. Это был Чаадаев. Он объяснил мне чуть дыша, что у него страшная простуда и расстройство желудка, что Попов два раза запрещал ему выезжать, но он умирает с тоски и хочет дышать воздухом. Не могу тебе передать, какое чувство произвел на меня вид этого любезного человека, обращенного в труп в течение 2 или 3 дней! Он кое-как проглотил немного супу; я побеседовал с ним, упрашивал его беречься и простился. Это была его последняя беседа и последнее прощание с кем-либо из друзей. На другой день (вчера) я послал к нему, но его уже не было в живых. Проведя мучительную ночь, он послал за священником, причастился и вдруг ему стало очень легко. Он хотел, по привычке своей к движению, поехать прокатиться и подышать свежим воздухом, приказал закладывать экипаж, сел в кресла и тихо скончался. Мир праху благородного, исполненного желаний блага человечеству и верного в дружбе человека. Память его не умрет между нами, но тяжело и горько с ним навек расстаться!

Прощай, любезный друг Полторацкий; это описание так меня растревожило, что на ум не идет болтать о чем-нибудь. Прошу тебя передать мое рукопожатие общим друзьям и не забывать любящего тебя сердечно

Мих. Лонгинова.

М. Н. ЛОНГИНОВ — С. Д. ПОЛТОРАЦКОМУ

Москва, 18 апреля 1856

Только что послал я в почтовый ящик письмо мое к тебе, любезный друг Сергей Дмитриевич (это было в самое Светлое Воскресенье), как получил твое письмо от 13 числа. Много тебе благодарен за это красное яичко — за твои поздравления и желания...

Сегодня мы хоронили Чаадаева; отпевание было у Петра и Павла на Басманной. Странное и утешительное что-то было в этой церемонии. Прекрасный весенний день, пасхальная служба, цветные ризы, цветы на кресте, вместо панихиды пение; Христос Воскресе и других гимнов Воскресных, все это как-то успокоительно действовало на душу. Ни одного погребального пения, даже вечной памяти не поют на этой неделе. Не знаю, знаком ли ты со священником этой церкви, который бывал у Чаадаева и служил сегодня. Это благородной фигуры просвещенный молодой магистр; он служит просто, но благолепно. При конце обедни он сказал коротенько слово, которое произвело сильное впечатление. Вот его сущность: «Предстоящие в поучении не нуждаются, в этом случае, но душа умершего порадуется, услышав прощание, находясь на лестнице, ведущей в вечность. Там празднует она Пасху, которую покойный по воле провидения не может праздновать с нами. Усопший брат наш: Христос Воскрес! Все здесь веруют, что ты находишься на сей лестнице и тебе откроются врата вечности. (Указывая на Царские врата.) Вот они; вступи в них и прими последнее прощание друзей!» Все это не продолжалось и 5 минут, но было неизмеримо выше всех пресловутых витийств, так сказанное было тепло, кстати и истинно христиански. Я никогда не был так тронут надгробным словом, как сегодня. Обращение с христосыванием к покойному нашему другу и указание на врата были исполнены нежданного великолепия и умилительной простоты. Даже вместо обычного: «земле еси» священник сказал: Христос Воскресе! Чаадаев погребен в Донском. Народу было много, но несколько менее, чем я ожидал.

Покойник очень хотел, чтобы Дон Педро Прокодуранте его отца был помещен скорее в моих записках. Желание его исполнено в июньской книжке Современника и при этом помещу мои биографические и библиографические заметки о самом Чаадаеве...

КОММЕНТАРИИ

В первое издание «Статей и писем» П. Я. Чаадаева были включены его основные произведения, большинство из которых публиковалось в послеоктябрьское время впервые. Весь материал располагался по жанровому принципу, а внутри каждого из разделов произведения печатались в хронологическом порядке. Орфография и пунктуация текстов приближались к современным нормам языка. Пояснения личных имен выносились, как правило, в соответствующий указатель в конце книги. В примечаниях частично использовались разыскания М. О. Гершензона и Д. И. Шаховского. Отдельные публикации внутри каждого раздела не датировались из-за отсутствия дат в источниках.

Настоящее издание, сохраняя принципы предшествующего, значительно расширено и дополнено за счет новых архивных материалов и приложений, характеристика которых дается в соответствующих разделах.

I

ФИЛОСОФИЧЕСКИЕ ПИСЬМА

Восемь философических писем, написанных по-французски в 1828 — 1830 гг., составляют одну непрерывную серию, имеют внутреннюю логику развития мысли, что предполагает единство их последовательного восприятия. Непосредственным толчком для оформления выраженных в них идей послужило одно из посланий Екатерины Дмитриевны Пановой, сестры современника Пушкина и члена литературно-театрального общества «Зеленая лампа», а впоследствии известного музыковеда А. Д. Улыбышева.

Биограф Чаадаева М. Н. Лонгинов так описывает их взаимоотношения: «Они встретились нечаянно. Чаадаев увидел существо, томившееся пустотой окружавшей среды, бессознательно понимавшее, что жизнь его чем-то извращена, инстинктивно искавшее выхода из заколдованного круга душившей его среды. Чаадаев не мог не принять участия в этой женщине; он был увлечен непреодолимым желанием подать ей руку помощи, объяснить ей, чего именно ей недоставало, к чему она стремилась невольно, не определяя себе точно цели. Дом этой женщины был почти единственным привлекавшим его местом, и откровенные беседы с ней проливали в сердце Чаадаева ту отраду, которая неразлучна с обществом милой женщины, искренно предающейся чувству дружбы. Между ними завязалась переписка, к которой принадлежит известное письмо Чаадаева, напечатанное через семь лет и наделавшее ему столько хлопот»[1].

Приводим текст послания Пановой, важного для понимания первого философического письма.

«Уже давно, милостивый государь, я хотела написать вам; боязнь быть навязчивой, мысль, что вы уже не проявляете более никакого интереса к тому, что касается меня, удерживала меня, но наконец я решилась послать вам еще это письмо; оно вероятно будет последним, которое вы получите от меня.

Я вижу, к несчастью, что потеряла то благорасположение, которое вы мне оказывали некогда; я знаю: вы думаете, что в том желании поучаться в деле религии, которое я выказывала, была фальшь: эта мысль для меня невыносима; без сомнения — у меня много недостатков, но никогда, уверяю вас, притворство ни на миг не находило места в моем сердце; я видела, как всецело вы поглощены религиозными идеями, и мое восхищение, мое глубокое уважение к вашему характеру внушили мне потребность заняться теми же мыслями, как и вы; я со всем жаром, со всем энтузиазмом, свойственным моему характеру, отдалась этим столь новым для меня чувствам. Слыша ваши речи, я веровала; мне казалось в эти минуты, что убеждение мое было совершенным и полным, но затем, когда я оставалась одна, я вновь начинала сомневаться, совесть укоряла меня в склонности к католичеству, я говорила себе, что у меня нет личного убеждения и что я только повторяю себе, что вы не можете заблуждаться; действительно, это производило наибольшее впечатление на мою веру, и мотив этот был чисто человеческим. Поверьте, милостивый государь, моим уверениям, что все эти столь различные волнения, которые я не в силах была умерить, *значительно* повлияли на мое здоровье; я была в постоянном волнении и всегда недовольна собою, я должна была казаться вам весьма часто сумасбродной и экзальтированной... вашему характеру свойственна большая строгость... я замечала за последнее время, что вы стали удаляться от нашего общества, но я не угадывала причины этого. *Слова, сказанные вами моему мужу*, просветили меня на этот счет. Не стану говорить вам, как я страдала, думая о том мнении, которое вы могли составить обо мне; это было жестоким, но справедливым наказанием за то презрение, которое

[1] Лонгинов М. Воспоминание о П. Я. Чаадаеве// Русский вестник. 1862. № 11. С. 141—142.

я всегда питала к мнению света... Но пора кончить это письмо; я желала бы, чтоб оно достигло своей цели, а именно убедило бы вас, что я ни в чем ни притворялась, что я не думала разыгрывать роли, чтобы заслужить вашу дружбу, что если я потеряла ваше уважение, то ничто на свете не может вознаградить меня за эту потерю, даже сознание, что я ничего не сделала, что могло бы навлечь на меня это несчастье. Прощайте, милостивый государь, если вы мне напишете несколько слов в ответ, я буду очень счастлива, но решительно не смею ласкать себя этой надеждой.

Е. Панова».[1]

Пытаясь разрешить мучительные сомнения корреспондентки, Чаадаев продумывает разнородные идеи, в которых проблемы его собственного сознания и душевное неустройство Пановой, различные общественно-исторические ситуации и мировые цели как бы перекликаются и просматриваются друг через друга. Все это подсказывает ему искомый жанр, соответствующий не только своеобразию адресата, но и характеру его философии, ее широкому предназначению, и личное послание в процессе работы превращается в знаменитое первое философическое письмо, представляющее собой как бы введение ко всем остальным. В нем автор постепенно отходит от личных проблем и обращается, углубляя сравнительную характеристику России и Европы, к истории, являющейся, по его словам, «ключом к пониманию народов» и открывающей разным народам их роль в мировом процессе.

Чаадаев довольно долго работал над расширенным ответом Пановой, к моменту его окончания уже прервал с нею знакомство и не отправил письма. Но эпистолярная форма решительно выбрана, и последующие письма, по его уточнению, написаны «как будто к той же женщине».

Если в первом философическом письме вопрос о благой роли провидения как в индивидуальной, так и в социальной жизни ставится в религиозно-публицистическом плане, то во втором, третьем, четвертом и пятом письмах автор переходит к его многостороннему рассмотрению «аргументами разума», используя достижения философии и естествознания. Теперь он, говоря его собственными словами, стремится «сочетаться с доктринами дня», применить «рациональную манеру», физический, математический и биологический «маневр» для доказательства того, что христианство заключает в своем лоне науку, философию, историю, социологию и самую жизнь в единстве ее таинственной непрерывности и беспредельной преемственности. И только в таком религиозно обусловленном единстве возможен, по его мнению, прогресс, долженствующий, если он подлинный, основываться на христианской идее бесконечности.

По мнению Чаадаева, провиденциалистская точка зрения необходима и исторической науке, погрязшей в фактособирательстве и в бесплодных выводах либо о необъяснимом «механическом совершенствовании» челове-

---

[1] СП. Т. 2. С. 311—312.

ческого духа, либо о его беспричинном и бессмысленном движении. Следовательно, историческая наука, считает он, должна стать составной частью религиозной философии и получать характер истины не от хроники, а от нравственного разума, улавливающего проявления и воздействия «совершенно мудрого разума». История, в понимании автора, обязана не только уяснить «всеобщий закон» смены эпох и суметь выделить в них традиции продолжения «первичного факта нравственного бытия», но и тщательно перепроверить в этом свете «всякую славу», совершить «неумолимый суд над красою и гордостью всех веков». В шестом и седьмом философических письмах Чаадаев переоценивает различные исторические репутации и рассматривает важные эпохи мировой истории в русле своей религиозно-прогрессистской логики. Каждому народу, заключает он, необходимо, глубоко уяснив своеобразие своего прошлого и настоящего, проникнуться предчувствием и «предугадать поприще, которое ему назначено пройти в будущем» для установления грядущей вселенской гармонии.

Чаадаев как бы возвращается к проблемам первого философического письма, но уже на основе всего круга размышлений. Поэтому первое философическое письмо, с его тезисами и выводами, может быть прочитано вслед за седьмым, как его логическое продолжение; поставив ряд волнующих его проблем в эмоционально-публицистическом ключе, автор словно требует их повторного и более широкого рассмотрения в холодном свете беспристрастного знания.

В восьмом, и последнем, философическом письме, отчасти носящем методологический характер, он пытается объяснить необходимость этого приема в своей проповеди уже не только индивидуальным своеобразием корреспондентки, как в первом, но и особенностями современного духовного состояния человека вообще. Сейчас, в эпоху хиреющего чувства и развившейся науки, нельзя, по его убеждению, ограничиваться упованием сердца и слепой верой, а следует «простым языком разума» обратиться прямо к мысли, «говорить с веком языком века, а не устарелым языком догмата», чтобы с учетом всевозможных настроений и интересов «увлечь даже самые упорные умы» в лоно «христианской истины».

Издательская и читательская судьба философических писем складывалась так, что единство их последовательного и целостного восприятия было резко нарушено, что порождало и продолжает порождать неадекватные, а порою и противоречащие друг другу, истолкования творчества Чаадаева. В 1830-е гг. он предпринял ряд попыток напечатать отдельные философические письма как в России, так и за границей. Однако при жизни автора и без его подписи лишь однажды было опубликовано первое философическое письмо (в переводе либо Н. Х. Кетчера, либо А. С. Норова) под заглавием «Философические письма к г-же***. Письмо I[1]». В 1861 г. Герцен перепечатал этот перевод[2].

Годом ранее И. С. Гагарин дважды включил оригинальный француз-

[1] Телескоп. 1836. № 15.

[2] Полярная звезда. 1861. Т. 6.

ский текст первого философического письма в свою работу (изданную в Париже и Лейпциге) «Католические тенденции в русском обществе»[1]. В 1862 г. Гагарин выпустил в свет «Избранные сочинения Петра Чаадаева»[2]. В них к первому философическому письму добавились новые материалы, в том числе и оригинальный французский текст еще двух философических писем, которые в нумерации издателя и затем в последующих публикациях и переводах (вплоть до 30-х гг. XX в.) числились как второе и третье, а в действительном (представленном и здесь) порядке составляют шестое и седьмое.

Философические письма из гагаринского издания перевел и дважды воспроизвел на русском языке М. О. Гершензон[3]. На страницах выпущенного им позднее двухтомника сочинений и писем П. Я. Чаадаева вместе с переводами представлен параллельно и оригинальный французский текст философических писем. Кроме упомянутых публикаций, эти письма еще дважды издавались по-русски[4].

Из опубликованных текстов было ясно, что они являются лишь частью более обширного произведения, восстановить которое в целом виде оказалось возможным лишь после того, как отечественный исследователь жизни и творчества Чаадаева Д. И. Шаховской обнаружил в архивах и напечатал в своем переводе недостающие (2, 3, 4, 5, и 8) философические письма[5].

В полном составе и подлинной последовательности все восемь философических писем воспроизводятся вместе на русском языке впервые[6]. Первое, шестое и седьмое печатаются по тексту книги: Чаадаев П. Я. Сочинения и письма (М., 1914, т. 2); второе, третье, четвертое, пятое и восьмое — по тексту «Литературного наследства» (М., 1935, т. 22—24).

ПИСЬМО ПЕРВОЕ

[1] Слова молитвы Господней (Евангелие от Матфея, VI, 10).

[2] Автор обращается здесь к Е. Д. Пановой.

---

[1] Gagarin I. S. Tendances catholiques dans la société russe // Correspondent. Paris, 1860; Gagarin I. S. Tendances catholiques dans la société russe. Raris — Leipzig, 1860.

[2] Oeuvres choisies de Pierre Tschaadaïef, publiés pour la première fois par le P. Gagarin de la compagnie de Jésus. Raris — Leipzig, 1862.

[3] Вопросы философии и психологии. 1906. Кн. 92 и 94; Гершензон М. П. Я. Чаадаев: Жизнь и мышление. М., 1908.

[4] Чаадаев П. Философские письма и Апология сумасшедшего//Щербатов М. М. О повреждении нравов в России. Чаадаев П. Философские письма и Апология сумасшедшего. М., 1908.

[5] Литературное наследство. М., 1935. Т. 22—24.

[6] На французском языке весь корпус философических писем опубликован в следующих изданиях: Mc Nally P. T. Chaadaev's philosophical letters written to a lady and his Apologia of Madman//Forschungen zur osteuropäischen Geschichte, band 11. Berlin, 1966; Rouleau F. Letters philosophiques adressées à une dame. Paris, 1970.

[3] Ц и ц е р о н. Оратор, 120.

[4] *Друиды* — жрецы у кельтов древней Галлии, Англии и Ирландии.

[5] *Скальды* — древнескандинавские поэты и певцы, слагавшие песни о походах викингов и их победах.

[6] *Барды* — поэты и певцы у древних кельтов.

[7] Имеется в виду Петр I.

[8] *...другой великий государь...* — Александр I.

[9] Речь идет о победе русских войск в Отечественной войне 1812 года и в заграничном походе 1813—1814 гг.

[10] Имеется в виду восстание декабристов в 1825 г.

[11] *Фотий* — церковный и политический деятель Византии, константинопольский патриарх в 858—867 и 878—886 гг.

[12] Речь идет об эпической поэме Торквато Тассо «Освобожденный Иерусалим».

[13] Евангелие от Марка, XVI, 15.

[14] Подразумевается Москва как «город мертвых».

ПИСЬМО ВТОРОЕ

[1] Имеются в виду участники платоновских диалогов «Федр» и «Пир».

[2] А р и с т о т е л ь. Политика, кн. 1, гл. 2.

[3] Русские войска блокировали Босфор в мае 1829 г. и взяли Эрзерум в апреле 1829 г.

[4] Имеются в виду предания об искушении св. Антония, одного из основателей христианского монашества, дьявольской силой.

[5] Бытие, III, 22.

[6] Здесь и далее слова в прямых скобках вставлены переводчиком.

[7] Евангелие от Иоанна, I, 9—10.

[8] Речь идет о наличии у основателей древнегреческой философии и древнеазиатской религии христианских прообразов.

ПИСЬМО ТРЕТЬЕ

[1] Для эпиграфа взяты слова из первого послания апостола Павла к коринфянам (1 Кор., XV, 54), заимствованные из книги пророка Исайи (Исайя, XXV, 8).

[2] М о н т е н ь М. Опыты, кн. 2, гл. 12.

[3] Б э к о н Ф. Новый Органон, гл. 68.

[4] Речь идет о Платоне.

ПИСЬМО ЧЕТВЕРТОЕ

[1] У Спинозы нет сочинения под заглавием «De Anima» («О душе»). В 48-й теореме второй части «Этики», называющейся «Об уме», есть сход-

ное с текстом эпиграфа рассуждение. Однако цитата взята из доказательства 32-й теоремы первой части «Этики», называющейся «О боге».

[2] *Пифагорейцы* — последователи учения древнегреческого философа Пифагора, считавшего числа основой и сущностью природных явлений. По убеждению пифагорейцев, числа образуют космический порядок (гармонию, музыку сфер), составляющий прообраз общественного порядка.

[3] *Каббалисты* — сторонники каббалы, еврейского религиозно-мистического учения, основанного на толковании Ветхого завета.

[4] Цитата из схолии к 17-й теореме первой части «Этики» Спинозы приводится в сокращенном виде.

[5] Слова «ход» и «содержание» подчеркнуты переводчиком, чтобы выделить два раздела в рассуждении Чаадаева.

[6] Ньютон действительно бежал от чумы, но не в Кембридж, а, наоборот, из Кембриджа.

[7] *Апокалипсис* (от греч. apokàlypsis — откровение) — Откровение Иоанна Богослова, одна из новозаветных книг, содержащая пророчества о конце света и страшном суде.

[8] *Сенсуалисты* — последователи философского направления, признающего ощущения единственной основой и источником познания.

[9] *Побочная причина* («cause occasionnelle»), то есть вторичная или случайная,— понятие, развитое французским мыслителем Мальбраншем и другими представителями так называемого окказионализма (от лат. occasio — случай) в философии.

[10] Шотландская школа, или философия «здравого смысла», возникла и получила распространение в 60—80-х гг. XVIII в. в шотландских университетах Глазго, Эдинбурга, Абердина. Ее представители (Т. Рид, Дж. Освальд, Д. Стюарт) выдвигали основанные на «непосредственном познании» доводы в пользу бытия бога, души, разумности и целесообразности всего сущего, признавали самоочевидность религиозных истин и непререкаемость нравственных норм, коренящихся в «моральном чувстве», утверждали веру как основание философии.

[11] Чаадаев пересказывает по-своему следующие слова из книги Иова, XI, 12: «Но пустой человек мудрствует, хотя человек рождается подобно дикому осленку».

[12] Бытие, I, 26.

ПИСЬМО ПЯТОЕ

[1] Для эпиграфа взяты слова из четвертой части поэмы Мильтона «Возвращенный рай». Они входят в речь Христа, обращенную к сатане, который искушает его поучениями греческих мудрецов (Сократа, Платона, стоиков и эпикурейцев):

Увы, чему способны научить
Все мудрецы подобные, когда

Они самих себя не постигают,
Понятия о боге не имея,
О таинствах великих мирозданья,
О горестном паденьи человека,
И, меж собой толкуя о душе,
Они о ней превратно рассуждают.

[2] *Petitio principii* — латинское название логической ошибки, заключающейся в том, что в качестве довода, подтверждающего тезис, приводится такое положение, которое, хотя и не является заведомо ложным, само еще нуждается в доказательстве.

[3] *...самая положительная, самая строгая философия нашего времени* — так автор характеризует шотландскую школу.

[4] *...новое порождение глубокой и мечтательной Германии...* — философия Шеллинга, в развитии которой от самопознания через миропознание к богопознанию Чаадаев находил черты родственных ему устремлений. По его мнению, Шеллинг смелее и последовательнее Канта выходил из сферы субъективного «искусственного разума» в своих попытках построить абсолютную теорию, которая в универсальном знании на основе частных наук должна раскрыть всеобщие начала природы и духа. Чаадаеву была близка у Шеллинга идея мирового единства, в которой натурфилософия и трансцендентальная философия, «реализм» и «идеализм», не исключают, а дополняют друг друга в «высшем синтезе» и в которой провиденциально обосновывается исторический прогресс. Однако «тонкий платонизм» системы Шеллинга, растворявший ее в «океане абстракта», заставлял Чаадаева искать «заземляющих» коррективов к ней в социальных идеях его времени.

[5] Изречение Паскаля из его «Предисловия к трактату о пустоте».

[6] Цицерон. О законах, кн. I, гл. 9, § 26—27.

[7] Средневековый богослов и философ Ансельм Кентерберийский, а затем и Декарт развивали так называемое онтологическое доказательство бытия божия: врожденное присутствие в человеке, как существе конечном и несовершенном, идеи существа бесконечного и совершенного является следствием наличия совершенной надчеловеческой реальности, «бесконечной субстанции».

[8] *Глубокий мыслитель, творец этой философии...* — Кант, критическое усвоение идей которого отражено в записях Чаадаева на двух его главных книгах. На форзаце «Критики практического разума» он написал по-немецки, используя евангельские слова об Иоанне Крестителе как предтече Христа: «Он не был светом, но свидетельствовал о свете». Над названием же «Критики чистого разума» отметил: «Апологет Адамова разума». Кант неприемлем для Чаадаева в той степени, в какой выдвигает принцип самодовлеемости человека и опирается лишь на «разум во времени или разум *субъективный*». Вместе с тем, изучив добросовестно этот отвлеченный «искусственный разум», Кант, по мнению автора, осадил его самоуверенные претензии и показал его предельные границы, чем и приоткрыл путь к

свету. Скромно называя свои размышления лишь логическим следствием кантовских выводов, Чаадаев, однако, уверен, что именно они и являются подлинным развитием нового пути к тому свету, свидетельствовать о котором был призван кенигсбергский мудрец. Свет этот, полагает он, воистину воссияет лишь тогда, когда сломаются непереходимые перегородки между «верховной логикой» и «нашими мерками», между миром «вещей в себе» и миром познаваемых явлений через восхождение к источнику духовного начала, в лоне которого зарождается «высший разум». О важных последствиях такого восхождения говорит автор на многих страницах философических писем.

[9] *...другая, еще более самонадеянная философия...* — имеется в виду учение Фихте, полагающее некий абсолютный субъект, который наделен бесконечной творческой активностью. На одном из сочинений немецкого мыслителя Чаадаев, раздраженный его гордыней, написал по-латыни: «Наглость».

[10] Под архетипами Платона следует понимать бытийный мир «идей», созерцаемый бессмертной душой человека до ее вселения в смертное тело. Следовательно, по убеждению древнегреческого философа, человек с рождения обладает истинными знаниями, которые в дальнейшей жизни лишь оживляются под воздействием внешних обстоятельств и, таким образом, вспоминаются.

[11] В произведениях Декарта получило систематическое развитие учение о врожденных идеях, присущих человеческому мышлению изначально и не зависящих от опыта. Декарт подразделял их на врожденные понятия (например, понятия бытия, длительности, протяженности, числа, фигуры, движения) и врожденные аксиомы, представляющие собой связь первых. Врожденные понятия и аксиомы рассматривались им как совокупность потенций, проявляющихся и развивающихся в соответствующих внешних условиях.

[12] В истории философии понятие априо́ри (от лат. a priori, букв.— из предшествующего) связано с учением о врожденных идеях и означает внеопытное знание, имманентно существующее в сознании. Это понятие получило широкое распространение после появления «Критики чистого разума» Канта, у которого априори отличается от врожденных идей тем, что относится только к форме, а не к содержанию познания. Кант различал априорные формы чувственности (пространство и время) и рассудка (причина, необходимость и т. д.), которые организуют и упорядочивают хаотическое знание, получаемое с помощью ощущений.

ПИСЬМО ШЕСТОЕ

[1] *...гномонические наблюдения...*— наблюдения с помощью гномона, древнейшего астрономического инструмента, который служит для определения момента полдня и направления полуденной линии (т. е. меридиана).

[2] Речь идет о периоде средневековья.

[3] *...Катоне, раздирающем свои внутренности...* — Катон Младший, республиканец, противник Юлия Цезаря. Приверженец стоической философии, он в момент поражения республики добровольно избрал смерть.

[4] Речь идет о стоицизме — философском направлении эпохи эллинизма, которое, в частности, разрабатывало этические проблемы уравновешенной мудрости, освобождения от страстей, покорности судьбе, стойкости в жизненных испытаниях.

[5] *Имя Стагирита...* — то есть Аристотеля.

[6] *Приговор Платона над этим развратителем людей...* — признавая высокие художественные достоинства произведений Гомера, Платон в «Государстве» осуждал их за несоответствие высоким нравственным принципам и воспитательным задачам искусства и тем самым как бы предвосхищал сходные идеи Руссо и Л. Толстого.

[7] Чаадаев опять подчеркивает наличие христианских «прообразов» в философии Платона.

[8] *...чувственным внушениям Платона* — положительно оценивая христианские «прообразы» в философии Платона, Чаадаев критически воспринимал в ней элементы античного материализма.

[9] *...великий Вавилон* — крупнейший город Древней Месопотамии, столица Вавилонского царства в XIX—VI вв. до н. э.

[10] *Селевкиды* — династия, правившая в 312—64 гг. до н. э. в крупнейшем из эллинистических рабовладельческом государстве, которое включало в период расцвета часть Средней и Малой Азии, Иранское нагорье, Месопотамию.

[11] *Лагиды* — царская династия, правившая в 305—30 гг. до н. э. в Египте в эллинистический период его истории.

[12] *Реформация* — религиозно-социальное движение в Западной Европе XVI в., возникшее как протест против идеологии и церковной организации средневекового католицизма и послужившее образованию протестантских вероисповеданий.

[13] Voltaire. Remarques pour servir de supplément à l'Essai sur les moeurs et l'esprit des nations.—Paris. 1828.

[14] *Иудаизм* — религия евреев, зародившаяся в конце второго тысячелетия до н. э. и ставшая монотеистической с VII в. до н. э., с возникновения культа бога Яхве.

[15] Чаадаев резко отрицательно относится к эпохе Возрождения, разрушившей, по его мнению, религиозное единство истории и приведшей к торжеству индивидуализма, своевольного «искусственного разума».

[16] *Пелазги* — по сведениям античных авторов, древнейшее (доэллинское) население Греции.

[17] *Оттоманская империя* — Османская империя, официальное название султанской Турции по имени основателя династии — Османа I. Сложилась в середине XV в. К середине XVI в. подчинила своему господству Перед-

нюю Азию, Юго-Восточную Европу, Египет и другие страны Северной Африки.

[18] *Столбы* (столпы) *Геркулеса* (Геракла) — древнее название двух скал на противоположных берегах Гибралтарского пролива. По мифу, Геракл прошел через всю Европу и Ливию (Африку) и поставил столпы в память своих странствий.

[19] *...они видят только папизм...* — имеется в виду огромное влияние на историю средневекового западного христианства римских пап, в деятельности которых протестанты подчеркивали отрицательные для нравственного сознания моменты.

[20] *...менее пристрастная философия...* — имеются в виду представители так называемой французской романтической историографии (Балланш, Гизо, Минье, Тьер, Тьерри и др.), которые выделяли идею непрерывности и закономерности в развитии человечества.

[21] Речь идет о книге Ф. Гизо: Cuizot F. Cours d'histoire moderne: Histoire générale de la civilisation en Europe, depuis la chute de l'empire romain jusqu'à la révolution française. Paris. 1828.

[22] *...достроить базилику св. Петра...* — строительство собора св. Петра в Риме, начавшееся в XV в., велось (под руководством Рафаэля, Микеланджело, Бернини и др.) около полутораста лет во время правления нескольких пап.

[23] Индульгенция (от лат. indulgentia — милость, прощение) — грамота об отпущении грехов, выдававшаяся католическими священниками от имени папы римского за деньги или за какие-либо заслуги перед церковью.

[24] *Лютеранство* — разновидность протестантизма, основанная в XVI в. Лютером в Германии.

[25] *Евхаристия* — церковное таинство причащения телу и крови Христа.

[26] *Кальвинизм* — одно из протестантских вероучений, основанное в XVI в. Кальвином в Швейцарии.

ПИСЬМО СЕДЬМОЕ

[1] Повторение мысли Паскаля (см. прим. 5 к пятому философическому письму).

[2] Духовное своеобразие позиции, определившей резкое неприятие Чаадаевым античного искусства, отметил Толстой, находивший в ней близкие ему устремления. «Письма Чаадаева очень интересны,— сообщал Лев Николаевич 24 декабря 1905 года В. В. Стасову,— и место, которое вы выписали, очень мне по сердцу. Он смотрел так правильно на греческое искусство, потому что был религиозный человек. Если я так же смотрю на греческое искусство, то думаю, что по той же причине. Но для людей нерелигиозных, для людей, верящих в то, что этот наш мир, как мы его познаем, есть истинный, настоящий, действительно существующий так, как мы его видим, и что другого мира никакого нет и не может быть, для

таких людей, каким был Гете, каким был наш дорогой Герцен и все люди того времени и того кружка, греческое искусство было проявление наибольшей наилучшей красоты, и потому они не могли не ценить его».

[3] *...одно из великих событий нашего века...*— Отечественная война 1812 г., продолжавшаяся заграничными походами 1813—1814 гг.

[4] *...алтари кумиров* — сокровища античного искусства.

[5] *...при свете их родного солнца...*— в 1825 г. в Италии, во время трехлетнего европейского путешествия.

[6] Существенное воздействие на развитие религиозного умонастроения Чаадаева и соответственно на его резко критическое отношение к античному искусству оказала встреча в 1825 г. во Франции с английским миссионером, представителем секты методистов Чарльзом Куком. «С этим человеком,— замечал он позднее,— провел я несколько часов, скоро протекших, почти мгновение, и с тех пор не имел о нем никакого известия! И что же? Теперь я наслаждаюсь его обществом чаще, нежели обществом прочих людей. Каждый день воспоминание о нем посещает меня». В одном из музеев Флоренции Кук привлек внимание будущего автора философических писем тем, что, едва останавливаясь у знаменитых шедевров, подолгу задерживался у христианских древностей.

[7] На нескольких следующих страницах Чаадаев дает относительно развернутую характеристику отдельных особенностей древнееврейской и исламской религии, отвлекаясь от противоречий конкретно-исторического и конкретно-нравственного их содержания, что весьма показательно для его идеалистического понимания эволюции мирового социального процесса. «При таком подходе,— отмечали К. Маркс и Ф. Энгельс в «Немецкой идеологии», обобщая примеры подобного понимания,— историю всегда должны были писать, руководствуясь каким-то лежащим вне ее масштабом; действительное производство жизни представлялось чем-то доисторическим, а историческое — чем-то оторванным от обыденной жизни, чем-то стоящим вне мира и над миром» (Маркс К., Энгельс Ф. Соч., т. 3, с. 38). Своеобразие избранного автором философических писем провиденциалистского масштаба заставляет его «отсеивать» из «обыденной жизни» самых разных эпох и духовно-этнографических регионов и соответствующим образом истолковывать лишь те события и явления, которые не нарушили бы абстрактную логику его взглядов на сущность и движущие силы общественного прогресса. Так, еще в первом философическом письме Чаадаев достаточно искусственно разрешает в эмоциональном ключе вопрос о соответствии целей и средств этого прогресса, оправдывая средневековые религиозные войны и костры инквизиции, «кровавые битвы за дело истины» в Европе (см. с. 19). И для встречающихся ниже рассуждений седьмого философического письма, например о Моисее, сохраняющем «возвышенный монотеизм» и одновременно истребляющем десятки тысяч людей, или об учении Магомета, обнаруживающем в христианстве, ради искоренения многобожия, способность «комбинироваться при случае с заблуждением, чтобы достиг-

нуть своего полного результата», характерно то же неизжитое и существенное противоречие, поскольку «действительное производство жизни» путем отражающегося на всем протяжении истории смешения добра и зла является главным камнем преткновения для взыскуемого Чаадаевым благого завершения «конечных судеб человеческого рода».

[8] *Иегова* (Яхве) — верховное божество в иудаизме.

[9] *Второзаконие* — пятая книга Моисеева в Ветхом завете.

[10] *Прочитайте у Ксенофонта анекдоты о Сократе...* — речь идет о сочинениях древнегреческого писателя Ксенофонта «Апология Сократа» и «Меморабилии».

[11] Речь идет о книге римского императора и философа-стоика Марка Аврелия «Наедине с собой».

[12] *Лионская резня* — гонение на христиан в Лионе, вспыхнувшее в августе 178 г. в период правления римского императора Марка Аврелия и отличавшееся особенной жестокостью.

[13] *Ужасный человек* — сын Марка Аврелия, римский император Коммод, выступивший гладиатором с титулом «непобедимый римский Геркулес». Устраивал террор против Сената, был свергнут и убит.

[14] *Теория атомов Эпикура.* — Развивая атомизм Демокрита, Эпикур преодолевает его механистический детерминизм: для объяснения возможности столкновения атомов, движущихся в пустом пространстве с одинаковой скоростью, он вводит понятие спонтанного (внутренне обусловленного) «отклонения» атома от прямой линии.

[15] *Нравственная доктрина Эпикура.* — В этике Эпикур обосновывает разумное наслаждение, в основе которого лежит идеал уклонения от страданий и достижения спокойного и радостного состояния духа.

[16] *Стоики* — приверженцы стоицизма.

[17] *Платоники* — последователи Платона.

[18] *Портик* — так называли философскую секту стоиков, поскольку они собирались во главе со своим учителем Зеноном в одном из портиков Афин.

[19] *Академики* — члены основанной Платоном близ Афин Академии, в которой в разное время усиливались влияния пифагореизма, скептицизма, стоицизма, аристотелизма, неоплатонизма и которая в 529 г. была закрыта императором Юстинианом.

[20] *Мистерии Самофракия* — остров Самофракия в Эгейском море был одним из наиболее древних и известных святилищ, где в античности происходили мистерии, то есть тайные культы древнегреческих мифологических божеств.

[21] *Тифон* — в древнегреческой мифологии младший сын Геи и Тартара, родившийся после победы богов над титанами, чудовище с сотней драконьих голов, человеческим туловищем до бедр и извивающимися змеями вместо ног.

[22] *Ариман* — в древнеиранских дуалистических религиях глава злых божеств и олицетворение злого начала.

[23] *Сотурналии* — народный праздник в древнем Риме по окончании полевых работ в честь бога плодородия и времени Сатурна.

ПИСЬМО ВОСЬМОЕ

[1] *...великое христианское заблуждение...* — имеются в виду возрожденческие и протестантские идеи.

[2] *Не должен ли раздаться в мире новый голос, связанный с ходом истории...* — Чаадаев подразумевает здесь и свою философию истории.

[3] *...догмату о действительном присутствии тела в евхаристии...*— см. прим. 26 к шестому философическому письму.

[4] Имеется в виду Библия.

АПОЛОГИЯ СУМАСШЕДШЕГО

Для понимания этой статьи важно знать, какую реакцию вызвала публикация первого философического письма в конце сентября 1836 г. Философическое письмо первоначально взволновало не правительство, а общество. «Никогда, с тех пор как в России стали писать и читать,— утверждает с явным преувеличением племянник и биограф Чаадаева М. И. Жихарев,— с тех пор, как завелась в ней книжная и грамотная деятельность, никакое литературное или ученое событие, ни после, ни прежде этого (не исключая даже и смерти Пушкина), не производило такого огромного влияния и такого обширного действия, не разносилось с такой скоростью и с таким шумом. Около месяца среди целой Москвы почти не было дома, в котором не говорили бы про «чаадаевскую статью» и про «чаадаевскую историю».

А. И. Тургенев писал Вяземскому из Москвы в Петербург: «Здесь большие толки о статье Чаадаева; ожидают грозы от вас...» Студенты Московского университета явились к его попечителю и председателю московского цензурного комитета графу С. Г. Строганову и заявили, что готовы с оружием в руках вступиться за оскорбленную Россию.

Строганов, пораженный масштабами разросшегося шума, докладывал министру народного просвещения о необходимости закрыть «Телескоп» с начала следующего года. Не мог не реагировать на происходившее и московский жандармский генерал Перфильев, доносивший 15 октября Бенкендорфу, что чаадаевская статья «произвела в публике много толков и суждений и заслужила по достоинству своему общее негодование, сопровождаемое восклицанием: как позволили ее напечатать?»

Правительство было осведомлено о необычайном журнальном происшествии и по незамедлительной реакции петербуржцев. «Здесь такой трезвон по гостиным, что ужас»,— пишет В. Ф. Одоевский С. П. Шевыреву из северной столицы. «Ужасная суматоха в цензуре и в литературе»,— отмечает А. В. Никитенко.

Уже 19 октября состоялось заседание главного управления цензуры, после которого министр народного просвещения С. С. Уваров представил всеподданнейший доклад. Резолюция Николая I от 22 октября гласила: «Прочитав статью, нахожу, что содержание оной смесь дерзостной бессмыслицы, достойной умалишенного: это мы узнаем непременно, но не извинительны ни редактор журнала, ни цензор. Велите сейчас журнал запретить, обоих виновных отрешить от должности и вытребовать сюда к ответу». В тот же день он вызвал к себе Бенкендорфа, которому поручил немедленно составить проект отношения к московскому военному генерал-губернатору Д. В. Голицыну. Начальнику III Отделения понадобилось очень мало времени, чтобы оценить высочайшую резолюцию, и уже через несколько часов он представил требуемый текст, на котором царь написал: «Очень хорошо».

Текст этот определял весьма своеобразное наказание автору «дерзостной бессмыслицы», написанной «в постигшем его расстройстве ума, которое одно могло быть причиною написания подобных нелепостей. Здесь получены сведения, что чувство сострадания о несчастном положении г. Чеодаева единодушно разделяется всею московскою публикою. Вследствие сего государю императору угодно, чтобы ваше сиятельство, по долгу звания вашего, приняли надлежащие меры к оказанию г. Чеодаеву всевозможных попечений и медицинских пособий. Его величество повелевает, дабы вы поручили лечение его искусному медику, вменив сему последнему в обязанность непременно каждое утро посещать г. Чеодаева, и чтоб сделано было распоряжение, дабы г. Чеодаев не подвергал себя вредному влиянию нынешнего сырого и холодного воздуха; одним словом, чтоб были употреблены все средства к восстановлению его здоровья — государю императору угодно, чтоб ваше сиятельство о положении Чеодаева каждомесячно доносили его величеству».

Чаадаев был потрясен официальным признанием расстройства его ума. А. И. Тургенев, регулярно сообщавший Вяземскому в Петербург о развитии «телескопской» истории, писал: «Доктор ежедневно навещает Чаадаева. Он никуда из дома не выходит. Боюсь, чтобы он и в самом деле не помешался».

В такой атмосфере и писалась «Апология сумасшедшего» в конце 1836 — начале 1837 г., когда Чаадаев в кругу своих ближайших приятелей обсуждал основные положения «телескопской» публикации. «Ежедневно,— сообщал А. И. Тургенев Вяземскому,— с утра до шумного вечера (который проводят у меня в сильном и громогласном споре Чаадаев, Орлов, Свербеев, Павлов и прочие), оглашаем я прениями собственными и сообщаемыми из других салонов об этой филиппике... Чаадаев сам против себя пишет и отвечает себе языком и мнениями Орлова...»

От имени своего друга, опального генерала-декабриста Михайла Федоровича Орлова, автор первого философического письма подвергал сомнению уместность его публикации, но не успел завершить послания к самому себе, арестованного в числе прочих бумаг. Незаконченная «Апология сумасшедшего» также задумывалась как своеобразное оправдание перед правительством, а одновременно и как разъяснение особенностей патриотизма Чаадаева, уточнение его новых взглядов на высокое предназначение России, которые стали вырабатываться еще в первой половине 30-х гг. (см. в разделе «Письма» послания этого периода к А. И. Тургеневу, Николаю I, Бенкендорфу). А. И. Тургенев, лучше многих знавший по переписке о перемене взглядов Чаадаева, замечал после шумной реакции на «телескопскую» публикацию, что тот «уже давно своих мнений сам не имеет и изменил их существенно».

Впервые на французском языке оригинала статья была напечатана И. С. Гагариным в «Избранных произведениях Петра Чаадаева», а в русском переводе — в издании: Чаадаев П. Апология сумасшедшего /Пер. с франц. С. М. Юрьева и Б. П. Денике, под ред. прив.-доц. Казан. унивeр. Вл. Н. Ивановского. Казань, 1906. Воспроизводится по тексту книги: Чаадаев П. Я. Сочинения и письма. М., 1914, т. 2. Варианты другой редакции «Апологии сумасшедшего» на французском языке приводятся М. О. Гершензоном в том же томе, а также в издании: Mc Nally R. T. Chaadaev's philosophical letters writen to a lady and his Apologia of Madman.

[1] В другой редакции для эпиграфа используются (вместо приведенных) не раз акцентируемые в текстах Чаадаева евангельские слова: Adveniat regnum tuum («Да приидет царствие твое»).

[2] Слова апостола Павла из первого послания к Коринфянам (I Кор., XIII, 17).

[3] *...один великий писатель нашего времени...*— французский религиозный философ и публицист Ламенне.

[4] *Величайший из наших царей...*— Петр I.

[5] *Но вот является новая школа...*— имеется в виду славянофильство.

[6] *...немецкие ученые открыли наших летописцев...*— имеются в виду труды членов основанной в Петербурге в 20-х гг. XVIII в. Академии наук Г. Ф. Миллера и Авг. Шлецера, кропотливо собиравших и издававших летописи и другие памятники древнерусской литературы.

[7] *...Карамзин рассказал звучным слогом дела и подвиги наших государей...*— в многотомной «Истории государства Российского».

[8] *Страшная драма междуцарствия* — речь идет о явлении самозванства и социальном разладе в Смутное время в 1605 — 1613 гг.

[9] *...на нашей сцене была разыграна новая пьеса* — «Ревизор» Гоголя, премьера которого состоялась не после, как ошибочно указывает Чаадаев, а до публикации первого философического письма.

[10] *...никогда не достигалось более полного успеха* — этими словами заканчивается другой вариант «Апологии сумасшедшего».

II

ОТРЫВКИ И АФОРИЗМЫ

Входящие в данный раздел материалы представляют собой записи по нравственным, философским, историческим, литературным и политическим вопросам, которые Чаадаев делал, начиная с периода создания философических писем, на протяжении всей жизни. Они имеют вполне самостоятельное значение, приобретающее эссеистическое и афористическое звучание, и, по мнению М. И. Жихарева, их «можно поставить рядом с произведениями в том же роде Вовенарга, Ларошфуко, Паскаля...».

Вместе с тем многие из этих записей, не теряя самостоятельного жанрового значения, находятся как бы в подчиненном положении по отношению к развитию «одной мысли» в цикле философических писем и к ее вариациям в последующих сочинениях. Столь разные проблемы вдохновения и свободы воли, разума и воображения, искусства и языка, веры и знания, счастья и альтруизма, подлинного и мнимого патриотизма, конфессиональных различий, особенностей западной и русской истории, немецкой и французской философии и другие рассматриваются каждая в своей собственной сфере и одновременно призваны доказать божественное происхождение различных явлений в духовном и физическом мирах, обосновать веру в грядущее осуществление христианских принципов.

В первую часть входят отрывки, относящиеся приблизительно к 1828 — 1830 гг. и напечатанные в «Сочинениях и письмах П. Я. Чаадаева» с копии, сделанной А. П. Елагиной и принадлежавшей М. А. Максимовичу. Несколько из них было опубликованно в 1832 г. в одиннадцатом номере журанала «Телескоп».

Вторая и третья части составляют афоризмы и размышления Чаадаева соответственно 40-х и 50-х гг., переведенные еще в довоенные годы Шаховским с французских копий М. И. Жихарева и лишь совсем недавно опубликованные З. А. Каменским (Вопросы философии, 1986, № 1) в хронологической систематизации и нумерации переводчика.

III

ПИСЬМА

Из эпистолярного наследия Чаадаева отобраны для настоящего издания наиболее интересные в историко-культурном, литературном, философском отношении материалы начиная с 1829 г., то есть с периода окончательного формирования его мировоззрения и создания философических писем. Подборки посланий Чаадаева печатались в журналах «Библиографические записки» (1861, № 1), «Русский архив» (1866, кн. 3; 1881, кн. 1), «Русский вестник» (1862, № 11), «Русская старина» (1882, № 2; 1903,

№ 10), «Вестник Европы» (1871, № 9, 11; 1874, № 7); в книгах: Oeuvres choisies de Pierre Tschaadaief. Paris — Leipzig, 1862; Гершензон М. П. Я. Чаадаев: Жизнь и мышление. Спб., 1908; Лемке М. К. Николаевские жандармы и литература 1826 — 1855 годов. М., 1908 — и в некоторых других изданиях.

Письма воспроизводятся по кн.: Чаадаев П. Я. Сочинения и письма: В 2-х т., М., 1913—1914. Другие источники публикаций указываются особо. Почти все приводимые послания Чаадаева являются переводом с французского, поэтому те случаи, когда они были написаны на русском языке, оговариваются специально.

1829

[1] Вероятно, речь идет о французском переводе романа Ф. В. Булгарина «Иван Выжигин»: Boulgarin F. Ivan Wyjighine ou le Gilblas russe. Paris, 1829(«Иван Выжигин, или Русский Жильблаз»).

[2] Французский писатель Виктор Жозеф Жуи был широко известен как автор книг «L'Hermite de la Chaussé d'Antin» («Отшельник с улицы Дантен») и «Les Hermites en prison» («Отшельники в тюрьме»), изданных соответственно в 1812 и 1813 гг.

[3] *...моего приятеля Гульянова...*— Чаадаев был дружен с дипломатом и ученым-египтологом Иваном Александровичем Гульяновым, помогавшим ему в затруднительных жизненных обстоятельствах конца 20 — начала 30-х гг. Возможно, не без помощи Чаадаева познакомился с этим ученым, занимавшимся дешифровкой иероглифов, и Пушкин, на одном из рисунков которого изображена египетская пирамида с надписью Гульянова: «Начертано поэтом Пушкиным во время разговора, который я имел с ним сегодня о моих трудах вообще и об иероглифических знаках в частности. Москва 13/25 декабря 1831».

[4] *...знаменитый Клапрот...*— немецкий ориенталист.

[5] *...книги, которую вам посылаю...*— Скорее всего, речь идет о двухтомном сочинении французского писателя Фредерика Ансильона «Pensées sur l'homme, ses rapports et ses interêts (Berlin, 1829) («Размышления о человеке, его отношениях и интересах»), испещренном карандашными пометами отправителя и сохранившемся в библиотеке Пушкина. Чаадаеву, во многом разделявшему мысли автора, хотелось, чтобы Пушкина заинтересовали рассуждения Ансильона о «философической вере», о слиянии религии, поэзии и социальной истории, о необходимом совершенствовании человеческой природы. Чаадаев, рассчитывавший на мощь поэтического таланта Пушкина в распространении своей «одной мысли», стремился знакомить его не только с «идеями века», но и с собственными взглядами на проблемы художественного творчества, о чем свидетельствует запись на форзаце посылаемой книги: «Мозг поэта построен иначе, не в смысле образования идей, но в смысле их выражения. Ведь не мысль делает человека поэтом,

а ее выражение. Поэтическое вдохновение — вдохновение словом, а не мыслью. Поэтический язык — сама поэзия. Разве есть поэты в прозе... Только французы, такой несомненно прозаический народ, могли вообразить, что во Франции есть поэты. Верно, что их поэты — прозаики, но не... что их произведения поэтичны. Говорят, образ, образ. Но образ — это материал поэзии, а не поэзия; если он не выражен поэтически, это просто геометрическая фигура и ничего более».

1831

[1] Уезжая из Москвы в середине мая 1831 г., Пушкин взял с собою часть философических писем (шестое и седьмое), чтобы напечатать их в Петербурге с помощью товарища министра народного просвещения Д. Н. Блудова и издателя Ф. М. Беллизара. Однако сделать это не удалось.

[2] *Английский клуб.* Его открытие в последней четверти XVIII в. явилось одним из подражательных заимствований европейских форм социального быта в послепетровскую эпоху. Хотя в уставе, согласно которому число членов клуба первоначально ограничивалось четырьмястами, а впоследствии увеличилось до шестисот, не оговаривались никакие сословные ограничения, он состоял из представителей родовой или чиновной знати, а также людей со средствами и положением в образованном обществе. Здесь имелись богатая библиотека, журнальные и газетные комнаты, бильярдные, столовые, где члены клуба отдыхали, играли в карты, обсуждали политические новости. Еще Н. М. Карамзин в «Записке о достопримечательностях Москвы» отмечал значение клуба как барометра социальных убеждений: «Надобно ехать в Английский клуб, чтобы узнать общественное мнение, как судят москвичи. У них есть какие-то неизвестные правила, но все в пользу самодержавия: якобинца выгнали бы из Английского клуба». По свидетельству П. И. Бартенева, сам Николай I «иной раз справлялся, что говорят о той или другой правительственной мере в Московском Английском клубе».

[3] *Ввиду постигшего нас великого бедствия...* — речь идет об эпидемии холеры.

[4] Также имеется в виду эпидемия холеры.

[5] Пушкин несколько раз пытался вернуть рукопись автору, но посылку не принимали на почте из-за холерной эпидемии. Возможно, ему удалось ее отправить в конце августа или в сентябре.

[6] *...время... не многого стоившее...* — период увлечения либеральными идеями в конце 10 — начале 20-х гг.

[7] *...великого поэта...* — вероятно, Жуковского.

[8] *«Рамаяна»* — древнеиндийская эпическая поэма, созданная около IV в. до н. э. В окончательном виде, дополненная и частично модифицированная в традиции певцов-сказителей, сложилась ко II в.

[9] *...вдруг нагрянула глупость человека* — французского короля Кар-

ла X, политика которого послужила одной из причин Июльской революции 1830 года.

[10] Религия в учении французского утописта-социалиста Сен-Симона становилась инструментом в поступательном развитии общественного прогресса.

[11] Имеется в виду религиозное течение, возглавляемое в начале 30-х гг. XIX в. Ламенне, в котором традиционное католичество соединялось с идеями всеобщего равенства.

[12] В сентябре 1831 г. Пушкин писал П. В. Нащокину, что царь позволил ему «рыться в архивах для составления Истории Петра I».

[13] «Клеветникам России» и «Бородинская годовщина».

1832

[1] Чаадаев познакомился с Шеллингом в августе 1825 г. в Карлсбаде и вместе с А. И. Тургеневым и Тютчевым оказался в числе первых представителей русской культуры, с которых началось и через которых осуществлялось более тесное общение немецкого философа с поклонниками из России. В конце 20 — начале 30-х гг. в Мюнхене, а позднее в Берлине Шеллинга посетят братья Киреевские, М. П. Погодин, С. П. Шевырев, Н. А. Рожалин, В. П. Титов, Н. А. Мельгунов, В. Ф. Одоевский, А. С. Хомяков. Среди особо заинтересовавших его почитателей он назовет и Чаадаева, считая его одним из наиболее прекрасных людей, когда-либо встреченных им в жизни. И хотя после карлсбадских встреч они более не виделись, Чаадаев произвел сильное впечатление на Шеллинга сходным умонастроением. Чаадаев же с заинтересованным сочувствием следил за эволюцией мысли Шеллинга от «философии тождества» к «философии мифологии и откровения», или «положительной философии», призванной соединить веру и знание, познать самораскрытие бога через «мировые эпохи» исторического процесса.

1833

[1] Неоднократно и подолгу путешествуя по Европе, А. И. Тургенев имел широкие знакомства в политических, научных, литературных кругах и посылал в Россию многокрасочные путевые заметки, которые печатались в «Московском телеграфе», «Современнике», «Москвитянине». По воспоминаниям Вяземского, он состоял в переписке с братьями и друзьями, с духовными лицами всех возможных исповеданий, с дамами всех возрастов, короче говоря, «со всею Россией, Францией, Германией, Англией и другими государствами...».

Одним из самых постоянных и значительных корреспондентов Тургенева был Чаадаев, который особенно сблизился со старым университетским товарищем в начале 30-х гг. Тургенев делал для «московского философа», как он называл Чаадаева, разнообразные выписки из нашумевших на Западе книг и статей, присылал и привозил ему из-за границы новейшие сочинения по различным отраслям знания, знакомил европейские салоны с его философическими письмами.

[2] Речь идет о послании к Шеллингу, которое Чаадаев, видимо, переделывал и переслал его Тургеневу лишь весной 1833 г.

[3] *Мария Бравура* — московская красавица, итальянка по происхождению, знакомство с которой поддерживали П. А. Вяземский, М. Ф. Орлов, А. И. Тургенев, М. И. Глинка, И. С. Гагарин и другие известные современники Чаадаева. Последний, судя по ее неопубликованным письмам, знакомил Бравуру со своими идеями. «Ваши глубокие размышления о религии,— отвечала она ему, получив «желанные рукописи»,— были бы выше моего понимания, если бы я с детства не была напитана всем тем, что имеет отношение к католическому культу, который я исповедую, и всем, что ведет к Единству...»

[4] Имеется в виду Шеллинг.

[5] С будущим начальником III Отделения Чаадаев познакомился еще на полях Отечественной войны 1812 г., затем состоял вместе с ним в одной масонской ложе «Соединенных друзей», общался с Бенкендорфом по службе, будучи адъютантом командира гвардейского корпуса И. В. Васильчикова до выхода в отставку в феврале 1821 г. После возвращения из-за границы в 1826 г. Чаадаев встречался с начальником III Отделения при неустановленных обстоятельствах, а в 1833 г. обратился к нему в связи с желанием поступить на государственную службу. К службе его подвигали и финансовые затруднения, и повышавшийся авторитет в обществе, и стремление взять на себя роль одного из активных проводников «политики рода человеческого», о которой он размышлял на страницах философических писем.

[6] В поисках должности на государственной службе Чаадаев обратился за протекцией к И. В. Васильчикову. Последний сообщал ему, что люди, к которым он обращался, признают высокие качества и прежние заслуги Чаадаева, но затрудняются найти место, соответствующее его чину отставного ротмистра. Он извещал далее своего бывшего адъютанта, что Бенкендорф выразил готовность помочь ему и просил его написать подробнее о своих желаниях, что тот и сделал в настоящем письме.

[7] О подготовке Чаадаева к дипломатической должности свидетельствует пристальное изучение им современных событий и расстановки политических сил в мире, исследование соответствующей литературы. «Мне кажется,— писал он до конца понятные лишь ему слова на полях книги Мартенса «Дипломатический путеводитель»,— что опасность действительно существует. И главным образом потому, что правительство станет на сторону народа... Боде может быть в Вюртенберге, нужно, прежде всего, сблизиться с Баварией... Миссия во все правительства Германии.— Система миссий.— Вспомните императора Александра.— Система жестоких репрессий будет иметь нежелательные результаты».

[8] Речь идет об Александре I.

[9] Это письмо, сопровождающее послание Николаю I, и следующие письма к Бенкендорфу, связанные с вопросами устройства на службу, написаны по-русски. Отвечая Чаадаеву на сопроводительное письмо, Бенкендорф замечал: «Получив письмо ваше от 15 минувшего июля и усматривая из оного, что вы, в приложенном при сем письме вашем на высочайшее имя, упоминаете о несовершенстве образования нашего, я, имея в виду пользу вашу, не решился всеподданнейшего письма вашего представить государю императору, ибо его величество, конечно бы, изволил удивиться, найдя диссертацию о недостатках нашего образования там, где вероятно ожидал одного лишь изъявления благодарности и скромной готовности самому образоваться в делах, вам вовсе незнакомых. Одна лишь служба, и служба долговременная, дает нам право и возможность судить о делах государственных, и потому я боялся, чтобы его величество, прочитав ваше письмо, не получил о вас мнение, что вы, по примеру легкомысленных французов, принимаете на себя судить о предметах, вам неизвестных. В сем уважении я счел лучшим препроводить к вам обратно всеподданнейшее ваше письмо, которое при сем прилагаю, имея честь быть с совершенным почтением и преданностью вам покорнейший слуга граф Бенкердорф».

Настойчивое желание Чаадаева служить в министерстве просвещения не исполнилось, и переписка с Бенкендорфом прервалась. Известно только, что в конце 1833 г. царь соизволил определить его по министерству юстиции, но Чаадаев, желавший служить именно для русского просвещения, пренебрег этим предложением.

1835

[1] Речь идет о каком-то сочинении Чаадаева, которое Тургенев, видимо, собирался поместить в одном из французских журналов.

[2] Чаадаев называл себя философом женщин не только потому, что его философические письма были обращены к даме. В прочитанных им книгах немало следов внимательного изучения женской физиологии и психологии, позволяющих раскрывать содержание такой самооценки. Например, в книге Бернардена де Сен-Пьера он отмечает для себя рассуждения о духовных особенностях «прекрасного пола», являющегося исключительно таковым лишь для «глазастых» людей. Для тех же, кто имеет еще и сердце, это и рождающий и кормящий пол, стойко переносящий тяготы подобного положения, набожный пол, несущий своих младенцев к алтарям и вдохновляющий в них религиозные чувства, мирный пол, держащий в своих руках иголку и нитку, а не ружье и шпагу, утешающий больных, а не проливающий кровь ближних. В природной женской пассивности и сердечной предрасположенности к самоотречению автор философических писем видел залог развития способности покоряться «верховной воле», чтобы лучше разли-

чать голос «высшего разума» и пропитаться «истинами откровения». Женское для Чаадаева является в известной степени антропологическим преломлением религиозного и послушным орудием провидения.

[3] *...том рассказов Павлова* — «Три повести» Н. Ф. Павлова.

[4] *...прочтите первый рассказ.*— Первая повесть называлась «Именины».

[5] Речь идет о пятиактной драме Н. В. Кукольника «Князь М. В. Скопин-Шуйский».

[6] Речь идет о журнале «Библиотека для чтения», в девятом томе которого была напечатана анонимная критическая статья «Германская философия» и «Отрывок письма из Швейцарии» В. А. Жуковского, озаглавленный «Две всемирные истории».

[7] *Revue de Paris* — французский журнал, основанный в 1829 г., в котором напечатали свои произведения О. де Бальзак, А. Дюма, Э. Сю и другие известные писатели. В 1845 г. был закрыт в связи с финансовыми трудностями, а в 1851 г. стал выходить вновь.

[8] *France littéraire* — литературно-общественный журнал католического направления, периодически выходивший с 1832 по 1843 г.

[9] *Сиркуры* — речь идет о французском публицисте графе Адольфе де Сиркуре и его жене Анастасии Семеновне, урожденной Хлюстиной, в салоне которых собиралось избранное парижское общество.

[10] *Welt-Getst* — мировой дух *(нем.)*.

[11] Речь идет о втором томе «Салона» Гейне.

[12] Имеется в виду комедия М. Н. Загоскина. «Вы, верно, слышали,— сообщал о ходивших по Москве слухах близкий к кругу Герцена Н. А. Мельгунов члену кружка Станкевича Я. М. Неверову в январе 1835 г.,— что Загоскин пишет комедию «Недовольные», для которой тему ему дал государь». Прототипами же действующих лиц служили П. Я. Чаадаев и М. Ф. Орлов. Главный герой, князь Радугин, находясь в отставке и тратя много денег на прихоти жизни, сердится, что правительство не замечает его талантов и не использует их должным образом. На его желание получить государственную должность министр отвечает отказом почти теми же словами, что и Бенкендорф Чаадаеву: для этого нужна «большая опытность, которая приобретается продолжительной и постоянной службою...». Сын князя Владимир, которым восхищаются ученые умы Германии и Франции, говорит и пишет на нескольких иностранных языках, но плохо знает русский и презирает все отечественное. В подобных штрихах легко проглядываются сатирически преувеличенные черты биографии Чаадаева. Заданность темы и нарочитое высмеивание, упрощающие реальную сложность характеров и нарушающие правдивость повествования, заведомо обрекали комедию Загоскина на неуспех. «Недовольные»,— замечал Пушкин,— в самом деле скучная, тяжелая пиеса, писанная довольно легкими стихами. Лица, выведенные на сцену, не смешны и не естественны. Нет ни одного комического положения, а разговор пошлый и натянутый не заставляет забывать отсутствие действия».

[13] Имеется в виду М. Ф. Орлов.

[14] *Journal des Débats* — газета, основанная во Франции в 1789 г. для публикации отчетов Учредительного собрания.

[15] *...московский философ...* — Чаадаев так называет самого себя.

[16] См. прим. 6 к письмам 1835 года.

[17] *...построил целую философию на его симпатиях* — согласно «симпатиям» французского философа Балланша только «прогрессивный традиционализм», причудливо сочетающий в себе ультрамонтанство и свободолюбие, способен глобально и оптимистически обосновать социальную эволюцию, в которой полнота раскрытия человеческих способностей и станет конечным осуществлением религиозных начал: «Я надеюсь дать синтетическое изложение истории человечества. Я надеюсь показать историю общества от его темного зарождения и таинственной колыбели вплоть до высшего развития его силы и могущества... Осмелюсь сказать, что более широкий исторический синтез невозможен». Такие задачи французского философа глубоко впечатляли Чаадаева и совпадали с его собственными.

[18] Евангелие от Иоанна, I, 10.

[19] Вероятно, речь идет о брошюре французского католического публициста и философа Ф. Экштейна, в которой говорится о важности изучения индийских Вед.

1836

[1] Еще с университетской скамьи, а затем и в походах Отечественной войны 1812 г. Чаадаева и Якушкина связывала тесная дружба. В 1821 г. последний принял первого в распущенный «Союз благоденствия». Ссыльный декабрист и автор философических писем, несмотря на пожизненную разлуку, иногда получали сведения друг о друге благодаря родственникам и знакомым, особенно же двоюродной сестре Якушкина Е. Г. Левашевой, в доме которой на Новой Басманной Чаадаев безвыездно жил с 1833 г. Сам Чаадаев в 1834 г. послал Якушкину небольшую картину с подписью художника Романелли, изображающую семейную группу, а нижеследующее письмо написал в 1836 г. Письмо это не дошло до адресата и сохранилось среди бумаг Чаадаева, арестованных у него в конце 1836 г. в связи с «телескопской» историей. Оно печатается по тексту публикации Д. И. Шаховского в книге «Декабристы и их время» (М., 1932, т. 2).

[2] Имеется в виду трактат по электричеству и магнетизму французского физика Беккереля.

[3] Речь идет о двоюродных сестрах Чаадаева Н. Д. Шаховской и Е. Д. Щербатовой.

[4] Слова в квадратных скобках принадлежат публикатору.

[5] Имеются в виду сотрудники журнала «Московский наблюдатель».

[6] Речь идет об оттиске «телескопской» публикации, который Чаадаев

послал С. С. Мещерской, распространявшей духовно-нравственные книги в народе.

[7] Речь идет об обыске, произведенном у Чаадаева в связи с «телескопской» публикацией в конце октября 1836 г.

[8] Скорее всего, речь идет о книге немецкого философа Д. Штрауса «Жизнь Иисуса», в которой автор, исходя из учения Гегеля, критиковал ортодоксальное христианство и рассматривал евангельские предания лишь как памятники литературного творчества. «Во время появления и громкой знаменитости всем известной книги Штрауса,— замечает с известным преувеличением М. И. Жихарев,— весьма образованные и очень неглупые люди различных верований и убеждений говорили, что в России только один Чаадаев в состоянии написать на нее опровержение».

[9] Видимо, предвидя репрессивные меры по отношению к автору напечатанного в «Телескопе» философического письма, А. И. Тургенев заранее забрал у него свои послания.

[10] Имеется в виду изданная в 1833 г. книга И. И. Ястребцова «О системе наук, приличных в наше время детям, назначаемым к образованнейшему классу общества», в которой автор ссылался на Чаадаева как на источник своих основных мыслей.

[11] Подразумевается замысел «Апологии сумасшедшего».

[12] Вероятно, у Чаадаева при обыске нашли сочувственный отзыв на «телескопскую» публикацию А. К. Мейендорфа, бывшего офицера и давнего его приятеля, что и навлекло на него какие-то неприятности.

[13] Речь идет о «Капитанской дочке».

[14] Имеется в виду И. И. Дмитриев.

[15] *Безумный* — так Чаадаев подписывался некоторое время после официального наказания за напечатание первого философического письма.

1837

[1] Написанное по-русски послание к московскому обер-полицмейстеру Цынскому связано с различными неприятностями Чаадаева после публикации первого философического письма. Среди слухов, усугублявших его подавленное состояние, выделялись двусмысленные разговоры о «даме» и ее взаимоотношениях с автором публикации. В конце 1836 г. московское губернское правление освидетельствовало умственные способности Е. Д. Пановой по настоятельной просьбе мужа, пожелавшего поместить ее в лечебное заведение для душевнобольных. Когда до Чаадаева дошли отклики об ответах Пановой на предложенные ей вопросы, он через пристава испросил разрешение явиться к московскому обер-полицмейстеру, которому сделал письменно следующее заявление: «...коллежская секретарша Панова во время свидетельствования ее губернским правлением в умственных способностях рассказывала в присутствии, что она республиканка и что во время войны в 1831 году она молилась за поляков, и тому подобные вздоры го-

ворила», а потому он опасается, чтобы «по прежним его с Пановой связям правительство не заключило, что он причиною внушения ей подобного рода мыслей, так как философические письма, напечатанные в «Телескопе», были писаны к ней». Не удовлетворившись таким заявлением, Чаадаев отправил Цынскому нижеследующее послание с более пространными объяснениями, Что же касается Пановой, то ее поместили на время в сумасшедший дом. Следы же дальнейшего ее жизненного пути теряются. Но кое-что известно из последних, не менее драматических лет жизни адресата философических писем. Внук А. Д. Улыбышева Н. Вильде рассказывал, что, проводя лето в нижегородском родовом имении умершего деда, с любопытством и страхом проходил мимо ветхой избы, где жила старая безногая женщина, которую бабушка презрительно и насмешливо называла «философкой», а то и просто сумасшедшей. «Философка» (а ею оказалась Е. Д. Панова) много лет находилась в разладе с братом, смертельно враждовала с его женой, а вот теперь приехала к ней в простой телеге, без копейки денег, имея при себе лишь костыли, и чуть ли не на коленях умоляла о помощи и пристанище. Судя по всему, она не долго прожила в старом домике, куда ей носили обед с барского стола. «Где она умерла?— вопрошает Вильде.— В больнице для умалишенных, или в каком-нибудь нищем доме, или из милости у чужих людей? Где ее могила?»

[2] Написанное по-русски послание к брату, безвыездно жившему с 1834 г. до конца жизни в нижегородском имении Хрипуново, является пристрастным (поскольку Чаадаев преуменьшает свою роль в напечатании первого философического письма) разъяснением «телескопской» истории.

[3] *Corpus delicti* — состав преступления *(лат.).*

[4] *Ex officio* — по обязанности *(лат.).*

[5] *...дружба моих милых хозяев* — Левашевых.

[6] Речь идет об известном письме Жуковского к С. Л. Пушкину, где рассказывается о кончине поэта.

[7] Возможно, речь идет о послании, черновик которого с датой 2 мая 1836 г. сохранился в архиве Чаадаева (см. прим. 1 к письмам 1836 г.).

[8] Имеется в виду теща Якушкина Н. Н. Шереметева.

[9] Подразумевается уже упоминавшаяся в послании 1836 г. к С. Г. Строганову книга И. И. Ястребцова.

[10] Чаадаев намекает на перлюстрацию письма и его задержку в III Отделении.

[11] *...твоя двоюродная сестра...* — Е. Г. Левашева.

[12] Это послание к А. И. Тургеневу написано по-русски.

[13] Чаадаев цитирует одно из своих положений в первом философическом письме.

[14] Евангелие от Иоанна, XVII, 3. Чаадаев передает евангельские слова в измененном виде.

[15] С бывшим боевым генералом и опальным декабристом М. Ф. Орловым Чаадаев особенно сблизился в 30-е гг., когда они часто не толь-

ко бывали друг у друга, но и встречались на салонных собраниях, балах, в Английском клубе. «Московские львы», как их называл Герцен, привлекали к себе всеобщее внимание.

1838

[1] Имеется в виду Е. А. Свербеева, приятельница Чаадаева и Тургенева.

[2] Слова в скобках переведены с французского языка.

[3] Слова в скобках переведены с немецкого языка.

[4] Труды французского философа оказали большое влияние на Чаадаева, которого А. И. Тургенев называл «московским Ламенне». Автора философических писем привлекало стремление Ламенне искать ответы на вопросы о происхождении, долге и судьбе человека не в собственном единичном сознании, а в лоне магистральных традиций, восходящих к началу всех времен. Чаадаев обнаруживал сходные устремления и в попытках найти точки соприкосновения и связи между христианством и новейшими проявлениями социально-культурной жизни, установить прочный союз религии и разума. Однако, как видно из нижеследующих строк, некоторые демократические положения философии Ламенне вызывали у него несогласие.

[5] Слова в скобках переведены с латинского языка.

[6] Слова в скобках переведены с французского языка.

[7] Слова в скобках переведены с французского языка.

[8] Имеется в виду статья Вяземского о пожаре Зимнего дворца 17 декабря 1837 г., напечатанная в начале 1838 г. в «Cazette de France», а затем вышедшая в Париже отдельной брошюрой.

[9] Слова в скобках переведены с французского языка.

[10] Слова в скобках переведены с латинского языка.

[11] Слова в скобках переведены с французского языка.

1839

[1] Подразумеваются протестантские идеи и реформы.

[2] *...оспаривать мнения человека...*— вероятно, А. И. Тургенева.

[3] Послание к Жуковскому написано по-русски.

[4] Имеется в виду неотправленное письмо Пушкина к Чаадаеву от 19 октября 1836 г. с возражениями на ряд положений «телескопской» публикации.

[5] М. М. Сонцев был женат на тетке Пушкина Елизавете Львовне.

1840

[1] Послание к Шевыреву написано по-русски. С Шевыревым, как и с другим профессором Московского университета — М. П. Погодиным, изда-

вавшими журнал «Москвитянин», Чаадаев, несмотря на идейные разногласия, находился в достаточно ровных приятельских отношениях и часто обсуждал с ними разные исторические и литературные вопросы. «Они люди добрые и честные,— писал он А. И. Тургеневу, пожелавшему сотрудничать в «Москвитянине».— Шевырев особенно совершенно благородный человек. То же можно сказать о Погодине».

[2] Речь идет о стихотворении Е. П. Ростопчиной «Вид Москвы».

[3] Имеются в виду сотрудники журнала «Москвитянин».

1841

[1] Послание к А. И. Тургеневу написано по-русски.

[4] Слова в скобках переведены с французского языка.

[3] ...*заносчивая философия*... — гегелевская система.

1842

[1] В написанном по-русски послании Шевыреву Чаадаев благодарит его за некролог М. Ф. Орлову, скончавшемуся 18 марта 1842 г., печатание которого не было разрешено. 20 марта 1842 г. А. И. Тургенев писал из Москвы Вяземскому: «...здесь, как слышно, болярин-цензор, не пропустив статьи Шевырева, назвал Михаила Орлова *каторжным*».

[2] Имеется в виду письмо, полученное Чаадаевым от Шеллинга в 1833 г.

[3] Фридрих-Вильгельм IV, озабоченный усилением подчинения немецких мыслителей «высокомерию и фанатизму школы пустого понятия» и желавший уничтожить «драконово семя гегелевского пантеизма», пригласил Шеллинга на кафедру, ранее занимаемую Гегелем. Новый профессор начал читать лекции в Берлине осенью 1841 г. в обстановке повышенного интереса, когда, по рассказу очевидца, Фридриха Энгельса, в аудитории слышался смешанный гул немецкой, французской, английской, венгерской, польской, русской, новогреческой, турецкой речи. Среди задорной молодежи и важных сановников в числе слушателей находились выдающиеся деятели самого разного рода и духа: Серен Кьеркегор, Михаил Бакунин, Фердинанд Лассаль, Владимир Одоевский, Якоб Бурхард... Семестр закончился овациями и факельным шествием. Многочисленные отзвуки берлинских лекций доходили и до Чаадаева.

[4] ...*спекулятивная философия*... — гегелевская диалектика, которую западники (Бакунин, Белинский, Герцен) трактовали как «алгебру революции», а славянофилы (К. С. Аксаков, Ю. Ф. Самарин) пытались одно время приложить к русской истории.

[5] Здесь и далее речь идет о славянофильском движении.

[6] Е. А. Свербеева, урожденная Щербатова, была дальней родственницей Чаадаева. В доме ее мужа, автора известных «Записок» Д. Н. Свербеева, собирались видные представители славянофильства и западничества. Это

письмо Чаадаева к ней, как и другие два послания к Свербеевой 1844 и 1845 гг., печатаются по тексту публикации Н. В. Голицына в журнале «Вестник Европы» (1918, кн. 1—4).

[7] Дата в скобках поставлена публикатором.

[8] После смерти Е. Г. Левашевой в 1839 г. Чаадаев несколько раз оказывался перед чрезвычайно неприятной, но так и не осуществившейся необходимостью покинуть флигель на Новой Басманной.

[9] *Рожествено* — имение двоюродной сестры Чаадаева Е. Д. Щербатовой в Серпуховском уезде Московской губернии.

[10] *...добрая тетушка* — А. М. Щербатова.

[11] Так Чаадаев называет имение тетки в деревне Алексеевское Дмитровского уезда Московской губернии.

[12] Имеется в виду статья Хомякова «О сельских условиях», напечатанная в 1842 г. в шестом номере журнала «Москвитянин», в которой рассматривались возможные условия сделок между землевладельцами и крестьянами на основе сельской общины как исконном явлении русской народной жизни.

[13] Чаадаев имеет в виду загробный мир.

[14] А. И. Тургенев.

[14] Н. Д. Шаховская.

[16] Е. Д. Щербатова.

[17] Написанное по-русски послание к Шевыреву проникнуто тем же настроением, что и начало предыдущего письма.

1843

[1] Это письмо к А. И. Тургеневу, первые строки которого говорят о какой-то ссоре между ним и Чаадаевым, не было отправлено. Вторая часть письма интересна как свидетельство неоднозначных изменений во взглядах автора философических писем. Печатается по тексту публикации Л. Н. Черткова в журнале «Русская литература» (1969, № 3).

[2] Имеется в виду Е. А. Свербеева.

[3] Речь идет о князе А. Н. Голицыне, под начальством которого Тургенев служил в министерстве иностранных дел и который в 1843 г. вышел в отставку. Вслед за Голицыным получил отставку и Тургенев.

[4] Имеется в виду деятельность Тургенева в пользу заключенных, которым он самоотверженно помогал под руководством известного московского врача Ф. П. Гааза.

[5] Подразумевается смерть в августе 1843 г. подруги Свербеевой Е. А. Зубовой.

[6] Чаадаев имеет в виду висевший у него в кабинете портрет А. И. Тургенева, выполненный К. П. Брюлловым.

[7] Имеется в виду упоминавшаяся в письме к Е. А. Свербеевой статья Хомякова «О сельских условиях».

[8] Подразумевается Смутное время 1605—1613 гг.

[9] Здесь текст письма обрывается.

[10] Речь идет о предыдущем неотправленном письме.

[11] Имеется в виду Е. Д. Щербатова, которая в это время находилась за границей.

[12] Речь идет о вышедшей в 1843 г. в Париже брошюре русского дипломата и поэта К. К. Лабенского, посвященной критике нашумевшей книги маркиза де Кюстина «Россия в 1839 году». Кюстин, замечал автор, привез с собой Россию в портфеле и подогнал свои отрывочные впечатления под заранее выработанный критерий оценки всего происходящего на его глазах.

[13] *...милой Лизе...*— Е. Д. Щербатовой.

[14] Имеется в виду Е. А. Зубова.

1844

[1] С Хомяковым, послание к которому написано по-русски, Чаадаева связывали тесные приятельские отношения, несмотря на идейные расхождения. Об их спорах в атмосфере дружеского согласия не раз рассказывали современники, упоминая о постоянно сидящих «рядышком», выделяющихся в обществе москвичах. После смерти Чаадаева Вяземский писал Шевыреву: «Москва без него и без Хомяковской бороды как без двух родинок, которые придавали особое выражение лицу ее».

[2] Речь идет о статье Хомякова «Царь Федор Иоаннович», напечатанной в 1844 г. в первой книге «Библиотеки для воспитания».

[3] *...преступное чело царя...* — Ивана Грозного.

[4] Речь идет о защите магистерской диссертации Ю. Ф. Самарина «Феофан Прокопович и Стефан Яворский как проповедники», состоявшейся в июне 1844 г.

[5] Чаадаев называет так обер-прокурора синода Н. А. Протасова, который в конце 10-х гг. служил вместе с ним адъютантом у командира гвардейского корпуса И. В. Васильчикова.

[6] Имеется в виду письмо Чаадаева к Шеллингу от 20 мая 1842 г.

[7] В «Сочинениях и письмах П. Я. Чаадаева» это написанное по-русски послание помечено как письмо неизвестному адресату.

[8] Речь идет об уже упоминавшейся защите диссертации Самарина.

[9] ...voilà *ce qui s'appelle une exposition claire...*— вот что называется ясным изложением *(фр.)*.

[10] Послание Шевыреву написано по-русски.

[11] Чаадаев благодарит за пригласительный билет на публичный курс по истории русской словесности, прочитанный Шевыревым зимою 1844/45 г.

1845

[1] Граф Адольф де Сиркур живо интересовался культурной жизнью России и в 1843 г. писал в неопубликованном послании к Чаадаеву, одному

из основных своих корреспондентов в Москве: «Было бы хорошо, если бы реальный, исторический и социальный характер славян был хорошо известен на Западе. У нас в ходу по этим вопросам только клеветнические романы, большей частью вдохновленные и комментируемые вашими собственными соотечественниками...» Большое значение Сиркур придавал изысканиям славянофилов, которые, замечал он, оказывают Европе большую услугу, показывая реальное величие прошлого России, где «были дни славы, поколения мучеников. Вы спасли восточную форму христианской религии, остановили кровавое течение азиатских вторжений в Европу, дали возможность восторжествовать в мире европейскому принципу над азиатским. В эпоху бесконечных социальных и интеллектуальных сложностей сохранили существование простых начал и идей, величественных в своей простоте». В письмах к Сиркуру Чаадаев высказывал свое понимание интересовавших французского корреспондента вопросов.

[2] *Semeur* — журнал с религиозной, философской, политической и литературной тематикой, издававшийся во Франции с 1831 по 1850 г.

[3] Имеется в виду проповедь московского митрополита Филарета, произнесенная им в конце 1843 г. при освящении храма в московской пересыльной тюрьме. Чаадаев, встречавшийся с Филаретом и обсуждавший с ним конфессиональные вопросы, перевел эту проповедь на французский язык и отправил ее в Париж, где с помощью А. И. Тургенева и Сиркура она была напечатана в вышеупомянутом журнале.

[4] В комментарии автор проповеди сравнивался с Иоанном Златоустом и представал необыкновенным реформатором, оправдывавшим допуск преступников в храм и приближавшим церковную практику к истинному духу Евангелия.

[5] Под молодой школой подразумевается славянофильское течение.

[6] Имеется в виду упоминавшийся ранее публичный курс Шевырева.

[7] *...один из замечательнейших наших мыслителей...*— Хомяков.

[8] *Палингенезис* (от греч. palin — снова, обратно и genesis — происхождение, рождение) — возрождение.

[9] Сиркуры приезжали в Москву в 1844 г.

[10] *Bibliothèque de Gènève* — швейцарский журнал по вопросам науки, литературы и искусства.

[11] Послание А. И. Тургеневу написано по-русски.

[12] Речь идет о письме Чаадаева к Сиркуру от 15 января 1845 г.

[13] Имеется в виду московский митрополит Филарет.

[14] Послание Киреевскому написано по-русски.

[15] Дата в скобках поставлена публикатором.

[16] Дата в скобках поставлена публикатором.

[17] *...тяжелое горе* — смерть А. И. Тургенева в декабре 1845 г.

1846

[1] Речь идет о статье Хомякова «Мнения иностранцев о России», напечатанной в четвертой книге журнала «Москвитянин» за 1845 г. Автор статьи, помимо изложения своих теоретических взглядов на внешнюю и внутреннюю образованность, на подражательность мнимого и подлинность самобытного просвещения, скрыто полемизировал с упоминавшейся книгой маркиза де Кюстина «России в 1839 году».

[2] Чаадаев имеет в виду идейную борьбу славянофилов и западников.

[3] В «Сочинениях и письмах П. Я. Чаадаева» это послание помечено как письмо неизвестному адресату. Отношения Чаадаева с видным представителем славянофильства Ю. Ф. Самариным, которому он не стеснялся поверять и задушевные движения, и изменения в мыслях, были проникнуты взаимной симпатией и дружеским общением. «Едва ли нужно уверять вас,— благодарил впоследствии Самарин М. И. Жихарева за присланную фотографию кабинета Чаадаева,— что я ценю как нельзя более этот подарок, живо напоминающий мне почтенного и всегда радушного хозяина, общих его и моих друзей, живые беседы, живые, теперь, к несчастию, отошедшие на задний план, интересы того времени. В этом самом, так верно и отчетливо воспроизведенном кабинете, я в первый раз встретился и познакомился с А. С. Хомяковым и И. В. Киреевским».

[4] В 1846 г. Чаадаев переживал тяжелый душевный кризис и расстройство физического здоровья.

[5] Эти размышления характерны для неоднозначных колебаний в исторических воззрениях Чаадаева.

1847

[1] Написанное по-русски послание Вяземскому Чаадаев долго не отсылал, давая, по обыкновению, его списывать разным людям. Еще в феврале 1848 г. Вяземский не получил письма, хотя и знал о его существовании.

[2] Чаадаев просил Вяземского устроить в Петербурге на службу брата молодого московского профессора К. Д. Кавелина, но тому этого сделать не удалось.

[3] Речь идет о книге Гоголя «Выбранные места из переписки с друзьями», выход которой в начале 1847 г. возбудил общество не менее «телескопского» письма Чаадаева и вызывал разные критические замечания. Если с отдельными из этих замечаний в их частных приложениях автор философических писем и мог согласиться, то в целом он видел в необычном сочинении Гоголя определенную и близкую ему строгую иерархию, где личная боль и самоанализ обусловлены заботой об общем деле, а общее дело вытекает из высших и абсолютных представлений о бытии и судьбах человеческого рода.

[4] Чаадаев имеет в виду следующие строки Гоголя в письме к цензору В. В. Львову от 20 марта 1847 г.: «Стыд этот мне нужен. Не появись моя книга, мне бы не было и вполовину известно мое душевное состояние. Все эти недостатки мои, которые вас так поразили, не выступили бы передо мной в такой наготе: мне бы никто их не указал. Люди, с которыми я нахожусь ныне в сношениях, уверены не шутя в моем совершенстве».

[5] Речь идет об известных «Письмах» Н. Ф. Павлова к Гоголю, появлявшихся в «Московских ведомостях».

[6] Имеются в виду статьи Вяземского «Языков и Гоголь», напечатанные в «Санкт-Петербургских ведомостях» и, вероятно, присланные Чаадаеву в виде оттиска.

[7] *...une bonne poignée de main* — крепкое рукопожатие *(фр.)*.

[8] Это послание, как и письмо следующего года к Тютчеву, печатается по тексту публикации Шаховского в кн.: Литературное наследство, 1935 т. 19—21. Чаадаева и Тютчева связывали приятельские отношения, о своеобразии которых так писал М. И. Жихарев: «Наиболее несогласные с Чаадаевым были с ним и наиболее дружными. Решительный противник его Ф. И. Тютчев часто говаривал о нем: «Человек, с которым я согласен менее, чем с кем бы то ни было, и которого, однако, люблю больше всех».

[9] Фамилия в скобках указана публикатором.

[10] Тютчев в числе первых получил один из оригинальных портретов Чаадаева и так благодарил его за это в письме от 13 апреля 1847 г.: «Наконец-то, любезный Чаадаев, в моих руках прекрасный подарок, вручаемый мне вашей дружбой. Я был польщен и тронут более, чем могу то выразить. В самом деле, я мог ждать только скромной литографии; судите же, с каким признательным удивлением я получил от вас прекрасный портрет, столь удовлетворяющий всем желаниям... Это поразительное сходство навело меня на мысль, что есть такие типы людей, которые словно медали среди человечества: настолько они кажутся делом рук и вдохновения Великого художника и настолько отличаются от обычных образцов ходячей монеты...»

[11] Речь идет о статьях Вяземского «Языков и Гоголь».

[12] Полемика между Грановским и Хомяковым о времени и месте передвижения и оседлости бургиньонов и франков в эпоху переселения народов возникла в связи с появлением статьи Хомякова, служившей предисловием к изданию Д. А. Валуева «Сборник исторических и статистических сведений о России и народах, ей единоверных и единоплеменных» (М., 1845).

[13] Имеется в виду главенствующее положение Хомякова среди славянофилов.

[14] Написанное по-русски послание Чаадаева является ответом на следующие строки из письма Погодина: «Москвитянин» возобновляется и сме-

ет ласкать себя надеждою, что вы не лишите его своего участия. Вчера не успел я передать вам убедительную просьбу — приготовить для украшения первой книги ваши воспоминания о Пушкине. Также не позволите ли вы включить ваше имя в число сотрудников при объявлении?»

[15] Написанные по-русски следующие четыре послания к Погодину свидетельствуют о его достаточно коротких отношениях с Чаадаевым.

[16] *Петровское* — загородная местность близ Москвы.

[17] Речь идет о приобретениях древлехранилища Погодина.

1848

[1] Послание Шевыреву написано по-русски.

[2] Речь идет о записке Тютчева «Россия и революция», составленной в связи с европейскими волнениями весной 1848 г. и напечатанной в Париже в следующем году. Чаадаев прочитал ее еще в рукописи и знакомил с ней московское общество летом 1848 г.

[3] Фамилия в скобках поставлена публикатором.

[4] Имеется в виду упомянутая записка Тютчева, которая произвела на Чаадаева большое впечатление и вызвала у него достаточно неожиданные в сравнении с философическими письмами размышления.

[5] *...в лице изумительного человека...* — Петра I.

1849

[1] Послание Хомякову написано по-русски.

[2] *...dear sir...*— дорогой сэр *(англ.)*.

[3] Речь идет о подавлении венгерской революции русскими войсками летом 1849 г.

[4] Чаадаев приводит слова московского митрополита Филарета из проповеди в Успенском соборе в августе 1849 г.

1850

[1] Письмо известного мемуариста Ф. Ф. Вигеля, содержание которого дальше раскрывает Чаадаев, проникнуто язвительной иронией, идущей от их взаимной неприязни еще со времени совместного пребывания в середине 10-х гг. в масонской ложе «Соединенных друзей». После публикации первого философического письма Вигель, бывший в ту пору директором департамента иностранных исповеданий, призывал петербургского митрополита Серафима указать правительству средства «к обузданию толиких дерзостей». В 40-х гг. Вигель часто бывал и жил в Москве, и самолюбие невольно заставляло его видеть в Чаадаеве своеобразного соперника, которого он величал «плешивым лжепророком» и над ученостью которого постоянно насмехался. «Но всего любопытнее,— замечал в своих неопубликованных воспоминаниях известный литератор М. А. Дмитриев,— было

видеть его (Вигеля. — *Б. Т.*) вместе с Чаадаевым... Оба они хотели первенства. Но Чаадаев не показывал явно своего притязания на главенство, а Вигель дулся и томился, боясь беспрестанно второго места в мнении общества; он страдал и не мог скрыть своего страдания».

[2] Чаадаев не подозревал, что «глупым шутником» был Тютчев, которому он поручил распространять в Петербурге литографии своего портрета. О судьбе одной из них сообщала в неопубликованном письме к Вяземскому жена поэта Э. Ф. Тютчева: «Хранить эти 10 картин было скучно. С другой стороны, кому их предложить? К счастью, я не знаю, кто из нас двоих вспомнил, что завтра день св. Филиппа. Знакомый нам Филипп жаждал поздравления. Тотчас же мы свернули одну из 10 литографий, сделали из нее красивый пакет и на внешней стороне мой муж написал: «Почтеннейшему имениннику Филиппу Филипповичу Вигелю:

Прими как дар любви мое изображенье,
Конечно, ты его оценишь и поймешь,—
Припомни лишь при сем простое изреченье
Не по-хорошу мил, а по-милу хорош».

[3] Послание Вигелю написано по-русски.

[4] Послание Погодину написано по-русски.

[5] Имеется в виду одно из писем Пушкина к Чаадаеву, которое последний давал для ознакомления Погодину.

[6] Речь идет о рецензии Погодина в «Москвитянине» на диссертацию П. В. Павлова «Об историческом значении царствования Бориса Годунова».

1851

[1] Послание Жуковскому написано по-русски.

[2] Чаадаев имеет в виду излишне восторженную реакцию москвичей на пребывание в древней столице танцовщицы Фанни Эльслер.

[3] *That is the question* — вот в чем вопрос *(англ.).*

[4] Речь идет о драме К. С. Аксакова «Освобождение Москвы в 1612 году».

[5] *...своенравная воля великого человека...* — Петра I.

[6] *Voilà où nous en sommes* — вот где мы находимся *(фр.).*

[7] *...нашей графине...*— Е. П. Ростопчиной.

[8] Имеется в виду статья Ростопчиной, написанная в связи с отъездом упомянутой танцовщицы и начинавшаяся такими словами: «Фанни!!.. Фанни Эльслер!!.. Очаровательная, восхитительная, невероятная, почти невозможная Фанни Эльслер!!!— вот что звучит, что отдается в каждом сердце, чем полны еще теперь умы, глаза, мечты, воспоминания всей Москвы... Фанни!.. И неужто в самом деле мы с нею простились?..»

[9] *Le culte du jarret* — культ коленок *(фр.).*

[10] Герцен, послание которому написано по-русски, всегда с большим почтением относился к Чаадаеву, несмотря на существенные идейные разногласия между ними. Религиозно-историческая концепция автора философических писем не удовлетворяла философский «реализм» Герцена, отмечавшего в дневнике: «Спор с Чаадаевым о католицизме и современности: при всем большом уме, при всей начитанности и ловкости в изложении и развитии своей мысли он ужасно отстал...»

[11] Слова в скобках переведены с французского языка.

[12] Послание к А. Ф. Орлову, брату покойного друга Чаадаева М. Ф. Орлова, написано по-русски. Уже будучи после смерти Бенкендорфа начальником III Отделения, А. Ф. Орлов навещал Чаадаева как своего давнего знакомого.

[13] Речь идет об известной брошюре Герцена «О развитии революционных идей в России», где автор высказывает свое мнение о влиянии Чаадаева на умственное развитие русского общества. О выходе этой брошюры Чаадаев узнал впервые именно от А. Ф. Орлова, навестившего его, по обыкновению, при проезде через Москву и заметившего в разговоре с ним: «В книге из живых никто по имени не назван, кроме тебя ...и Гоголя, потому, должно быть, что к вам обоим ничего прибавить и от вас обоих ничего убавить, видно, уж нельзя». Несмотря на короткие отношения с начальником III Отделения, разговор с ним, видимо, весьма озадачил Чаадаева, чем и вызвана выраженная далее его готовность опровергнуть мнение Герцена.

1852

[1] Послание Погодину написано по-русски.

[2] Чаадаев высоко оценил повесть И. Т. Кокорева «Саввушка», где на судьбе портного показываются нравы и быт московской окраинной бедноты.

[3] Имеется в виду Пушкин.

1854

[1] Послание Шевыреву написано по-русски.

[2] В 1854 г. в «Московских ведомостях» стали периодически появляться статьи П. И. Бартенева о Пушкине, дружбой с которым Чаадаев к концу жизни все более гордился, относя ее к лучшим годам жизни, охотно показывал гостям пятно в своем кабинете, оставленное головой прислонявшегося к стене поэта, часто цитировал им строки из стихотворных посланий к себе. Отсутствие упоминания о нем в описании лицейских лет и молодости писателя вызвало раздраженное удивление Чаадаева, выраженное в настоящем послании к Шевыреву как к представителю пушкинского поколения. В связи с бартеневскими статьями Чаадаев передал послания поэта

к нему другому представителю этого поколения, И. В. Киреевскому, который, возвращая стихи, заметил, что «невозможно рассказывать жизнь Пушкина, не говоря о его отношениях к вам». Вместе с тем Киреевский упрекал своего старого идейного приятеля-противника в том, что тот сам до сих пор не оставил никаких воспоминаний о поэте. Несмотря на неточности, писал он Чаадаеву, надо быть благодарным автору статей в «Московских ведомостях» за рассказ о жизни писателя, ибо он мог и совсем не говорить о ней: «На нем не было той обязанности спасти жизнь Пушкина от забвения, какая лежит на его друзьях. И чем больше он любил их, тем принудительнее эта обязанность. Потому надеюсь, что статья Бартенева будет введением к вашей, которую ожидаю с большим нетерпением». Точно так же и Шевырев, извиняя Бартенева, который собирался говорить о Чаадаеве в последующих номерах газеты, призывал последнего передать самому всю историю его отношений с поэтом: «Вы даже обязаны это сделать, и биограф Пушкина не виноват, что вы этого не сделали, а виноваты вы же сами. Как таить такие сокровища в своей памяти и не дать об них отчета современникам?» Но то ли принудительность обязанности была не так уж сильна, то ли нечто такое, что составляло одну из многочисленных загадок существования Чаадаева, препятствовало — во всяком случае, отзываясь на просьбы и Киреевского, и Шевырева, он тем не менее так и не оставил потомкам своих воспоминаний о «незабвенном друге».

[3] Слова в скобках переведены с французского языка.

[4] Подразумевается Английский клуб.

[5] Так озаглавлен самим Чаадаевым отрывок в эпистолярной форме, сохранившийся среди бумаг Е. Н. Орловой (вдовы М. Ф. Орлова).

[6] Имеется в виду обострившийся из-за происка французских дипломатов спор между православным и католическим духовенством о «святых местах» в Палестине, для разрешения которого русское правительство требовало от султана восстановления привилегий православной церкви в Палестине и подписи конвенции о покровительстве Николаем I всех православных в подданстве турецкого главы. Английское правительство подсказывало султану такое половинчатое решение вопроса, при котором не исключалась возможность разжечь русско-турецкую войну, превратить ее потом под лозунгом «защиты Турции» в коалиционную и подорвать позиции России на Ближнем Востоке и Балканах.

[7] Речь идет о высадке французских войск в Крыму и о поражении русской армии на реке Альме в сентябре 1854 г. в Крымской войне (ее угроза стала реальной после разрыва в мае 1853 г. русско-турецких отношений) между Россией и коалицией Турции, Англии, Франции и Сардинии. В результате войны в марте 1856 г. между воюющими сторонами был заключен мир на невыгодных для России условиях. По утверждению А. И. Дельвига, «было мало людей», на которых неудачи Крымской войны действовали бы так сильно, как на Чаадаева. «События последних трех лет,— замечал мемуарист Д. Н. Свербеев,— тяготели над ним тяжким бре-

менем. Ему, воину славной брани, подъятой за свободу отечества и освободившей Европу,— ему горьки были и начало и конец нашей последней войны».

IV

СТАТЬИ И ЗАМЕТКИ

В данном разделе собраны материалы, отличающиеся по жанру от материалов предшествующих разделов и имеющие по преимуществу вид фрагментарных статей, переведенных с французского языка (кроме написанных по-русски «Отрывка из исторического рассуждения о России» и «Воскресной беседы сельского священника Пермской губернии, села Новых Рудников»).

[1] Фрагмент «О зодчестве», печатавшийся вместе с отдельными отрывками и афоризмами в одиннадцатом номере журнала «Телескоп» за 1832 г. и ошибочно принимавшийся Гершензоном за одно из философических писем, воспроизводится здесь по кн.: Чаадаев П. Я. Сочинения и письма. Через сравнение разных архитектурных стилей Чаадаев заостряет столь характерное для него противопоставление античности и христианства.

[2] *«Отрывок из исторического рассуждения о России»* — так назван написанный по-русски и опубликованный Н. В. Голицыным (Вестник Европы, 1918, кн. 1—4) фрагмент незаконченной работы Чаадаева, сохранившийся в подлиннике в архиве Свербеевых без первых страниц. Эти страницы, как и следующие, найденные Голицыным, хранятся в копии Шаховского в архиве последнего (ИРЛИ, ф. 334, ед. хр. 270). Начало незаконченной работы Чаадаева, ряд положений которой совпадает с интонациями его неотправленного письма 1843 г. к А. И. Тургеневу и со славянофильскими воззрениями, печатается по неопубликованной копии Шаховского, а продолжение — по публикации Голицына.

[3] Речь идет об уже упоминавшейся статье Хомякова, напечатанной в 1842 г., что позволяет определить приблизительную дату написания работы Чаадаева.

[4] *...крамольный город...* — Новгород.

[5] *Знаменитый наш историограф...*— Н. М. Карамзин.

[6] Здесь прерывается архивный текст копии Шаховского и начинается текст публикации Голицына.

[7] *...ученые изыскания наших молодых археологов...* — исследования славянофилов.

[8] Здесь обрывается текст работы Чаадаева.

[9] «Воскресная беседа сельского священника, Пермской губернии, села Новых Рудников» также найдена Н. В. Голицыным в архиве Свербеевых (с надписью: «Екатерине Александровне Свербеевой. 1849») и опубликова-

на им в «Вестнике Европы», 1918, кн. 1—4, откуда и воспроизводится. Копии этой проповеди, написанной в 1849 году, Чаадаев дарил М. Н. Лонгинову, С. П. Шевыреву и другим своим знакомым.

[10] Евангелие от Матфея, XIX, 24. Чаадаев ошибочно указывает вместо девятнадцатой двадцатую главу. Эпиграф, выбранный автором «Воскресной беседы...», признавался Шевырев в письме к нему, является одним из труднейших текстов Евангелия для применения в жизни: «Главная трудность в определении самого богатства. Человек, имеющий копейку, уже богач в сравнении с тем, который ее не имеет. Всей он отдать не может, потому что с голоду сам умрет, но должен отдать половину, потому что важно любить ближнего не более самого себя. Если бы все богачи так поступали, то не было бы нищих...»

[11] Так называлась статья, написанная от имени француза и опубликованная Шаховским в «Звеньях» (1934, кн. 3—4), откуда и воспроизводится. Она совпадает в ряде положений с «Выпиской из письма неизвестного к неизвестной» и также связана с событиями Крымской войны, заставляющими Чаадаева возвращаться к некоторым интонациям первого философического письма. «L'Univers» (Вселенная) — название известного католического журнала в Париже, где статья Чаадаева, однако, не печаталась. Возможно, ее заглавие связано с намерением автора рассматривать, как ему свойственно, частные социально-политические и исторические вопросы в масштабе мирового развития.

[12] Речь идет о царствовании Екатерины I, Анны Иоанновны, Елизаветы Петровны, Екатерины II.

[13] *Преторианские перевороты* — перевороты с помощью императорской гвардии.

[14] Имеется в виду призвание варягов.

V

НОВЫЕ АРХИВНЫЕ МАТЕРИАЛЫ

Большинство статей и писем данного раздела найдено в архивах Москвы и Ленинграда и обнародуется впервые. Часть новых текстов была опубликована нами в журналах «Наше наследие», 1988, № 1 и «Литературная учеба», 1988, № 2. И лишь несколько печатавшихся ранее писем, не вошедших в первое издание, воспроизводится не по архивным источникам.

[1] Фрагментарная статья «Несколько слов о польском вопросе» написана под несомненным влиянием Пушкина и раскрывает новую грань во взаимоотношениях двух великих современников. Для ее понимания важно иметь в виду европейские события 1830—1831 годов. Волны французской революции 1830 года вызвали возмущение в Бельгии, Швейцарии, Италии. Вскоре вспыхнуло восстание и в Варшаве, вслед за которым в начале 1831 года Польский сейм объявил о низложении династии Романовых и об отделении своей

страны от России. Пушкин осуждал неосуществившееся намерение царя вмешаться в европейские события, считая их «домашним» делом самих народов Запада.

Но и русско-польские отношения поэт, хорошо изучивший эпоху самозванцев, считал «домашним» спором еще с XVI века, когда Речь Посполитая владела исконными русскими землями и связанными с Москвой языком и культурой народами. Поэтому его раздражало вмешательство в русско-польские военные действия, обусловленные «наследственной распрей», членов французского парламента, призывавших к вооруженной поддержке восставших и их требований присоединить к Польше Украину до Днепра. В написанных в августе и сентябре 1831 года стихотворениях «Клеветникам России» и «Бородинская годовщина» он напоминает западным политикам об истории России, которую «война, и мор, и бунт, и внешних бурь напор... беснуясь потрясали» и которая в минувшую войну защитила «вольность, честь и мир» Европы.

О чем шумите вы, народные витии?
Зачем анафемой грозите вы России..?
Оставьте: это спор славян между собою,
Домашний, старый спор, уж взвешенный судьбою,
Вопрос, которого не разрешите вы.

Поэт обращает внимание «народных витий», а также участников русско-польских военных действий и на добрые стороны тех традиций, которые не следует забывать и необходимо поддерживать:

В боренье падший невредим;
Врагов мы в прахе не топтали;
Мы не напомним ныне им
Того, что старые скрижали
Хранят в преданиях немых;
Мы не сожжем Варшавы их;
Они народной Немезиды
Не узрят гневного лица
И не услышат песнь обиды
От лиры русского певца.

Не все друзья Пушкина приняли благосклонно его патриотические стихи, а А. И. Тургенев и П. А. Вяземский осудили их. Среди же безусловных почитателей этих произведений политической лиры поэта оказался Чаадаев, назвавший его «нашим Дантом» (см. с. 205 наст. изд.). Такая высокая похвала, казалось бы, немыслима в устах автора первого философического письма, призывавшего Россию ради участия в мировом прогрессе повторить все этапы религиозно-исторического и социально-культурного развития Европы.

Но следует подчеркнуть, что еще при завершении всего цикла восьми философических писем в 1830 году монолит католически и европейски ориентированного эвдемонического единства стал в сознании Чаадаева давать трещину. Его, если так можно выразиться, консервативно-прогрессистские мысли вдохновлялись во многом атмосферой периода реставрации, когда после революционных волнений начала 20-х годов Европа ненадолго вернулась к старым традициям, вроде бы гарантирующим новые перспективы мирного благоденствия. Однако июльская революция во Франции, после которой, по словам Маркса, «классовая борьба, практическая и теоретическая, принимает все более ярко выраженные и угрожающие формы», заставила Чаадаева писать в заключительном письме цикла о «груде искусственных потребностей, враждебных друг другу интересов, беспокойных забот, овладевших жизнью».

В минуту своеобразной философической растерянности Чаадаев и испытал воздействие исторических убеждений Пушкина, раскрывавшего перед ним собирательные, защитные и охранительные особенности русской государственности, что и нашло отражение в публикуемой статье о польском восстании, рассматриваемом автором в связи с событиями далекого прошлого. Здесь впервые появляется в его сочинениях понятие безличного и беспристрастного русского ума, который, как вскоре будет писать Чаадаев, отделен не только от современной «крутни Запада», но и от его «закоренелых предрассудков, старых привычек, упорной рутины» и может, соответственно, с должного расстояния смотреть на протекающие в других странах события. Именно с точки зрения «беспристрастного и хорошо осведомленного ума» автор отмечает, что Украина, Белоруссия и Литва, населенные в основном русскими, испытывали в период владычества Польши угнетение национальной культуры и православной религии, осуществлявшееся с помощью католического духовенства. И напротив: хотя Польша была присоединена к России с помощью оружия, она развивала собственную культуру, в то время как поляки отошедших к Австрии и Германии областей оказались онемеченными. Могущественная держава, какой является Россия, способна, по мнению Чаадаева, обеспечить свободное развитие Польши, внешняя же ее независимость превратит небольшое государство в яблоко раздора для европейских стран и подвергнет его опасности исчезновения.

Таким образом, осуждая польское восстание как насильственное действие, Чаадаев вместе с тем выступает за полную внутреннюю автономию поляков, за их самостоятельное и всестороннее развитие в рамках общих интересов двух братских народов. В этих столь необычных для него мыслях отражено не только влияние Пушкина, но и поиск при созерцании «всеобщего бедствия» Европы охранительного начала для обеспечения «прогресса вселенского разума». Таким началом и кажется ему в беспокойное время европейских волнений «большое политическое тело» России, способной выполнять мирную миссию и начинающей обретать значимость в его концепциях, в частности и, видимо хронологически впервые, в публикуемой статье.

Она была вклеена между страницами пятого тома принадлежащей Чаадаеву книги Сисмонди «История французов». Французский оригинал статьи находится в ОР ГБЛ (ф. 103. Доп. 1. 1), а публикуется она по переводу О. Г. Шереметьевой, хранящемуся в РО ИРЛИ (ф. 334. 263). Пояснения в тексте принадлежат Д. И. Шаховскому. Отрывки из статьи печатались в статье Ф. И. Берелевич «П. Я. Чаадаев и польское восстание 1830 г.» в сб.: «Доклады и сообщения исторического факультета МГУ, вып. VIII, М., 1948.

[2] Pacta conventa — условный договор *(лат.)*.

[3] «Записка к графу Бенкендорфу» воспроизводится по тексту книги: Чаадаев П. Я. Сочинения и письма. М., 1914. Т. 2. Она составлена Чаадаевым от имени И. В. Киреевского, взявшегося издавать в 1832 году журнал «Европеец». Но журнал неожиданно запретили на третьем номере вследствие весьма примечательного доноса. «Киреевский, добрый и скромный Киреевский,— замечал Пушкин в одном из писем,— представлен правительству сорванцом и якобинцем! Все здесь надеются, что он оправдается и что клеветники — или, по крайней мере, клевета — успокоится и будет изобличена».

Однако эти надежды не оправдались, и сам император обнаружил в статье И. В. Киреевского «Девятнадцатый век», напечатанной в первом номере «Европейца», «сокровенный» смысл. Сочинитель, передает мнение Николая I Бенкендорф, рассуждая о литературе, разумеет совсем иное: «Под словом просвещение он понимает свободу... деятельность разума означает у него революцию, а искусно отысканная середина не что иное как конституция».

И хотя Жуковский обоснованно доказывал полную несостоятельность подобных истолкований и обвинений Киреевского в желании замаскировать философией политику, журнал окончательно прикрыли, изъяв из участия в общественной жизни литератора с благородными помыслами.

«Что делать! Будем мыслить в молчании и оставим литературное поприще Полевым и Булгариным»,— писал Баратынский Киреевскому после запрещения «Европейца».

Издателю журнала позволили нарушить молчание лишь оправдательной запиской, и он, возможно, прибегнул к услугам Чаадаева не только в силу дружеских связей между ними. Мысль «крамольной» статьи движется в границах общей исторической схемы «Философических писем», хотя с весьма существенными изменениями внутри ее, с выделением не «католических», а «языческих» элементов. Вслед за Чаадаевым Киреевский видит возможное примирение борьбы противоборствующих начал быстротекущей эпохи в «просвещении общего мнения», в результате чего частная и социальная жизнь должны составить одно целое, существующее по законам разума и природы. Просвещение, понятое «как мысль, как наука», созидающая успехи общечеловеческой цивилизации и обеспечивающая «прогрессию человеческого ума», становится важнейшим понятием «Девятнадцатого века». Такое просвещение, по логике статьи, наблюдается лишь в Европе, где оно постепенно и последовательно создавалось взаимодействием влияний христианской религии, воинственности варварских народов и наследия древнего мира, которому приписывается особая роль. Если в системе мышления Чаадаева залоги «прогрессии человеческого ума» представляются результатом преодоления языческого начала христианским, что и предопределяет его идею «царства божия» на земле, то в более диалектическом умопостроении Киреевского, расплывчато формулирующем поступательное развитие, плоды просвещения являются процессом взаимопроникновения этих начал. Но у обоих мыслителей вырабатывается однотипное отношение к русскому просвещению, в котором они не обнаруживают «прогрессистской» образованности, хотя в объяснениях такого положения выделяют разные стороны. Киреевский видит причину не в разделении церквей, как Чаадаев, а в отсутствии воздействия опять-таки «классического древнего мира» на церковную и социальную жизнь России, которой необходимо заимствовать в Европе недостающие ей достижения.

Подобные рассуждения и послужили поводом к запрещению «Европейца» и к сочинению упомянутой оправдательной записки. Объясняясь от имени Киреевского с Бенкендорфом, Чаадаев не мог не вносить собственных, уже достаточно изменившихся по сравнению с первым философическим письмом, суждений, носящих в данном случае и защитный характер. Различая разные Европы, «старую» католическую и «новую» революционную, он отдает предпочтение первой, разрывает логику прежних переходов между ними и отвергает необходимость заимствования для России всех этапов западной истории. Он надеется, что именно традиционные католические основы в соединении с современной философией и наукой могут помочь Европе выдавить из себя анархическое начало. Россия же, когда усвоит их, может отказаться от поверхностного подражания взращенным на иной почве конституциям и учреждениям и воспринять лишь самые лучшие, основанные на «действенной религии» достижения, а тем самым упрочить свою мощь и самостоятельное значение.

Неизвестно, дошло ли до Бенкендорфа объяснение Киреевского, написанное Чаадаевым. Во всяком случае, в московском обществе оно получило широкое хождение и живо обсуждалось. Вспоминая позднее запрещение «Европейца», его неудачливый редактор писал А. С. Хомякову: «Оправдание мое, которое ходило тогда по Москве, было написано не мною, и не по моим мыслям, и распущено не по моему желанию».

[4] Речь идет о поколении декабристов, в воззрениях которых либерально-демократические преобразования играли ведущую роль.

[5] Имеются в виду европейские волнения 1830—1831 гг.

[6] Следует отметить, что Чаадаев достаточно часто пользовался мистифицирующими приемами, подписывая, например, свои тексты именем Петра Басманского (см. с. 318 настоящего издания), по месту собственного проживания на Новой Басманной в Москве, а также Мишеля Хрипуновского (в селе Хрипунове Ардатовского уезда Нижегородской губернии безвыездно жил его брат Михаил). В данном случае, как и в объяснительной записке Бенкендорфу, Чаадаев тоже использует имя близкого друга, но уже для своеобразного самооправдания и в иных обстоятельствах, о чем см. примеч. к «Апологии сумасшедшего» на с. 336—338. Возможно, письмо Чаадаева к

самому себе от имени М. Ф. Орлова, оказавшееся среди прочих арестованных бумаг автора первого философического письма в канцелярии III Отделения, должно было, помимо оправдательных акцентов, послужить формальным призывом к написанию упомянутой «Апологии...».

Оно публиковалось Р. Темпестом в «Вопросах философии», 1983, № 12. Здесь печатается в нашем переводе по копии, хранящейся в РО ИРЛИ, ф. 334. 418.

[7] *...в делах мира сего отдаю большую дань материальному началу.*— Подразумеваются особенности личности и деятельности М. Ф. Орлова, который, по словам Герцена, «был похож на льва в клетке. Везде стукался он в решетку, нигде не было ему ни простора, ни дела, а жажда деятельности его снедала». Эта жажда заставляла Орлова то углубляться на время в изучение химии, то браться за организацию хрустальной фабрики, не приносившей доходов. Принимался он и за метафизические системы, пока не остановился на политической экономии, рассматриваемой им весьма расширительно, сквозь призму популярного в 30-е годы понятия просвещения, трактовавшегося, например, Чаадаевым или И. В. Киреевским «как мысль, как наука». У Орлова же это понятие опирается на увеличивающиеся и утончающиеся потребности людей: «Чем более народ имеет искусственных нужд, тем он более близок к просвещению». Подобная теория, ведущая в исторической перспективе к демократической деспотии и к обществу потребления, должна была вызывать возражения у Чаадаева, в рассуждениях которого само понятие просвещения намного превосходит экономические обоснования.

[8] *...инициатива в его напечатании принадлежала не вам...*— ввиду возможного следствия Чаадаев устами своего друга неправомерно отводит от себя всякий почин в публикации первого философического письма.

[9] В названии этой фрагментарной статьи (РО ИРЛИ, ф. 334. 272) отразилось иногда свойственное Чаадаеву, как уже отмечалось (см. примеч. 6 данного раздела), стремление к литературной мистификации. Отсюда и появление в заглавии сочинения провинциального городка Ардатова, в ироническом подтексте славянофильско-западнических разногласий противопоставляемого Парижу как столице европейской цивилизации.

Сочинение это не только свидетельствует о давних и тесных приятельских связях Чаадаева и И. В. Киреевского, но и отражает сложную и неоднозначную эволюцию, как бы два этапа, их отношений. В 30-х годах Киреевский, пользуясь словами публикуемой статьи, находился на «другом пути» и его мысль развивалась в русле идей Чаадаева, хотя и с принципиальными отличиями от них. Однако в 40-х годах, как показывает та же статья, их дороги разошлись весьма далеко, несмотря на сохранение неизменно приятельских отношений между ними. Конкретным предлогом для ее написания послужило возвращение Киреевского, возглавлявшего в 1845 году «Москвитянин», к журнальной деятельности. По существу же Чаадаев пытается разобраться в новых воззрениях ведущего представителя уже сформировавшегося славянофильства, весьма далеко ушедшего от выраженного в «Девятнадцатом веке» положительного понимания просвещения «как мысли, как науки», обеспечивающей «прогрессию человеческого ума». Вникая в главные конфессиональные, духовные и народно-бытовые различия между Россией и Европой, Киреевский подчеркивает особенности их исторического развития. Отличительные черты западного сознания и быта сформировались во взаимодействии католического христианства, мира необразованных варваров, разрушивших Римскую империю, и классического мира древнего язычества, конструктивность которого Киреевский оценивает теперь иначе, нежели ранее, как бы в споре с Чаадаевым и с положениями своей давней статьи в «Европейце». «Взаимное прорастание образованности языческой и христианской», «сопроницание церковности и светскости» вызвали к жизни формальное просвещение и господство рационализма, породившего за фасадом внешней образованности скептицизм и цинизм, эгоистическую расчетливость и недостаток высоких убеждений.

Другими путями, по мнению Киреевского, просвещалось сознание и создавалась культура в России, где воздействие восточного христианства не смешивалось с влиянием «римской физиономии». Отсюда иной тип образованности, направленной на «внутреннее устроение духа силою извещающейся в нем истины», а не на «формальное развитие разума и внешних познаний... Первая дает смысл и значение второй, но вторая дает ей содержание и полноту». Таким образом, оба типа образованности необходимы и дополняют друг друга. И «все споры о превосходстве Запада или России, о достоинстве истории европейской или нашей и тому подобные рассуждения принадлежат к числу самых бесплодных, самых пустых вопросов, какие только может придумать празднолюбие мыслящего человека... Все прекрасное, благородное, христианское по необходимости нам свое, хотя бы оно было европейское, хотя бы африканское. Голос истины не слабеет, но усиливается своим созвучием со всем, что является истинного где бы то ни было».

Киреевский подчеркивал, что не является противником «внешнего» западного просвещения, которое он сам с любовью получал и многочисленными плодами которого пользуется на каждом шагу. И он призывал не к невозможному, по его собственному представлению, оживлению русского прошлого как такового, в котором хорошо видел свои отрицательные стороны и противоречия, а к сохранению корней и духа «внутренней» восточной образованности, способной в идеале придать цельность лучшим европейским достижениям. Речь шла именно о полноте нравственного закона (а не ущербности его исторического выражения), который следовало бы принять за высокую норму человеческого развития.

Замечания Чаадаева в «Письме из Ардатова в Париж» и имеют в виду предпочтение Киреевским принципов «внутренней» образованности, полемически характеризуемое как «скрытая злоба против всего нерусского», но не учитывают подчеркнутой разницы между истинностью начал и несовершенством их воплощения. А как раз о противоречивости исторического развития основ русской культуры размышляет Чаадаев, и в этом плане Киреевский мог с ним во многом согласиться.

[10] Статья «1851» хранится в РО ГБЛ (М. 2233 в. 101) и публиковалась полностью лишь однажды (в немецком журнале Zeitschrift für slavische Philologie. B. XXVIII, H. 2, 1960). Еще в 1849 году Чаадаев признавался Хомякову: «Гнушаюсь тем, что делается в так называемой Европе». И в этой статье он развивает линию критического отношения к современным событиям, давая свою оценку перевороту Наполеона III. По его мнению, силовые демократические преобразования, опирающиеся на вооруженную силу и нарушающие установленные традиции «законной власти», а также «простые понятия нравственности» вносят энтропийный хаос в общество и подают дурной пример для всякого рода анархистов, что препятствует взыскуемому совершенствованию человеческого рода. Тоской по «принципу порядка», сохраняющему и передающему через поколения жизнестроительные начала русской и европейской культур, проникнуты многие письма Чаадаева в этот период, например: к М. А. Дмитриеву, В. А. Жуковскому и целый ряд других.

К числу важных вопросов, затрагиваемых в статье, относятся и социалистические идеи, которые Чаадаев называет ужасной «демагогией» и незаконными «дурными страстями». Следует, однако, учесть, что он предсказывал неминуемое торжество этих идей как расплату за неправедную жизнь имущих классов (см. об этом с. 213, 215—216 наст. изд.). Мысль о справедливом возмездии для обладателей земных благ проводится Чаадаевым и в проповеди «Воскресная беседа сельского священника, Пермской губернии, села Новых Рудников». Сходные мысли встречаются и у других его современников. «Французский коммунизм должен был возникнуть,— замечал А. И. Кошелев, сам богатый человек,— потому что деньги сделались идолом всех и каждого, чрезмерное богатство некоторых и совершенная бедность прочих должны были породить нелепую мысль французского коммунизма. В христианском государстве французский коммунизм был бы невозможен: он силится взять то, что каждый христианин по совести должен сам положить к ногам своей братии». Хомяков же писал, что, несмотря на самую пылкую любовь к России, тот является ее врагом, кто владеет крепостными соотечественниками, одуряет народ собственными барскими привычками и европейским комфортом, лишает себя и других возможности прочного укрепления в жизни духовного просвещения.

[11] Оба замечания Чаадаева (РО ИРЛИ, ф. 334. 260) относятся к статье И. В. Киреевского «О характере просвещения Европы и о его отношении к просвещению России», опубликованной в 1852 году в «Московском сборнике». Ее автор утверждал, что просвещение России и Европы различается не только степенью, но и характером, самими началами (см. об этом примеч. 9 к статье «Письмо из Ардатова в Париж»). Своеобразное соединение в европейском историческом развитии католичества, античной языческой культуры и возникшей из насильственных завоеваний государственности привело к тому, что западная церковь «произвела раздвоение в своей духовной деятельности, в своих внутренних интересах и во внешних своих отношениях к миру».

Важнейшим результатом подобного раздвоения Киреевский считал чрезмерное господство прагматической рассудочности, «самодвижущегося ножа разума» и отмечал, внутренне полемизируя с чаадаевской публикацией в «Телескопе» и с собственными положениями начала 30-х годов: «Самое торжество ума европейского обнаружило односторонность его коренных стремлений; потому что при всем богатстве, при всей, можно сказать, громадности частных открытий и успехов в науках общий вывод из всей совокупности знания представил только отрицательное значение для внутреннего сознания человека; потому что при всем блеске, при всех удобствах наружных усовершенствований жизни самая жизнь лишена была своего существенного смысла, ибо, не проникнутая никаким общим, сильным убеждением, она не могла быть ни украшена высокою надеждою, ни согрета глубоким сочувствием. Многовековой холодный анализ разрушил все те основы, на которых стояло европейское просвещение от самого начала своего развития, так что собственные его коренные начала, из которых оно выросло, сделались для него посторонними, чужими, противоречащими его последним результатам». Отсюда и появление всеобщего «чувства недовольства и безотрадной пустоты», «обманутой надежды». На подобные мысли Киреевского и пытается возражать Чаадаев в своих замечаниях.

[12] Брошюра Хомякова «Quelques mots par un chrétien orthodoxe sur les communions occidentales à l'occasion d'une brochure de m. Laurentie» (Несколько слов православного христианина о западных вероисповеданиях. По поводу брошюры г. Лоранси) появилась в 1853 г. в Париже и имела свою предысторию. В 1850 г. в одном из парижских журналов была напечатана статья Ф. И. Тютчева «Папство и римский вопрос». По мнению автора, корень революции как апофеоза человеческого «я» следует искать в отделившейся от вселенской римской церкви, отождествившей собственные интересы с интересами самого христианства и переиначившей завет спасителя: «Царство мое не от мира сего» в устроение «царства мира сего». Подобные идеи вызвали на Западе шумный резонанс, одним из выражений которого стали напечатанные в 1852 г. возражения Лоранси. Опровержению этих возражений, в частности обвинений восточной церкви в склонности к протестантизму, и посвящена брошюра Хомякова, который подчеркивает в противовес социальную мощь, теоретическую определенность и законченность реформистских учений на Западе: «Не станет же серьезная полемика возражать нам указанием на ереси и расколы, возникшие в России. Конечно, мы горько оплакиваем эти духовные язвы нашего народа; но было бы крайне смешно жалкие порождения невежества, а еще более неразумной ревности к сохранению каких-нибудь старинных обрядов, сопоставлять протестантству ученых предтеч Реформы». Более слабую выраженность протестантских тенденций в восточной церкви Хомяков относил к всецелому преобладанию религиозных интересов в православии над всеми остальными.

Попыткой диалога с подобными идеями и являются приводимые замечания Чаадаева.

[13] *Оттоманы* — Османская империя (см. о ней примеч. 17 к шестому философическому письму).

[14] *Духоборцы,* или *духоборы* — «борцы за дух», одно из направлений старого русского сектантства, возникшего в Воронежской губернии в середине XVIII в. Духоборы отвергали духовенство, монашество, храмы, церковные таинства, почитание креста, икон. Библии противопоставляли собрание псалмов, сочиненных самими духоборами и передающихся из поколения в поколение. По их учению, бог «пребывает в роде праведных и воплощается в избранных людях» — «живых богах и богородицах», которые и стояли во главе секты.

[15] *Анабаптисты* (от греч. anabaptizo — вновь погружаю, т. е. вторично крещу) — последователи движения, возникшего в XVI в. в Швейцарии и Германии в ходе Реформации. Отрицая церковную иерархию, они требовали вторичного крещения в сознательном возрасте для отделения церкви от государства и религиозной свободы личности. Основой вероучения считали Священное Писание, ссылаясь на которое осуждали богатство, участие в государственной деятельности, воинскую службу.

[16] *Моравские братья* — религиозная секта в Моравии, возникшая в середине XV в. после поражения гуситского движения. Выступали против иерархии, культа и обрядности католической церкви и проповедовали бедность, восстановление раннехристианских общин, непротивление насилию.

[17] Переведенный нами с французского языка фрагмент «Людвигу Филиппу, королю французов» (РО ИРЛИ, ф. 334. 343) не имеет точной датировки и относится, вероятно, к 30-м годам, когда Чаадаев особенно пристально размышлял об искусстве как символической истории человечества», раскрывающей промыслительный замысел. Идея красоты, как и все другие в системе его размышлений, служит свидетельством божественного откровения: «Бог создал красоту для того, чтобы нам легче было уразуметь его». А разумение Бога для автора «Философических писем» есть, как известно, уяснение вмешательства «божественного промысла» в бытие природы и духа, понимание религиозно-прогрессистского направления и смысла исторического процесса. Подобные мысли Чаадаева, с особенной рельефностью выраженные в статье «О зодчестве», вполне объясняют его проект, с которым он от имени «безвестного художника» (в очередной раз используя мистифицирующий прием) обращается к французскому королю и указывает на пробуждающийся интерес к национальному искусству.

[18] Это завещание печатается по тексту книги: Чаадаев П. Я. Сочинения и письма. М., 1913. Т. 1. Помимо чисто человеческих и личностных интонаций, оно интересно еще и тем, что указывает на круг лиц, с которыми Чаадаев был близок в житейском общении.

[19] *С. Я. Шульц* — после кончины Е. Г. Левашевой хозяйка дома, во флигеле которого жил Чаадаев.

[20] *А. С. Норова* — влюбленная в Чаадаева болезненная девушка, рядом с могилой которой и был похоронен Чаадаев.

[21]Второе, пятое, шестое и седьмое из писем Чаадаева к брату Михаилу воспроизводятся по тексту книги: Чаадаев П. Я. Сочинения и письма. М., 1914. Т. 2. Остальные девять писем хранятся в РО ИРЛИ (ф. 334. 406 — 417). Письмо от 25 января 1849 г. переведено с французского автором публикации. Примечания в тексте ряда писем сделаны Д. И. Шаховским.

Публикуемые письма раскрывают важные страницы отношений двух братьев. Они позволяют предположить возможное влияние Михаила на общее направление философии Чаадаева, на его «страсть к прогрессу человеческого разума», «предчувствие нового мира», «веру в будущее счастье человечества». В неопубликованном дневнике Михаила Чаадаева говорится о «системе или разделении занятий» под общим названием «Жизнь»: «Философия — метафизика — мораль; человечество, люди — genre humain[1] — bien de l'humanité et des individus[2]; гражданское общество — études[3] — политические штудии; подданные; лица и sociabilité[4] — отношение к людям; études indirectes[5]». В этой схеме подразумевается разработка двух исследовательских направлений: благо всего человечества и отдельных индивидов как некая высшая цель и совершенствование общественных отношений как средство к ее достижению, что делает понятным высказывание Чаадаева в публикуемом письме 1821 года о замысле брата, берущего на себя роль верховного устроителя, создать «новый мир» социальной гармонии и всеобщего благоденствия. И именно такой «новый мир» является, как известно, организующим центром «философических писем», автор которых признавался позднее в «решительном участии» брата с самых ранних лет в его судьбе.

Письма Чаадаева к брату начала 20-х годов, как, впрочем, и все последующие, показывают также, что денежные вопросы становились источником постоянного напряжения и недоразумений в их взаимоотношениях. В течение первой половины 1820 года он дважды обращается к Михаилу с просьбой о деньгах, объясняя большие расходы своим положением высокопоставленного офицера, к которому вместе с тем относится достаточно пренебрежительно. Все это в целом вносит существенные дополнительные штрихи в неожиданное и до конца не разгаданное решение Чаадаева выйти в отставку в конце 1820 года и выехать из Петербурга в подмосковное имение тетки Анны Михайловны Щербатовой, о котором и заходит речь в послании 1821 года.

В 40-х и 50-х годах финансовые затруднения Чаадаева принимают катастрофический характер, усугублявшийся чувством духовной неустойчивости, неустройством домашнего быта, ухудшением здоровья. Его письма наполняются многообразными жалобами на «бедное сердце, утомленное пустотой, произведенной в нем временем», на пропасть, куда увлекает его «ужасная сила вещей», на невольные мысли о самоубийстве. «Я готов,— сообщает он двоюрод-

---

[1] человеческий род *(фр.)*.
[2] благо всего человечества и отдельных индивидов *(фр.)*.
[3] исследования *(фр.)*.
[4] общительность *(фр.)*.
[5] косвенные исследования *(фр.)*.

ной сестре,— ко всем возможным перипетиям, не исключая той, которую древние рассматривали как героическое действие и которую современники считают, не знаю почему, грехом». Говоря о жалобах Чаадаева, Тютчев писал жене: «Он считает себя умирающим и просит у всех советов и утешений».

Публикуемые письма содержат ценные сведения о тяжелых жизненных обстоятельствах Чаадаева в этот период, а также в конце 30-х годов, когда он после обнародования первого философического письма был «высочайше» объявлен сумасшедшим.

[22] Майор Бородинского пехотного полка М. Я. Чаадаев вышел в отставку «по домашним обстоятельствам» 24 марта 1820 г.

[23] *О моем деле решительно ничего не слыхать.*— Имеется в виду повышение Чаадаева по службе. Когда Александр I в знак расположения к гвардии изъявил желание сделать своим флигель-адъютантом (а звание это жаловалось очень редко) одного из адъютантов командира гвардейского корпуса, то выбор пал именно на Чаадаева, хотя тот был лишь третьим адъютантом у И. В. Васильчикова. Назначение намечалось весной 1820 года, в конце Пасхи, но, видимо, из-за связей Чаадаева с членами декабристского общества задерживалось и в конце концов не состоялось. К тому же в конце этого года он неожиданно для многих подал прошение об отставке.

[24] *...дуэль, привлекшая всеобщее внимание...*— речь идет о дуэли 19 марта 1820 г. между Анненковым и Ланским.

[25] *И. В. Васильчиков* — командир гвардейского корпуса.

[26] *Но во всем этом есть нечто, ближе нас касающееся...*— Можно предположить, что речь идет о выборе, который братья Чаадаевы должны были сделать в это время при активной вербовке их в тайное общество. На петербургских совещаниях декабристов в начале 1820 г. усилились радикальные настроения, когда был поднят вопрос о цареубийстве. И. С. Гагарин замечал, что, разделяя либеральные идеи декабристов, Чаадаев «энергично отвергал мысль о революции или насильственном изменении образа правления». По мнению Д. Н. Свербеева, Чаадаев всегда оставался верным престолу, ибо был «врагом всякого потрясения, требующего крови». Поэтому мирный характер испанской революции, отсутствие в ней разрушительных моментов служили важными аргументами для Чаадаева в его неоднозначном диалоге с декабристами.

[27] *...после злой шутки, которую с ним сыграли (Шварц)...*— назначение полковника Шварца в апреле 1820 года командиром Семеновского полка действительно оказалось «злой шуткой», которая через цепь событий привела к расформированию полка и ускорила внутреннее созревание Чаадаева для выхода в отставку. «Чтобы исправить полк, вовсе не требовавший исправления,— писал историк царствования Александра I М. А. Богданович,— назначили командиром одного из тех немцев, которые, родясь и живя весь свой век в России, не знают ни русского, ни немецкого языка. Полковник Шварц соединял в себе грубое невежество с необыкновенной вспыльчивостью и крутым характером. Он

ничего не знал, кроме фронта: зато пред фронтом являлся в виде фанатика. На учениях он выходил из себя, бранился, ревел диким голосом, бросал шляпу оземь, топтал ее ногами; нередко случалось ему ложиться на землю, чтобы лучше видеть, хорошо ли на марше солдаты вытягивают носки —«игру носков», как выражался сам Шварц».

С назначением Шварца количество проводимых даже в воскресные и праздничные дни учений, где так своеобразно выражалась фрунтомания нового командира, значительно увеличилось. Проявляя болезненную заботу о внешности подчиненных, он приказывал увязывать солдат в ремни для выправки талий, заставлял их тратить скудное жалованье на бесконечное беление амуниции и на фабру для усов.

Недовольный учениями и непослушанием нижних чинов, Шварц стал усиленно внедрять телесные наказания, заставляя шеренги солдат бить друг друга по щекам и плевать в лицо, поколачивал их своеручно и дергал за губы тех, у кого усы за неимением натуральных были наклеены несимметрично. Кроме того, как вспоминал М. И. Муравьев-Апостол, он поочередно требовал к себе по десять человек и учил их, для своего развлечения, разнообразными истязаниями: «их заставляли неподвижно стоять по целым часам, ноги связывали в губки, кололи вилками и пр. Кроме физических страданий и изнурения, он разорял их, не отпуская на работы. Между тем беспрестанная чистка стоила солдатам денег, это отозвалось на их пище, и все в совокупности породило болезни и смертность. К довершению всего, Шварц стал переводить красивых солдат, без всяких других заслуг, в гренадерские роты, а заслуженных старых гренадер без всякой вины перемещать в другие и тем лишать их не только денег, но и заслуженных почестей».

В результате подобных ужесточений 16 октября 1820 г. в Семеновском полку начались волнения, переполошившие как обывательский Петербург, так и военные власти. 21 октября Чаадаев был послан с курьерским сообщением об этих волнениях в Троппау, где тогда находился на европейском конгрессе Александр I. В середине ноября курьер возвратился на родину с высочайшими распоряжениями о расформировании лейб-гвардии Семеновского полка.

[28] Имеется в виду дядя Чаадаева, князь Дмитрий Михайлович Щербатов.

[29] Речь идет о романе Томаса Хоупа «Анастасий, или Мемуары грека, написанные в конце XVIII столетия», изданном в 1820 году в Париже во французском переводе.

[30] *Левант* (франц. Levant, букв.— восток) — общее название стран, прилегающих к восточной части Средиземного моря, главным образом Сирии и Ливана.

[31] *Жиль Блас* — герой знаменитого романа французского писателя XVIII века Лесажа «Жиль Блас де Сантильяна».

[32] Декабрист М. И. Муравьев-Апостол писал М. Я. Чаадаеву 7 июля уже из Петербурга: «Третьего дня в 9 часов вечера ваш брат отбыл в Англию. Нам пришлось пробыть целых три дня в Кронштадте, так как все время

дул противный ветер. Его корабль — превосходный парусник, он сделал переход из Лондона в Кронштадт в 9 дней. Вещь неслыханная! Он вручил мне письмо к вам, которое при сем прилагаю».

[33] Речь идет о камердинере Чаадаева.

[34] Имеется в виду двоюродная сестра Чаадаева, Е. Д. Щербатова.

[35] Имеется в виду двоюродная сестра Чаадаева, Н. Д. Шаховская.

[36] *...он мне дорого стоит...* — по воспоминанию Д. Н. Свербеева, камердинер Чаадаева Иван Яковлевич был настоящим двойником своего барина, «одевался еще изысканнее, хотя всегда изящно, как и сам Петр Яковлевич, все им надеваемое стоило дороже. Петр Яковлевич, показывая свои часы, купленные в Женеве, приказывал Ивану Яковлевичу принести свои, и действительно выходило, что часы Ивана были вдвое лучше часов Петра...»

[37] Речь идет об обер-полицмейстере Л. М. Цынском (о его участии в «телескопской» истории см. примеч. 1 на с. 546—547).

[38] Маркиз де Кюстин в своей нашумевшей книге «Россия в 1839 году» упоминает Чаадаева, хотя и не называет его имени. Говоря о наказании автора первого философического письма, маркиз называет его мучеником во имя истины, который после трех лет унизительного лечения может наконец общаться в своем убежище с немногими друзьями. Но и поныне несчастный богослов продолжает сомневаться в собственном рассудке и, следуя императорскому диагнозу, признает себя сумасшедшим. Страх и даже жалость, пишет Кюстин, удержали его от посещения несчастного богослова, чье самолюбие было бы оскорблено любопытством иностранного путешественника.

[39] Имеется в виду книга Н. И. Греча «Examen de l'onrage dem. le marquis de Custine intitulé La Russie en 1839 (Trad du russe par Alexandre Kouznetzoff)», Paris, 1844 — «Анализ книги г. маркиза де Кюстина под названием Россия в 1839 (перев. с русского Александра Кузнецова)», Париж, 1844.

[40] Записки Ив. Головина. Лейпциг, 1859. Возможно, Чаадаев знакомился с ними еще в начале 50-х годов.

[41] Имеется в виду пасквиль на французском языке, который вместе с Чаадаевым получили и многие его знакомые. Автор под псевдонимом Луи Колардо, вспоминая давнишнее наказание сочинителя первого философического письма, объявлял себя врачом-психиатром, недавно приехавшим из Парижа, переполненного сейчас всевозможными безумцами. В Москве он не мог не обратить внимание на чрезвычайно занимательного субъекта, чье сумасшествие давно и хорошо известно. Оно состоит в том, что «г. Чаадаев, будучи пустым и ничтожным человеком, себя воображает гением». Луи Колардо предлагал Чаадаеву безвозмездно свои медицинские услуги и просил их принять как большое одолжение для него самого, ибо совершенное исцеление столь любопытного больного навсегда упрочит его репутацию. Тогда он сможет надеяться на место врача у графа Мамонова, одного из самых родовитых и богатых людей в России, долгие годы страдающего неизлечимым расстройством ума. В письмах, направленных другим лицам, пасквилянт из-

лагал то же содержание, прося их похлопотать, чтобы Чаадаев согласился у него лечиться.

[42] Речь идет о приятеле Чаадаева еще со времен гвардейской службы, обер-прокуроре Синода Н. А. Протасове.

[43] Имеется в виду московский генерал-губернатор А. Г. Щербатов, скончавшийся в 1848 г.

[44] После кончины А. Г. Щербатова А. А. Закревский был назначен на должность московского генерал-губернатора. С Закревским Чаадаева связывали давние отношения еще с Отечественной войны 1812 года. «Басманный философ» двойственно относился к своему старому знакомому и внешне как бы еще более сдружился с ним, что не мешало ему в интимном кругу отпускать далеко не лестные характеристики в адрес нового генерал-губернатора. Последний тоже вроде бы считал Чаадаева своим приятелем, однако настаивал на секретном надзоре за ним, причисляя его к славянофилам, которых называл «красными» и «коммунистами». Тем не менее Чаадаев запросто бывал у градоначальника, занимая деньги, и, по словам мемуариста, «имел влияние на г. Закревского, то есть мог иногда выпросить у него льготу тому или другому лицу, особенно невинно пострадавшему от графского гнева».

[45] *Максим* — управляющий в имении А. М. Щербатовой, в селе Алексеевском.

[46] *В. Н. Левашев* — сын Е. Г. Левашевой, особенно почитавший Чаадаева и писавший ему в августе 1847 г.: «Я никогда не забуду, что вы друг моей матери, и это главный двигатель моего уважения и любви к вам... Я хотел бы иметь все ваши сочинения, чтобы провести свою жизнь в их чтении и изучении. Лучше позже, чем никогда!»

[47] Публикуемые письма к Вяземскому хранятся в ЦГАЛИ (ф.195.1.3004 и ф.195.1.5083) и переведены нами с французского языка. Письмо от 10 августа 1848 г. было написано по-русски. Пятое письмо, хотя и находится в архиве Вяземского, адресовано неустановленному лицу.

[48] Речь идет о письме Шеллинга к Чаадаеву от 21 сентября 1833 г., которое дошло до адресата через ряд последующих лиц, в том числе и через Вяземского.

[49] *Госпожа Бравура* — см. о ней примеч. 3 на с. 542.

[50] Имеется в виду А. И. Тургенев.

[51] Это письмо интересно в нескольких отношениях. Прежде всего следует отметить продолжающийся отход Чаадаева от последовательного паневропеизма, наметившийся, как уже отмечалось, после июльской революции 1830 года во Франции, то есть после завершения работы над «Философическими письмами». Как бы развивая логику объяснительной записки Бенкендорфу от имени Киреевского, Чаадаев в письмах первой половины 30-х годов к А. И. Тургеневу рассуждал о «волканическом извержении всей накопленной Францией грязи, выбросившей в свет плачевную золотую посредственность». По его мнению, «несказанная прелесть» этой посредственности отбросила мир, подобно декабристскому восстанию, на полстолетия назад и до того спутала все со-

циальные идеи, что неизвестно, когда они распутаются. Сравнивая, например, бунтарский дух философского сочинения Гейне и террористический акт цареубийцы Фиески, он находит в них «тот же анархический принцип, то же следствие вашей прославленной революции; наконец, как тот, так и другой бесспорно вышли из парижской грязи».

Словно перекликаясь с мыслями публикуемого послания, Чаадаев называет подобные оценки беспристрастными суждениями, обусловленными безличностью русского ума, который отделен не только от современной «крутни Запада», но и от его «закоренелых предрассудков, старых привычек, упорной рутины» и может, соответственно, отстраненно, с должного расстояния смотреть на протекающие в других странах события.

В приводимом послании отражается также писательское (тесно связанное с мировоззренческим) отношение Чаадаева к собственному сочинению и стремлению его напечатать, которое несколько лет не могло осуществиться. Еще в 1831 году Пушкину не удалось опубликовать в Петербурге 6-е и 7-е философические письма, касающиеся мирового исторического процесса. Автор пытался их обнародовать с помощью московских знакомых, в частности матери братьев Киреевских Авдотьи Петровны Елагиной и близкого друга, хозяйки дома, где он жил, Екатерины Гавриловны Левашевой. Последняя советовала Чаадаеву переправить рукопись за границу и для большей безопасности вставить в нее кое-что из написанного от имени Киреевского объяснения Бенкендорфу. Вообще за границей автор столь же активно распространял философические письма, как и на родине, с помощью периодически путешествовавшего по западным странам А. И. Тургенева и знакомил с ними европейских мыслителей, религиозных проповедников и публицистов.

И, наконец, еще одна примечательныя черта этого послания Чаадаева к Вяземскому заключается в подчеркивании его центральной идеи «высшего синтеза», метафизического всеединства разных сторон бытия и истории человеческого рода, в данном случае единства философии и социологии.

[52] *Госпожа Сиркур* — см. о ней примеч. 9 к стр. 544.

[53] Речь идет о трагедии Н. В. Кукольника «Торкватто Тассо».

[54] Имеется в виду драма Кукольника «Рука всевышнего отечество спасла».

[55] Речь идет о книге М. Ф. Орлова «О государственном кредите».

[56] Имеется в виду книга поэтессы Н. Тепловой «Стихотворения». М., 1833.

[57] Подразумевается А. И. Тургенев.

[58] С В. Перовским Чаадаев учился вместе в Московском университете.

[59] О получении Тютчевым портрета Чаадаева см. в приложении письмо первого ко второму от 13 апреля 1847 г.

[60] *Алектор (греч.)*— петух.

[61] Имеется в виду троекратное отречение апостола Петра незадолго до распятия Иисуса Христа (Матфей, XXVI, 34; Марк, XIV,30; Лука, XXII, 34; Иоанн, XIII, 38).

[62] Всеобщая Газета (*нем.)*.

[63] Первое из двух писем Чаадаева к А. И. Тургеневу печатается по тексту книги: Чаадаев П. Я. Сочинения и письма, М., 1914. Т. 2; второе же хранится в ЦГАЛИ (ф. 501. 2. 4).

[64] Вероятно, имеется в виду статья французского католического публициста и философа Ф. д'Экштейна о Катха-упанишаде, опубликованная в Париже в 1835 г.

[65] *К. Ф. Муравьева* — близкая знакомая Чаадаева, мать декабристов Н. М. и А. М. Муравьевых. Чаадаев и Тургенев помогали ей в поисках гувернантки для воспитания ее внучек.

[66] *Аделаида Рекамье* — хозяйка литературно-политического салона в Париже.

[67] *Москвитяне* — сотрудники журнала «Москвитянин».

[68] Первое из двух писем Чаадаева к И. С. Гагарину печатается по тексту книги: Звенья, 1935. Т. 5; второе воспроизводится из второго тома «Сочинений и писем» П. Я. Чаадаева.

[69] Содержание первой половины письма перекликается с письмом 1841 г. к А. И. Тургеневу (см. с. 273 наст. изд.).

[70] Речь идет здесь о развитии славянофильских исследований.

[71] Имеется в виду брак дочери Ярослава Мудрого Анны Ярославны, ставшей королевой Франции.

[72] Письма Чаадаева к К. С. Аксакову хранятся в РО ИРЛИ (ф. 334. 297—299). Их интонация свидетельствует о достаточно близких и постоянных отношениях между ними. К. С. Аксаков глубоко уважал Чаадаева, защищал его от резких нападок идейных противников, представлял ему на суд свои сочинения, помогал в затруднительных бытовых ситуациях. Когда Н. М. Языков написал стихи «К не нашим», где называл Чаадаева «жалким стариком» и «надменным клеветником», К. С. Аксаков с негодованием отвечал поэту. Языков же укорял Аксакова в приязни к Чаадаеву:

...Дай руку мне. Но ту же руку
Ты дружелюбно подаешь
Тому, кто гордую науку
И торжествующую ложь
Глубокомысленно становит
Превыше истины святой,
Тому, кто нашу Русь злословит
И ненавидит всей душой,
И кто неметчине лукавой
Передался...

[73] Возможно, речь идет о водевиле К. С. Аксакова «Почтовая карета» или о первых вариантах комедии «Князь Луповицкий, или Приезд в деревню».

[74] *Овер* — врач, лечивший семейство Аксаковых.

[75] Первое из двух писем Чаадаева к А. Сиркуру хранится в РО ГБЛ (ф. Полт. 52. 17.) и печатается в нашем переводе, а второе — в РО ИРЛИ (ф. 334. 400) и публикуется в переводе Д. И. Шаховского.

В начале первого письма речь идет о некрологе А. И. Тургеневу, написанном Сиркуром для французского журнала «Христианин» и переведенном графом А. Толстым для русского журнала «Москвитянин». Сам Чаадаев глубоко переживал смерть А. И. Тургенева, занимавшегося вместе со «святым доктором» Гаазом благотворительной деятельностью, и признавался: «В конце своих дней в особенности его добрые качества принимали такой характер чистоты и бескорыстия, что он стал для меня как бы второю совестью, куда я мог глядеть как в свою собственную».

Чаадаев высказывает также неоднозначные, как обычно, суждения об естественной после «длительного послушания иностранным идеям» деятельности славянофилов, в которой он находит «нечто истинное и доброе» и одновременно опасается чрезмерной замкнутости и отделенности национальной идеи от универсального христианского содержания.

Заслуживают серьезного внимания и его размышления об умиряюще-упорядочивающей роли аристократии в конфликте между «незаконнорожденным империализмом» и конституционной монархией. Они перекликаются с печатаемыми далее материалами, отражающими отрицательное отношение Чаадаева к европейским революционным событиям 1848 г. и их последствиям.

Для понимания содержания второго письма следует иметь в виду резкое изменение общественной обстановки в России после европейских волнений 1848—1849 гг., когда предпринимались особые меры по пресечению распространения революционных идей. Был создан так называемый бутурлинский комитет для постоянного контроля над цензурой и направлением периодических и прочих печатных изданий, сократилось число студентов в университетах, закрылся Московский благородный университетский пансион, в стенах которого воспитывался скончавшийся в 1851 г. поэт В. А. Жуковский, наставник наследника престола, затруднялась выдача заграничных паспортов, приостановлено рассмотрение вопросов по подготовке отмены крепостного права. Рассказывая обо всем этом парижскому корреспонденту, Чаадаев говорит и о назначении новых министров внутренних дел (Д. Г. Бибикова) и народного просвещения (П. А. Ширинского-Шихматова, сменившего С. С. Уварова), о расширении прав главы III Отделения (А. Ф. Орлова) и деятельности московского генерал-губернатора (А. А. Закревского, в 1849 г. сменившего, как известно, А. Г. Щербатова).

Для понимания иронического, полуодобрительного и полусатирического тона всего письма важно иметь в виду негативное отношение Чаадаева к «знаменитому перевороту» Наполеона III, который упоминается в самом начале и оценка которого выражена им в статье «1851».

[76] *С. Д. Полторацкий* — крупный библиофил и библиограф, чье имя хорошо знали в России и за границей, копировал для потомства отосланные и неотосланные послания Чаадаева. «Доброму моему другу Полторацкому»,— подписывал Чаадаев экземпляр письма к П. А. Вяземскому, касающегося «Выбранных мест из переписки с друзьями» Гоголя, а в одной из неопубликованных записок 1850 г. замечал: «Я немного тороплюсь, как вы видите, попрощаться с этим лучшим из миров. Кто знает, что станет

с моими жалкими бумагами после смерти, если вы не дадите им приют, как нашел приют в вашем добром сердце их автор».

Чаадаев нередко исповедовался Полторацкому в своих житейских неурядицах и был признателен ему за денежную помощь, нередко затягивая с возвращением долгов. Отсюда порою, как и в финансовых отношениях с братом Михаилом, возникали напряженные недоразумения, отразившиеся в ряде из публикуемых писем. Все они переведены нами с французского. Первое письмо хранится в РО ГБЛ (ф. Полт. 3. 68), а остальные — в РО ГПБ им М. Е. Салтыкова-Щедрина (ф. 603. 213).

[77] Именно Полторацкому Чаадаев поручил литографировать свой портрет у лучших мастеров Парижа. Вяземский в «Старой записной книжке» упоминает, что Чаадаев очень дорожил заказанной Полторацким литографией, прислал Тютчеву десятка два ее экземпляров для раздачи в Петербурге и рассылки по Европе, которые, кажется, остались почти нетронутыми беспечным посредником (о «злоключениях» одного из них см. примеч. 2 к письмам 1850 г.).

[78] Здесь вызывает интерес полуироническая характеристика собственной (косвенно задевающей и славянофильскую) колеблющейся мысли, ее возвратно-поступательного «способа передвижения» при затруднении согласовать старые идеалы и новую действительность, абсолютные нормы и историческое движение, всемирность христианства и национальные формы его выражения. Заслуживают внимания и дальнейшие рассуждения Чаадаева о «политической холере», о «гнусных, отвратительных, страшных явлениях», среди которых может быть поколеблено и философское царство «его старого друга Шеллинга».

[79] *Журден* — персонаж пьесы Мольера «Мещанин во дворянстве».

[80] Имеется в виду Е. Ф. Муравьева.

[81] Речь идет о сыне декабриста И. Д. Якушкина Евгении.

[82] Имеется в виду письмо о «Выбранных местах из переписки с друзьями».

[83] Подразумевается «высочайшее» наказание после «телескопской» публикации.

[84] Снисходительные оценки Сократа и Марка Аврелия необходимо понимать в свете резкого противопоставления Чаадаевым античной мудрости христианской. Если христианские мудрецы, по его мнению, указывали людям «истинного бога», то Сократ завещал им «лишь малодушное сомнение», а Марк Аврелий является «только любопытным примером искусственного величия и тщеславной добродетели».

[85] Видимо, имеется в виду московский митрополит Филарет.

[86] Здесь и далее подчеркивается характерное для христианского модернизма Чаадаева, его «одной мысли», неразрывное единство «неба» и «земли» и соответственно историческая необходимость политического могущества римских первосвященников, что позволяет католической церкви соперничать с государством и активно участвовать в социальном движении к грядущему благоденствию.

[87] Письма к М. И. Жихареву, переведенные нами с французского, хранятся в РО ИРЛИ (ф. 334. 329—336) и говорят о доверительных отношениях между Чаадаевым и его племянником.

[88] *Тильбюри* — род кабриолета.

[89] Первое из двух писем к А. А. Закревскому раскрывает примечательную биографическую деталь из жизни Чаадаева, а второе показывает часто скрытую за внешним безразличием его участливость к судьбам других людей. Пользуясь достаточно высокими связями, Чаадаев не отказывался просить протекции для тех, кто обращался к нему за помощью. Помогал он нуждающимся и деньгами, хотя сам всегда пребывал в больших долгах.

[90] При чтении писем Чаадаева к дамам важно иметь в виду его отношение к женскому началу как существенному элементу собственной философии (см. об этом примеч. 2 к письмам 1835 г.). Автор рассказывает в них о скрытых от постороннего взора сторонах своей жизни, порою едва заметно и невольно рисуется, делает изысканные комплименты и тонкие психологические наблюдения, вступает в глубокие философские диалоги.

[91] Неожиданное прошение Чаадаева об отставке накануне предполагаемого повышения по службе вызвало всеобщее недоумение. «Государь,— писал М. И. Жихарев,— был крайне удивлен и недоволен его отставкой. Он даже присылал от себя очень значительное лицо спросить, «для чего он выходит, и если чем недоволен или в чем имеет нужду, так чтобы сказал. Коли, например, нужны ему деньги, то государь приказал ему передать, «что он сам лично готов ими снабдить». На сделанный царем через начальника главного штаба запрос о причине отставки его адъютанта Васильчиков отвечал 4 февраля 1821 года: «Вот та, которую он заявляет, у него старая тетка, которой он очень много обязан, требующая, чтобы он вышел в отставку и поселился возле нее. Я сделал все, что мог, чтобы его удержать; я ему даже предлагал четырехмесячный отпуск; но он твердо стоит на своем, и я думаю, что всего лучше исполнить его желание».

В ответ на разъяснительное письмо Васильчиков получил через несколько недель из Лайбаха, куда переместился конгресс из Троппау, секретное послание П. М. Волконского, в котором передавался приказ царя дать адъютанту испрашиваемую отставку, но без пожалования следующего положенного ему чина, так как в последние дни «государь получил сведения, весьма не выгодные для него. Эти сведения его величество предоставляет себе вам показать по своем возвращении в Петербург. Государь желал бы, чтобы вы не говорили Чаадаеву о том, что я вам пишу, но скажите ему следующую причину, если он вас об ней спросит: что находят его слишком молодым и здоровым, дабы оставлять службу,— на что он мог решиться только от лени, и потому он не имеет права ни на какую награду. Храните это для себя, и вы удивитесь тому, что вам государь покажет...»

Нельзя сказать определенно, какие «удивительные» сведения разрушили благорасположение царя к Чаадаеву. Возможно, Александр I получил какие-то известия о его «вольнодумных» идеях из перлюстрированных писем или из доносов. Так или иначе внезапным жестом отставки (подобно грибоедовскому Чацкому: «чин следовал ему: он службу вдруг оставил») Чаадаев разрубил одним ударом туго затянувшийся узел внешних неприятностей, внутренних противоречий и исчерпанных реальностей, хотя и не видел в своем «истинном честолюбии» положительного начала для дальнейшей жизни.

[92] Это письмо хранится в РО ИРЛИ (ф. 334. 300) и печатается в нашем переводе. Судя по неопубликованным письмам Бравуры к Чаадаеву, их отношения были далеко не прохладными. В посланиях к нему она называет Чаадаева благородным и совершенным другом, просит его не забывать к ней дорогу, не закрытую непреодолимыми препятствиями, говорит о каких-то его новых правах на ее признательность, желает беседовать с ним наедине, цитирует любовные стихи на итальянском языке, надеется вылечить в общении с ним свою больную душу.

Чаадаев же избегает слишком интимных встреч с ней, вызывая у нее иронические вопросы: «Не заткнули ли вы уши с некоторого времени? Вас не видно более, что с вами? Боитесь ли вы встретить у меня гусеницу?» Трудно сказать, какие желания пробуждало женское самолюбие у госпожи Бравуры и в какой степени они осуществились. Во всяком случае, подливая масла в огонь для досужих домыслов, она двусмысленно сообщала Вяземскому в Петербург летом 1832 года: «Автор письма к даме постоянно пребывает в заоблачных сферах. Однако иногда ему приходит в голову фантазия очеловечиться, и тогда кого, по-вашему, выбирает он в качестве цели, спускаясь к простым смертным? В нем есть вещи, не согласующиеся с его философией и более подходящие к вашей, дорогой князь, но о них я не могу вам поведать. Не подвергнется ли пытке ваш ум, если я предложу вам разгадать эту загадку?»

Ум Вяземского не находил иной разгадки, кроме вопроса в письме к А. И. Тургеневу, которому он изложил намеки итальянской красавицы: « Не ходит ли он (Чаадаев.— *Б. Т.*) миссионерничать по (...) ям. Это вовсе не по моей части и не по моей философии, но преувеличенная стыдливость, вызывающая молчание г-жи Бравуры, дает мне некоторое подозрение». Тургенев, сам неравнодушный к последней, предложил в ответе Вяземскому свою разгадку, правда, тоже заканчивавшуюся вопросительным знаком: «Она думала, что он ей куры строит, вот и все тут. Перечти письмо ее и увидишь, что я прав: не знаю, права ли она?»

[93] Вероятно, имеется в виду салон Е. А. Свербеевой.

[94] Подразумевается публикация первого философического письма в «Телескопе».

[95] Это письмо хранится в РО ИРЛИ (ф. 334. 347) и печатается в нашем переводе.

[96] Возможно, речь идет о Е. Н. Орловой, в 1842 году похоронившей своего мужа М. Ф. Орлова.

[97] Возможно, имеется в виду А. И. Тургенев.

[98] Имеется в виду московский митрополит Филарет.

[99] Это письмо хранится в РО ИРЛИ (ф. 334. 389) и публикуется в нашем переводе. Говоря о салонных собраниях в доме Е. А. Свербеевой, ее сын, А. Д. Свербеев, пишет в своих неопубликованных воспоминаниях: «Особенно частым посетителем нашей семьи был Петр Яковлевич Чаадаев, близкий родственник и друг моей матери. Он был ее троюродным братом по матери кн. Щербатовой, и его красивая элегантная фигура запечатлелась в моей памяти... Прекрасно одетый, он отличался изысканной французской речью... Оригинальностью костюма и фигуры выделялся доктор Гааз, приезжавший на своей забавной пролетке-шторе с белой лошадью. Как только он появлялся, дети бросались к нему с распростертыми руками, чтобы передать ему подарки для детей осужденных в пересыльной тюрьме». Здесь будет уместно заметить, что именно Чаадаеву в числе других лиц Гааз завещал судьбу своих рукописей.

[100] Это письмо хранится в РО ИРЛИ (ф. 334. 398) и печатается в нашем переводе.

[101] Это письмо хранится в РО ИРЛИ (ф. 334. 376) и печатается в нашем переводе. Неопубликованные послания Ростопчиной к Чаадаеву свидетельствуют о их дружеской близости. Поэтесса называет «басманного философа» своим «собратом по интеллектуальному затворничеству», одной из его «самых ревностных и искренних прозелиток», а в одном из посланий к нему просит не принимать за банальную вежливость переполняющие ее чувства: «я испытываю потребность видеть вас, ваше общение умиротворяет и возвышает, а дни, проводимые рядом с вами, но без вас, кажутся мне потерянными». Они часто обмениваются книгами и рукописями. Ростопчина, например, просит Чаадаева вернуть свою тетрадь под названием «Уроки жизни», а какое-то его сочинение комментирует так: «более всего меня поражает после чтения вашей рукописи то, что вы, кажется, рассматриваете Россию не как родившийся, выросший, развившийся народ, но как народ созданный (как кукла, как автомат, that is the question?*) и что, таким образом, среди наций мы соответствуем Адаму среди людей».

[102] Речь идет о М. И. Жихареве.

[103] Имеется в виду сын историка Н. М. Карамзина А. Н. Карамзин.

[104] Видимо, речь идет о стихах Н. М. Языкова «К не нашим».

[105] Письмо к Е. Н. Орловой хранится в РО ИРЛИ (ф. 334. 350) и печатается в нашем переводе. Е. Н. Орлова была одним из самых близких друзей Чаадаева. Об этом, в частности, свидетельствует и тот примечательный факт, что И. С. Гагарин, хорошо знавший Чаадаева и издававший его произведения, считал именно ее адресатом первого философического письма. Такого же ошибочного мнения придерживались и некоторые другие современники.

---

* вот в чем вопрос? *(англ.)*

[106] Это письмо хранится в РО ИРЛИ (ф. 334. 321) и печатается в нашем переводе.

[107] *...о замечательном друге, потерянном нами.*— О А. И. Тургеневе.

[108] *...дорогая Лиза...*— Е. Д. Щербатова.

[109] Письмо Н. П. Бреверн, урожденной Глебовой-Стрешневой, хранится в РО ИРЛИ (ф. 334. 301) и печатается в нашем переводе.

[110] *Н. Д. Шаховская.*

[111] *Е. Д. Щербатова.*

[112] Это письмо хранится в РО ИРЛИ (ф. 334. 348) и печатается в нашем переводе.

[113] Письмо А. М. Долгоруковой было опубликовано в переводе Р. Темпеста в журнале «Вопросы философии», 1983, № 12. Источником публикации служил архив Аксаковых (ф. 3. 20. 117), где оно не датировано и названо «2 марта (насчет Тютчева)». Однако в архивах А. Н. Пыпина (ф. 250. 302) и Д. И. Шаховского (ф. 334. 325) печатаемый текст имеет конкретный адресат и точную дату. В этом послании, как и в целом ряде других (см., напр., письма 1835 г. к А. И. Тургеневу, 1841 г. к С. С. Мещерской, недатированную записку к С. Д. Полторацкому), Чаадаев снова и снова пытается приводить аргументы в пользу идеи «царства божия на земле» и соответственно исторической необходимости и плодотворности социальной и политической активности римской церкви.

[114] Это письмо, хранящееся в РО ИРЛИ (ф. 334. 302) и публикуемое в нашем переводе, еще раз свидетельствует об отрицательном отношении Чаадаева к анархо-революционным событиям на Западе.

[115] Это письмо хранится в РО ИРЛИ (ф. 334. 377) и печатается в нашем переводе.

[116] Следующие два письма, хранящиеся в РО ИРЛИ (ф. 334. 326—327) и публикуемые в нашем переводе, свидетельствуют о продолжающемся диалоге между Чаадаевым и А. М. Долгоруковой по религиозно-социальным вопросам, затронутым в его письме 1848 г.

[117] *Filioque (лат.)*— букв. и от сына. Сформулированное впервые на Толедском церковном соборе в 589 г. добавление к христианскому символу веры, согласно которому святой дух исходит от бога-отца. Добавление же заключалось в утверждении, что святой дух исходит не только от бога-отца, но и от бога-сына. Православная церковь не приняла этого добавления, что явилось одним из поводов к разделению в 1054 г. христианской церкви на западную и восточную. В философской же системе Чаадаева оно служило важным аргументом для идеи единства и «вдвинутости» в историю христианских начал.

[118] *Ариане*— последователи священника из Александрии Ария, выступившего в 318 г. против учения христианской церкви о единосущности бога-сына и бога-отца. Арий утверждал, что Христос по божественным свойствам, сущности и славе ниже бога-отца, ибо бог-отец предвечен, а Христос создан им. В 325 г. арианство как ересь было осуждено на Никейском вселенском соборе.

[119] *С. П. Жихарев* — бывший член «Арзамаса» и будущий автор известных «Записок современника», в это время исполнял должность губернского прокурора в Москве и все денежные дела братьев Н. И., А. И. и С. И. Тургеневых, находившихся за границей.

[120] Из села Алексеевского Дмитровского уезда Московской губернии.

[121] *...бедный больной...*— С. И. Тургенев, за которым Чаадаев до своего отъезда из Дрездена в июне 1826 г. ухаживал, по словам П. А. Вяземского, «со всею возможною попечительностью нежнейшей дружбы». С. И. Тургенев скончался 1 июня 1827 г.

[122] Это письмо хранится в ЦГАЛИ (ф. 236. 1. 144) и печатается в нашем переводе. Оно относится предположительно к 1832 г., когда «общие идеи» и «общие ожидания» Чаадаева и Киреевского были особенно близкими. Вероятно, рассуждения Чаадаева о следствиях «скачущего» времени вызваны европейскими волнениями 1830—1831 гг. Они перекликаются с его мыслями о «всеобщем столкновении всех начал человеческой природы», о «великом перевороте в вещах», о гибели «целого мира» в письме к Пушкину от 18 сентября 1831 г.

[123] Это письмо опубликовано в переводе М. И. Чемерисской в журнале «Народы Азии и Африки», 1986, № 5. Оно интересно самокорректировкой европоцентристских идей Чаадаева, его вниманием к восточной мудрости, «этого великого музея традиций человечества», играющих огромную роль в осуществлении «всемогущего принципа единства». В свете осмысления Чаадаевым текущего времени, например, в предшествующем послании к Киреевскому, заслуживают внимания и его размышления о «чудовищной хронологии», проводящей различие «между годами людей и богов».

[124] Письмо к московскому полицмейстеру полковнику Н. П. Брянчанинову воспроизводится по тексту книги: Чаадаев П. Я. Сочинения и письма. М., 1913. Т. 1. Оно было послано на следующий день после произведенного у автора первого философического письма домашнего обыска и ареста его бумаг.

[125] Это письмо публикуется по тексту книги: Чаадаев П. Я. Сочинения и письма. М., 1914. Т. 2. Оно показывает, что, несмотря на «телескопскую историю», между министром народного просвещения С. С. Уваровым и Чаадаевым сохранялось достаточно неформальное общение.

[126] Это письмо печатается по тексту книги: Чаадаев П. Я. Сочинения и письма. М., 1913. Т. 1. Возможно, его содержание каким-то образом связано с проповедью Чаадаева «Воскресная беседа сельского священника, Пермской губернии, села Новых Рудников» (см. примеч. 9 в разделе «Статьи и заметки» наст. изд.).

[127] Это письмо воспроизводится по тексту книги: Чаадаев П. Я. Сочинения и письма. М., 1913. Т. 1. Об отношениях между Чаадаевым и Ф. Ф. Вигелем см. примеч. 1 к письмам 1850 г., а также отрывок из воспоминаний М. А. Дмитриева и послание Вигеля к митрополиту Серафиму в «Приложениях» к наст. изд.

[128] Письмо к А. Е. Венцелю, который упоминается в завещании Чаадаева, публикуется по тексту книги: Чаадаев П. Я. Сочинения и письма. М., 1913. Т. 1. Его содержание, как и в следующем письме к Ф. Я. Эвансу, отчасти связано с посланием Чаадаева к Вигелю в 1850 г., где речь заходит об истории с портретом. Чаадаев отвечает на неопубликованное послание Венцеля от 22 декабря 1849 г., жалующегося на отсутствие в Курске умственных интересов: он «очутился в стране дикой, хотя, впрочем, по-видимости, организованной по всем требованиям гражданственности... Воспоминания московской жизни преследуют меня, как тень потерянного рая. Куда девались мои вечера, мои беседы с Вами, искренне уважаемый Петр Яковлевич,— беседы, исполненные высокого ума и согретые пламенным чувством прекрасной и возвышенной Вашей души. Каждая минута, проведенная мною в Вашем обществе, останется для меня лучшим воспоминанием в жизни».

[129] Письмо к Ф. Я. Эвансу, с которым Чаадаев был знаком еще со времен обучения в Московском университете, где тот преподавал английский язык, хранится в РО ИРЛИ (ф. 334. 428).

[130] Имеется в виду московский генерал-губернатор А. А. Закревский.

[131] Письмо к литератору М. А. Дмитриеву, чьи стихи, рецензии, мемуарные свидетельства тесно связаны с Москвой, хранится в РО ИРЛИ (ф. 334. 324). Исполненное грустной иронии, оно знакомит с колоритными деталями московской жизни конца 40-х — начала 50-х гг.

[132] Это письмо хранится в РО ИРЛИ (ф. 334. 341).

[133] Речь идет о литографии, которую Чаадаев дарил своим близким знакомым (см., например, предыдущее письмо). Получив портрет, В. Н. Левашев отвечал в одном из неопубликованных посланий: «подарок ваш произвел на меня глубокие и разнородные впечатления, которые вы сами поймете, как человек, во всех отношениях поставленный выше людей обыкновенных».

[134] Письмо Чаадаева к Ф. Н. Глинке, хранящееся в ЦГАЛИ (ф. 141. 438), свидетельствует о их частых встречах и взаимном творческом интересе друг к другу.

[135] В одном из неопубликованных посланий к Чаадаеву жена Ф. Н. Глинки Авдотья Павловна писала: «Я сочла бы себя виновной, если бы прежде других не послала изданной мною книги «Жизнь Пресвятой девы Богородицы». В разговорах Ваших, когда мне случалось их слышать, я всегда замечала направление религиозное, которое гораздо утешительнее... философического. Религия имеет в себе столько обетов, столько теплоты и пищи для души, которая томится среди мудрствований века... Я уверена, что Вы уважаете пресвятую деву за высокую чистоту и мирные добродетели... И да хранит Вас она, всегда готовая молиться за нас, на путях жизни Вашей».

[136] Это письмо воспроизводится по тексту книги: Чаадаев П. Я. Сочинения и письма. М., 1913. Т. 1, где оно не имеет конкретного адресата. Однако в РО ИРЛИ (ф. 334. 353) оно обозначено как послание А. П. Плещееву. В архивном варианте имеется и постскриптум, где говорится, что «знамени-

тый и велеречивый приятель наш сбрил бороду». Возможно, речь идет о А. С. Хомякове. В конце 40-х — начале 50-х годов правительственными циркулярами запрещалось ношение бороды.

[137] Это письмо хранится в РО ИРЛИ (ф. 250. I. 341).

VI

ПРИЛОЖЕНИЕ

В данном разделе публикуются архивные и малодоступные материалы, позволяющие расширить, углубить и уточнить представления о личности и творчестве Чаадаева, раскрыть новые грани его неразрывной связи с «веяниями» времени, конкретизировать влияние его философской мысли на общественно-литературную жизнь эпохи.

«ТЕЛЕСКОПСКАЯ ИСТОРИЯ»

Публикация первого философического письма в конце сентября 1836 г. вызвала, как известно, бурную реакцию в московском и петербургском обществе, за которой последовало необычное правительственное наказание Чаадаева (см. об этом примеч. к «Апологии сумасшедшего»). Однако жесткость ситуации, сложившейся вокруг наказанного, смягчалась своеобразным отношением к нему его приятелей-оппонентов. «Поведение личных друзей Чаадаева,— писал М. И. Жихарев,— то есть почти всего мыслящего и просвещенного меньшинства московского народонаселения и даже всех его знакомых, исполненное самого редкого утонченного благородства, было выше всякой похвалы. Чаадаев в несчастии сделался предметом общей заботливости и общего внимания. Все наперерыв старались ему обнаружить знаки своего участия и своего уважения, и это не в одной Москве только. Замечательно, что наиболее с ним несогласные, самые с ним в мнениях противоположные, были в то же время и наиболее к нему симпатичными и предупредительными...» Действительно, люди, хорошо знавшие автора «крамольной» статьи и давно знакомые с его мыслями, оставили свои намерения публичных выступлений, чтобы не усугублять наказание «басманного философа». Так, А. С. Хомяков готовил «громовое опровержение», узнав же о правительственных мерах, заметил, что «и без него уже Чаадаеву достаточно неучтиво отвечали». Отказались от опровержения Е. А. Баратынский и П. А. Вяземский, составлявший проект письма к министру народного просвещения, на котором имеются пометы Пушкина. Последний одним из первых собирался возражать своему старому другу. Еще 19 октября, дописав последние страницы «Капитанской дочки», он составил послание к Чаадаеву, от которого только что получил экземпляр «телескопской» статьи. Оно так и не было отправлено все по тем же причинам, из-за принятия правительственных мер, но читалось в петербургском обществе. Знакомство с рядом печатаемых ниже отзывов показывает реальный контекст, в котором происходило осмысление чаадаевских идей.

Из этого контекста видно, что спор с автором первого философического письма по существу его мнений нередко окрашивался в повышенные эмоциональные тона, превращавшиеся порою в иных устах в неоправданно резкие и несправедливые обвинения. «Чаадаеву, которому после Телескопа начали щупать пульс»,— так, например, назывались двустишия известного московского остроумца С. А. Неелова:

Бежал Чадаев наш к бессмертию галопом,
Но остановлен Телескопом.

Достоин крест иметь, поверьте в этом мне,
Но не на шее — на спине.

Он генерал, и по рассудку
Его определить возможно даже в будку.

Располагая в хронологическом порядке своеобразный калейдоскоп разнохарактерных впечатлений и оценок, из которых складывалось первоначальное общественное мнение о социально-философских идеях Чаадаева, мы делаем исключения для письма Пушкина от 19 октября 1836 г., ибо в силу безупречности исторического чутья, спокойной логики и наглядных доказательств оно в данном случае как бы выполняет роль заключения.

[1] Ранний перевод первого философического письма воспроизводится по публикации в «Телескопе», 1836, № 15. Именно об этом переводе Пушкин писал: «Я доволен переводом: в нем сохранена энергия и непринужденность подлинника». И именно этот номер журнала вызвал огромный общественный резонанс, способствовавший развитию русского национального самосознания. Следует иметь в виду и еще один принципиальный момент, касающийся оценки Чаадаевым декабристских исканий. В журнальной публикации они названы «дурными идеями и гибельными заблуждениями», а в последующих изданиях И. С. Гагарина и М. О. Гершензона — просто «идеями и стремлениями» (см. с. 48 наст. изд.). На источник подобной коррекции первоисточника указывает И. С. Гагарин в послании к А. И. Герцену от 17 июля 1860 г., в котором говорит, что текст первого философического письма он получил от Н. И. Тургенева и по его требованию внес следующее смысловое изменение: вычеркнул слова «mauvaises idées et futures erreurs» (дурные идеи и будущие заблуждения) и заменил их словами «idées et aspirations» (идеи и устремления).

Из письма же И. С. Гагарина к М. И. Жихареву от 31 марта 1860 г. видно, как реагировали в это время представители высших государственных сфер на его публикацию за границей «Избранных сочинений» Чаадаева: «Мне писали, что эту книгу читала великая княгиня Елена Павловна и очень удивлялась огромной перемене обстоятельств. В ту пору эти строки возбуждали бешенство Николая Павловича, а теперь, в сравнении со всем тем, что печатается, они так умеренны. И в самом деле, не вижу, почему эта книга могла бы быть теперь запрещена в России; по крайней мере, могли бы на нее смотреть сквозь пальцы...»

[2] Постановление Цензурного Комитета, касающееся шестого и седьмого философических писем, печатается по тексту публикации А. И. Кирпичникова в журнале «Русская мысль», 1896, № 4. После того как Пушкину не удалось в Петербурге напечатать эти письма о мировом историческом процессе, Чаадаев пытался обнародовать их через типографию Семена с помощью московских знакомых, в частности матери братьев Киреевских, А. П. Елагиной. «Два письма об истории, адресованные даме» были представлены в обычную цензуру, где цензор И. М. Снегирев, его старинный университетский приятель, благосклонно отнесся к ним. В духовной же цензуре возникли затруднения, о которых и идет речь в постановлении. О неудачных хлопотах Елагиной свидетельствует и печатаемое далее письмо к ней духовного цензора, протоиерея Ф. А. Голубинского (хранится в РО ИРЛИ, ф. 334. 224).

[3] Имеется в виду фрагмент Чаадаева «О зодчестве».

[4] Донесения Кашинцова публикуются по копии, находящейся в архиве Д. И. Шаховского (РО ИРЛИ, ф. 334. 224). Копия этих донесений имеется и в архиве Дашковых (РО ИРЛИ, ф. 93. 3. 1370), что свидетельствует, видимо, об утечке информации из канцелярии III Отделения. Имя камер-юнкера Кашинцова встречается и в «Деле о лицах, певших в Москве пасквильные песни», в связи с которым в 1834 г. были арестованы А. И. Герцен и Н. П. Огарев, а также в 1849 г. в деле петрашевцев.

[5] Выполняя приказ по сбору «слухов о связях автора», «с кем наиболее отставной ротмистр Петр Чаадаев имеет связи и знакомства», жандармский подполковник Бегичев 5 ноября 1836 г. писал вышестоящему начальству: «честь имею донести вашему превосходительству, что по разведаниям моим г. Чаадаев имеет весьма обширный круг знакомства, и как его посещают многие, равно как и сам ездит к разным лицам; но замечают, что он ближе всех знаком с отставным генерал-майором Орловым, действительным статским советником Александром Ивановичем Тургеневым, княгинею Мещерскою, сих последних двух особ имеются у него портреты, из коих Тургенева с надписью внизу: «Без боязни обличаху»,— находится в числе взятых у Чаадаева бумаг его; с отставным генерал-майором князем Гагариным и секретарем ученых обществ Масловым. В чем же заключаются беседы г. Чаадаева с знакомыми, того достоверно никто не знает, но по ученым его занятиям полагать можно, что и разговоры с означенными лицами относятся до предметов ученых».

[6] Имеется в виду Н. И. Тургенев.

[7] 30 октября 1836 г. А. И. Тургенев писал П. А. Вяземскому: «Я видел сегодня Чаадаева и нашел его спокойным по совести, но встревоженным по своему положению. У него отобрали вчера все бумаги; вспомнив, что у писца и у одной дамы оставались еще какие-то две статьи

его, он вытребовал и куда-то доставил их официально (см. об этом письмо Чаадаева к Н. П. Брянчанинову от 30 октября 1836 г.— *Б. Т.*). Очень хлопочет о том, что ему не возвратят бумаг, в коих, вероятно, найдут более оправдательного, чем обвинительного. Общие бреды — только! Он сказал, что с бумагами взяли у него и портрет мой, Брюллова, с известной надписью «Без боязни обличаху», из летописей Авраамия Палицына...» Через день Тургенев вновь обращается к Вяземскому, проявляя свою обеспокоенность: «В числе бумаг его (Чаадаева.— *Б. Т.*) взяли у него и портрет мой, Брюллова, а на нем известная надпись и девиз Тургеневых, давно нами принятый: «Без боязни обличаху». Если будут толки о сем портрете, то предупредите их объяснением надписи и слов истории.

Вероятно, в бумагах Чаадаева найдут и записку ко мне Балланша, в коей он благодарит меня за доставленные ему для прочтения отрывки из письма Чаадаева. Это письмо о Риме в ответ на мое об Италии и о папе. В нем есть две страницы красноречивых о Риме, о его вечности, о значении исторического папства и прочем. Чаадаев был взбешен моею картиною Италии и папства в письмах моих к вам и к нему, кои я всегда, как вы знаете, велел отдавать сестрице, и они у меня. Он отвечал уже мне в Париж, и я видел, что он кокетствовал со мною слогом и общими историческими видами на Италию и на папу и желал, чтобы Шатобриан или Балланш прочли его. Я потешил его и послал ему записку Балланша на отрывок из его письма, ему, помнится, сообщенный. Но это не известное письмо к даме. Я могу показать все мои письма. К Чаадаеву, кажется, не было особых, но я к нему обращался во многих письмах, кои у него долго лежали, хотя и всегда в них требовал, чтобы они возвращены были для хранения у сестрицы. Вот вам объяснение на всякий случай».

[8] Письмо Ф. Ф. Вигеля к митрополиту Серафиму от 21 октября 1836 г. печатается по публикации в журнале «Русская старина», 1870, т. 1.

[9] В 1853 году, в связи с развитием славянофильства, Вигель несколько иначе выражал свое отношение к Москве, не изменяя своего мнения о Чаадаеве. Называя славянофилов немцами за их увлечение Шеллингом и Гегелем и за отсутствие у них верноподданнических чувств, он заявлял, что в Москве уважение к России почитается варварством. «Там знаменитейший Чаадаев, сочинитель без сочинений и ученый без познаний, останется навсегда англофранцузом, тогда как, продолжая жить в Петербурге, он бы непременно сделался преполезнейшим человеком».

[10] Записки сенатора К. Н. Лебедева публиковались в журнале «Русский архив», 1910, № 2.

[11] Автор здесь ошибается. Ротмистр П. Я. Чаадаев неожиданно для себя получил отставку без желаемого повышения в чине. До конца жизни, вспоминал его племянник, Чаадаев сожалел о пропущенном чине, «утверждая, что очень хорошо быть полковником, потому, дескать, что «полковник — un qrade fort sonore» (очень звучное звание.— *франц.*).

[12] Адресат первого философического письма назван неверно, что обуслов-

лено приверженностью к католицизму З. Н. Волконской и ее приятельскими отношениями с Чаадаевым.

[13] *Иллюминаты* (просветленные, от лат. illuminatio — освещение)— члены примыкающего к масонству тайного общества, основанного в Баварии в 1776 г. А. Вейсгауптом.

[14] Отрывок из «Былого и дум» воспроизводится по тексту книги: Герцен А. И. Собр. соч. В 30 т. М., 1956. Т. 9.

[15] Так назван фрагмент, хранящийся в архиве М. Н. Загоскина (РО ГПБ им. М. Е. Салтыкова-Щедрина, ф. 291. 25) и, возможно, принадлежащий самому писателю. Идейные отношения между Чаадаевым и Загоскиным были довольно натянутыми (см. об этом примеч. 12 к письмам 1835 г.), что не помешало автору «телескопской» публикации отдать последнюю дань уважения автору пьесы «Недовольные». Сын Загоскина позднее вспоминал: «По окончании панихиды Чаадаев подошел ко мне и с полным участием сказал, что, хотя он никогда не бывал у отца и не был с ним в близких отношениях, но считал своим долгом поклониться праху человека, которого глубоко уважал. Присутствие Петра Яковлевича и слова его искренно тронули меня и служили доказательством, что люди честные и благородные, подобно Чаадаеву, несмотря на недружелюбные отношения к отцу, не могли не отдать справедливость прямому характеру и благородным чувствам, постоянно одушевлявшим его в течение всей его жизни».

[16] Этот отрывок воспроизводится из журнала «Русская мысль», 1911 № 6.

[17] Имеются в виду сотрудники журнала «Московский наблюдатель».

[18] *В. П. Андросов* — статистик и экономист, под чьей редакцией в 1835—1837 гг. выходил «Московский наблюдатель», со многими участниками которого (А. С. Хомяковым, Е. А. Баратынским, С. П. Шевыревым, М. П. Погодиным, Н. Ф. Павловым, Н. М. Языковым, Д. Н. Свербеевым, Н. А. Мельгуновым) Чаадаев был хорошо знаком. Не случайно поэтому, что он предлагал Андросову напечатать, начав с первого, некоторые философические письма. Однако после долгих колебаний редактор все-таки не решился на публикацию.

[19] *С. Г. Строганов* — попечитель Московского учебного округа.

[20] *А. В. Болдырев* — ректор Московского университета, цензор «Телескопа».

[21] Отзыв неизвестной дамы хранится в архиве Виельгорских (РО ИРЛИ, ф. 50.238).

[22] Этот отрывок, как и следующий за ним, печатается по тексту книги: Остафьевский архив князей Вяземских. Спб., 1899. Т. III.

[23] *Коммераж* (от франц. commérage)— пересуды, сплетни.

[24] Данный фрагмент публикуется по тексту книги: Вяземский П. А. Полн. собр. соч. Спб., 1878. Т. 2.

[25] Этот отрывок, как и следующий за ним, печатается по тексту книги: Пушкин в письмах Карамзиных 1836—1837 годов. М.; Л., 1960.

[26] Фрагмент этого письма воспроизводится из журнала «Русский архив», 1878, № 5.

[27] Письмо П. Б. Козловского хранится в архиве Вяземских (ЦГАЛИ, ф. 195. 1. 5083).

[28] Статья Козловского «Краткое начертание теории паровых машин» была напечатана в седьмой книжке «Современника» уже после смерти Пушкина. Последний, по словам Вяземского, после знакомства с Козловским «тотчас полюбил его. Тогда возникал «Современник». С участием живым, точно редким в деле совершенно постороннем, мысленно и сердечно заботился он об успехе сего предприятия». Подтверждение этой оценки можно найти в публикуемом далее послании Пушкина к Чаадаеву от 19 октября 1836 г.

[29] Фрагмент из письма С. П. Шевырева воспроизводится из журнала «Русская старина», 1904, № 5.

[30] Данный отрывок воспроизводится по тексту книги: Панаев И. И. Литературные воспоминания. Л., 1928. В 1859 г. Панаев писал в неопубликованном послании М. И. Жихареву: «За предложение Ваше прислать в редакцию Современника бумаги покойного П. Я. Чаадаева, которого знал близко и очень уважал, я благодарю Вас от всего сердца».

[31] Это высказывание В. А. Жуковского приводит Д. Н. Свербеев в своих «Воспоминаниях о Петре Яковлевиче Чаадаеве», опубликованных в качестве приложения к его «Запискам» в 1899 г.

[32] Неотправленное послание поэта печатается по тексту книги: Переписка А. С. Пушкина. М., 1982. Т. 2.

ПИСЬМА ОСНОВНЫХ КОРРЕСПОНДЕНТОВ ЧААДАЕВА

Публикуемые послания к автору «Философических писем», откликающиеся на его идеи, заботы и устремления, способствуют, в первую очередь, более живому и объемному восприятию его личности и творчества и вместе с тем отличаются содержательными историко-культурными наблюдениями. Так, заслуживают внимания суждения Ф. д'Экштейна о «новом мире» восточной мудрости, способной, по его мнению, помочь Европе выдавить из себя революционное начало и отказаться от центростремительного самопожирания. Хотя и в ином предметном контексте, но подобными же настроениями проникнуты размышления А. Сиркура, стремящегося углубленно прояснить исторические судьбы России и Европы перед лицом ускоряющихся жизненных метаморфоз с непредвиденными и необратимыми последствиями. Для его суждений, как бы перекликающихся с мыслями Пушкина в послании к Чаадаеву от 19 октября 1836 г., характерны искреннее желание понять подлинное прошлое России и критическое взвешивание ее возможного будущего. Письмо же еще одного иностранного корреспондента, Шеллинга, интересно разъяснениями его собственной «философии откровения».

Письма неизвестного корреспондента, отозвавшегося на послание Чаадаева 1850 г. к А. М. Долгоруковой, С. П. Убри, М. А. Дмитриева, свидетельствуют о непрекращающейся работе мысли «басманного философа» в 40—50-х гг. и ее возбуждающего воздействия на его интеллектуальное окружение.

Письма Ю. Ф. Самарина, П. А. Вяземского, Ф. И. Тютчева, Ф. Н. Глинки, С. П. Шевырева раскрывают социально-бытовой фон и внутренние стороны дружеских связей Чаадаева. Послания Вяземского и Глинки, откликающегося на письмо Чаадаева к В. А. Жуковскому в 1851 г., интересны сравнительными оценками умственной жизни Москвы и Петербурга, а также ностальгией по уходящим бесспорным авторитетам в новой общественной обстановке, когда «все колеса спрыгнуты с осей и всякому колесу хочется на чужой оси повертеться».

В нескольких посланиях заходит речь о Гоголе, что проявляет напряженное духовное внимание Чаадаева и его современников к творчеству и судьбе этого писателя.

Письма М. П. Погодина, И. В. Киреевского, С. П. Шевырева (от 17 октября 1854 г.) говорят о несомненном интересе современников и друзей Пушкина к возможным, но так и не написанным воспоминаниям Чаадаева о великом поэте (см. подробн. коммент. в примеч. 2 к письмам 1854 г.).

Наконец, послание Ф. Ф. Вигеля показывает его язвительную реакцию на анонимный подарок (литографированный портрет Чаадаева).

Письма Экштейна, Шеллинга, Самарина, Погодина, Вигеля, Шевырева (от 17 октября 1854 г.), Киреевского публикуются по тексту книги: Чаадаев П. Я. Сочинения и письма. М., 1913—1914. Т. 1—2. Письмо Тютчева воспроизводится из журнала «Русский архив», 1900, № 11, письмо Глинки — из журнала «Русская старина», 1896, № 3, письмо Шевырева (от 28 марта 1852 г.)— из журнала «Русская старина», 1902, № 3. Письма Сиркура (РО ГБЛ, ф. Полт. 52. 17), Убри (РО ГБЛ ф. 103. 1032. 70), Вяземского от 11 февраля 1848 г. (ЦГАЛИ, ф. 130. 1. 39) печатаются в нашем переводе с французского языка. Письмо Вяземского от 6 января 1847 г. хранится в ЦГАЛИ (ф. 130. 1. 39), а письмо Дмитриева — в РО ГБЛ (ф. 103. 1032. 15).

DUBIA

В данном разделе печатается несколько произведений, о которых нельзя сказать с уверенностью, что их авторство принадлежит Чаадаеву, и вместе с тем трудно отрицать обратное.

В первую очередь, это относится к прокламации, опубликованной Д. И. Шаховским в «Литературном наследстве». М., 1935. Т. 22—24. Она была найдена между страницами принадлежавшей Чаадаеву книги Garein de Tassy J. H. Histoire de la littérature Hindou et Hindoustani. Paris, 1839. Ее запись сделана рукой Чаадаева, видимо, в период европейских волнений 1848—1849 гг. Шаховской подчеркивает: «внесенные в рукопись этой курьезной прокламации поправки, очевидно, в самый момент ее написания, не оставляют ни малейшего сомнения в том, что это не копия, а авторский экземпляр, следовательно — она представляет собой произведение Чаадаева».

Однако почерк и текстуальные изменения не могут, на наш взгляд, служить решающими аргументами в пользу принципиального авторства. Чаадаев мог переписать прокламацию, стилизованную под распространенные в то время воззвания к крестьянам, и внести в нее какие-то лексические и стилистические поправки. Мог он, что менее вероятно, и составить ее сам, в качестве своеобразного писательского испытания сил в столь необычном жанре. Главное же заключается в том, что выраженные в ней призывы противоречат духу и смыслу всех его высказываний в это время относительно насильственных преобразований в обществе, о резком неприятии им которых мы уже приводили, в частности, мнения И. С. Гагарина и Д. Н. Свербеева (см. примеч. 26 к разделу «Новые архивные материалы»). Публикуемые в настоящем издании новые письма Чаадаева второй половины 40-х годов, его статья «1851» полны отрицательных высказываний о происходивших на Западе анархо-революционных событиях и не содержат ни одного положительного. Все это заставляет сомневаться в том, что Чаадаев является подлинным автором имевшейся у него прокламации.

Что же касается стихов, хранящихся в РО ГБЛ (ф. 103. 1034. 46, 48), то они тоже написаны рукой Чаадаева и могут являться плодами его стихотворных опытов. Вероятно также, что он скопировал чьи-то произведения, отражающие его собственные чувства, мысли и настроения в определенные периоды жизни.

ИЗ МЕМУАРНЫХ СВИДЕТЕЛЬСТВ

Стихотворение Я. П. Полонского, публикуемое из архива М. И. Жихарева (РО ГБЛ, ф. 103. 1032. 45), говорит о близких приятельских отношениях с Чаадаевым молодого поэта, в 1838 г. поступившего на юридический факультет Московского университета и познакомившегося в доме М. Ф. Орлова с «басманным философом». Первая поэтическая книга Полонского «Гаммы» была издана на средства, собранные по подписке, в которой горячее участие принимал и Чаадаев.

Стихотворение Ф. Н. Глинки воспроизводится из журнала «Русская мысль», 1896, № 4. Оно сопровождало письмо, посланное поэтом в 1863 г. М. И. Жихареву: «Много и премного одолжили Вы меня, милостивый государь Михаил Иванович, прислав фотографическое изображение кабинета незабвенного и часто поминаемого Петра Яковлевича. Благодарю, сто раз благодарю за эту присылку и столько же за приятное внимание Ваше. У меня портрет Петра Яковлевича, им же подаренный, стоит в красном углу, а под портретом (для не знавших его), вместе с *аутографом*, помещены стишки, которых копию Вам посылаю».

Воспоминания М. А. Дмитриева и О. М. Бодянского, а также письма М. Н. Лонгинова к С. Д. Полторацкому хранятся в РО ГБЛ (соответственно в фондах М. 8184, 36. 6. 1 и Полт. 1. 84).

УКАЗАТЕЛЬ ИМЕН

Абеляр Пьер (1079—1142)—французский богослов и философ 195
Аксаков Константин Сергеевич(1817—1860)— писатель, историк и публицист 419, 420
Александр Македонский(356—323 до н. э.)— полководец и государственный деятель 111, 114, 176.
Александр I (1777—1825)— российский император 240, 331, 351, 371, 496 507, 534
Алкуин Флакк Альбин (ок. 735—804)— средневековый ученый, деятель «Каролингского возрождения» 195
Альфред Великий (ок. 849—899)— английский король 189
Анастасий I (ок. 430—518)— император Восточной Римской империи 511
Андрей (библ.)— один из апостолов Иисуса Христа 298
Андросов Василий Петрович (1803—1841)— статистик, редактор «Атенея» и «Московского наблюдателя» 493, 500
Ансельм Кентерберийский (1033—1109)— средневековый богослов и философ 93, 261
Антоний Великий (ок. 250—356)— основатель монашества в Египте 62
Арий (ум. 336)— александрийский священник, чьим именем названо еретическое течение в христианстве (арианство), отвергавшее догмат об единосущности бога-отца и бога-сына 511
Аристотель (384—322 до н. э.)— древнегреческий философ и ученый 61, 107, 135, 143, 261
Афанасий Александрийский (ок. 295—373)— христианский богослов и церковный деятель 304

Байрон Джордж Ноэль Гордон (1788—1824)— английский поэт 221
Балланш Пьер Симон (1776—1847)— французский писатель и философ 243
Баратынский Евгений Абрамович (1800—1844)— поэт 501
Бартенев Петр Иванович (1829—1912)— историк, археограф, библиограф 349, 527

Батюшков Помпей Николаевич (1811—1892)— попечитель Виленского учебного округа, брат поэта К. Н. Батюшкова 272
Бахметев Алексей Николаевич (1798—1861)— управляющий московской дворцовой конторы 338
Беккерель Антуан Цезарь (1788—1848)— французский физик 241, 245, 258
Белинский Виссарион Григорьевич (1811—1848)— критик и публицист 500
Бенкендорф Александр Христофорович (1783—1844)— шеф жандармов и начальник III Отделения 229, 233, 234, 249, 373, 431, 505, 535, 536

СОДЕРЖАНИЕ

ЧААДАЕВ Петр Яковлевич

СТАТЬИ И ПИСЬМА

Редактор *Т. Н. Никифорова*
Художественный редактор *А. Ю. Никулин*
Технический редактор *В. М. Котова*
Корректоры *Т. М. Воротникова, Г. В. Селецкая*

ИБ № 5508
Сдано в набор 23.09.88. Подписано к печати 24.07.89. Формат 60x84/16. Гарнитура школ. Печать офсетная. Бумага тип. № 1. Усл. печ. л. 36,27. Усл. краск.-отт. 72,54. Уч.-изд. л. 40,18. Тираж 150 000 (1—100 000) экз. Заказ 149. Цена 3 р. 10 к.

Издательство «Современник» Государственного комитета РСФСР по делам издательств, полиграфии и книжной торговли Союза писателей РСФСР
123007, Москва, Хорошевское шоссе, 62

Полиграфическое предприятие «Современник» Государственного комитета РСФСР по делам издательств, полиграфии и книжной торговли
445043, г. Тольятти, Южное шоссе, 30